D1548534

ARTURO GATTI

LE DERNIER ROUND

JACQUES POTHIER

Les Éditions
LA PRESSE

Catalogage avant publication de Bibliothèque et Archives nationales du Québec et Bibliothèque et Archives Canada

Pothier, Jacques, 1966-
Arturo Gatti : le dernier round

ISBN 978-2-923681-52-8

1. Gatti, Arturo, 1972-2009. 2. Boxeurs - Québec (Province) - Biographies. I. Titre.

GV1132.G37P67 2011 796.83092 C2011-940384-6

Directrice de l'édition :
Martine Pelletier

Éditeur délégué :
Yves Bellefleur

Conception de la couverture :
Ose Design

Mise en page :
Suzanne Morin

Révision :
Simon Gravel

L'éditeur bénéficie du soutien de la Société de développement des entreprises culturelles du Québec (SODEC) pour son programme d'édition et pour ses activités de promotion.

L'éditeur remercie le gouvernement du Québec de l'aide financière accordée à l'édition de cet ouvrage par l'entremise du Programme de crédit d'impôt pour l'édition de livres, administré par la SODEC.

Nous reconnaissons l'aide financière du gouvernement du Canada par l'entremise du Programme d'aide au développement de l'industrie de l'édition (PADIÉ) pour nos activités d'édition.

Dépôt légal – 1e trimestre 2011

ISBN 978-2-923681-52-8

Imprimé et relié au Canada

Les Éditions
LA PRESSE

Président
André Provencher

Les Éditions La Presse
7, rue Saint-Jacques
Montréal (Québec)
H2Y 1K9

Tables des matières

Prologue

Le testament

À 4 heures cette nuit-là, un taxi au même coloris acidulé que les bâtiments environnants quitta la Tonnelle Avenue de Jersey City et déposa le tout nouveau champion des super-légers du World Boxing Council (WBC) à la porte du Ringside Lounge. Arturo Gatti n'y pensa pas sur le moment, mais quand la voiture presque phosphorescente repartit vers ses quartiers, elle emporta avec elle la dernière lueur qu'il verrait au cours des douze prochaines heures. Tout le reste, jusqu'à la fin de l'après-midi de ce mardi de mars 2004, ne serait que pure noirceur.

Il n'était plus venu depuis longtemps au Ringside Lounge et, de l'extérieur du moins, il eut le temps de voir avant qu'on lui ouvre la porte que le bar-restaurant n'avait pas changé. Il y avait toujours, placardées sur sa devanture, ces effigies de grands boxeurs plus ou moins reconnaissables, dont la sienne qui lui rappelait chaque fois, comme une photo d'enfant sur un mur, que c'était bien ici que les choses avaient commencé pour lui dans le New Jersey, que c'était bien ici son berceau américain. Et, certainement, avec ce qu'il avait maintenant en tête, il pensa que sa visite d'aujourd'hui avait valeur de symbole.

Une heure plus tôt, le bar s'était vidé de ses derniers clients et, de la même manière qu'il savait qu'il ne trouverait aucune nunuche avec qui baiser à cette heure-là ni aucun paumé avec qui boire et renifler, il savait, parce que ça aussi c'était immuable, que le seul type à qui il souhaitait parler allait être encore là à compter les recettes de sa journée. Tantôt, il lui en ferait d'ailleurs la remarque et cela sonnerait comme un regret : « Toi, le succès et l'argent de ta business n'ont pas réussi à te changer et tu as su rester le même. »

Il ne pouvait en dire autant de lui, physiquement du moins, et c'est l'un des premiers trucs qui attira son attention une fois à l'intérieur des lieux. Il regardait toutes les photos et les affiches de lui punaisées un peu partout sur les murs et pouvait constater, comme s'il était au musée et que c'était lui le sujet de l'exposition, à quel point la boxe l'avait mutilé. En fait, et c'était bien le pire, il pouvait encore plus le ressentir que le voir, d'abord parce que tout son corps lui faisait terriblement mal et, comme il le révélerait plus tard, parce qu'il voyait «triple de l'œil gauche et à peu près pas du droit.»

Malgré tout, il avait d'abord donné l'impression d'être bien, d'être juste heureux de renouer avec des gens qui, au début des années 1990, faisaient presque partie de sa famille. Deux amis étaient restés avec le propriétaire des lieux à la fermeture des portes, et on aurait dit que même cette scène-là servait à rappeler qu'il avait vraiment été le seul à changer, que Jersey City elle-même avait le même visage cosmopolite qu'au temps où il y vivait: quatre personnes autour d'une table, deux Portoricains, un Portugais et un Canado-Italien.

Et puis l'heure avait tourné, les deux amis portoricains étaient partis aux aurores et il s'était enfin retrouvé dans la situation espérée – pour autant qu'une situation puisse être espérée dans des circonstances comme celles-là –, c'est-à-dire seul avec l'homme à qui il avait décidé de confier son désespoir pour qu'il le rende public une fois son suicide annoncé. «Parce que je sais que je peux te faire confiance, je sais que tu vas ensuite raconter les choses exactement comme je les ai dites.»

Et puis, au travers d'accès de larmes pénibles à supporter, sans jamais demander une goutte d'alcool ni passer son temps à faire des allers-retours aux toilettes, il avait commencé à les lui jeter à la face, ces choses, conscient que ce serait là l'un des plus forts testaments jamais livrés par un boxeur.

«Il y a quatre semaines, j'ai pris la décision d'en finir avec cette putain de vie. Ce jour-là, j'ai dit: je veux partir, je suis exténué, je ne suis plus capable d'en prendre, d'endurer, je ne veux plus me battre, je ne peux plus me battre, mon corps est mort, mes genoux me font souffrir, mes hanches me font souffrir, mes mains sont complètement détruites, ma vision est nulle, j'ai des cataractes, j'oublie les trucs les plus simples, parfois je n'arrive même pas à me rappeler ce que j'ai fait la veille, ma tête est pleine de toutes sortes de choses et ne tourne plus rond. Je sais que si je suis encore ici aujourd'hui, c'est que cette fois-là Dieu n'a pas été capable de me prendre et de me ramener à lui, dans un sens je suis trop fort. Mais ce n'est que partie remise, d'ailleurs tu me rendrais service si tu acceptais de me donner ton *gun*, je sais très bien que tu en caches un ici. Il est chez toi ? Bon, si tu le dis… De toute façon, j'ai encore le mien, je peux même te dire le calibre, c'est un .22, je n'ai juste pas de balles, mais tu verras, suffit d'être patient, les balles vont venir à moi, et voilà ce que je vais faire quand les balles vont venir à moi, je vais prendre le canon et je vais me l'enfoncer aussi creux que ça dans le fond de la gorge, et je vais appuyer ici, et voilà, juste une balle et ce sera terminé, je ne souffrirai plus, je serai enfin en paix. Je ne sais pas où je serai enfin en paix mais je sais que ce sera aux côtés de mon père. Toute ma vie et toute ma carrière auraient été différentes si mon père était resté en vie. Lui au moins aurait été là pour me témoigner de l'amour et je peux te dire que je serais probablement devenu encore plus *big* que De La Hoya.

« Parce que tu sais, j'étais vraiment tout un boxeur, l'un des meilleurs en fait, et je sais que je le serais resté longtemps si j'avais continué de travailler avec Panama *(Panama Lewis)*. Avec lui, dans le gymnase, il était strictement défendu de me faire frapper, il était toujours à me répéter de bouger la tête, de rester sur le bout des orteils, de lever les mains. Puis c'était pareil à l'extérieur du ring, lui ne rigolait pas avec la discipline, tu pouvais boire ou te geler si tu voulais mais tu ne te battais pas c'est sûr, en fait tu n'avais même pas le droit de t'entraîner. Tu te rappelles ce qu'il disait aux boxeurs, même les plus reconnus, qu'il soupçonnait d'être dopés aux entraînements ? J'en vois encore un qui venait de commencer son *sparring* et à qui il était venu arracher le casque, lui disant : *Allez, débarque de là, va te nettoyer un peu, tu reviendras quand tu seras plus propre*. Puis il t'avait ensuite averti qu'il était interdit de *booker* des combats à ce type pour un bon bout de temps… Et puis voilà, oui, tu as raison, je suis parti d'ici et j'ai changé de vie, je me suis perdu avec les filles, les bars de danseuses, le pot, la coke, l'alcool, les limos, les bijoux, le *gambling*, l'argent, et ça c'est juste à l'extérieur du ring. À l'intérieur ce ne fut pas mieux, j'ai pris des coups terribles, je sais pas pourquoi, peut-être par désoeuvrement, avec les mains bien trop basses, sans défense...

« La coke? Je viens d'arrêter. Mais je continue de fumer de la mari. Je suis aussi un alcoolique, je n'ai pas peur de l'avouer, et j'ai développé une dépendance aux antidouleur, je n'ai pas le choix, sinon je ne serais plus capable de vivre avec mon corps. Mais je sais qu'on ne peut vivre ainsi, que je ne pouvais pas m'attendre à pouvoir garder Vivian *(Vivian Penha)* auprès de moi plus longtemps. Et je sais qu'elle ne reviendra plus jamais parce que je ne suis pas un homme bon, enfin, c'est peut-être pas tant que je ne sois pas un homme bon, c'est que je suis un *fighter* mort mais encore vivant, tu comprends? À cause de ça, je me suis souvent demandé ce que je devais faire, je veux dire, peut-être que la meilleure idée aurait été de faire comme Joe (*son frère)* et de me trouver un bon emploi. Mais la vérité, c'est que j'en suis incapable, je ne peux même pas y penser sérieusement, je suis un homme bien trop diminué.

« Non, je te le dis, je suis épuisé, terriblement épuisé, et je veux enfin aller me reposer, retrouver Dieu. Ma vie me rend malade, ma carrière me rend malade, je suis dégoûté de tout.

« En définitive, la boxe m'a tout pris. Je lui ai donné ma vie et regarde ce qu'elle m'a fait la boxe, regarde comment elle m'a traité. La boxe a fait de moi ce qu'elle a aussi fait de Tyson, elle nous a utilisés, elle nous a trahis, elle nous a volés, violés même, et c'est pourquoi je me sens si proche de Mike, d'ailleurs pourquoi on ne tenterait pas de le rejoindre en Arizona? Je suis un boxeur blanc qui essayait de boxer comme un boxeur noir, avec du rythme, comme me le demandait Panama au début de ma carrière, tu t'en souviens? Et j'ai l'impression que j'aurais été payé davantage si j'avais été noir, j'en ai contre HBO, contre Main Events, contre toute la business qui s'est servie à même mes poches...

«On dit: *Ouais, Gatti il a fait de l'argent*, mais je n'en ai jamais fait comme tous les autres autour de moi en ont fait. Je vais te dire, bien honnêtement: les trois combats contre Ward m'ont complètement détruit. J'ai donné mon cœur, j'ai donné mon âme à la boxe durant ces trois combats-là et regarde où ça m'a mené. Au minimum, j'aurais dû toucher pour notre troisième combat 1,5 million, pas 1,5 million brut, 1,5 million net, tous frais payés! À la place, après toutes les déductions, il ne m'est resté qu'à peu près 500 000 $. Oui, bien sûr, parce que les cotes d'écoute ont fait quelque chose comme 8,8 sur HBO, j'ai eu droit à un bonus, mais j'aime autant ne pas te dire le montant... Non, je ne veux juste plus être partie intégrante de ça, pourtant j'aime encore la *game*, mais la boxe m'a trop trahi et c'est pour cette raison-là que je tenais à te parler, pour que tu expliques ensuite à tout le monde, comme je viens de le faire, que ma mort sera la réponse à la cupidité de la boxe, en d'autres mots, et je veux que ce soit clair:

«Ma mort sera ma revanche, ma mort sera la malédiction que je veux jeter sur toute l'industrie de la boxe!»

Une douzaine d'heures plus tard, alors que les voitures avaient recommencé à siffler depuis longtemps sur l'infernale Tonnelle Avenue, Arturo Gatti remit enfin le nez dehors. Au travers de ce testament laissé à la boxe, il avait aussi pris le temps d'en faire un plus concis pour ses proches, ainsi quand les employés avaient commencé à arriver pour leur quart de travail, il en avait pris certains à témoins et avait déterminé à qui léguer ce qu'il avait sur lui ou à l'intérieur du bar: cette photo-là pour lui, la grande affiche de mon deuxième combat contre Ward pour elle, et ma montre, très important ma montre Rolex à mon frère Fabrizio.

Mais surtout, au plus profond de sa détresse, Arturo Gatti avait consenti à recevoir de l'aide professionnelle. La nature de cette aide lui importait peu, que ce soit entrer en cure ou consulter un psychologue, voire un hypnotiseur comme le lui suggéraient certains, il avait accepté que son manager Patrick Lynch soit de suite informé de sa condition pour voler à son secours et stopper cette déchéance publique qui prenait encore la forme d'une carrière professionnelle.

Parce qu'entre-temps, au moment de quitter Jersey City pour retourner à son condominium d'Hoboken, à 15 minutes de là, il ne s'était pas empêché d'apeurer tout le monde : « Tantôt, quand je vais partir d'ici et marcher dans la rue, dites-vous bien que ce sera la dernière fois de votre vie que vous allez me voir vivant. »

Chapitre un
Uncasville, 18 mai 2002

Six mille deux cent cinquante-quatre spectateurs. Deux fois moins que le chiffre des meilleures assistances à Atlantic City. Une foule modeste si le combat s'était tenu à Montréal. Il n'empêche : demain, les coupures de presse rapporteront qu'il s'agit d'un record d'assistance pour de la boxe dans la jeune histoire des casinos du Connecticut. Le Mohegan Sun d'Uncasville a payé 450 000 $ pour battre justement Montréal et obtenir ainsi le droit d'organiser ce combat entre « Irish » Micky Ward et Arturo « Thunder » Gatti. Son pari est gagné, du moins en ce qui a trait au retour sur l'investissement : la salle du Mohegan Sun Arena est pleine comme un œuf. Une preuve d'un intérêt exceptionnel généré par le combat ? Oui et non. L'endroit est surtout rempli de partisans du Massachusetts qui ont fait le déplacement au Connecticut pour soutenir Ward, peut-être le plus célèbre citoyen de Lowell après Jack Kerouac. Mais ailleurs ? La vérité oblige à dire que l'intérêt est plus mitigé. Aujourd'hui à l'hiver de leur carrière, les deux boxeurs se retrouvent un peu dans un cul-de-sac et ne peuvent tellement qu'être promis l'un à l'autre que Russel Peltz, réputé matchmaker à ESPN, a dit au moment où les négociations ont traîné : « Ils sont fous si ce combat-là n'a pas lieu, c'est le seul possible pour l'un comme pour l'autre… »

Pourtant, parmi tous ces gens qui savent bien que les deux boxeurs sont indissociables, nombreux sont ceux qui ne tiennent quand même pas à les voir. Pour eux, Gatti contre Ward était une bonne idée au temps où on avait commencé à en parler, il y a trois ans. Maintenant, la confrontation leur apparaît plus comme un anachronisme, ils sont sûrs qu'il y a des gens qui vont voir ce soir les deux vétérans sur HBO et qui vont ensuite téléphoner pour avertir : vous avez passé le mauvais

ruban, c'était un vieil épisode. Ou encore faire comme Mayweather et jouer les critiques de télévision: ce truc, c'était rien de plus qu'un *club fighter* mis sur HBO contre un autre *club fighter*!

En fait, la chaîne câblée elle-même n'attend pas grand-chose de ce combat, son descripteur Jim Lampley affirme qu'elle envisage ses pires cotes d'écoute de la saison! Arturo Gatti, longtemps une figure de proue sur HBO, a beaucoup donné à la chaîne, mais elle le sait moissonné par toutes ses guerres et, loin d'être prête à s'attacher à lui par contrat, elle cherche à s'en défaire comme d'un vilain sparadrap. Oh bien sûr, elle lui verse ce soir 1 million de dollars, et lui avait donné même plus pour affronter De La Hoya il y a un an, mais autant le manager que le promoteur d'Arturo le diront plus tard: dans les deux cas, il s'agit moins d'une bourse que d'un cadeau d'adieu, de remerciement pour services rendus. Comme si HBO se disait: il n'a pas compris la première fois, essayons encore ce soir.

Mais des deux boxeurs, n'en doutez pas, c'est encore plus Ward l'intrus. Paveur de rues quand il ne boxe pas, Ward est aussi un col bleu des rings et on ne trouvera pas meilleure façon de l'illustrer qu'en rappelant qu'avec une défaite ce soir il atteindra la... douzaine! D'accord, cela ne l'a jamais empêché de faire de la télévision, il en a peut-être même fait plus qu'Arturo, il l'a juste surtout fait là où les boxeurs de son rang en font: sur ESPN, dans les ligues mineures de la boxe télévisée. Mais l'homme n'en est pas moins rempli de qualités. C'est entre autres peut-être le plus lucide et le plus réaliste de tous les boxeurs, et cette semaine il s'est justement assuré de brosser pour tout le monde le portrait le plus fidèle de la situation: «Il n'est pas un grand boxeur et moi non plus», a-t-il dit au *Boston Globe*, comme pour éclairer sur les attentes à avoir avec un si modeste casting.

Non vraiment, la question de l'intérêt pour ce combat-là peut réellement se poser. Même le site retenu donne à penser que, si tout ce monde se retrouve ce soir dans la réserve indienne des Mohegans, c'est uniquement parce que les sites ayant l'habitude d'accueillir les combats importants ont levé le nez sur cette proposition Ward-Gatti.

Et puis imaginez, ce n'est même pas un combat de championnat, il n'y a même pas de titre en jeu, pas de ceintures importantes et essentielles telles que WBU (World Boxing Union) et IBC (International Boxing Council) pour donner de la crédibilité à l'événement. Pas de slogan promotionnel non plus susceptible de nous faire *vraiment* croire que ce à quoi nous allons assister sera *vraiment* le combat du siècle, de l'année, de la semaine, de la rédemption, de l'honneur, de la vérité, ou du destin.

Et pour finir: même pas de confrontation physique à la conférence de presse, pas de boxeurs qui se regardent en chiens de faïence, pas de joute verbale pour relever une sauce un peu fade. Juste de l'exemplaire fair-play. Ward: « Ce type est un dur de dur et ce sera un combat très difficile... » Gatti: « Lui aussi est un vrai dur, et je le respecte beaucoup... »

Non vraiment, HBO fait bien d'imaginer le pire, on voit mal ce soir d'où peut venir le spectacle.

Ah oui, nous allions oublier: tous s'attendent à une guerre entre les deux hommes. D'Arturo, le *Knockout Boxing Magazine* a déjà dit que son visage n'a jamais rencontré un coup de poing qu'il n'a pas aimé; et qu'il saigne toujours comme un robinet, sur lui, sur l'adversaire, sur l'arbitre et tous ceux assis dans les trois premières rangées. Sa publication-sœur, le *Ring*, a écrit qu'il avait fait plus de guerres que Napoléon. Accessoirement, il a à ce jour été impliqué dans deux combats de l'année. Quant à Ward, il n'est pas en reste, s'il en compte en ce moment un seul à son palmarès, il vaut pour deux: c'était il y a un an contre Emanuel Burton et on avait calculé qu'il avait lancé 175 coups dans le... dernier round, pour un total de 1000 dans tout le combat! Pour tout cela et pour bien d'autres choses, le fondateur de l'Association américaine pour l'amélioration de la boxe, Steve Acunto, a dit que c'est chez les fous que ces deux-là vont finir leurs jours. Ce sera à voir pour leurs jours, mais pour ce qui est de leurs soirées, c'est connu, ils ont coutume de les terminer à l'hôpital. À ce chapitre, les dispositions sont prises, la commission athlétique du Mohegan Sun s'est assurée comme toute commission qui se respecte qu'il y en ait bien un tout proche. Le Backus Memorial

Hospital de Norwich est à moins de deux kilomètres du Mohegan Sun et on peut y être en moins de 10 minutes. Cela fait d'ailleurs penser que, avant même les 450 000 $ du Mohegan Sun, c'est peut-être le temps d'attente dans les salles d'urgences qui a incité le promoteur Main Events à ne pas choisir Montréal…

Mais de toute façon, le personnel de l'hôpital peut se préparer à vivre une soirée tranquille et les amateurs à être déçus : il n'y aura pas de guerre, Arturo l'a annoncé dans le *Boston Globe* : « Je viens ici pour dominer Micky Ward pendant tous les rounds, et j'ai tout ce qu'il faut pour me faire un combat facile. »

Un combat « facile ». Non vraiment, quand on dit que ce sera une moche soirée…

***

Il a gagné, mais quelque chose nous dit que ce ne fut pas si facile. Il a réussi à lui asseoir les miches dans un siège d'avion et à le diriger vers Vero Beach, où il va tenir son camp d'entraînement. C'est sa première victoire et elle n'est pas mince, arracher Arturo Gatti à sa vie de cocagne est toujours ce qu'il y a de plus compliqué pour le manager Patrick Lynch. La plupart du temps, il doit épuiser la pile de son portable en téléphonant à droite et à gauche pour juste tenter de retracer « Thunder », et quand il y parvient le challenge ne fait que commencer, il reste ensuite à être capable de le traîner jusqu'à l'aéroport. Et même encore là, si on a prévu le faire voyager avec son entraîneur, il peut arriver à Arturo de s'essayer à une ultime négociation avec ce dernier : dis coach, est-ce que je pourrais passer 24 heures de plus à New York, je te promets que je te rejoins demain en Floride ! Mais aujourd'hui, c'est fait, Lynch a bel et bien gagné, encore qu'il ait un peu triché et reçu de l'aide. D'abord, le dernier combat de « Thunder » remonte à tout juste six semaines et il est toujours plus aisé à Lynch de déchiffonner le pli de l'indiscipline après six semaines d'inactivité que six mois. Mais il y a surtout qu'Arturo est toujours un peu moins rétif quand il partage sa vie avec *une* femme, comme maintenant, plutôt qu'avec plusieurs. Il y a un peu plus de sept mois, le 24 juillet 2001, il s'est fiancé à Vivian Penha, une sculpturale Brésilienne qui habite avec lui à Weehawken dans un condo faisant face à New York, et s'il la laisse aujourd'hui derrière lui, elle devrait quand même lui payer une courte visite au cours du camp d'entraînement. Le couple a prévu se marier en septembre, c'est la première prévision, la seconde c'est que les préparatifs seront joyeux dans la foulée de la victoire sur Ward.

C'est la deuxième semaine du mois de mars, deux mois seulement séparent Arturo du combat du 18 mai au Mohegan Sun et cela lui revient maintenant au moment où l'avion s'apprête à lever pour la Floride : il y a une année ou presque, c'est lui qui crashait sur un ring de Las Vegas. Le 24 mars 2001, il affrontait en effet Oscar De La Hoya dans ce qu'il avait plus tard qualifié du « plus important combat de ma carrière ». Coupé sous l'œil droit et envoyé au sol à la fin de la 1re reprise au cours de laquelle il avait pourtant extrêmement bien fait, injustement privé à notre avis d'un knock-down dans le 2e round, il avait été très compétitif et s'était montré comme à son ordinaire touchant de bravoure, mais cela n'avait pas payé : dans des circonstances un peu nébuleuses, il avait été arrêté par son coin au milieu du 5e round. Le dénouement l'avait laissé avec un goût amer, instillé en lui beaucoup de doutes et mené à une série de changements dont le combat contre Ward le mettait en plein cœur.

Dans un premier temps, il avait d'abord douté de lui. En dépit de sa très honorable performance face au « Golden Boy » américain, la stricte froideur du résultat l'avait peut-être incité à croire tous ceux, nombreux, qui l'estimaient fini. Dans cette période de remise en question, il avait notamment cherché à se rassurer en communiquant avec l'entraîneur qui l'avait modelé à son arrivée dans le New Jersey, Carlos « Panama » Lewis. Encore meurtri par la défaite, il avait cette fois-là beaucoup pleuré et fini par lui demander au téléphone : « Tu crois aussi que je suis rincé, Panama ? » Toujours très au fait de sa vie et de sa carrière même en vivant alors en Floride, le Panaméen l'avait éclairé le plus honnêtement possible : « Bien sûr que non, tu as encore des habiletés, ta puissance est intacte, mais tout ça ne sert plus à grand-chose parce que tu dois d'abord mettre de l'ordre dans ta vie, recommencer à vivre comme un athlète, être plus souvent dans le gym que dans les clubs. Après cela, mais après cela seulement, les résultats devraient suivre.» C'étaient des mots qui lui avaient fait du bien, mais le plus important était qu'ils allaient dans le même sens que la réflexion qu'il avait aussi entreprise sur sa carrière. C'était simple, il n'y avait que des avantages à redevenir sérieux, à avoir une meilleure hygiène de vie, et le plus commode de ces avantages était qu'il pourrait ainsi mieux contrôler ses problèmes de poids et continuer d'évoluer chez les super-légers plutôt que chez les welters. Et maintenant, une année plus tard, il voyait bien que ses efforts payaient déjà, il allait affronter Ward à 141 livres, une livre au-dessus de cette catégorie où sa puissance prévalait beaucoup plus.

Mais en raison des circonstances, le combat contre De La Hoya l'avait aussi fait douter de l'un des plus importants membres de son clan, l'entraîneur Hector Roca. Au milieu du 5e round, alors qu'il vivait des moments difficiles mais paraissait encore en mesure de se défendre et de riposter, Roca avait en effet curieusement lancé la serviette, signifiant ainsi sa reddition. «Si je n'avais pas arrêté le combat, avait-il expliqué au *New York Times*, Arturo aurait été tué sur place. Il n'aurait pas abandonné de lui-même.» Sur le ring, Arturo avait d'abord manifesté son désaccord, avant de donner l'impression, dans ses commentaires aux journalistes, de vouloir calmer le jeu pour ne pas embarrasser son coin publiquement. «J'aurais pu continuer, avait-il dit, mais je respecte le jugement de mes hommes de coin.» Dans les coulisses, l'histoire avait toutefois été différente. Arturo avait blâmé Roca de l'avoir arrêté prématurément, ce que n'avait pas cherché à nier ce dernier, mais en nous ajoutant l'explication suivante: «Arturo était d'accord avec l'arrêt du combat jusqu'à ce que ses amis réussissent dans les jours suivants à lui faire croire qu'il aurait pu continuer. C'est le problème des boxeurs, quand ils deviennent célèbres comme Arturo, le cercle d'amis augmente, et ils se mettent tous à donner leur opinion. Dans les faits, cette décision, je suis loin de la regretter et j'en suis même fier. Ce soir-là, j'ai empêché Arturo de prendre plus de coups et de mal paraître pendant plus longtemps. Je l'ai préservé, voilà ce que j'ai fait. Et parce que j'ai fait ça, je lui ai permis de se battre encore et de faire des millions plus tard dans sa carrière. Et de cela, bien honnêtement, j'en prends du crédit…»

Malheureusement pour Roca, Arturo n'avait pas vu les choses du même œil. Peu de temps après le combat, il avait mis fin à cette association de six ans et dû se mettre à la recherche d'un nouvel entraîneur.

Il en avait trouvé un au bout du même vol qu'il effectuait à ce moment, dans la même ville où il allait maintenant se préparer à combattre Micky Ward.

***

Quelques années avant le coach, c'était toutefois la ville qui était d'abord entrée dans sa vie. Dans la période de ses combats contre Gabe Ruelas et Wilson Rodriguez, ses familiers lui avaient présenté la ville comme il leur arrivait de lui présenter une fille, sauf que là on ne lui avait pas dit «Arturo, je te présente Amanda Rodrigues, je suis sûr qu'elle sera pour toi une bonne fille», on lui avait dit «Arturo, je te présente Vero Beach, ce n'est pas la plus canon, mais tu vas voir, tu vas l'aimer.»

D'ordinaire, quand le temps était venu de trouver une nouvelle ville à Arturo Gatti, c'est Patrick Lynch qui jouait les entremetteurs. De l'avis de tous, il était celui qui le connaissait le mieux, celui le plus au courant de ses penchants, de ses goûts, et donc le plus en mesure de lui trouver la ville qui se marierait le mieux à sa personnalité. Son flair? Il était vraiment très bon. Juste avant Vero Beach, la ville de camp d'entraînement que Lynch avait dégotée pour Arturo avait été Virginia Beach, et c'est justement parce qu'il en était rendu fou qu'il avait fallu repenser à mettre les voiles, c'en était au point où son amour de la ville le consumait, qu'il n'en dormait plus la nuit et que sa vie de boxeur en souffrait.

Lynch avait alors dû chercher une ville dont son boxeur serait un peu moins éperdu, et en cela, bord de mer pour bord de mer, il est vrai qu'il ne pouvait mieux tomber que sur Vero Beach. Ce n'était pas que la ville n'était pas belle et dépourvue de charme, c'était seulement qu'elle était extrêmement tranquille. La criminalité était insignifiante, il y avait certainement moins de dealers de dope à Vero Beach que partout ailleurs aux États-Unis, et pour Lynch ce n'était pas banal: s'il avait tant souhaité quitter Virginia Beach, c'était entre autres pour soustraire Arturo à la délétère influence de Pernell Whitaker, merveilleux boxeur mais accro à la cocaïne, et qui au hasard de ses fréquentations avec Arturo lui avait déjà dit qu'il n'y avait pas trop de mal à se poudrer le nez, pour autant qu'on soit capable d'être à l'entraînement le lendemain matin! Mais hélas pour Lynch, si pure pouvait être Vero Beach, elle n'arriverait pas à rendre Arturo à son image. Il y aurait aussi de la dope pour le «Thunder» à Vero Beach, et c'est parce qu'elle viendrait à lui comme il pouvait espérer que les balles viennent à son arme.

Dans l'ensemble, toutefois, Lynch pouvait quand même dormir assez tranquille. Les quelques bars qui se trouvaient dans la ville fermaient leurs portes à 1 heure de la nuit, il y avait certes des filles après lesquelles courir mais comme Arturo le disait lui-même, «des filles, oui, des belles filles, non», et pour la plage, la ville avait beau longer l'océan Atlantique, on ne pouvait même pas se baigner, il y avait trop de requins!

Et il y avait autre chose. À l'instar de plusieurs municipalités en Floride, Vero Beach était aussi – et peut-être essentiellement – une ville de retraités, dont plusieurs ayant longtemps vécu dans la grande région de New York-New Jersey. C'était une communauté fière de ses racines et qui ne détestait pas voir grossir ses rangs, mais au début des années 2000, elle était bien prête à se passer de ces deux illustres membres que certains lui destinaient.

Le premier membre s'appelait James «Buddy» McGirt et avait choisi Vero Beach pour tenter de relancer sa vie après une série de déboires personnels comme la boxe seule était capable d'en produire. Né le 17 janvier 1964 à Brentwood, N.Y., élevé à Long Island, McGirt avait été agressé physiquement par son beau-père dans son enfance et avait choisi la boxe à 12 ans pour évacuer la rage que ces agressions avaient provoquée. Sa décision avait fait plus que le libérer, elle lui avait permis à la fin des années 1980 de devenir l'un des meilleurs boxeurs de sa génération, d'être champion IBF des super-légers et WBC des welters, et au passage de devenir millionnaire. Mais elle lui avait aussi permis, plusieurs fois plutôt qu'une, de croiser la route d'Arturo Gatti. McGirt avait passé la presque totalité de sa carrière professionnelle à s'entraîner à Jersey City, plus souvent qu'autrement au gymnase de Dom Bufano dans le même quartier – The Heights – où avait abouti Arturo à son arrivée dans le New Jersey. Il arrivait en ce temps-là aux frères Gatti – et avant eux aux Hilton – d'aller faire des mises de gants au Bufano's Gym pour briser la routine et quelques mâchoires, et McGirt ne s'attendait certainement pas à ce moment à voir Arturo heurter sa trajectoire comme il allait le faire ensuite.

Cela avait commencé le 28 juin 1994, au Meadowlands Convention Center de Secaucus, à 10 minutes de Jersey City, alors que les deux boxeurs s'étaient retrouvés sur le même programme. Leur carrière allait alors dans des directions opposées, mais ce soir-là l'agenda de la soirée avait quand même permis de les rapprocher puisque McGirt faisait la finale et Arturo la demi-finale. C'était pour ce dernier la première opportunité de mettre la main sur une ceinture – américaine –, et face à un adversaire qui n'était jamais tombé en 27 combats, il avait gagné par knock-out technique au 1er round, provoquant trois chutes au tapis en moins de trois minutes! «Je n'ai jamais oublié», disait McGirt qui avait pour sa part enlevé une main dans le dos une décision unanime face à Kevin Pompey. «J'étais au vestiaire en croyant que j'avais tout mon temps pour m'échauffer, puis quelqu'un était entré en coup de vent pour me dire de me dépêcher, que Gatti venait de descendre son adversaire dans le 1er round! J'avais dit, et bien voilà, ce con vient de foutre en l'air ma période d'échauffement...» Mais de toute façon, Buddy en avait déjà fini avec les gros combats à ce moment, quoique ce soit encore drôle, il serait le premier à dire que les suivants avaient été bien plus gigantesques, c'est juste qu'il les avait livrés à l'extérieur des cordes.

Sa descente aux enfers avait véritablement commencé en 1997, à l'issue de son dernier combat en carrière. Il avait alors affronté Darren Maciunski, un honnête boxeur de Jersey City dont le plus grand avantage ce soir-là avait été d'être dirigé par Al Certo, l'homme qui l'avait aidé à devenir double champion du monde. Après sa performance plutôt pathétique, Certo l'avait supplié de faire en sorte qu'on ne le revoie plus jamais sur un ring, mais c'est de ne plus le revoir tout court dont il avait plutôt été question par la suite.

Reprenant l'entraînement avec l'intention de livrer un combat d'adieu, Buddy avait été en effet affligé de graves ennuis de santé et il avait alors craint d'être atteint du sida, ce qu'il aurait presque estimé être la conséquence inévitable de toutes les aventures sexuelles qu'il avait eues dans sa vie. Surpassant sa peur du résultat, il avait finalement consenti à passer des examens et au bout des deux plus longs jours de sa vie, on lui avait heureusement appris que ce n'était pas la terrible maladie. En revanche, on avait diagnostiqué un problème avec sa glande thyroïde et son poids avait alors chuté à un point tel que, sidéen ou non, tous ceux qui le voyaient le disaient en voie de mourir. Et lui qui, comme trop de boxeurs, avait toujours été insoucieux de son argent, il s'était vite retrouvé complètement fauché. Mais c'est dans cette période qu'il en avait appris le plus sur certaines vertus de l'amitié et de la famille. « Tous les amis des jours glorieux étaient soudainement très occupés », avait-il confié en 2005 au *Star-Ledger*, un journal du New Jersey. « En fait, nous avait-il expliqué en décembre 2009, autant mes amis que ma famille semblaient alors attendre que je sollicite leur aide au lieu de me l'offrir tout naturellement, comme s'ils avaient tous voulu se venger de ne pas avoir été écoutés quand ils me disaient de moins vivre à tombeau ouvert et de faire plus attention à mon argent. »

Sans surprise, les deux ou trois années suivantes avaient été terribles. Il avait ensuite tout perdu ou tout vendu, les voitures, la maison, ses bagues de championnats – dont l'une qu'Arturo lui ferait refaire en cadeau –, et surtout le respect d'un peu tout le monde. Un jour, en septembre 1997, avec quatre dollars en poche, il en avait été réduit à sauter sur une offre de 500 $ pour aller entraîner deux boxeurs dans un gala à Atlantic City, et avait dû faire le déplacement avec tout ce qui lui restait dans le garage à ce moment : une vieille motocyclette.

En dépit de tout, il avait su garder sa femme Gina et trois ans plus tard, à Noël de l'an 2000, c'est en sa compagnie qu'il avait mis le cap sur Vero Beach, avec assez peu de garanties quant à son avenir, sinon la promesse du promoteur Don King qu'il lui trouverait là-bas un peu de travail. Prenant peu à peu ses distances avec son statut de quasi-retraité, il avait ainsi commencé à remplir son emploi du temps avec quelques boxeurs, dont Antonio Tarver et Johnny Tapia. Une année après son arrivée en Floride, c'était au moins déjà ça : la fête de Noël de 2001 avait été plus joyeuse que la précédente. Il était encore à Vero Beach, il ne manquait pas de boulot et il avait même un invité de marque pour le réveillon : Arturo Gatti !

Le deuxième individu susceptible de venir garnir les rangs des retraités de Vero Beach était en effet arrivé en ville peu après les événements du 11 septembre 2001, six mois après la défaite contre De La Hoya. Bien sûr, Arturo avait le moral en berne et des doutes plein la tête sur ce qu'il restait de son potentiel, mais un signe montrait à tous que, justement, il n'était pas sur le point de tirer un trait sur sa carrière : il était accompagné de ce nouveau préparateur physique dont on ne tarderait pas à chanter les louanges, Teddy Cruz. Et surtout, pour être bien certain qu'on saisisse le message, il avait recommencé à montrer sa fraise dans les gymnases du coin. Ce jour-là, il était justement au House of Champions quand McGirt et lui s'étaient croisés. Ils s'étaient salués et cela leur faisait drôle parce que la dernière fois qu'ils s'étaient vus, le contexte était totalement différent. C'était pendant la période du combat contre De La Hoya, quand McGirt s'était payé une visite au gymnase. Arturo avait alors pensé qu'il venait en espion pour le clan du Golden Boy et il avait demandé à Roca de le faire sortir aussitôt. Mais cette fois-là, ça avait été différent.

– Buddy, tu fais quoi ces temps-ci ?

– Bah, j'ai quelques gars dont je m'occupe, ça recommence à bien aller, je suis content… Et toi ?

– Je suis ici aussi pour repartir la machine, mais il me manque justement un entraîneur, es-tu intéressé ?

– Sûr ! Mais peut-être sommes-nous mieux de faire d'abord un essai, pour voir si une chimie se développe ou non…

Ils avaient convenu de se donner une semaine pour se jauger, l'un comme l'autre avaient été convaincus de leur compatibilité au bout de deux jours. Surtout, le plus important, McGirt avait profité de ces deux journées pour s'assurer que le Arturo Gatti qu'il retrouvait alors n'était pas qu'une pâle copie du boxeur qui l'avait tant séduit au milieu des années 1990, notamment dans ce combat pour le titre mondial contre Tracy Harris Patterson. « Pendant ces deux journées-là, expliquait McGirt, Arturo avait seulement fait des exercices de base, du sac, de la mitaine, des trucs comme ça. Mais j'avais été très attentif à tout ce qu'il faisait, j'avais surveillé son équilibre, ses réflexes, le rebond qu'il pouvait encore avoir dans les jambes, et franchement j'avais été impressionné. Je me rappelle, l'une des premières choses que j'avais mentionnées à ma femme en revenant à la maison le premier soir, c'était à quel point j'avais aimé ce que j'avais vu de lui. Pour moi, lui avais-je dit, ça ne fait aucun doute, ce gars-là peut encore se battre… » Si Arturo n'avait jamais lui-même pensé être fini, alors son état d'esprit du moment montrait qu'il avait été contaminé et atteint par le discours ambiant. « Plusieurs me croient pourtant fini », qu'il avait dit à Buddy au cours de ces premières heures.

– Mon gars, dors en paix, tu es encore très loin de l'être…

Arturo était fébrile, la mise sur pied du staff dont il était à mettre la dernière touche pouvait enfin lui faire croire à une nouvelle relance de sa carrière. Ce n'avait pas été très long, il avait téléphoné à son manager dans le New Jersey : « Pat, ne cherche plus personne, Buddy est mon homme… »

Pendant longtemps, on avait toujours considéré comme fortuite la rencontre entre Arturo et McGirt dans cette salle de Vero Beach. Mais dans les faits, deux hommes dans les coulisses avaient donné un coup de pouce à l'histoire, Patrick Lynch d'une part, mais plus encore Carl Moretti, de Main Events. «Oui c'est vrai, c'est d'abord moi qui avais suggéré à Pat le nom de McGirt», disait Moretti, un type qui avait aussi grandi dans le New Jersey, qui connaissait donc McGirt de longue date et qui voyait en lui, même avant qu'il devienne la saveur du jour chez les entraîneurs, un cérébral de la boxe susceptible de faire beaucoup pour la carrière d'Arturo. «J'avais l'intuition que si Arturo se rendait voir McGirt en Floride, il allait aimer travailler avec lui. Alors on s'est arrangé, Pat et moi, pour en parler nonchalamment avec Arturo, lui demander l'air de rien ce qu'il penserait de l'idée d'accorder un essai à Buddy.»

L'occasion de travailler avec Arturo Gatti, Patrick Lynch l'avait donc offerte à Buddy McGirt sitôt la confirmation donnée par le boxeur que l'Américain était son choix. «Pat m'avait téléphoné le lendemain soir de ma première rencontre avec Arturo, disait McGirt. Il ne m'avait pas fait languir longtemps, il m'avait dit presque tout de suite: *Buddy, tu sais quoi? Tu as le job, mon homme!* J'étais bien sûr très heureux.» En fait, Lynch avait une très bonne raison de ne pas faire languir McGirt, et c'est que le temps pressait pour tout le monde. «Effectivement, disait Buddy, j'avais été mis dans le bain plutôt rapidement, Pat avait enchaîné en me disant qu'on se battait au Madison Square Garden contre Terronn Millett, le 26 janvier *(2002)*. Et là, on faisait déjà face à notre premier problème parce que le 25, je devais être à Chicago pour un combat avec Antonio Tarver. Avec les périodes d'entraînement, les pesées, tout ça, les horaires risquaient donc de ne pas être faciles à concilier. J'en avais d'abord parlé avec Antonio et il avait été extraordinaire de compréhension et de gentillesse, il m'avait dit: *Ne t'inquiète pas avec ça, tu prendras le temps dont tu as besoin avec Arturo, et nous allons trouver une solution pour que tu puisses faire les deux combats.* J'avais donc passé la semaine menant aux combats à New York avec Arturo, puis j'avais quitté le vendredi matin pour aller retrouver Antonio à Chicago. Et le lendemain matin, très tôt, j'avais repris un vol vers New York pour revenir auprès d'Arturo et nous préparer à affronter Millett.»

L'une des premières conversations qu'ils avaient eues ensemble était d'ailleurs devenue un peu célèbre et, surtout, avait préfiguré de cet Arturo Gatti nouvelle mouture que McGirt offrirait bientôt à la boxe, en fait dès le combat contre Millett. C'est encore Vero Beach qui offrait le décor, et inconsciemment c'était peut-être bien ce qui avait amené Buddy à poser la plus importante question de leur entretien : « Le lendemain des combats, dis-moi Arturo ce que tu aimerais mieux faire, jouer au golf ou passer la journée à mettre de la glace sur ton visage ? » Bien sûr, il y aurait encore des combats pour faire penser que la réponse d'Arturo avait été de préférer la glace dans le visage, mais ce jour-là, il avait bel et bien dit vouloir opter pour le golf. C'était aussi la réponse que le professeur voulait entendre, et c'est pourquoi par la suite McGirt n'hésiterait jamais à lui libérer des périodes pour qu'il puisse jouer avec les membres de sa garde rapprochée venus le visiter en Floride.

La préparation pour Millett avait donc été ce que les lunes de miel sont aux nouveaux couples : idyllique. La comparaison avec le début d'une nouvelle relation est d'ailleurs loin d'être innocente quand on sait qu'Arturo s'était présenté à Buddy pour le début du camp presque à son poids de forme, sous son meilleur jour donc, comme on tend à le faire au début d'un nouveau flirt. Lui qui avait l'habitude de se faire du lard entre les combats, il était cette fois apparu à 150 livres, ce qui lui avait évité de passer une partie du camp d'entraînement à se concentrer sur la perte de poids. En fait, il n'avait même pas pu se servir de l'excuse de la fête de Noël pour se permettre quelques écarts alimentaires, il l'avait passée au domicile de son nouveau coach !

De façon générale, McGirt n'avait rien fait de génial pour relancer Artuto Gatti. « En boxe, il y a ceux comme Arturo Gatti qui sont nés pour être des *fighters*, et il y a les autres… », nous avait expliqué McGirt, pour bien montrer les limites de sa contribution. En fait, comme ils étaient plusieurs à le croire, le plus grand mérite de l'entraîneur avait peut-être été d'être juste écouté par Arturo, beaucoup plus que de lui avoir montré à boxer. Ce qu'il avait surtout fait, et bien fait, c'était de lui avoir rappelé les fondamentaux de sa boxe qu'il avait déjà au temps du Club Olympique à Montréal, qu'il avait encore quand il était devenu champion IBF contre Patterson, mais desquels il s'était éloigné quand il était devenu accro à cette image de guerrier qui galvanisait les foules. En d'autres mots, il lui avait rappelé qu'il avait été un très bon boxeur bien avant de devenir ce vulgaire bagarreur qui ne cherchait plus que l'occasion de placer son redoutable crochet du gauche.

C'est donc avec pour fondation cette nouvelle association avec James Buddy McGirt qu'Arturo s'était présenté le 26 janvier 2002 au Théâtre du Madison Square Garden pour y affronter le dur puncheur américain et ex-champion IBF, Terronn Millett. Déjà, au début du mois, Jesse James Leija avait été crédité sur HBO d'une victoire controversée sur Micky Ward au Texas, et depuis longtemps l'idée du réseau semblait être d'opposer le gagnant de ce match à celui de Gatti-Millett. Bien sûr, c'était là une considération importante pour Arturo, mais ce soir-là au MSG, l'enjeu était pour lui encore plus primaire : à toutes fins utiles, une défaite allait certainement finir par tuer ce qui lui restait d'attrait auprès du *boxing business*. Il était nerveux, Patrick Lynch l'était encore plus que lui, en fait il s'en trouvait peut-être un seul dans tout son entourage pour être calme, et c'était bien sûr McGirt, les gens du milieu de la boxe cherchent encore une situation qui a pu le stresser. « Avant le combat, racontait Buddy, j'avais dit à Pat de cesser de s'inquiéter parce qu'Arturo allait gagner sans trop de problème par K.-O. Je savais Millett dangereux, mais je savais surtout qu'il croyait Arturo fini, et qu'à cause de cela il ne respecterait pas assez sa puissance. Alors j'avais demandé à Arturo de commencer lentement, de bouger, d'utiliser son jab et de toucher plus qu'autre chose, comme pour conforter encore davantage Millett dans son illusion. Il y avait eu des moments où Arturo avait été tenté de retourner à la bagarre, mais j'avais su le ramener à la boxe. Et puis quand il avait envoyé Millett au tapis à la fin du 3ᵉ round, je savais dès lors que le combat était gagné, je l'avais dit à Pat juste avant de renvoyer Arturo pour le 4ᵉ round… »

McGirt ne s'était pas trompé, Arturo avait retourné le Noir américain deux autres fois au sol dans la reprise suivante, dont la dernière qui avait semblé faire autant de bien à Lynch qu'elle avait fait de mal à Millett. Sitôt la confirmation de la fin du combat, le manager avait en effet bondi sur le ring, comme dans un état second, pour aller soulever Arturo de terre et le porter en triomphe, évacuant ainsi toute l'inquiétude que la perspective de la fin de sa carrière avait pu générer.

«Cette victoire redonne vie à ma carrière», avait confié Arturo au *Jersey Journal* après le combat, comme pour harmoniser ses mots avec la réaction sur le ring de son manager des premières heures.

En fait, les choses allaient de nouveau si bien dans la carrière de *Thunder* que ce n'est pas d'une mais de deux victoires dont il avait alors été question. «Il n'y a aucune raison pour que HBO ne donne pas Micky Ward au vainqueur du combat Gatti-Millett», avait écrit deux semaines plus tôt George Kimball, dans le *Boston Herald*. L'expert américain avait bien raison. Peu après, on avait signifié à Arturo qu'il n'affronterait pas le gagnant de Ward-Leija, mais son PERDANT!

Vraiment, c'est un peu tout le monde qui y avait mis du sien pour que ce combat-là soit très facile.

***

C'est la mention la plus exotique, la plus internationale que l'on ait pu trouver en rapport avec son camp d'entraînement. Un mot. Juste ce mot-là placé sur l'enseigne d'une salle d'une ville modeste du Massachusetts: World. Comme dans World Gym de Tewksbury. Mais autrement, absolument rien. Il n'y a pas de camp d'entraînement à l'étranger, pas de préparation au soleil dans une autre des Vero Beach de ce monde pour «Irish» Micky Ward et son combat du 18 mai contre Arturo Gatti. Le soleil, l'étranger, c'est d'ailleurs très peu pour lui. Pour son dernier combat contre Jesse James Leija, il est allé à leur rencontre, il a fait un dur camp d'entraînement à Miami, et voyez ce que ça a donné, on a fini par le voler. En réalité, la coupure à l'œil de Leija n'avait pas été le résultat d'un coup de tête comme l'avait dit l'arbitre, mais d'un coup de poing bien appliqué, et il aurait dû gagner. Mais c'est correct, c'est probablement qu'il n'est pas habitué au soleil, il n'y en a jamais eu beaucoup dans sa carrière.

Et de toute façon, un perdant comme lui on n'habitue pas ça au soleil. Un perdant comme lui c'est fait pour s'entraîner à quelques minutes de la maison, dans un gym de quartier qui est peut-être encore le seul à démontrer de l'intérêt, et qui peut bien décider de s'appeler World Gym tant qu'il le veut, il n'aura jamais de mondial que le nom. Un perdant comme lui, on n'envoie pas ça en camp d'entraînement, l'investissement serait injustifié, on fait plutôt préparer ça dans le coin, avec des petits boxeurs du coin. Un perdant comme lui, on le fait aussi entraîner par son frère parce que ça adonne comme ça, parce que c'est moins de trouble, parce que ça ne mérite pas mieux. Puis une fois bien mûr, un perdant comme lui, on envoie finalement ça en pâture aux vrais gagnants comme Arturo Gatti qui n'en attendent pas tant.

On se trompe.

Micky Ward s'entraîne au World Gym de Tewksbury, à quelques minutes de Lowell, parce que c'est un grand garçon de 36 ans qui n'a pas besoin qu'on l'enferme dans une prison, même si elle se trouve au soleil, pour comprendre qu'il doit s'entraîner. «Tu n'as jamais à dire quoi faire à Micky Ward», racontait le promoteur Al Valenti au biographe de l'Irlandais, Bob Halloran. «Il le sait. Il se réveille seul et n'a besoin de personne pour lui dire d'aller courir. Toi, tu te lèves à six heures du *mat* et puis tu l'aperçois déjà revenant de son jogging.»

Micky Ward s'entraîne au World Gym de Tewksbury parce qu'il y a là tout ce dont il a besoin, un ring, des sacs de frappe, des cordes à sauter, son frère-entraîneur Dickie Eklund, son sparring-partner attitré Peter Manfredo Jr, son préparateur physique Anthony Cartolano, et qu'il sait qu'il ne sert de toute manière à rien de fuir ce qu'on a à l'intérieur de soi.

Micky Ward s'entraîne au World Gym de Tewksbury parce que c'est justement tout près de la maison, qu'il a beau croiser sur sa route tous les dealers de came de sa ville dure, il n'a aucune envie de devenir leur client, et qu'il est aussi capable de snober tous les débits de boisson qui reçoivent sa visite en d'autres temps. «Je n'ai jamais bu de ma vie durant un camp d'entraînement», dit l'homme pourtant reconnu pour aimer se rincer le gosier. «L'alcool, la drogue, tout ça est contraire à la boxe. Tu ne peux pas jouer avec ça. C'est trop dangereux, c'est comme l'essence et le feu. Pourtant, la tentation pour l'un comme pour l'autre est partout. Mais elle est un obstacle à la vie d'athlète», a-t-il expliqué aux lecteurs du *Patriot Ledger*.

Micky Ward s'entraîne pour ainsi dire à la maison parce qu'il se demande à quoi il peut bien rimer d'aller le faire au bout du monde si c'est pour tricher, tourner les coins ronds, se mentir à soi-même. C'est une bonne question, il vaudrait la peine qu'il la pose à son adversaire qui va bientôt nous apprendre dans le *Jersey Journal*: «Je me suis probablement relâché un peu dans mon entraînement contre Micky Ward.»

Micky Ward s'entraîne au World Gym de Tewksbury parce que, loin de voir son milieu comme un piège pour ses faiblesses, il en tire plutôt une force et un support à sa carrière. Micky Ward est fier de sa ville, il court dans ses rues, il s'y implique, parraine des causes, redonne aux écoles, parle aux étudiants – «aussi longtemps que dans votre vie vous allez vraiment tout donner, vous n'aurez jamais à avoir honte de rien» –, Micky Ward aime à faire le parallèle entre l'évolution de Lowell et sa carrière: longtemps ordinaire, puis très belle à la fin.

Micky Ward s'entraîne près de Lowell parce qu'il est loyal.

Micky Ward s'entraîne près de Lowell parce qu'à défaut de pouvoir se battre dans sa cour comme au temps des oboles, il lui reste au moins le plaisir de s'y entraîner.

Puis Micky Ward s'entraîne au World Gym de Tewksbury sous la direction de son frère parce qu'il juge que c'est à lui qu'il revient de faire le job, un point c'est tout. Les gens diront ce qu'ils voudront, que Dickie n'est pas fiable, que sa dépendance au crack est peut-être réapparue, que ce n'est pas bon pour son image d'avoir comme entraîneur un type arrêté une bonne vingtaine de fois et qui a fait cinq ans de taule, aussi longtemps qu'il va boxer, son frère va être son entraîneur.

Et si quelqu'un s'avise d'insister, c'est lui qui sera viré, pas Dickie. Il y a des liens qui ne se brisent pas et ceux avec un frère comptent parmi ceux-là. « Toutes les fois où Micky se fait frapper, j'ai mal aussi, a expliqué Dickie au *Lowell Sun*. Vous ne pouvez pas savoir à quel point je ressens les coups. C'est simple, je prends une volée à chacun de ses combats. Je pense que j'ai ressenti chacun des coups qu'il a reçus depuis l'âge de sept ans. » Il y a des liens qui ne se brisent pas, surtout quand c'est maman Alice qui apprend à ne pas les briser : « Oui, Micky, je sais, Dickie n'est pas toujours fiable, mais garde-le quand même dans ton entourage, c'est ton frère après tout… » Et puis de toute manière, qui dans son entourage peut prétendre avoir un tel vécu, une telle expérience dans la boxe ? Non mais quand même, regardez dans les archives, Dickie Eklund s'est battu sur HBO en 1978 contre « Sugar » Ray Leonard, ça doit vouloir dire quelque chose, non ? Malgré tous les problèmes personnels qu'il a pu avoir, et vous ne serez jamais capable de tous les compter, Dickie s'en est quand même tiré avec un palmarès de 19-10, c'est quand même une défaite de moins que Micky, ça ! Et si Micky se bat bientôt contre Arturo Gatti devant une audience internationale, c'est parce qu'il y a 30 ans, Dickie avait commencé à le traîner avec lui au West End Gym de Lowell. Voilà comment tout a débuté. Voilà pourquoi ils en sont là maintenant. « Si ce n'avait pas été de Dickie, peut-être que je n'aurais jamais connu la boxe, a dit Micky au journaliste du *Sun*. Il a certainement joué un rôle important dans mon développement. Nous formons une équipe. Nous sommes ensemble depuis si longtemps. » Tout ça ne s'oublie pas. Pas entre frères, et pas quand maman demande de ne pas l'oublier. Au fil des ans, sûr qu'il y a eu des hauts et des bas. Sûr que Dickie a souvent déçu Micky, savez-vous ce que ça représente d'avoir quelqu'un dans la famille accro au crack ? Sûr que Micky a déjà étalé sa douleur dans le journal : « Dickie pense qu'il m'a aidé dans ma carrière, mais en réalité il m'a nui. S'il n'avait pas été mon frère, je l'aurais congédié il y a longtemps. C'est juste à cause de ma mère que je ne l'ai pas fait. Bordel, la vérité c'est que le jour de mes combats, je ne savais jamais s'il allait se pointer. » Mais Micky a toujours su que Dickie *aussi* faisait des trucs pour lui et qu'au fond il les faisait de manière désintéressée, juste par amour fraternel.

Micky Ward s'entraîne au World Gym de Tewksbury, et il continue de le faire avec son frère parce que sa vie lui appartient, qu'il en fait ce qu'il veut, qu'il est trop fort mentalement pour laisser qui que ce soit lui dire quoi faire.

Bref, Micky Ward s'entraîne au World Gym de Tewksbury et Arturo Gatti au House of Champions de Vero Beach parce que le premier est un homme, et l'autre pas encore.

Et que peut-être bien, quand plus tard Arturo va dire à Micky «tu es mon jumeau», ce qu'il faudra vraiment comprendre c'est «j'aurais aimé être ton jumeau».

***

En tout cas pour le poids, si ça peut encourager Arturo, ils ont été jumeaux: 141 livres. Au pesage d'aujourd'hui, les deux boxeurs se sont conformés sans problème à la limite stipulée par le contrat, et ce n'est certainement pas une surprise dans le cas de Ward. Combat ou non, l'Irlandais n'est jamais très loin de son poids de forme et il se trouve peu de boxeurs comme lui ayant passé toute leur carrière à quelques livres près de leur catégorie d'origine. On pourrait y voir là affaire de génétique, cela s'appelle plutôt de la discipline de vie. Par comparaison, Arturo a livré il y a 12 ans son premier combat en carrière à un poids famélique de 126 livres, est ensuite passé au travers de deux autres catégories et est allé défier l'an dernier De La Hoya à 147 livres. Pour autant, tous ces changements de catégorie ne l'ont jamais aidé à faire le poids aisément, en particulier à cause de sa propension à trop se remplumer entre les combats. Mais aujourd'hui, pas de grosses souffrances, à cause surtout de la proximité de son dernier combat contre Millett, il a vécu une pesée sans histoire.

Dickie n'en a rien manqué. Pendant tout le temps où les deux clans ont été réunis dans l'une des salles du Mohegan Sun, le coach a gardé un œil sur Arturo au point qu'aujourd'hui on aurait presque pu penser que son boxeur, ce n'était plus Micky Ward. Pas de surprise là non plus,

Dickie a été simplement fidèle à ce qu'il avait dit vouloir faire : « Quand Gatti va monter sur la balance, je vais me coller à lui et je ne le lâcherai pas tant que je ne serai pas certain que l'aiguille ne bouge plus », avait-il confié cette semaine à George Kimball du *Boston Herald*, comme si toutes les heures passées à répéter à Micky de ne pas laisser respirer Arturo dans le combat de demain avaient aussi fini par le contaminer. Depuis deux ans surtout, Arturo ne peut plus grimper sur une bascule, fût-ce en slip et émacié comme un coucou, sans faire peur à tout le monde. Le 25 février 2000, la veille d'un combat au Madison Square Garden contre l'Américain Joey Gamache, il a en effet été impliqué dans l'une des pesées les plus controversées de l'histoire de la boxe. Ce jour-là, il aurait pris place sur la balance de la Commission athlétique de l'État de New York bien au-dessus des 141 livres qu'il devait respecter, aurait bénéficié de la complicité d'un officiel qui aurait volontairement annoncé une mesure inexacte, pour ensuite mettre Gamache K.-O. le lendemain et lui infliger des dommages cérébraux permanents. L'affaire a depuis fait grand bruit et surtout mené à une poursuite civile de Gamache contre ladite commission athlétique.

À l'époque, Dickie n'avait pas mis de temps à prendre acte des événements. Deux semaines après le combat Gatti-Gamache et sa triste conclusion, au moment où un duel entre Ward et Arturo était alors discuté, il avait déjà averti Lou DiBella, alors à HBO : « Si on nous donne Gatti, c'est très bien, mais je veux la pesée le jour du combat plutôt que la veille », avait-il dit dans les pages du *Boston Herald*, dans le but de lui laisser le moins de temps possible pour se réhydrater. DiBella s'était montré favorable à l'idée, mais à l'évidence le clan Ward n'a pas été capable, deux années plus tard, d'arracher la clause dans ses négociations avec Main Events. Mais pour Dickie, c'est seulement une raison de plus pour ouvrir l'œil, d'autant plus qu'il lui est à peu près impossible d'oublier l'affaire Gatti-Gamache, il est tombé sur Joey pas plus tard qu'il y a quelques semaines.

Ils se sont croisés dans un gala de boxe amateur à Lowell et bien sûr que la question du poids d'Arturo a été au cœur de leur conversation, cela ne peut plus être autrement pour quiconque rencontre aujourd'hui

Gamache, pour son plus grand préjudice d'ailleurs. Mais ils ont aussi discuté de tout et de rien, du combat Ward-Gatti bien entendu, de drogue même, et pour une fois Dickie n'a rien eu à voir là-dedans, c'est Joey qui a abordé le sujet. L'ex-champion mondial a ramené sur le tapis l'idée selon laquelle Arturo utiliserait des stéroïdes, comme pourraient le laisser suggérer, au choix, sa vie, sa charpente et ses impressionnants gains de poids. « Stéroïdes ? » s'était interrogé Dickie en relatant sa rencontre avec Gamache au journaliste du *Herald*. « Je ne voudrais pas l'exclure. Je sais qu'il y a quelque chose qui cloche de toute manière. Ce n'est tout simplement pas possible pour une personne normale de prendre 20 livres *(Arturo en avait repris 19 entre la pesée et le combat de Gamache)* en une journée. Je le sais, j'ai essayé de le faire moi aussi. »

Et donc, pour une fois qu'on a parlé d'un drogué et que Dickie n'a pas été celui en cause, il n'a pas boudé son plaisir et ne s'est pas privé de remuer le couteau dans la plaie. « Je ne vais pas juste m'assurer que la pesée de Gatti est juste, je vais aussi l'accompagner à son test antidopage jusque dans sa chambre. Je veux être sûr que personne ne pissera dans la fiole à sa place. »

Bien sûr, il peut arriver à Dickie de faire de l'intox même quand il est sobre, et c'est exactement de ce dont il s'est agi : sa menace est évidemment restée lettre morte. Chose certaine, cette semaine, toutes ces palabres autour du poids d'Arturo n'ont pas pesé très lourd sur les épaules de Micky. « Moi, a-t-il précisé au journaliste, en autant qu'il ne fasse pas plus de 142 livres comme l'exige le contrat, je n'ai rien à cirer qu'il en ajoute ensuite 100 entre la pesée et le combat. S'il devient trop pesant, ça sera à mon avantage. »

Et puis de toute façon, Micky le premier serait bien d'accord pour dire que s'il faut encore ajouter quoi que ce soit sur le poids des deux hommes, ce devrait être pour dire, comme Ron Borges dans le *Boston Globe*, qu'ils étaient aujourd'hui tous les deux à 141 livres et que tout ce poids se trouve dans leur cœur.

***

Ouvert en 1996, le Mohegan Sun a vu le jour dans la foulée de la décision de la Cour suprême des États-Unis de permettre aux Premières Nations d'exploiter, libres des règles de l'État, leurs propres casinos. En apparence, on était alors encore très loin de la boxe, mais très vite, il est apparu à tout le monde qu'il ne suffisait pas d'ouvrir des casinos, il fallait y mettre des gens à l'intérieur. Avec son formidable pouvoir attractif, la boxe s'est donc imposée comme l'un des appâts de choix, comme elle l'avait aussi été avant pour Atlantic City et Las Vegas. À cette différence près que les galas des réserves indiennes ont généralement été tenus sous le signe de la modestie, cette finale entre Micky Ward et Arturo Gatti ne constituant pas la moindre des preuves.

Situé dans le sud-est du Connecticut, le Mohegan Sun est un peu planté au milieu de nulle part, mais cela ne l'empêche pas d'avoir de grandes ambitions. Dans un mois, il va en effet célébrer le parachèvement de son projet d'expansion de 1 milliard qui va culminer avec l'ouverture d'un nouveau casino, de galeries marchandes, d'un centre de congrès et, surtout, de la mise en disponibilité de toutes les 1 200 chambres de l'hôtel de 34 étages. Certes, les deux boxeurs vont donner ce soir un coup de main au financement de ce projet, mais l'effort ne sera jamais comme celui des milliers de parieurs qui, chaque jour, prennent d'assaut les quelque 6 200 machines à sous.

Voilà peut-être pourquoi Arturo a pensé que la seule contribution de ses poings n'allait pas suffire. Il a quitté sa chambre après le dîner et il vient d'apparaître dans le casino pour sacrifier à l'un de ses petits rituels. Chaque après-midi de combat dans un casino, il aime à venir tuer un peu de temps en pariant à la roulette et en jouant aux machines à sous, comme s'il cherchait déjà à se mettre en condition pour tous les risques que sa façon de boxer lui impose.

Il est debout depuis longtemps, s'est mis très tôt sur le téléphone et a donné à sa garde rapprochée le coup d'envoi des activités : allez hop, il est temps de sortir du lit tout le monde, ça fait si longtemps qu'on se morfond à l'entraînement pour cette journée-là, on va quand même pas la passer au lit !

Il a bien dormi, juste assez anesthésié par la nouvelle confiance que lui instille son association avec McGirt. Quand il a dit cette semaine qu'il avait tous les atouts pour se faire un combat facile, ce n'était pas pour faire le paon ou diminuer l'Irlandais, c'était seulement parce qu'il n'était plus capable de garder pour lui qu'il avait enfin, pour une fois dans sa vie, un peu de vraie confiance. Alors c'est comme s'il avait dû rendre un truc mal digéré parce que ses entrailles n'y auraient pas été habituées. «C'est vrai, exception faite de trois ou quatre combats, mon frère ne s'est jamais battu avec confiance, dit Joe Gatti. Chaque présence sur le ring a toujours été du *do or die*, et heureusement ça a été plus souvent *do* parce qu'il était trop puissant pour tout le monde...»

Depuis le matin, Arturo a aussi passé un peu de temps avec les amis et la famille. Beaucoup sont venus de Montréal et ont devancé le jour pour être ici le plus tôt possible, comme sa mère Ida, son jeune frère Fabrizio, sa sœur Mirella et son beau-frère Rocco Crispo. Non, ils n'ont pas fait le déplacement tous ensemble, unis et chantant dans la voiture des hymnes à la gloire d'Arturo. La famille Gatti est une famille totalement déjantée, gangrenée par des luttes intestines qui pourraient presque faire passer le combat de ce soir pour un moment tendre. Là où Alice, la mère de Ward, a cherché par l'harmonie à atténuer les effets du dysfonctionnement de sa famille de neuf enfants, Ida Gatti a fait complètement le contraire: désunir était son *credo*. Elle a eu six enfants et au moins trois d'entre eux se demandent si elle a eu un jour assez d'amour pour un seul! Et si oui, ils ajouteront aussi: ce n'était certainement pas Arturo – enfin, pas les fois où il n'avait pas d'argent à lui donner en tout cas.

Une autre des sœurs d'Arturo, Anna Maria, de triste mémoire déjà mariée avec Davey Hilton, est venue quant à elle de Floride. Ne manque qu'une sœur, Giuseppina, que la violence de la boxe indispose et qui est restée à Montréal.

Et un frère. Non, Joe Gatti n'est pas retenu à New York par son travail de contremaître dans la construction d'ascenseurs, non Joe Gatti n'est pas malade, il est même en pleine forme, il vient justement de remporter il y a un mois, ici tout près dans la réserve indienne de Mashantucket, ce qui sera sa dernière victoire en carrière et le sésame pour une chance IBF contre Sven Ottke.

Joe Gatti est surtout en froid avec son jeune frère Arturo comme il l'a trop souvent été ces dernières années. Des fois la faute de l'un, des fois la faute de l'autre, beaucoup la faute de l'alcool et de la coke qui reviennent toujours hanter Arturo, qui le changent et le font parfois agir en écervelé. Beaucoup la faute aussi à Patrick Lynch qui a depuis longtemps perdu le contrôle sur la vie d'Arturo, ce qui ne l'incriminerait absolument pas s'il ne l'avait pas lui-même aidé à déraper. Mais pour Lynch, ce n'est pas bien grave. Le plus important pour lui est de garder le contrôle sur la carrière d'Arturo, en mettant à l'écart toute personne susceptible d'être influente auprès de lui et de représenter une menace à son pouvoir. Fût-elle le frère qui a aidé Arturo dans les débuts à Montréal et dans le New Jersey. Patrick Lynch est fait pour bien s'entendre avec Ida Gatti, d'ailleurs ce n'est pas pour rien que les deux ont une bonne relation. Patrick Lynch ne serait pas fait en revanche pour bien s'entendre avec Micky Ward, il est chanceux de gérer Arturo plutôt que l'Irlandais, il aurait probablement subi le même sort que tous ceux que Micky a remis à leur place dans ses jeunes années à Lowell.

Ceci pour dire que Joe Gatti n'est pas ce soir au Mohegan Sun et que peu importe ce qu'en pense Patrick Lynch, il en a le cœur brisé comme personne ne pourra jamais l'avoir dans son entourage. Parce qu'Arturo Gatti est son frère, qu'il s'agit de son sang et que les deux seules personnes susceptibles de comprendre ce qu'il ressent, Dickie Eklund et Micky Ward, se trouvent malheureusement dans le clan adverse.

***

Mille deux cents chambres, mais ce n'est semble-t-il pas assez pour loger la petite cour de Micky Ward. Après avoir consenti une bourse de 435 000 $ à l'Irlandais, le promoteur Main Events l'a en effet averti à la fin des négociations qu'il serait privé des privilèges normalement accordés à un finaliste comme lui : pas de chambres au Mohegan Sun pour son entourage ; pas de coupons de nourriture et pas non plus de billets de courtoisie pour, faut-il le rappeler, *son* combat ! Mais parce que l'honneur de Micky importe plus que son portefeuille, il a ensuite menacé Main Events de renoncer à sa bourse et au combat si on ne lui témoignait pas ce minimum de respect et il a ensuite fallu que HBO ajoute 25 000 $ en frais de dépenses pour le satisfaire et retrouver les droits sur sa finale.

Depuis, tout est presque au beau fixe, si ce n'est que, peu de temps après son honneur, son corps aussi a failli faire ajourner le combat. Il y a deux semaines, il s'est tordu le biceps du bras gauche et la blessure aurait bien mérité un report. Mais Ward est ce type de guerrier pour lequel il serait douloureux mais justifié de renoncer à 435 000 $ au nom de l'honneur, mais déshonorant et injustifié de le faire au nom de la douleur. Alors il est ici aujourd'hui, prêt à se battre comme un seul homme.

Lui aussi a bien dormi. Comme une souche en fait. « La nuit avant le combat est celle où je dors le mieux », a-t-il confié à Ron Borges du *Boston Globe*. « Je sais ce qui m'attend le lendemain, et je sais que je n'ai rien à perdre, sinon un peu de sang. » En fait, au plus profond de lui-même, Micky est plus préoccupé qu'il veut bien le laisser paraître par le danger inhérent à la pratique de son métier. Il nous l'a dit une fois ou deux, il en a aussi fait souvent mention dans la presse, il sait qu'à chaque fois que le boxeur entre dans le ring, il se trouve à un seul coup de poing d'un lit d'hôpital, d'un fauteuil roulant, d'un trou dans le cimetière. Et sa volonté de vouloir bientôt se ranger des rings découle bien sûr de cette préoccupation. Malgré tout, il est vrai qu'il dégage une sérénité évidente face à son sport.

Ce soir, il a beau se battre à la maison, ce n'est quand même pas lui la star. Pour les organisateurs, il n'est qu'accessoire au spectacle, et c'est bien à ce titre qu'on l'envoie d'abord sur le ring, petite première partie locale et sympathique offerte au public avant l'entrée en scène de la grande vedette internationale. Tenez, si local qu'il n'est même pas paré du mythique maillot des Red Sox de Boston quand il quitte le vestiaire pour le ring, mais de celui de leur club-école, les Spinners de Lowell! Les couleurs sont les mêmes que celles des Sox, le blanc et le rouge des matches à la maison, avec au devant le nom dont le «i» est un bâton de baseball qu'il donnera plus tard l'impression d'avoir caché dans ses gants. On a aussi floqué à l'endos le numéro 38, ce n'est pas son âge en dépit de ce que ses traits pourraient suggérer, c'est le nombre de victoires que son palmarès affichera ce soir s'il gagne, et vous pouvez être certain qu'il s'est trouvé quelqu'un au vestiaire d'Arturo pour lui relever cette audace.

Sûr, une apparition avec la chemisette des Red Sox aurait permis à Micky de ratisser encore plus large dans le bassin de partisans, et il aurait bien pu finir par convaincre les derniers irréductibles d'Arturo à sa cause. Mais l'Irlandais bénéficie ce soir du soutien total de toute la ville de Lowell et sa décision de porter les couleurs des Spinners vise à retourner l'ascenseur à sa communauté. On vendra ainsi des répliques de la chemisette qu'il porte au domicile des Spinners, et les recettes serviront à améliorer la qualité de vie des enfants les plus démunis de Lowell. Ward n'est pas Ali, mais son raisonnement est le même: s'il faut absolument aller abîmer sa santé sur le ring, alors que cela serve au moins à prendre soin de celle des autres.

De façon générale, l'homme est tout sauf coquet, et on imagine bien que sa décision de supporter une œuvre caritative est bien la seule raison l'ayant amené à se préoccuper ce soir de sa tenue. Ce qui est tout le contraire de son adversaire.

En sa qualité de vedette de la soirée, Arturo n'a en effet rien laissé au hasard. D'abord, sa plastique elle-même: la boxe a beau avoir transformé son corps et sa tête, il reste tout de même l'un des garçons les plus jolis – et photogéniques – de l'industrie. Encore ce soir, sa silhouette est harmonieuse et sa musculature presque parfaite, et quand tantôt il va marcher vers le ring avec sa robe juste assez ouverte pour laisser voir ses pectoraux proéminents, ce ne sera pas innocent. Il a justement épilé tout son corps et s'est bien sûr assuré que le soleil de Vero Beach hâle sa peau juste à point. Au final, l'ensemble est des plus réussis et il lui reste seulement, au vestiaire, à se préoccuper de ses cheveux. Il est connu pour changer souvent de tête, mais a décidé aujourd'hui de lui conserver sa couleur noire naturelle. Il a fait raser sa nuque, ses tempes, et a discipliné le reste avec une pommade. Rien ne devrait bouger : il l'a encore dit après le combat contre Millett, il ne voit plus personne pour être capable de le toucher à 140 livres, alors on peut être sûr que la tête qu'il prépare maintenant avant les combats sera toujours la même à la fin.

Bien entendu, la tenue qu'il a choisie pour le combat est aussi du plus bel effet. Exception faite de ses affrontements contre Robinson où il portait du noir, ce qui était parfaitement en phase avec son état du moment, il est comme à son habitude en blanc et en bleu, de loin ses deux couleurs préférées. Son peignoir, avec son nom stylisé à l'endos, est magnifique, sa culotte aussi, et pour que le tout ait encore plus d'œil, il a agencé son staff à sa tenue: McGirt, Lynch, Mickey Skowronski, même Joe Souza le vénérable soigneur du Texas qui retrouve ainsi un air de gamin, ils portent tous un maillot frappé de son surnom *Thunder.*

On le dit, ici à Uncasville, en territoire hostile, mais ce n'est pas sur le ring que ça paraît. Enfin, pas avant que Ward et lui ne soient présentés à la foule. Mis à part les deux clans, le ring est essentiellement pro-Gatti et on y retrouve une bonne partie du staff de Main Events.

Mais les présentations, avec tout ce qu'elles ont de magique, avec tout ce qu'elles génèrent d'électricité, ramènent vite tout le monde à la réalité que, pour une rare fois dans sa carrière, Arturo Gatti n'est pas le favori sentimental de la foule. Ward, septième aspirant à l'IBF, 37 victoires pour 11 défaites, est introduit le premier par Mark Beiro et la réaction du public ne laisse pas de place au doute : il est bien à la maison. Et comme à la maison, quand il avait sept ans et qu'il tirait le sac d'équipement de son frère en route vers le West End Gym de Lowell, il a à ses côtés Dickie. Et jamais leur ressemblance, même tête au contour irrégulier et aux traits indélicats, n'apparaîtra plus frappante que sous la lumière crue du ring.

Quand Beiro présente ensuite Arturo, une clameur de désapprobation semble alors vouloir s'élever et prendre de l'ampleur à l'intérieur du Mohegan Sun Arena, mais elle reste somme toute assez contenue, comme jugulée par un soutien timoré d'une partie de la foule qui, quoique acquise à la cause de Ward, semble se dire : quand même, n'exagérons pas, ce garçon-là est impossible à haïr. Troisième à l'IBF, avec une fiche de 34 victoires pour cinq défaites, Arturo Gatti personnifie en effet mieux que quiconque le rêve américain, et il n'y a pas de meilleur moment pour en prendre conscience que maintenant. Apollon dans son coin de ring, affûté au couteau, environné par des seconds que l'on nomme ainsi parce qu'ils n'existent que par lui, vedette d'une soirée américaine qui fait salle comble et qui est regardée dans quelque deux millions de foyers, enfant adoptif de Jersey City, Arturo Gatti écoute Beiro décliner son curriculum et ne peut comme nous qu'être soufflé par tout le chemin parcouru depuis ce 15 avril 1972 où il a été présenté à la vie. Rescapé de sa propre famille où le père était violent et alcoolique ; élevé dans l'entourage d'une autre – celle des Hilton – dix fois pire que la sienne ; doué pour les sports mais moins gâté que son frère Joe pour la boxe ; arrivé aux États-Unis sans un clou en poche ; battu à son septième combat chez les pros, il est quand même ce soir la tête d'affiche d'un business qui fait rêver des millions de gosses partout dans le monde. Alors, forcément, oui il y a tout de même des applaudissements dans l'amphithéâtre quand Beiro finit de l'introduire.

Il perd son sourire quand l'arbitre Frank Cappuccino le convoque au centre du ring. En fait, non : le sourire qu'il a au visage disparaît alors à l'intérieur de lui, se diffuse dans son système et c'est ensuite tout son corps qui accuse le plaisir de se retrouver dans cette situation. Arturo Gatti vit pour ces moments, d'ailleurs Arturo Gatti ne vit à peu près pas à l'extérieur de ces moments. En dehors de la boxe, sa vie manque de structure et ce n'est souvent que par elle qu'elle réussit à se codifier à certains moments de l'année.

Micky ne sourit pas, mais sa sérénité ne l'a pas quitté au centre du ring, il a l'air aussi nerveux qu'un type qui attend en file à la caisse d'un supermarché. C'est l'évidence : aucun des deux boxeurs ne trémule devant l'événement. L'un pense savoir ce qui l'attend, l'autre n'en a pas la moindre idée, et ça les rassure tous les deux.

***

Pour le dernier, on le sait : c'est Micky. Le jour où ils ont conduit Arturo au cimetière, Micky a tapoté le cercueil avec un petit coup de poing et lui a dit, complice : je viens de te toucher une autre fois. Mais le premier, qui est celui ce soir qui lance les hostilités avec le premier coup de poing ? C'est Micky aussi, et cela se comprend, des deux il est celui qui veut la guerre, enfin, ce n'est pas tant qu'il la veuille comme le fait qu'il en a besoin pour gagner. Ce premier long crochet du gauche est bloqué par Arturo, mais Micky en lance ensuite un autre qui trouve la cible et qui témoigne de sa volonté de ne pas vouloir honorer sa réputation de *slow-starter*. Arturo ? Pour l'instant, Arturo n'est pas sur le ring pour tenter d'atteindre Micky, il est là pour montrer à tous à quel point il est une tête au-dessus sur le plan des habiletés, à quel point il bouge avec aisance et grâce, qu'il est le plus beau des deux boxeurs, bref à quel point tout lui est naturel et, en un mot, exactement comme il l'avait dit : facile. Il est sur le bout des orteils, ses bottines bleues fétiches *Everlast* semblent être devenues des chaussons à pointes tellement ses déplacements sont harmonieux, et il ne lui tarde même pas de frapper, ce qu'il veut maintenant c'est atteindre Ward dans son estime de faire-valoir, lui faire réaliser toute l'étendue du fossé que McGirt et lui ont creusé entre eux, lui montrer, et c'est ça qui est bizarre, à quel point ils ne sont pas jumeaux.

Disons-le, c'est une démonstration qui le remplit d'aise, on arrive parfaitement à ressentir toute la jouissance qu'il éprouve en ce moment. Ce titre de guerrier, c'était bien beau, il en était bien fier, mais il commençait sérieusement à lui taper sur le système. C'en était maintenant rendu que plus personne, même dans son entourage, ne se souvenait comment bon boxeur il avait déjà été, c'est pour ça qu'avec Lynch il était heureux de tomber parfois sur un ex-coéquipier du temps des amateurs, pour lui c'était comme mettre la main sur un témoin important : allez, dis à Pat s'il te plaît comment je boxais chez les amateurs, comment j'avais du *style*, comment j'étais *slick* ! C'est ce boxeur-là, enfoui quelque part, que McGirt a aidé à déterrer et tout le bien que cela fait à son estime, il l'affiche en ce moment sur le ring. Dès ses premiers coups de poing, il montre une boxe déliée, tout en grâce comme le dit l'analyste Emmanuel Steward sur HBO, avec des enchaînements de coups d'une grande pureté que Ward vient cependant de souiller avec sa coupure à l'œil droit. Bien sûr, se dit Arturo, c'eût été trop demander à ce col bleu qui pave des rues avec son casque de construction d'apprécier un peu d'art, fallait qu'à la première occasion il vienne jeter un peu de son sang sur mon tableau ! Mais pour le reste du combat, si la pureté de la boxe d'Arturo a à être altérée, ce ne sera plus beaucoup par le sang de Ward. L'Irlandais travaille en effet avec l'un des bons *cutmen* de la profession, Al Gavin, et ce dernier va réussir tant bien que mal à contrôler l'écoulement de sang.

Dans les faits, les deux premiers rounds ne font qu'un tant ils sont similaires. Tout ce que Buddy avait dit à Arturo à Vero Beach est en train de se vérifier. « Tu veux savoir comment ne perdre aucun round dans ce combat-là ? Voici ce que tu dois faire : tu dois boxer, bouger, encore boxer et encore bouger. Tu dois utiliser ton jab pour mettre à profit ton allonge supérieure. Tu dois toujours frapper avec des combinaisons de trois ou quatre coups, Ward place ses deux mains dans le visage comme des piliers, il va bloquer le 1er et le 2e coup, mais tu vas trouver l'ouverture avec le 3e et le 4e. Ça, c'est pour la tête. Pour le corps, je vais te dire un truc que 30 ans de boxe m'ont appris : tous les boxeurs comme Ward qui aiment à frapper au corps sont les premiers à détester qu'on leur serve la même médecine, alors tu vas lui en mettre plein le buffet comme il voudra t'en mettre plein le buffet. Mais lui n'y arrivera pas parce qu'à toutes les fois qu'il va s'approcher de toi, tu vas plier les genoux et t'accroupir pour passer sous ses coups. Alors si tu fais tout ça, Micky Ward ne te touchera pas et si le cœur t'en dit, tu pourras jouer au golf le lendemain… »

À l'opposé, toutes les erreurs que Micky voulait éviter, il est en train de les commettre. Il ne bouge pas assez la tête – en fait, oui il la bouge, mais seulement sous l'effet des coups d'Arturo –, utilise insuffisamment son jab pour s'approcher de lui, de sorte qu'il est à peu près toujours où il ne voudrait pas être: au bout des coups d'Arturo, là où ils ont le plus de puissance. En dépit de cela, on peut néanmoins voir à la résolution qu'il met à tenter de se coller à lui, à la férocité qui émane de ses longs coups que le combat peut changer de physionomie. Arturo a beau avoir enlevé les deux premiers rounds, le danger reste en effet présent car, quelque part, toute la force de Micky vient de son retard dans le pointage. C'est qu'en abordant le combat, il n'est pas autant dans l'inconnu qu'il disait l'être dans les journaux. Par exemple, s'il était sûr d'une chose avant le combat, c'est qu'il n'allait pas gagner beaucoup des premiers rounds. On l'a dit, sa plus grande qualité est peut-être sa lucidité, sa capacité à ne pas se mentir à lui-même. Il sait ne pas être un grand boxeur, il sait que ses habiletés limitées, son manque de vitesse, ses lacunes techniques vont lui faire perdre plus de rounds qu'ils ne vont lui en faire gagner. Or, sachant cela, il n'est ni catastrophé ni découragé par la perte des premiers rounds. Ce n'est pas un type pressé et son succès il entend le construire sur le long terme. Ce n'est pas non plus un boxeur ultra-ambitieux – écoutez, il a tout de même 11 défaites! –, de sorte que s'il lui arrive de manquer de temps dans un combat, et bien c'est vraiment dommage, mais on se reprendra la prochaine fois. Rendu à ce point, 11, 12 ou 13 défaites, qu'est-ce que ça peut bien changer dans sa vie? Et donc, ce soir, Micky sait qu'il va abandonner beaucoup de rounds à Arturo, mais il entend lui faire payer un prix suffisamment élevé pour les gagner pour pouvoir le cueillir à la fin, le réservoir vide. Tous les gens de l'industrie savent que si Arturo s'est transformé au fil du temps de boxeur à bagarreur, c'est avant tout parce que son indiscipline en dehors du gymnase lui a fait perdre l'usage de ses jambes. Et en boxe, tout commence par les jambes, la preuve, ce n'est plus deux mais trois rounds maintenant qu'Arturo a gagnés, et il l'a fait davantage avec ses jambes qu'avec ses poings.

Malgré tout, le 3ème round est quand même porteur d'espoir, à la fois pour Micky et tous ceux, comme lui, qui espèrent une guerre. C'est que juste après qu'il nous eut semblé entendre des «Gatti…Gatti… Gatti» de la part d'une partie du public, comme en appréciation de la démonstration de grâce du Montréalais, Micky a fait ses premiers gains. Il a réussi à réduire la distance entre lui et Arturo, et a passé assez régulièrement son redoutable crochet du gauche au corps. Conséquence, les jambes de *Thunder* le portent moins bien autour du ring, l'art est en train de foutre le camp – et avec lui la boxe –, et le combat tend à devenir violent et à courte distance comme le souhaite l'Irlandais. D'ailleurs, pour la première fois depuis le début du combat, les deux boxeurs, pieds plantés au sol, viennent de soulever la foule avec un échange de coups, Arturo qui lançait des crochets du droit au corps, Ward qui contrait avec le même coup à la tête, on aurait dit de la boxe synchronisée, et franchement c'était plus intéressant que la nage.

Mais pas pour Buddy. Il a été élogieux et touchant après le 2ème round – « tu boxes magnifiquement Arturo » –, sauf que maintenant il n'aime pas ce qu'il voit. Il est encore touchant, comme le deviennent toujours les entraîneurs dans ces huis clos intimes avec leurs boxeurs, mais son ton et ses paroles sont plus critiques. « Arturo, qu'est-ce que tu fais là ? Arturo, écoute-moi : quand tu te retrouves collé à lui, ne prends pas tous ces coups au corps. Tu as très bien fini le round, mais tu ne dois pas prendre ces coups-là, compris ? Aussitôt que tu te retrouves à l'intérieur avec lui, pars vers ta gauche. Arturo, regarde-moi, – *son regard se portait vers la gauche, comme tourné vers la foule.* Je suis ici. Reste concentré, Arturo. Tu boxes magnifiquement, mais tu dois éviter de prendre ces coups au corps… »

De l'autre côté, comme quoi c'est là un enjeu important du combat, on est aussi concerné par les coups au corps d'Arturo, mais plus par ceux qu'il donne que ceux qu'il reçoit. Depuis deux rounds, Dickie se plaint de ce qu'Arturo frappe illégalement sur les hanches de Micky, et l'arbitre Frank Cappuccino lui donne un peu raison, voilà deux fois qu'il ordonne à Arturo de garder ses coups au-dessus de la ceinture. Il y a des habitudes dont il est difficile de se débarrasser, et celle-là remonte à loin, Arturo l'a contractée à son entrée chez les pros. Son premier entraîneur, Panama Lewis, dont la réputation un peu sulfureuse lui vient d'ailleurs de ce genre d'enseignement, lui avait en effet montré à frapper un peu n'importe où dans le cours des échanges, dans le dos, sur les hanches, à la gorge, sous la ceinture, enfin partout où il était plus ou moins permis et où il devenait difficile pour l'arbitre de juger si cela était volontaire ou non. C'était, disait Lewis, une tactique particulièrement utile quand les choses commençaient à mal tourner, pour gagner du temps, pour stopper momentanément un adversaire, et il n'y a donc ici pas de coïncidence à ce qu'Arturo y ait recours maintenant.

Mais pour l'instant, tout est encore empreint de sportivité, la preuve, les deux boxeurs se touchent les gants au début du round. La boxe est un curieux sport. Jusque-là, comme l'avait annoncé Arturo, il n'y avait pas de guerre, et pas de démonstration évidente de sportivité non plus. Maintenant, au cours de ce 4ème round, la guerre est bel et bien déclarée, on va commencer, comme l'ont souvent dit les deux boxeurs «à faire un excellent travail à se tuer l'un et l'autre», et c'est pourtant le moment choisi pour exprimer sa sportivité ! Hélas, cela ne durera pas. Après avoir en effet été cueilli par une droite terrible de Micky et, dans la foulée, connu des moments vraiment pénibles face à un adversaire de plus en plus oppressant, Arturo vient de sonner les valseuses de l'Irlandais en le frappant à la coquille protectrice, et ce dernier croule au sol de douleur. Bien sûr, il faudra à un peu tout le monde sur place la reprise sur écran géant pour avoir la confirmation d'un coup bas, mais sur le ring, donnons-lui crédit, Frank Cappuccino n'hésite pas et le stipule tout de suite. Évidemment, il n'y a pas de knock-down à créditer au mérite d'Arturo et, pire encore, Cappuccino en a assez et le pénalise cette fois d'un point (il venait tout juste de l'avertir une autre fois). Il reste alors 25 secondes à cette 4ème reprise, et en temps normal le chronomètre devrait être arrêté pour accorder à Micky, au besoin, cinq minutes pour récupérer. Mais sans que l'on sache très bien si c'est Cappuccino qui a omis de demander le temps d'arrêt ou le chronométreur Michael Mirtha qui a fauté à l'exécuter, la cloche annonce la fin du round, privant Micky de son temps de récupération. Dans une minute, il faudra repartir au casse-pipe et, pour l'Irlandais, c'est un moindre mal car le combat peut lui donner l'impression de vouloir basculer. Non seulement vient-il en effet de gagner le dernier round, mais du fait du point soustrait à Arturo, il l'a gagné 10-8 comme si c'était lui qui avait provoqué un knock-down, et cela suffit presque à effacer son retard. Alors quand ses hommes de coin le disent lésé par les circonstances, il les corrige aussitôt: «Je suis correct et prêt à y retourner!»

Le moins que l'on puisse dire, c'est que le round suivant ne va pas démentir ses propos. Avec le concours admirable d'Arturo, Micky va en effet contribuer, selon le *Ring Magazine* du moins, au premier round d'anthologie de leur trilogie, qui ne sera par ailleurs même pas le plus violent de ce combat-ci, c'est bien là le pire pour la santé des deux hommes. Il pourrait d'ailleurs être tentant, à ce point-ci, de céder comme d'autres à l'indignation devant l'orgie de violence que le combat va se mettre à déployer à compter de maintenant, et d'en accuser les deux boxeurs en les disant incapables de mieux. Cela pourrait peut-être être vrai pour Micky, qui ne le cache d'ailleurs pas, mais il se trouve vraiment qu'à partir de maintenant, Arturo sera contraint de ne plus faire ce qu'il veut, mais seulement ce qu'il peut. À partir de maintenant, la défense d'Arturo sera assurée par ses poings plutôt que par ses jambes, et ce n'est pas une question de choix. Ensemble, Dickie et Micky ont vu juste. Ils estimaient à peu près impossible que les jambes d'Arturo puissent le porter du début à la fin d'un combat, surtout pas avec tous les coups au corps dont il allait être victime. Peut-être a-t-on justement mésestimé dans le clan du Montréalais ce pressing qui n'a rien de normal puisque, après le combat, Arturo dira à Buddy avoir besoin de jambes plus fortes pour la revanche.

Entre la 4ème et la 5ème reprise, Buddy a justement rappelé une autre fois à Arturo de frapper puis de se déplacer, et pour la première minute il en sera capable. Et qu'on ne s'y trompe pas: ce que Micky commence à lui faire endurer, il le lui fait endurer aussi, peut-être même en pire. Il boxe encore superbement, cogne extrêmement dur en transférant son poids presque dans chaque coup de poing, et il pourrait bien avoir déjà abrégé le combat s'il n'avait pas le malheur de frapper sur un véritable menton d'acier. Mais voilà, l'Irlandais, avec son travail au corps, a fait de lui un paraplégique et chaque fois qu'il se colle à lui est une nouvelle opportunité pour le punir. Il résiste tant bien que mal, réplique, mais le roseau commence à plier et la fin du round lui est terriblement éprouvante. Mais s'il cherche matière à consolation, il peut au moins se dire que sa démonstration d'aisance transformée en guerre a servi à quelque chose : le Mohegan Sun Arena est maintenant en transe.

La guerre, disions-nous ? Alors s'il faut que les boxeurs en soient là, il lui faut aussi son corollaire : les médecins. Entre le 5ème et le 6ème round, le soigneur d'Arturo, Joe Souza, fait ainsi sa première apparition dans le ring, et ce n'est pas pour venir y chercher un peu de notoriété, il est connu de tout le monde. Associé à Arturo depuis longtemps, il n'est surtout pas étranger au clan adverse, c'est lui qui soignait Jesse James Leija contre l'Irlandais, il y a quatre mois. On dit *soignait*, eux disaient l'inverse, ils prétendaient qu'il s'était volontairement montré incapable de fermer la coupure à l'œil droit de Leija, incitant l'arbitre à mettre fin au combat au moment où son boxeur menait au pointage. Il avait alors été critiqué mais quelque part le clan Ward devrait aujourd'hui lui dire merci : c'est précisément parce que l'Irlandais a perdu ce dernier combat et s'est montré vulnérable que le clan Gatti a accepté de l'affronter, confirmant le vieil adage qui veut qu'en boxe, ce soient autant les défaites que les victoires qui mènent à des opportunités. Ce soir, donc, Souza travaillait jusqu'ici de l'extérieur des cordes, ce qui n'est pas courant pour lui dans le cas d'un combat d'Arturo et démontre bien comment ce dernier a réussi jusqu'à maintenant à s'approcher de la perfection. Après cinq rounds, le visage d'Arturo n'est quand même pas trop marqué et l'essentiel du travail consiste à prévenir les enflures. En face, Al Gavin est aussi à pied d'œuvre. Micky a fini le round précédent avec un sillon de sang vertical entre son œil et son cou qui le faisait ressembler au *Rocket*, sur sa célèbre photo avec le gardien des Bruins, *Sugar* Jim Henry. « Ne bouge pas Micky, lui dit Gavin, laisse-moi m'occuper de ta coupure. » Pour l'essentiel, elle est sous contrôle.

Durant le repos, Buddy a eu beau changer de place avec Joe Souza, il n'a pas changé de discours : « Tu touches une fois, tu touches une autre fois, et puis tu te retires », a-t-il exhorté Arturo à faire. Le rappel porte ses fruits, c'est exactement ce que trouve encore le courage de faire Arturo au cours de ce 6ème round. Il recommence à se déplacer, encore que ce soit maintenant davantage en marchant qu'en dansant, et parce que Micky lui accorde pour l'instant cette liberté. Ses frappes sont dures, sèches ; sûr, comme nous l'a dit Micky, qu'il a pensé qu'elles allaient être suffisantes pour le freiner. Dans les faits, Arturo connaît un superbe round, recommençant même à bouger le haut du corps pour être plus difficile à toucher, et ce serait là une embellie qui serait de nature à encourager tout son clan si ce n'était qu'il restait quatre autres rounds ! Buddy le sait bien, Buddy sait tout des idées qui trottent alors dans la tête d'Arturo, elles ont été si longtemps siennes. Et à partir de maintenant, il n'y aura plus qu'un seul contrepoids à la sauvagerie de l'action sur le ring, et ce sera la tendresse des paroles dans les coins. « Comme ça ! C'est exactement comme ça qu'il faut boxer, Arturo », lui dit Buddy en l'accueillant pour le repos, ignorant alors que le juge du New Jersey Steven Weisfeld vient d'accorder le round à Micky, sans doute pour récompenser son agression. « Maintenant, écoute-moi Arturo : ce type se retrouve dans la même situation que toi, il est aussi fatigué que tu peux l'être, sinon plus. Ce round, c'était très bien, très brillant. Mais n'oublie pas : quand il vient se coller à toi, si tu n'es pas à l'aise pour attaquer, bouge juste le haut de ton corps, il ne pourra rien faire. Et puis reviens ensuite avec ton jab. Si tu te retrouves dans les cordes, assure-toi juste de marquer avec des petites touches, et continue de faire ça jusqu'à ce que tu trouves ton deuxième souffle. Prends une grande respiration. Là, on boxe comme Arturo Gatti ! Écoute-moi, Arturo, regarde-moi *baby :* ce combat-là est à toi. Tu pourras te reposer tant que tu le voudras demain. Tu comprends ? Cette victoire-là, c'est pour toutes les épreuves, *baby*. Tu m'entends ? Allez, boxe ! »

Et il l'avait fait encore mieux au 7ème qu'au 6ème, renouant avec sa démonstration d'aisance du début de combat, de nouveau plus léger sur ses jambes, de nouveau résolu à rappeler à tout le monde que Micky et lui n'appartenaient pas à la même ligue, et ça avait marché, Emmanuel Steward avait dit sur HBO : « Jusqu'à maintenant, Micky a été dominé sur le plan du talent, des habiletés, mais pas sur celui du cœur... » Le combat semblait effectivement avoir repris sa physionomie initiale, Arturo était bien encore le plus beau des deux hommes, le plus beau des deux boxeurs, mais là où Micky était aussi magnifique que lui, c'était dans l'engagement, la passion mise à offrir ce spectacle. « Quand les choses vont mal, nous disait Micky, quand tu perds des rounds, ce n'est jamais facile de rester confiant en ta capacité à faire tourner les choses. Mais c'est précisément là que tu dois être fort mentalement et garder foi en tes habiletés. Tu ne dois pas céder. Et dans le fond, la confrontation entre Arturo et moi n'a toujours eu qu'un seul et même but: tenter de briser la volonté de l'autre...»

Pour tous ceux concernés par l'outrance de violence produite par les deux hommes, le problème «sociologique» de mettre Arturo Gatti en face de Micky Ward avait justement rapport avec ce point-là: on savait très bien que ni l'un ni l'autre n'allait jamais abdiquer, ce qui faisait dire à ces gens que les mettre tous les deux entre les mêmes douze cordes équivalait à placer un tigre et un lion dans une cage et laisser le bon peuple les regarder s'entretuer.

À l'évidence, ce n'est pas là l'opinion de Buddy, pour lui Micky Ward est sur le point de sombrer, du moins tente-t-il de le faire croire à Arturo juste avant de le laisser filer pour le 8ème assaut: «Ce type ne veut plus se battre, Arturo. La seule chose qu'il a maintenant en tête, c'est de passer sa grosse *shot*...» Et comme si cela n'était pas assez motivant: «Dix minutes. Il ne reste plus que 10 minutes, *baby*. Peux-tu me les donner?»

Le «oui» d'Arturo est affirmé, décisif, et cela semble contraster avec l'état d'esprit de son adversaire dans le coin opposé. Al Gavin doit demander deux fois à Micky si tout va bien avant d'obtenir une réponse affirmative que, de toute façon, les propos de Dickie ne tardent pas à contredire. «Mick, ne sois pas juste un sac de sable. Si tu retournes là pour n'être qu'un sac de sable, je ne te laisserai pas continuer. Donne tout ce que tu as. À partir de maintenant, c'est ton gauche. Fais tout ce que tu peux avec ton gauche. Arrache-lui les tripes...»

Quand Micky quitte le tabouret de bois à l'appel du 8ème round, son épitaphe est déjà écrite pour à peu près tout le monde, la foule, les journalistes, son staff même. Il a eu une honorable carrière. Un guerrier qu'on vous dit. Vous vous rappelez de ses come-back mémorables contre Alfonso Sanchez et contre Shea Neary? Il était perdu et puis, bang!, il leur a passé le K.-O. tard dans le combat. Et même ce soir, vous avez vu? Il n'a jamais renoncé, et qu'est-ce qu'il lui a fait mal à Gatti, quand même, à la fin du 5ème round! Il a juste été battu ce soir par un plus jeune homme, voilà ce qui s'est passé. Le plus frais des deux boxeurs a gagné, c'est seulement ça. Non, on vous le dit, Gatti, s'ils le lui avaient donné il y a deux ou trois ans, pffff… Mais c'est pas grave, Micky peut partir la tête haute et aller jouir de sa très bonne bourse, il y a au moins cette justice-là, il aura fait l'argent qu'il mérite au moins une fois dans sa carrière…

Quand Micky quitte son tabouret pour le 8ème round, son épitaphe est écrite pour à peu près tout le monde, y compris pour lui. Il ne faut pas le dire, il faut tenter de le cacher, mais deux minutes et 45 secondes du 8ème round montrent clairement que sa confiance est alors atteinte. Dickie pensait avoir vu un sac de sable au round précédent, mais c'est encore pire dans celui-ci. Bien sûr, il est toujours là, il continue d'avancer, mais sa détermination n'est plus la même. Pour dire, Arturo connaît peut-être son meilleur round, et c'est exactement à cette facilité-là qu'il faisait référence dans ses commentaires avant le combat. Et maintenant qu'on a préparé la viande froide de son adversaire, on peut bien lui rendre son dû, faire son éloge, et même celui de son clan. «Arturo est très, très allumé ce soir», dit Steward sur HBO. «Et donnons crédit à ceux qui dirigent sa carrière pour avoir su le reconstruire après toutes ses guerres, lui avoir donné quelques combats faciles pour lui permettre de se refaire une santé», ajoute Merchant en cédant la parole à son descripteur. «Son manager s'appelle Pat Lynch, on ne trouvera pas plus loyal dans toute la boxe, et il est l'homme qui a gardé la carrière d'Arturo Gatti vivante…», précise enfin Jim Lampley. Pas un mot sur le préparateur physique Teddy Cruz, qui travaille évidemment dans l'ombre, mais s'il faut ajouter un nom aux louanges, il faut que ce soit le sien. Oui, Arturo Gatti avouera après le combat avoir peut-être mésestimé Micky Ward. Oui, il avouera «avoir peut-être relâché son entraînement un petit peu». Oui, il s'y est encore peut-être pris trop tard pour cesser de fumer. Il n'empêche: la performance qu'il offre ce soir, et encore dans ce 8ème round, n'en est pas une d'un boxeur en méforme. Il est peut-être trop juste, il était sûrement à court de rounds pour aborder ce combat-là, mais allez demander à Micky, pour voir, si le type qui bûche sur lui depuis huit rounds est en forme ou non.

Hélas, sept rounds et 2 minutes 45 secondes, tout impressionnants et méritoires qu'ils soient, ne sont pas suffisants contre un type qui a peut-être 36 ans, mais qui ne triche ni avec l'entraînement ni avec la vie. Sept rounds et 2 minutes 45 secondes de supériorité ne mettent malheureusement pas à l'abri d'une défaillance contre un adversaire, certes humain comme tous les autres et qui peut donc avoir des baisses de confiance au cours d'un combat, mais qui a maintes fois fait la preuve qu'il arrive à les surpasser pour « ne jamais cesser d'y croire ».

Exactement comme ce soir. Avec 15 secondes à faire dans ce 8e round jusqu'alors survolé par Arturo, Micky explose avec une volée de coups au corps et à la tête qui blessent son adversaire et le fait reculer jusque dans son coin où il aura bientôt bien besoin de s'asseoir. Depuis quelques rounds déjà, Micky lançait occasionnellement son jab au corps plutôt qu'à la tête, et c'est cette ruse qui vient de payer, Arturo a un peu compromis sa garde et créé une ouverture dont l'Irlandais n'a pas manqué de profiter. Maintenant, encagé dans le coin, dans sa position fœtale habituelle quand on lui fait mal au corps, il est très nettement en péril, suffisamment pour que Carl Moretti s'approche du ring pour en mesurer le degré. Mais la cloche vient heureusement l'épargner de châtiments plus sévères. Pour lui, dans la mesure où il avait été si bon jusque-là, c'est quand même une fin de round un peu cruelle. Au cours des derniers rounds, il avait réussi à revenir au script original, celui qui le mettait facilement et bellement vainqueur d'un faire-valoir de Lowell, en attendant un vrai combat pour le titre contre l'Australien Kostya Tszyu. Mais là, s'il voit son soigneur de retour entre les cordes avec ses gants de latex, sa tige de coton, sa vaseline et sa serviette tachée de sang, c'est que la guerre a repris et que le script ne sera plus le sien mais celui de Micky. Néanmoins, mis à part Souza qui s'impatiente parce qu'il bouge trop et ne le laisse pas soigner la plaie que Micky vient de rouvrir, son coin est plutôt calme. Dans un sens, il est vrai qu'il est encore en avance, et qu'il n'a peut-être même pas perdu ce 8e round tant il l'avait dominé avant les 15 dernières secondes. Alors c'est soit que Buddy est calme et vraiment pas trop inquiet, ou encore que le retournement de situation causé par Micky a été trop soudain et ne lui a pas laissé le temps de se préparer une autre contenance. «Tu prends encore trop de coups à l'intérieur, Arturo. Et lance ta main droite au corps. Arturo, écoute-moi: il te reste six minutes. Donne-moi encore six minutes…»

Mais Buddy peut bien réclamer encore six minutes, le problème est que Micky, lui, sait qu'il ne peut plus laisser une seule seconde à Arturo. «Mick, je te jure que tu l'as maintenant à ta merci», vient d'ailleurs de lui dire Dickie, comme s'il avait peur de ne pas être cru s'il ne jurait pas. «À partir de là, confiera ensuite Micky, je savais que mon salut passait par une attaque immédiate au début du 9e round. C'était maintenant ou jamais. Arturo menait probablement aux points, mais il venait de se faire ébranler et c'était ma chance de l'arrêter, ou à tout le moins de l'envoyer à terre pour revenir dans le combat.»

À l'entame du 9e assaut, Micky Ward et Arturo Gatti ne le savent pas encore, mais ils s'apprêtent à prendre part aux trois minutes d'action les plus folles, les plus violentes, les plus dérangeantes et parmi les plus commentées que la boxe a peut-être jamais produites. Et Micky ne le sait tellement pas qu'il les commence, tout résolu qu'il est pourtant à vouloir achever Arturo, avec un… jab au corps! C'est que Micky n'a pas présentement en tête d'entrer dans l'Histoire, il a en tête de rentrer chez lui avec une victoire sur un type qui l'a un peu regardé de haut. Au round précédent, le jab au corps l'a aidé à faire pivoter le combat et il attend maintenant de lui qu'il l'aide à y mettre fin. C'est bien parti: 15 secondes après le début du round, et surtout 2 minutes 45 secondes avant qu'il puisse finir, Arturo Gatti est déjà au tapis. Une remarquable combinaison de deux crochets du gauche de Ward, le premier à la tête le second au foie, l'a contraint à poser un genou au sol et accepter le compte de Frank Cappuccino pour tenter de récupérer. L'effet que ça lui fait? «Ce crochet du gauche au foie est le plus dur coup que j'aie jamais reçu de ma vie», confiera-t-il bientôt au journaliste et écrivain Thomas Hauser. «Et la douleur que j'ai ressentie était juste impossible à dissimuler.» Il est en effet agenouillé au sol, offrant à Cappuccino qui est en train de le compter une mine grimaçante qui ne donne ni espoir ni envie de le voir se relever. Pour plusieurs, en tout cas pour tous ceux qui disent de lui qu'il est le meilleur boxeur pour la télévision à avoir jamais vu le jour, il a beau être à son pire, il est alors à son mieux. «Le succès de Gatti est assez facile à comprendre, expliquait dans le *Ring* le journaliste Don Stradley: il grimace quand il est blessé, essayant de partager sa douleur même avec les spectateurs des dernières rangées! Fatigué, son corps tangue comme un pont qu'on vient de dynamiter. Si on ne le connaissait pas si bien, on jurerait qu'il joue la comédie.»

Si c'est là un comédien, c'en est un fichu de bon. Il avouera avoir pleuré après le combat, mais il le fait déjà, sur le ring. «Après ce coup au corps, j'ai vu des larmes rouler dans ses yeux», dira Buddy. Et puis de toute façon, il n'est pas censé se relever. Le *Ring* lui-même l'a écrit en toutes lettres dans un long reportage, et plusieurs boxeurs avant et après Arturo en ont fait la preuve: on ne se relève pas d'un tel coup au foie. Ce n'est pas une question de volonté, c'est une question de capacité. «Impossible de trouver à respirer», dit en effet la docteure Margaret Goodman. Et surtout pas quand l'auteur du coup est reconnu par le *Ring* comme l'un des dix plus dangereux cogneurs au corps de tous les temps! Ce crochet du gauche au corps est à faire peur, rien de moins, et ce n'est que normal que Dickie ait demandé plus tôt à Micky de s'en remettre seulement à ce coup. Dickie doit d'ailleurs savoir de quoi il parle, il dit que ce crochet, avant d'être le coup de Micky, fut le sien du temps où il boxait. Micky ne s'obstine pas, mais il explique la qualité du sien par toutes les heures forcées à le pratiquer en raison de ses nombreuses blessures à la main droite qui ne lui laissaient souvent que la gauche pour s'entraîner.

C'est un peu pour tout ça que, maintenant debout dans le coin neutre, Micky ne s'attend pas à voir Arturo être capable de se relever avant la fin du compte de 10. En fait, non: pour être exact, Micky n'est pas très sûr qu'Arturo ne se relèvera pas parce que s'il y a une chose dont il est aussi sûr que la puissance de son crochet, c'est qu'Arturo a une tolérance exceptionnelle à la douleur, une capacité à la repousser qui le rend «presque» incomparable! «Je pense que, à ce niveau, oui, on peut vraiment dire que nous étions jumeaux, dit Micky. Et ultimement, cette capacité à repousser la douleur est ce qui distingue les champions des boxeurs ordinaires...» Alors, qu'est-ce qu'il fait présentement Micky dans le coin neutre, pendant que Cappuccino égrène les secondes, trop lentement au goût de certains? Il prie! Il prie pour que bien sûr Arturo ne se relève pas et qu'il soit déclaré vainqueur, mais tout autant pour que ses souffrances à lui trouvent aussi leur terme.

Ses prières viennent très près d'être exaucées. Mais Arturo Gatti, peut-être le boxeur avec le plus grand cœur de toute la boxe, réussit vaille que vaille à se remettre debout au compte de 9! Il a toujours la douleur vissée au visage et, cela est sûr, il n'y a pas une âme sur terre qui va trouver à redire si Frank Cappuccino l'entoure alors de ses bras et le reconduit dans son coin. Mais l'arbitre de Philadelphie, très au fait comme tout le monde de sa résilience, consent plutôt à le livrer de nouveau aux poings de Micky. Peut-être alors veut-il s'accorder un peu plus de temps pour juger s'il a récupéré, et les prochaines secondes vont lui donner une excellente idée: à partir du moment où Cappuccino permet à l'action – le mot est faible – de reprendre, c'est pas moins de... 28 coups consécutifs qu'Arturo encaisse un peu partout où on peut trouver de la peau et son corps est plus que jamais ce pont qu'on vient de dynamiter. «Je cherchais à reprendre mon souffle, expliquera-t-il ensuite, mais Ward n'arrêtait pas de me frapper.»

Tant et si bien que, maintenant, l'Irlandais est dans le même bateau que lui: il est à court de souffle, vidé de l'avoir pourchassé et cogné pendant une bonne trentaine de secondes. Et comme un peu tout le monde sur place et à la télévision retient aussi sa respiration devant les événements, on se dit que tout ça ne va pas bien finir.

Et d'abord, est-ce que ça va seulement finir? Arturo vient maintenant de passer à l'action à son tour, et son affrontement avec Micky Ward n'est alors plus un combat de boxe mais un match de baseball où chacun des deux adversaires obtient son tour au bâton. Micky pensait bien être le seul ce soir à rendre hommage aux Spinners, mais Arturo apporte aussi sa contribution, on dirait une pratique d'avant-match où il répète ses élans sur un lanceur d'exercice. Il cogne partout et, bien sûr, encore bas avec la bénédiction de Cappuccino qui ferme les yeux au nom du spectacle.

Un spectacle ? Vous n'imaginez pas comment.

Il y a un instant, tout à la joie d'une victoire quasi certaine de Micky, c'est Dickie qui sautait partout, au point où les officiels de la commission athlétique ont dû le contenir.

Zab Judah, lui, géré également par Main Events et déjà vainqueur de Ward en 1998, regarde le combat aux côtés de Patrick Lynch, mais il y a longtemps qu'il n'est plus assis. Il s'est levé de dépit quand Arturo a dû poser un genou au sol et là, sidéré lui aussi par les échanges, il lui faut partager son ahurissement au téléphone avec un pote qui doit jouir aussi devant son téléviseur.

Lynch, pour sa part, qui croyait en avoir fini avec les guerres après avoir vu le combat contre Millett, s'est levé de sa chaise pour échapper à la vision de son boxeur malmené, mais il vient de se rasseoir en plaçant ses mains derrière sa tête. Un peu rassuré de voir que l'avantage a changé de camp.

Ailleurs dans l'amphithéâtre, John Capone, le garde du corps engagé pour tenter de discipliner Arturo et surtout se battre à sa place à l'extérieur du ring, aimerait bien le faire à l'intérieur aussi, il est debout et lance des coups dans le vide avec la rapidité que ses 250 livres lui permettent.

Un spectacle ? Vous n'imaginez pas comment. Ce qu'Arturo Gatti réalise actuellement est proprement sidérant, il était à l'article de la mort il y a 30 secondes, et là c'est son attaque sur Ward qui pourrait presque fournir une autre des nombreuses occasions offertes à Cappuccino de stopper le combat dans ce 9ème round. Sûr, d'ailleurs, que si le bon Frank arrête ça maintenant, l'avant-dernier round de ce combat entre Arturo Gatti et Micky Ward reçoit à la fin de décembre l'honneur du Round de l'année 2002.

Mais on a encore rien vu, il en reste comme ça pour une autre minute! On se plaindra d'ailleurs dans quelques instants de ce que le 10e round ait été trop court et amputé de 30 secondes, on pourrait dire le contraire de celui-ci tant il paraîtra long, trop long de violence. Au moment de *breaker* les deux hommes, Cappuccino vient d'ailleurs de leur dire «stop, stop» et certains auraient souhaité que sa directive serve à les arrêter simultanément, pour les protéger d'eux-mêmes.

Mais cela n'arrivera pas, il reste encore un tour au bâton, celui de Micky puisqu'il «joue» à la maison, et il ne s'en privera pas, les Spinners vont être fiers de lui. Pendant les 45 prochaines secondes, le châtiment qu'il va faire endurer à Arturo Gatti sera ainsi d'une telle cruauté que George Kimball écrira, dans le *Boston Herald:* «Le ruban de ce combat-là constitue la plus pertinente pièce à conviction des abolitionnistes de la boxe!» Pendant 45 secondes, comme s'il cherchait à briser sa marque du début du round dont on semble déjà bien loin, Micky Ward va porter 38 coups consécutifs à un Arturo Gatti plus que jamais recroquevillé sur lui-même, et pour la deuxième fois dans ce 9ème round, le fantôme de l'arbitre Ruby Goldstein – qui avait laissé Emile Griffith tuer Benny Paret de 18 coups sans réplique – va passer sur le ring du Mohegan Sun Arena.

Ce à quoi Frank Cappuccino se refuse présentement, ils sont pourtant nombreux à penser le faire.

Carl Moretti, de Main Events, a une fois de plus quitté sa chaise à un saut de puce du ring et marché vers Cappuccino en le regardant avec l'idée de lui dire d'intervenir.

Patrick Lynch a laissé sa place aux côtés du directeur général de Main Events Gary Shaw et il s'est approché de Buddy avec l'intention de lui dire de jeter l'éponge.

Shaw, quant à lui, n'a pas cherché à faire arrêter le combat mais on lui a souhaité que les autres en soient capables, le pauvre se remet à peine d'un cancer de la prostate et il nous étonnerait que de voir deux gars se taper dessus avec une telle violence puisse être très indiqué pour sa condition.

James Buddy McGirt a pour sa part passé une bonne vingtaine de secondes debout sur le tapis du ring, à l'extérieur des cordes, avec une serviette à la main, sur le point de la lancer sur le ring pour signifier la reddition de son boxeur. Il s'est retenu de le faire lui aussi, puis un officiel est venu l'intimer de descendre et de retourner au bas du ring. «J'avais cru entendre la cloche», dira-t-il ensuite aux journalistes… avec un large sourire!

Jim Lampley, de sa position de descripteur pour HBO à un pied du ring, ne semble plus parler aux téléspectateurs mais à Cappuccino, juste au-dessus de lui: «Arrête ça maintenant Frank, tu as toutes les occasions voulues pour arrêter ce combat-là, Arturo Gatti ne tient plus sur ses jambes…» Et puis, cinq secondes plus tard, sa déception teintée d'incompréhension: «Frank Cappuccino va les laisser poursuivre!»

Son collègue Emmanuel Steward est un peu dans la même situation que Gary Shaw, la violence sur le ring est devenue une menace à sa santé comme à celle des deux boxeurs: «Je ne sais plus si mon cœur va pouvoir supporter ça plus longtemps…»

Vivian Penha, assise aux côtés d'Ida Gatti, n'a pas cherché non plus à faire stopper le combat, elle a échappé à la torture de son amoureux en fixant le plancher, quand elle n'a pas choisi de se tourner complètement à l'opposé du ring. En revanche, ce qu'elle a vu de la réaction d'une mère contrainte d'assister à l'exécution publique de son garçon lui a été bien suffisant pour en souhaiter aussi l'arrêt.

Micky Ward? Bien sûr que Micky Ward aussi veut que Frank Cappuccino mette un terme à l'affrontement, il en rêve depuis le début du round alors imaginez maintenant, il est en train de se briser les épaules, les coudes, les mains à cogner sur ce type qu'il aura beau comparer au granit, il y a quand même des limites. «Je pense réellement que Frank Cappuccino aurait dû arrêter le combat, nous disait Micky. Arturo m'a montré au cours de ce 9e round comment dur au mal il pouvait être, mais il a pris vraiment trop de coups et sa santé était en péril. D'ailleurs, j'étais certain à ce moment que Cappuccino avait le devoir d'arrêter Arturo quand Buddy est monté sur le bord du ring…» Et demain, quand il va regarder la reprise du combat à la maison, entouré de sa fiancée Charlene et de ses deux chiens, il en sera encore plus convaincu, tout en se demandant ce qui peut bien avoir fait tenir debout aussi longtemps son adversaire. À partir de ce moment, Arturo Gatti cessera d'être pour lui «Thunder» et deviendra *Jason*, parce qu'impossible à tuer!

Reste lui, justement, *Jason*. Ou Rocky. Ou le «Fait saillant humain», comme on l'appelait aussi. À toujours le comparer à des figures fictives du grand écran, on a juste oublié que les 93 coups de plein fouet qu'il vient d'encaisser dans ce round, ce n'était pas du cinéma. Il les a vraiment pris sur la tête pour la plupart, donnés par un homme entraîné pour tuer, armé de gants – Reyes, les pires! – de huit onces conçus pour briser bien plus de cellules que le cerveau humain peut en développer. Normal qu'on l'ait oublié, Arturo Gatti est un produit de la télévision, et qu'est-ce que fait la télévision si ce n'est d'atténuer la réalité, la férocité d'un spectacle? Rendu par la télévision, un combat de boxe brutal comme celui de ce soir n'est rien de plus qu'un film de *Rocky* avec des scènes d'action mieux chorégraphiées. En 1962, quand Griffith tua Paret sur le ring devant les caméras du réseau NBC, c'était la première fois que les téléspectateurs américains voyaient mourir un boxeur en direct et la tragédie avait rapidement amené les diffuseurs à retirer la boxe de leur programmation. Dans les faits, pourtant, le spectacle du dramatique combat n'était, en lui-même, pas très différent de celui d'un film de boxe réussi. La tragédie ne pouvait prendre tout son sens que sur place, et encore là pas n'importe où, seulement près du ring où il était possible de réaliser la cruauté du châtiment imposé à Paret, la puissance des impacts que sa tête encaissait. Mais même là, jamais personne près du ring n'arrivera à avoir une juste idée de ce qu'a vraiment enduré Benny Paret ce soir-là.

Pareil pour Arturo Gatti. Pendant que, d'un coin à l'autre du ring, il est traîné comme un fétu de paille par Micky Ward, souhaite-t-il être arrêté par Frank Cappuccino? La logique veut que oui, sans aucun doute possible. Ce qu'il subit présentement est inhumain, à un point tel que le juge Richard Flaherty ne va pas inscrire sur son bulletin 10-8 pour Ward à la fin du round, mais 10-7! Mais en revanche, tout ce que 20 ans de boxe ont jusqu'ici appris à Arturo, le refus de l'abandon, l'importance d'être un guerrier, de savoir repousser la douleur, sa nature, ses modèles – il avait fait siens les mots de Winston Churchill *«never, never, never quit»* qu'il avait un jour lus sur le bureau de son ami et coach de football Rich Hansen –, tout ça concourt à ne pas le faire lâcher de lui-même et à dire qu'il faut le laisser poursuivre. «Aurait-on dû arrêter le combat? Si j'avais été quelqu'un d'autre, peut-être, oui...», avait-il ainsi répondu après le combat à Thomas Hauser. «Mais je suis Arturo Gatti, et mes combats sont toujours comme ça. Je me fais ébranler, je reviens, je me fais encore ébranler et je reviens encore...»

Mais cette fois? On n'aurait pas assez d'une vie pour se remettre d'une telle agression, et ce dont bénéficie maintenant Arturo pour récupérer c'est... 60 secondes! Quand le seul coup de marteau qu'il a pu éviter dans ce round vient finalement à sa rescousse pour faire entendre la cloche, il est groggy, coupé sous l'œil et sa tête est boursouflée. Marcher jusqu'à son coin est une épreuve, s'asseoir une délivrance. Buddy l'asperge d'eau de la main droite et place la gauche derrière sa tête. Puis il colle sa tête à la sienne, d'ordinaire deux fois plus petite et maintenant identique. «Arturo, écoute-moi. Arturo, écoute-moi.» Son regard est vitreux, dans le vague. «Je ne te laisserai pas continuer à prendre des coups comme ça.» Réaction nulle. Une épave. Oubliez l'idée qu'Arturo Gatti est mort au Brésil. Il est mort bien avant, un peu partout en Amérique. «Arturo, regarde-moi. Arturo, regarde-moi.» Réaction nulle. Une épave. «Arturo, dis-moi quelque chose!» Des secondes.

– Mes côtes me font souffrir, il m'a fait mal aux côtes.

– Tu veux que j'arrête le combat?

– Non, donne-moi seulement un coup de main à me relever et je vais tenir jusqu'à la fin…

En 60 secondes, il a réussi à revenir un peu à lui. En empruntant entre autres un truc au répertoire de son ami, le pilote de NASCAR Dale Earnhardt Jr. Il s'est mordu la lèvre très fort, comme le font certains pilotes pour éviter de s'endormir. Puis, l'un de ses hommes de coin, Mickey Skowronski, a tiré sur l'élastique de son short et y a engouffré tout ce qu'il avait pu saisir de glaçons dans sa chaudière. Saisissant pour lui. Buddy et lui sont maintenant debout sur le ring, se parlent, on peut présumer que le coach demande au boxeur s'il est bien certain de vouloir y retourner. Parce que revenir à lui veut aussi dire revenir à Ward pour trois autres minutes. La cloche sonne, Buddy est toujours à discuter avec Arturo. À ce moment, c'est comme si la confusion qui était seulement celle d'Arturo il y a quelques instants s'est propagée. Au micro de HBO, Lampley annonce que le combat est terminé, que le clan Gatti a rendu les armes. Autour, plein de gens le croient aussi. Micky Ward le premier. Il voit McGirt toujours dans le ring, face à son boxeur, c'est ainsi que les choses se passent quand un boxeur ne répond pas à l'appel d'une reprise et abandonne. Les secondes suivantes sont touchantes. Micky commence à célébrer, lève les bras au ciel, et il y alors une chose de plus visible encore que sa fierté : son soulagement. Il confiera d'ailleurs s'être dit à ce moment : Dieu merci, c'est terminé. Pas : Dieu merci, j'ai gagné. Non : Dieu merci, c'est terminé.

Hélas, ce n'est ni l'un ni l'autre, ce n'est pas fini et il n'a pas gagné ! Alors qu'il s'apprête, en beau vainqueur, à aller féliciter Arturo de son effort, Frank Cappuccino, qui doit bien se demander ce que tout le monde a à vouloir arrêter un si bon combat, le ramène à l'ordre : « Non, non, wow, wow, le combat n'est pas terminé, c'est le dernier round ! » Micky vient pour commencer à argumenter, puis semble se dire qu'il lui vaut mieux chercher à retrouver sa concentration le plus vite possible. *Jason* est de retour devant lui, et on ne rigole pas avec *Jason*, même si on vient de le tuer. Mais si patent était son soulagement il y a un instant, si patente est maintenant sa déception d'avoir à rouvrir l'interrupteur qu'il venait tout juste de fermer.

La seule bonne nouvelle, c'est que ce sera pour moins longtemps que prévu. Quand Cappuccino renvoie les deux boxeurs dans leur coin respectif dans l'attente de la cloche, il y a en effet déjà 30 secondes que le chronométreur Michael Mirtha l'a fait entendre, comme si ce dernier, pourtant critiqué, était la dernière âme sensible encore sur place et qu'il cherchait à abréger les souffrances de tout le monde. Bien sûr, si minime puisse représenter ce repos additionnel de 30 secondes, il contribue quand même à aider Arturo à émerger de son brouillard, pavant ainsi la voie à un exploit aussi remarquable que tous ceux qu'il a jusqu'ici accomplis dans sa carrière. D'une manière hallucinante, dansant par moments comme il le faisait il y a neuf rounds, il soumet en effet à son tour Micky Ward à une torture épouvantable qui rend presque la capacité d'encaisser de l'Irlandais aussi héroïque que la sienne dans le round d'avant. «Je suis soufflé de voir les sévices que ces deux hommes sont capables d'accepter», laisse d'ailleurs tomber sur HBO un Larry Merchant que l'on sent sous le choc. Du mieux qu'il peut, Micky réplique à l'occasion, mais cela n'est pas contestable : Arturo Gatti, pratiquement laissé pour mort il y a trois minutes, a enlevé le 10ème et dernier round ! «Je n'ai jamais été capable de surmonter ma déception de ne pas avoir gagné à la fin du 9ème, expliquera ensuite Micky. Mais aucune excuse, Arturo a bel et bien été le meilleur dans ce round.»

Sur la seule foi de l'expression de son visage, nous en sommes convaincu : Micky ne croit pas avoir gagné. Un moindre mal, bien sûr, parce que comme le disait Merchant, ce que ces deux boxeurs-là ont compris et qui a échappé à trop d'autres, c'est qu'un athlète professionnel doit penser à gagner des fans avant de penser à gagner autre chose. Et sur ce plan, ce soir, Micky n'a pas trop de souci à se faire, on ne parle déjà plus de nommer son combat comme celui de l'année, mais comme celui du siècle ! «Les meilleures trois minutes de l'Histoire», dira le réputé analyste Teddy Atlas en parlant du 9ème round, «et certainement parmi les plus grands combats aussi...» Le sentiment de Micky, présumons-nous donc, est d'avoir laissé filer sa chance au 9ème, avec cette victoire qui lui tendait les bras après la chute au tapis d'Arturo. Mais il n'a pas su conclure – remarquez, à moins de *vraiment* tuer Arturo, on voit mal ce qu'il aurait pu faire de plus – et Arturo est revenu plus fort que lui dans le dernier round, ce qui, dit-on, est toujours bien vu des juges. Certes, il sait que la décision sera serrée : Arturo a perdu un point au 4ème round et mis un genou au sol au 9ème, avant de presque y laisser sa peau. Juste avec ces deux rounds-là, c'est comme si Micky en avait gagné quatre, alors il lui suffit d'en avoir enlevé deux sur les huit autres pour au moins s'en tirer avec le nul. Mais d'un autre côté, sur l'ensemble du combat, il est indéniable qu'Arturo a dominé plus de rounds que lui, c'est un peu pourquoi ils semblent plus nombreux à voir le Montréalais gagnant. Merchant dit lui accorder quelques points de priorité. Steward est plus imprécis, parle plutôt d'une impression générale, mais le donne vainqueur pour récompenser sa plus grande activité et sa constance. Max Kellerman, un autre réputé analyste, l'a aussi vu gagner par une faible marge. Buddy, en dépit de sa déception de l'avoir vu s'égarer souvent du plan de match, croit bien sûr aussi à sa victoire. Bref, pour l'instant, avant de connaître la décision officielle, il n'y a que le juge de HBO, Harold Lederman, pour donner espoir à Micky, et encore, il a rendu un bulletin nul : 94-94 !

Pour plusieurs, faute de pouvoir retourner à cette époque où il était défendu de rendre une décision à la fin des combats, le nul serait d'ailleurs le résultat le plus équitable pour les deux hommes. On voit mal, en effet, comment il pourrait être pensable d'en récompenser un plus que l'autre, d'en léser un plus que l'autre après une démonstration qui aura autant marqué les esprits. « Il n'était plus important que, à ce rythme dément, l'un comme l'autre n'aient plus assez de cellules au cerveau pour emballer de l'épicerie dans 20 ans », écrira Bill Simmons, le columnist d'ESPN. « Tout ce qui leur importait alors, c'était le combat. Deux boxeurs qui voulaient tirer le meilleur de l'autre, sans égard au prix... » Bien sûr, comme il en avait eu pour tous les goûts durant le combat, il en aurait aussi pour tous les goûts dans les écrits, les deux hommes n'allant pas échapper à un peu de dérision et de critiques. « On aurait dû chaque fois pénaliser de 15 verges celui qui ratait l'autre », dira ainsi dans le *Village Voice* Michael Katz, l'un des chroniqueurs de boxe les plus chevronnés aux États-Unis. « Ces boxeurs sont des club fighters, et on a vu très peu d'habiletés dans leur combat. Dieu les bénisse pour leur courage, mais la boxe, ce n'est pas ça. Et mon opinion est que ces deux types-là ont vendu leur sang ».

Ce n'est pas pour lui donner raison, mais dans l'attente du verdict des juges, on vient juste d'éponger le filet de sang qui dégoulinait des entailles des deux boxeurs. «Je n'ai rien à perdre, sinon juste un peu de sang», racontait cette semaine Micky. «Et je suis prêt à affronter l'inconnu…»

On en a justement plus pour très longtemps avec l'inconnu parce que le speaker de la réunion, Mark Beiro, vient de s'adresser à la foule du Mohegan Sun Arena comme le ferait le greffier d'une cour à l'issue d'un procès: «Mesdames et messieurs, nous avons un verdict majoritaire…» En boxe, cela veut dire que deux juges sur trois ont vu le même boxeur gagner, l'autre ayant opté pour un combat nul.

«Le juge Frank Lombardi, annonce un Beiro déjà dans le secret des dieux, remet une carte de 94-94… pour un combat nul…

«Le juge Richard Flaherty arrive à un pointage de 94-93…

«Le juge Steve Weisfeld a vu ça 95-93…

«Tous pour le gagnant, par décision majoritaire…

«*Irish* Micky Ward!»

Cette fois, quand il lève les bras au ciel au moment où Dickie le soulève du sol pour le porter à un plus haut sommet encore, c'est pour célébrer une vraie victoire. Frank ne pourra pas lui dire que le combat n'est pas terminé.

Y croyait-il encore? Nous voulons dire, pas juste après sa chance ratée du 9ème assaut où il n'avait pas pu se débarrasser d'Arturo, mais après toutes les galères de sa vie, de sa carrière? Sa décision d'arrêter la boxe en 1991, la même année que son adversaire décidait de la commencer, et qui l'avait tenu loin des rings pendant presque trois ans. Son retour qui l'avait vu enfiler neuf victoires de suite le menant à un combat pour le titre IBF en 1997, mais où il avait été arrêté sur coupure. Tous ses combats subséquents où il avait toujours produit un effort maximum pour souvent une bourse minimum. Celui d'il y a quatre mois encore, en janvier, où il avait été privé d'une victoire méritée. Toutes ses blessures, toutes ses douleurs, au corps et à l'âme. Sa relation fusionnelle mais chaotique avec son frère accro au crack.

Y croyait-il encore? «Entre mon retour à la boxe et aujourd'hui, la vie m'a vraiment éprouvé, racontera-t-il dans le *Patriot Ledger*. Mais je n'ai jamais perdu la foi, j'ai continué d'y croire, et je me suis dit qu'un jour IL allait me récompenser d'avoir su rester fort, de ne pas avoir laissé les éléments me dominer, de ne pas avoir cédé aux tentations, d'être resté positif, d'avoir été, tiens, peut-être juste gentil avec les enfants et de leur avoir consacré un peu de temps…»

C'est quand même drôle. À partir de l'instant où Arturo Gatti va terminer son entrevue avec Larry Merchant et quitter ce ring hostile, il va être soumis au même chemin de croix que Micky. L'occasion de se tester lui aussi. Première épreuve: une profonde dépression. Il va pleurer, brisé d'avoir abattu tout ce boulot, d'avoir enduré tous ces tourments pour l'impression, au bout du compte, de s'être fait voler. Surtout par le juge Flaherty du… Massachusetts, qui n'a rien trouvé de mieux pour récompenser son héroïsme à ne pas abandonner au 9ème que de le juger 10-7 au lieu de 10-8, le privant au moins d'un combat nul. Alors pendant une bonne semaine, il n'aura même pas envie de sortir du lit. Et puis ensuite, tout le contraire: juste le goût de sortir, d'aller s'imbiber dans les clubs du New Jersey.

Ce que Micky appelle les tentations de la vie.

Mais l'a-t-on assez dit? Arturo et Micky ne sont pas jumeaux. Par lui-même, Arturo est incapable d'être fort à l'extérieur du ring comme il a pu l'être au cours du 9ème round. Ôtez les 12 cordes autour d'Arturo et c'est comme si vous ôtiez sa veste à un motard: il devient plus faible. Mais il a quand même de la chance. Ce que Micky trouve la force de se dire lui-même, Arturo va pouvoir aussi l'entendre à ses oreilles, sauf que ça va venir de la bouche de Vivian. Pas plus tard que ce soir, quand ils vont réintégrer leur chambre à l'hôtel du Mohegan Sun, sa belle Brésilienne va donc le prier de ne pas baisser les bras, de ne pas capituler devant ceux qui l'ont volé pour offrir un dernier cadeau à Micky. Elle va lui dire : fais-moi confiance, je te fais la promesse que de cette défaite-là vont naître beaucoup de belles choses. Mais sois patient, reste fort et ne cesse pas d'y croire…

Vivian n'est pas sa jumelle, mais c'est tout comme, encore aujourd'hui elle dit être persuadée d'avoir été son âme sœur.

Chapitre deux

Derrière les portes closes

On comprenait assez rapidement d'où pouvait venir l'exceptionnelle résilience d'Arturo Gatti quand on apprenait à connaître l'histoire du village natal de son père Giovanni, en Italie. Même avant d'être happé par la folie de la guerre en décembre 1943, San Pietro Infine avait en effet eu à composer avec plusieurs épreuves qui avaient forgé le caractère de ses habitants. Fondé au XIème siècle, le village avait survécu à des tremblements de terre, lutté contre les brigands et les envahisseurs, et assisté au départ de plusieurs émigrants qui avaient quitté pour l'Amérique à la fin des années 1800. Ce qui n'était donc déjà pas un grand village ne l'était pas devenu davantage au fil des ans: à partir de 1936, sa population n'avait jamais cessé de décliner, passant d'un sommet de 1 632 habitants à peut-être un peu moins de 1 000 aujourd'hui. Bien sûr, la guerre avait au passage réclamé son lourd tribut, mais la désaffection pour le village avait surtout à voir avec sa situation géographique. Situé dans le sud paysan de l'Italie, un peu à mi-chemin entre Naples et Rome, San Pietro Infine était une bourgade essentiellement agricole où la vie, même avant la guerre, était tout sauf aisée.

C'est pourtant bien cette même situation géographique, rédhibitoire à la population mais favorable aux militaires, qui en avait fait l'un des lieux les plus convoités de toute la Seconde Guerre mondiale. Attirés par les hauts sommets de ce secteur montagneux, les Allemands avaient pris possession du village et les Alliés en avaient fait la clé de leur marche vers la libération de Rome. Pour les pauvres villageois, placés au centre de cette sanglante lutte territoriale, les conséquences avaient été terribles.

Entre le 14 et le 17 décembre 1943, jour et nuit, San Pietro Infine avait reçu à peu près tout ce qui pouvait avoir été inventé par l'homme pour tuer et détruire. Des 1412 habitants que comptait alors le village, quelque 140 avaient trouvé la mort, ce qui faisait que, dans une aussi petite communauté, à peu près tout le monde avait été endeuillé à un degré ou à un autre. Né un an plus tôt, Giovanni Gatti avait survécu comme nombre de bébés que l'on avait cachés dans des cavernes situées au bas du village. Un village devenu une telle terre de désolation qu'il avait fallu en reconstruire une bonne partie loin des ruines, deux kilomètres plus loin. Dès lors, il avait été comme scindé en deux, des gens continuant de vivre aux pieds du mont Sammucro et d'autres habitant le nouvel emplacement un peu plus bas. À partir de là, c'était comme si San Pietro Infine avait eu sa banlieue et son centre-ville, avec tout le clivage de circonstance. «Il y avait vraiment deux groupes dans San Pietro et quand l'un allait à la rencontre de l'autre, il y avait souvent des affrontements», racontait Agostino Verrillo, un ancien du village qui s'occupe aujourd'hui d'un bar sportif sur la rue Beaubien. «Moi je venais de la montagne, et quand je descendais au village avec mes frères, il y avait une famille à qui tous savaient ne pas devoir chercher d'histoires: les Gatti!»

Les Gatti! *Les Chats*, en italien. Le *chat*, il naîtrait seulement à Montréal puisque ce serait l'un des surnoms donnés au jeune Arturo quand il se mettrait à sauter des toits et à jouer aux intrépides. À San Pietro Infine, les Gatti, c'étaient plutôt des tigres. «Le réputation des Gatti était celle d'une famille de durs, rappelait Agostino. Pas des voyous, mais des types agressifs et forts, à qui tu n'avais pas intérêt à te frotter. Surtout Giovanni.» Les parents de Giovanni, Giuseppe et Doloratta, lui avaient donné trois frères et quatre sœurs. Les garçons: Lorrenzo, Pasquale et Mario. Les filles: Filomena, Gilda, Armenia et Franka. La guerre les avait tous épargnés, mais la montagne, non: Pasquale d'abord, et Lorrenzo ensuite, étaient tous deux décédés dans des circonstances identiques. Alors qu'ils étaient peut-être un peu pris de boisson, leur tracteur avait culbuté dans la montagne et s'était retourné sur eux. Des accidents regrettables, mais pas très surprenants pour Agostino: «En terrain escarpé, les Gatti prenaient beaucoup trop de risques.» Mario n'avait pas échappé non plus aux épreuves de la vie et à trois ans une forte fièvre avait attaqué son système nerveux, stoppant à jamais la croissance de ses jambes.

La force de Giovanni Gatti, ce n'était vraiment pas de l'affabulation. Tous ceux qui l'avaient connu le confirmaient, il n'était pas que très dur, il était aussi extrêmement puissant pour un homme de si petite stature. Pas tellement plus grand qu'Arturo, pas beaucoup plus gros non plus, il se distinguait surtout par la grosseur de ses mains. Il avait des paluches énormes, les mêmes qu'a aujourd'hui Joe et qu'aurait aussi bien mérité d'avoir Arturo, pour s'éviter des douleurs atroces et des opérations à n'en plus finir. «Quand Giovanni te serrait la main, il te faisait toujours mal et tu devais lui dire de ne pas serrer si fort, rappelait Agostino. Ses mains étaient si grosses qu'il les utilisait en travaillant pour vérifier s'il y avait ou non du courant.» L'une de ses filles, Giuseppina, racontait quant à elle qu'avec ses mains, son père arrivait facilement à plier des clous et des vis. Au gymnase du Club Olympique, plusieurs l'avaient aussi vu s'amuser à soulever d'une seule main un poids de 100 livres, et en tirer une fierté ostensible. Mais malheureusement, les plus éloquents exemples de sa force resteraient toujours ceux où il l'avait utilisée pour cogner sur sa femme et sa progéniture. «Des cas de DPJ chaque jour de notre vie», confiait Giuseppina.

De par sa nature et sa personnalité, il n'était donc pas étonnant que la boxe ait été l'une de ses premières passions. En raison de cet intérêt, plusieurs personnes de son entourage ont longtemps cru qu'il avait boxé dans sa jeunesse, mais sa sœur Filomena avait finalement confirmé que ce n'avait pas été le cas. «Même s'il aimait la boxe, Giovanni n'avait jamais pu se permettre de la pratiquer parce qu'à San Pietro Infine, les conditions ne s'y prêtaient tout simplement pas...» Au village, Giovanni s'était malgré tout forgé une réputation de dur cogneur, principalement pour un knock-out qui continue encore aujourd'hui d'alimenter sa légende, et pour une bonne raison: il avait été réussi aux dépens d'un... âne! «Mon père nous avait toujours raconté cette histoire, mais Arturo et moi y croyions plus ou moins, disait Joe. Jusqu'au jour où nous étions allés à San Pietro Infine. En se promenant dans le village, un type avait voulu savoir qui nous étions, quelqu'un lui avait dit: *Ce sont les fils de Giovanni Gatti*, et il avait répliqué: *Ah oui, celui qui avait assommé un âne!* J'avais regardé Arturo et on s'était dit en même temps: *C'était donc bien vrai, il l'avait knocké!...*»

Mise à part sa grande force, il y avait par ailleurs un autre aspect de la vie de Giovanni Gatti pour lequel il était très réputé : son amour des femmes. C'était un goût qui était bien connu à Montréal, mais qui n'avait pas attendu la traversée de l'Atlantique pour se développer. Certes, il n'y avait pas de boulevard Saint-Laurent à San Pietro, ni de salle de danse comme le Vieux Munich où il aimait aller les week-ends, mais il y avait de la beauté partout, même dans des bourgades paysannes. Il pouvait donc arriver que l'on croise de jolies femmes à San Pietro même, où encore dans les nombreuses communes d'égales dimensions que l'on trouvait dans les environs. « Tous les villages autour de San Pietro avaient leurs propres fêtes et c'était chaque fois de bonnes occasions de rencontres », disait Antonio Fuoco, qui a très bien connu Giovanni en sa qualité de responsable de l'association des anciens de San Pietro à Montréal. Si courtes pouvaient toutefois être les distances entre les villages, elles n'excluaient pas que les mentalités puissent y être bien différentes. Même la langue pouvait aussi changer, on y parlait souvent des dialectes qui n'étaient pas les mêmes d'un village à l'autre. C'est d'ailleurs ce qui angoissait certains émigrés au moment de quitter San Pietro pour Montréal, on leur disait : « Soyez sans crainte, y'a déjà plein d'Italiens là où vous allez aboutir », et ils pensaient : on ne sera pas plus avancés, on ne parle pas italien, on parle un *dialecte* italien…

À huit kilomètres de San Pietro, il y avait toutefois un village nommé Rocca d'Evandro avec lequel les communications ne semblaient guère être un problème. En fait, certains des célibataires qui s'y rencontreraient, comme Giovanni Gatti et Ida Di Paulo, ne communiqueraient jamais mieux qu'au cours de cette période-là. C'est bien après, au moment de parler le même langage, qu'ils cesseraient d'être sur la même longueur d'onde. Mais dans l'immédiat, tout irait si bien que même la belle-mère et la future belle-fille communiqueraient et seraient sur la même longueur d'onde ! Bientôt, juste avant le mariage entre Giovanni et Ida, juste avant la naissance de leur première fille Anna Maria en 1963 et le départ pour l'Amérique l'année suivante, la belle-mère et la belle-fille se rencontreraient en effet pour la première fois. Et il n'y aurait pas d'ambiguïté. Doloratta s'installerait devant Ida et lui dirait deux mots à propos de Giovanni : « Si tu aimes son apparence, il faut que tu apprennes à vivre avec tout ce qui vient avec. Si tu aimes mon fils, tu dois accepter qu'il boive, qu'il aime les femmes et qu'il soit agressif.»[1] Non, Ida ne repartirait pas en courant vers Rocca d'Evandro en se disant: quand même, si c'est sa propre mère qui me sert cet avertissement... À la place, elle tâcherait de ne jamais oublier aucun de ces mots et de les faire siens pour à son tour les répéter à ses filles quand celles-ci, battues, viendraient chercher du réconfort auprès d'elle: «Ma fille, tu as marié ce type, tu as choisi de faire ta vie avec, alors endure tes coups, c'est ce que j'ai fait toute ma vie avec ton père. Voyons, il n'est pas question de briser ton mariage, qu'est-ce que diraient les gens?»

Ce n'est qu'après avoir mis ces mots au frais dans sa mémoire qu'elle répondrait à Doloratta qu'elle était bien gentille de la mettre en garde, mais qu'elle aimait vraiment beaucoup son fils et qu'elle l'accepterait donc tel qu'il est.

Et ce n'est qu'après, bien des années plus tard, qu'elle confierait à sa fille Anna Maria avoir fait une erreur stupide et en assumer «les conséquences toutes les secondes de ma misérable vie».[2]

***

C'était en 1964. Giovanni Gatti avait 22 ans, une femme, une petite fille, et surtout deux sœurs ayant déjà cédé aux sirènes de l'Amérique. Pour une, Filomena s'était laissé convaincre il y a un an d'aller rejoindre son mari Luigi Masella à Montréal et on pouvait presque dire que c'est cette décision qui avait ultimement donné Arturo Gatti à la boxe montréalaise. Parce que Filomena avait aimé la ville et n'avait jamais eu l'idée de la quitter depuis, c'est elle qui avait pu accueillir la famille de Giovanni après un séjour de quelques mois à Calgary, chez sa sœur Gilda.

À Montréal, Giovanni débarquait dans une ville en plein essor, avec des chantiers importants, et qui n'avait pas que l'avantage d'avoir une Petite Italie, elle avait aussi une Petite San Pietro Infine. Certes, ce n'était pas encore comme ce le serait plus tard quand il y aurait assez d'anciens

---

1 & 2 JEANNIE ET ANNE MARIE HILTON, *LE CŒUR AU BEURRE NOIR*, MONTRÉAL, 2004, P.23.

du village – et de descendants – pour organiser des retrouvailles au centre Paul-Sauvé. Mais il y avait déjà un bassin d'anciens suffisamment important pour aider Giovanni comme on l'avait fait avec Filomena et son mari. Quand on y pense, la présence des sœurs Gatti à Montréal et Calgary n'avait donc pas que donné Arturo à la métropole, elle l'avait surtout volé aux États-Unis, du moins pour quelques années. Depuis longtemps, les États-Unis étaient en effet la destination la plus prisée des Italiens et le monde de la boxe n'était d'ailleurs pas le dernier à en avoir profité. Pour dire, du début des années 1940 jusqu'à la fin des années 1950, c'étaient essentiellement des fils d'immigrants italiens qui avaient assuré le spectacle aux États-Unis. On connaissait évidemment plutôt bien l'histoire des plus célèbres comme Marciano, Basilio, LaMotta ou Graziano – surtout parce qu'Arturo avait maintes fois été comparé aux trois derniers –, mais des boxeurs comme Joey Giardello, Joey Maxim ou encore Willie Pep, qui avaient tous changé d'identité et américanisé ainsi leur nom, avaient les mêmes origines italiennes.

Dans son village natal, un oncle de Giovanni Gatti lui avait appris le métier d'électricien, ce qui par ailleurs ne manquait pas de prémonition pour quelqu'un dont les garçons se mériteraient plus tard les surnoms de *Lightning* et de *Thunder* en boxe professionnelle ! C'était la coutume à cette époque, on apprenait un métier au pays pour ne pas avoir que sa volonté à offrir aux employeurs en arrivant dans la terre d'accueil. Cela avait plutôt bien servi Giovanni et, à Montréal, malgré des temps difficiles, il n'avait jamais manqué de boulot. « Il y a eu du travail pour lui dès son arrivée à Montréal », confirmait sa sœur Filomena. « Moi j'ai immigré en 1967 et sa carrière d'électricien allait déjà très bien », ajoutait son ami Americo Di Florio. Ce qui est sûr, c'est qu'elle avait été de mieux en mieux, au point de lui permettre, plutôt rapidement, de mettre sur pied sa propre compagnie. Pendant longtemps, on avait ainsi vu circuler dans les rues de Montréal des fourgonnettes rouges, qui auraient aussi pu être prises plus tard pour les véhicules officiels de Joe et Arturo avec l'inscription peinte en blanc qui se trouvait dessus : *Gatti Électrique !* C'était une compagnie florissante, employant à la fin une quinzaine de personnes qui ne faisaient que de l'électricité commerciale, avec une flotte de quatre camions, des bureaux très convenables et, surtout, une excellente réputation que le patron avait contribué à bâtir. « Giovanni était vraiment un bon électricien », rappelait Elio De Lauris, ami et propriétaire du *Elio Pizzeria* de la rue Bellechasse à Montréal. Hélas, l'électricité n'avait pas que permis de démontrer les habiletés, voire la grande vaillance de Giovanni Gatti, elle avait aussi servi à montrer sa folie.

***

Le Mile End avait été le premier quartier dans lequel Giovanni, Ida et Anna Maria Gatti avaient vécu à leur arrivée à Montréal. Dans leur cas pour une raison très simple et un peu forcée : c'est là qu'habitait aussi Filomena et c'est à son domicile qu'ils avaient d'abord dû être hébergés. Mais pas pour très longtemps. Luigi et Filomena Masella avaient aussi des enfants – deux filles qui resteraient les seules véritables cousines des enfants Gatti à Montréal, en dépit de tous ceux et celles qui se réclameraient plus tard cousins et cousines d'Arturo quand le succès lui tomberait dessus – et on allait vite être à l'étroit parce que ce n'était bientôt plus trois, mais quatre membres que compterait la famille Gatti. C'était peut-être en effet le seul souvenir que tous retiendraient de Calgary : Giuseppina, la deuxième enfant de la famille, avait été conçue au cours des moments creux du séjour albertain et était née le 20 août 1965 à l'hôpital Jean-Talon.

Quitter le domicile de Filomena ne voulait toutefois pas dire quitter le quartier. Les Gatti en auraient eu la possibilité car, entre 1950 et 1970, c'est 100 000 nouveaux Italiens qui étaient venus s'établir à Montréal et ils avaient essaimé un peu partout en ville, créant d'autres cellules italiennes. Mais le Mile End continuait malgré tout de s'imposer comme le quartier de référence de la communauté, et la raison était peut-être sentimentale. C'était à l'intérieur de ses limites qu'avait été créée, en 1910, la paroisse Notre-Dame-de-la-Défense, la deuxième paroisse italienne à voir le jour mais la première à être située dans un quartier typiquement italien. Surtout, c'était là, à l'angle des rues Dante et Henri-Julien, que des immigrants italiens avaient construit la magnifique et imposante église Notre-Dame-de-la-Défense, que l'on disait célèbre pour sa grande coupole, ses fresques, et sa façade de briques, mais qui le deviendrait malheureusement aussi pour avoir été le théâtre des funérailles d'Arturo. Elle avait été inaugurée en 1919, achevée en 1927, et elle avait été longtemps perçue comme l'assise, presque le gouvernement des Italiens du quartier. En cela, il était donc facile de comprendre le lien affectif qui l'unissait à sa population, et ce ne serait pas différent avec les Gatti puisque c'est aussi là que seraient baptisés Giuseppina, Joe, Mirella et Arturo.

Car oui, il en irait de la famille Gatti comme de toute la communauté italienne : elle n'en finirait plus de s'agrandir. Après Giuseppina, viendraient par la suite Joe en 1967, Mirella en 1968, Arturo en 1972, et enfin Fabrizio en 1978. C'est d'ailleurs chaque fois le besoin d'espace qui amènerait les Gatti à beaucoup se déplacer. Encore que ce ne soit pas si vrai que ça, ils changeraient bien trois fois d'adresse au cours des prochaines années, mais ce serait toujours sur une seule et même rue : Drolet ! C'est sur celle-ci que Giovanni avait notamment acquis sa première propriété. « Elle était située presque sur le coin Saint-Zotique-Drolet, rappelait Joe. Pour l'avoir, mon père avait dû débourser 500 $ en dépôt, et l'histoire veut que ce soit un de nos oncles qui lui ait prêté l'argent. » On pouvait voir là l'indication que Giovanni peinait à joindre les deux bouts avec toutes ces bouches à nourrir, mais malgré les difficultés financières elles avaient toujours été nourries, les bouches. Et c'était là la plus fréquente défense offerte par Ida à ses enfants venus se lamenter des abus physiques : « Je ne vois pas ce que vous avez à tant vous plaindre, vous n'avez jamais eu faim. » « Pour ça ma mère n'a pas menti, nous n'avons jamais manqué de nourriture, disait Giuseppina. Sauf que je peux en témoigner : ce que nous avons enduré en violence physique et verbale, c'était bien pire que la faim… »

***

Ainsi donc, Arturo avait été considéré comme le digne héritier des spectaculaires boxeurs américano-italiens du milieu du siècle. « Un Jake LaMotta, mais version *bon gars* », nous avait même dit le promoteur Lou DiBella, bien sûr d'origine italienne lui aussi. C'était une comparaison des plus justifiées, sauf pour un truc qui rendrait Ida heureuse : à la différence d'à peu près tous ces types élevés dans la gêne, Arturo n'avait pas eu faim, ce qui rendait peut-être plus méritoires encore ses exploits (mais on verra que son moteur n'était pas plus sain). Pour le reste, tout se tenait: des boxeurs indestructibles – des *Jason* avant le temps –, des puncheurs qui considéraient comme une aubaine de recevoir trois coups pour en placer un plus puissant, des hommes hargneux n'ayant peur de personne, et certainement pas des enfants de chœur en dehors des cordes. Aussi était-il extrêmement flatteur pour Arturo d'être comparé à ces figures légendaires, même s'il y en avait pour penser que la boxe des années 2000 n'était pas celle des années 1950 et qu'il y avait peu de fierté à tirer de «boxer avec sa face», comme le disait Willie Pep.

Malheureusement, il y avait un aspect de la vie d'Arturo qui rendait encore plus justifiées les comparaisons avec certains de ces boxeurs, en fait avec deux en particulier, Rocky Graziano et Jake LaMotta: il avait lui aussi grandi sous le joug d'un père alcoolique et violent. Peut-être que les similitudes étaient plus fortes encore avec le père de Graziano parce que, comme l'avait fait Giovanni Gatti, il avait presque forcé Rocky et son frère à devenir boxeurs. Mais pour le reste, c'était la même tyrannie, la même lâcheté que LaMotta avait un jour évoquée dans un entretien au magazine *Sport*. «Mon père n'a jamais montré d'amour à ses enfants. Je peux me rappeler d'une volée qu'il m'avait donnée. C'était terrible. Il m'avait frappé avec un fouet qui avait neuf lanières de cuir, je me souviens encore du nombre…»

Giovanni? Il était de son temps: s'il fouettait lui aussi ses enfants, ce n'était plus avec un fouet comme en 1950, mais avec des fils électriques. L'électricité qui faisait vivre sa famille de 9 à 5, la faisait souffrir à partir de 18 heures. «Je me rappelle d'une fois en particulier, racontait Giuseppina, alors qu'Arturo avait à peine deux ans. Je ne sais plus très bien ce qu'il ce qu'il avait fait, je pense que c'était un dégât d'eau. Ça avait rendu mon père furieux et il l'avait fouetté sur les épaules.» Sûrement un cas isolé, penseront certains, les mêmes à nous avoir dit que Giovanni ne battait pas ses enfants mais qu'il les «éduquait». «Non, les coups de fils électriques, ce n'était rien d'isolé», nous confirmait un boxeur montréalais ayant été près d'Arturo chez les amateurs.

«Giovanni était si fou qu'il fouettait même Joe et Arturo pendant leur jogging. En prenant soin de retirer leur chandail avant...» Chose certaine, si c'étaient là des cas isolés, ils avaient été quelques-uns à en être témoins, et alors là fallait parler d'une fichue coïncidence parce que Giovanni ne permettait qu'à peu d'amis de ses enfants d'entrer dans son domicile. «La violence de Giovanni? Quelqu'un d'autre vous l'a dit?» demandait un ami de jeunesse d'Arturo. «Ouf, je suis soulagé que vous l'ayez appris par d'autres, je n'aurais pas voulu être celui qui... Mais puisque vous en parlez, oui c'est vrai, ce n'est rien d'inventé... Les enfants ont été battus, fouettés avec des fils électriques, et leur mère n'a pas été épargnée non plus. J'ai vu Ida pleurer et je l'ai aussi vue sortir de la maison avec un œil au beurre noir...»

Pourtant, les proches de la famille le disaient aussi, Giovanni aimait ses enfants. Il avait, par exemple, certainement aimé Joe au point d'en faire son préféré de la famille, même s'il l'avait détruit psychologiquement comme il avait détruit tous les autres. Il avait certainement aimé Arturo pour avoir passé tant de temps en sa compagnie, l'avoir trimballé à droite et à gauche, l'avoir autant suivi au soccer et à la boxe. Mais ça ne l'avait pas empêché de lui briser souvent le cœur, à toutes les fois qu'il affichait devant lui son favoritisme à l'égard de Joe. Bref, Giovanni avait pu certainement aimer ses enfants, mais cela ne pouvait faire oublier la réalité à laquelle une confidence de Joe nous ramenait sans cesse: «C'est bien triste à dire, mais mon père était fou, et parce qu'il était fou, nous le sommes tous un peu devenus...»

À partir du moment où Ida Di Paulo avait choisi de rester sourde à la mise en garde de Doloratta Gatti, c'est donc avec ce type de conjoint qu'elle avait décidé de passer sa vie. Toute sa vie, oui, parce que bien sûr il n'était pas question de divorcer. Pour Ida, l'opprobre des Italiens aurait été pire que les coups de Giovanni. Si une seule chose pouvait un jour mettre fin aux abus, c'était la mort, la sienne ou celle de Giovanni. C'est Giovanni qui partirait avant elle, mais à la fin des années 1960, il y avait quand même une mèche avant que son soulagement ne vienne, en 1988.

Au dire de Joe, le mariage de ses parents avait «toujours battu de l'aile». Difficile de ne pas en faire porter la responsabilité à Giovanni mais, parmi les proches de la famille, il s'en trouvait néanmoins pour ne pas absoudre Ida. «Elle était toujours sur son dos», nous avait confié une source. «Elle passait son temps à lui empoisonner la vie, à examiner les collets de ses chemises pour vérifier si elle n'y trouverait pas des cheveux d'autres femmes. Je sais qu'il n'y a pas d'excuses pour ce que Giovanni lui a infligé, mais à sa place, je ne sais pas non plus comment j'aurais réagi. C'était vraiment infernal...» Les autres témoignages allaient un peu dans le même sens et montraient une évidence: Ida Gatti n'était certainement pas la bonté faite chair. On reconnaissait qu'elle avait été très jolie jeune fille, aussi bonne couturière que cuisinière, mais on la présentait comme étant plutôt dépourvue de qualités humaines. «Le moteur de notre mère, ce n'est pas l'amour, c'est l'argent», nous avaient ainsi confié tour à tour Joe et Giuseppina. Leur opinion devait être aussi partagée par leur sœur Mirella car son mari, Rocco Crispo, nous avait relaté un événement qui pouvait à la fois témoigner de la cupidité et de l'insensibilité d'Ida. «Mon garçon Mario avait un jour trouvé deux billets de 20 $ par terre et Ida ne se trouvait pas très loin de lui. Mon fils avait peut-être à cette époque 10 ans, mais ça n'avait pas empêché sa grand-mère de s'obstiner avec lui pour lui faire croire que c'est elle qui avait remarqué l'argent en premier. Ida mentait, bien sûr, mais on lui avait quand même laissé l'argent...» Pour des raisons comme celle-là, Mirella Gatti n'a à peu près pas vu sa mère au cours des cinq dernières années, et cette dernière n'a pas demandé non plus à voir ses deux petits-fils. Elle pourrait être rancunière, mais si l'on se fie au portrait que Jeannie Hilton traçait de sa grand-mère dans *Le Cœur au beurre noir*, cela ressemblerait plus à de l'indifférence. «Ida était belle et fière, mais elle était malheureuse et se plaignait constamment de tout et de rien. Elle était stressée et n'appréciait pas ma compagnie. C'était comme si je n'existais pas. Elle était toujours occupée dans la maison à passer l'aspirateur, épousseter ou cuisiner. Elle accomplissait son rôle de mère italienne typique à merveille. Deux ou trois fois, je me rappelle vaguement avoir vu Giovanni frapper sa femme. C'étaient des gifles. Elle n'en faisait pas de cas, les agressions de son mari faisant partie de la vie.»

Jeannie avait raison et en un sens, sa grand-maman aurait pu aussi écrire son *Cœur au beurre noir* à elle. D'ailleurs, c'était le plus triste de la condition de Jeannie, tout le monde autour d'elle aurait pu écrire son propre *Cœur au beurre noir*. Sa sœur, ses frères, sa mère, ses oncles, ses tantes, ses deux grands-mères – elle disait que sa grand-mère paternelle, qui portait le même nom qu'elle, avait perdu toutes ses dents sous les coups de Dave Hilton père –, tous avaient été les déplorables victimes d'hommes lâches et cruels. Pour Ida, disait-elle, *c'étaient des gifles*, mais la pauvre recevait évidemment bien plus.

Au début, disait Giuseppina, les agressions de son père étaient bien sûr privées et discrètes. Puis elles étaient devenues banales tant pour le bourreau que la victime, et Giovanni avait commencé à se commettre parfois en public. Encore là, comme une confirmation de leur banalité, il n'y avait pas trop de réactions non plus, sinon juste un peu de surprise. « Ce n'était pas l'image que les gens avaient de mon père, expliquait Giuseppina. En public, il était gentil, souriant, toujours de belle humeur. Alors, quand il s'est mis à brusquer ma mère devant le monde, certains sont restés surpris... » La banalité ne s'était par ailleurs pas seulement insinuée dans la violence envers Ida, cela avait aussi été le cas de celle envers les enfants. « Nous autres, au gymnase du Club Olympique, quand on voyait Giovanni flanquer des baffes à Joe ou Arturo, on se disait : *Ouais, s'il se rend là en public, qu'est-ce que ça doit être à la maison, derrière des portes closes* », racontait pour sa part Donato Paduano, alors sur la fin de son illustre carrière.

Derrière les portes closes – et elles pouvaient difficilement l'être plus que chez les Gatti –, il y avait un quotidien, toujours le même. Un alcoolique qui se levait le matin, débutant sa journée au café-cognac ou à la bière. « Dans toute notre vie, précisait Giuseppina, on peut compter sur les doigts d'une main le nombre de fois où on a vu mon père à jeun. En fait, les trois fois où c'est arrivé, c'était toujours sur ordre des médecins, à la suite d'AVC plutôt mineurs. Le reste du temps, il était en boisson, même s'il avait rarement l'air ivre au point de tituber. Comment il faisait pour travailler dans cet état ? Je ne le sais pas, mais il n'y manquait pas... » Cela aussi c'était le quotidien des Gatti : chaque matin de la semaine, les portes closes s'ouvraient pour laisser filer le vaillant patron d'une compagnie d'électricité, sans savoir ainsi que ceux qu'elles rendaient libres restaient à l'intérieur. Il arrivait même qu'elles s'ouvrent aussi le soir, pour plus de liberté encore. «Souvent, mon père retournait travailler après le souper, continuait Giuseppina. Enfin, c'était la version officielle. Il revenait prendre un bain et disait partir à la recherche de contrats, mais je ne suis pas sûre que ce soit vrai...» À en croire le soin qu'elle mettait à interroger les collets de chemises de son mari, Ida ne l'était pas davantage...

Chose certaine, Giuseppina avait probablement été celle qui souhaitait le moins les retours à la maison de Giovanni. «Un jour, racontait-elle, mon père m'a demandé d'aller avec Joe acheter un pain. Nous étions très jeunes et bien faciles à distraire. Pour revenir, nous avions *emprunté* une bicyclette de livraison et on en avait un peu profité pour s'amuser. Ça nous arrivait si peu souvent, tout nous était toujours interdit... Comme de raison, on avait mis un peu de temps à revenir... Quand nous étions entrés, mon père était hors de lui. Il avait commencé à corriger Joe. Il y avait un code à respecter même dans la correction: il fallait présenter les mains comme si on allait recevoir un cadeau, sauf que ce qu'on recevait, c'étaient des coups. Cette fois-là des coups de ceinture. Mais moi, j'avais refusé de présenter mes mains, d'accepter la punition. À la place, j'avais eu droit à pire: mon père était venu me chercher dans ma chambre et m'avait projetée en bas du lit! Honnêtement, je ne sais pas comment il se fait que je sois encore en vie aujourd'hui...»

***

Ce petit frère battu à coups de ceinture était arrivé dans la vie de Giuseppina le 12 avril 1967. Tout le monde l'appelait Joe comme on le fait avec plein d'Italiens, mais le véritable prénom que ses parents lui avaient donné était le même que celui de son grand-père paternel: Giuseppe.

Né lui aussi à l'hôpital Jean-Talon, Giuseppe avait été un enfant attendu. Plutôt, non: il avait été un garçon attendu. C'était une nuance importante parce que de la manière qu'ils étaient traités, la dernière chose que l'on pouvait penser des enfants Gatti, c'est qu'ils étaient attendus. « Éduqués », oui ; nourris, oui ; attendus, non. Mais le cas de Joe était un peu différent de tous les autres enfants de la famille parce qu'il était le premier garçon que la vie avait donné à Giovanni Gatti. Donné est d'ailleurs le mot juste, pendant longtemps ce n'est pas Joe Gatti qui avait vécu à l'intérieur de son corps, mais son père Giovanni, par procuration. Tous les rêves de boxeur, tous les rêves de champion qui lui avaient été jusque-là interdits avec ses deux filles, Giovanni avait en effet pu penser les réaliser à travers ce nouveau fils. Si bien que pour Joe ça n'avait jamais trop fait de doute : si quelqu'un était né le 12 avril 1967, faudrait presque faire la correction sur les actes de naissance, ce devait être Giovanni. Lui, Joe Gatti, le vrai Joe Gatti qu'il aurait dû être, ne pouvait pas être né ce jour-là parce que son père l'avait toujours empêché d'exister. En cela, si l'état civil tient encore absolument à continuer de l'associer à la date du 12 avril 1967, qu'il le fasse sur un acte de décès plutôt que de naissance.

Le vrai Joe Gatti aurait-il commencé la boxe si son père ne l'y avait pas poussé, à neuf ans ? Peut-être que oui, mais il est quand même permis d'en douter. Ceux qui l'ont connu jeune disent de lui qu'il n'avait vraiment pas le profil de l'emploi. « C'était un garçon délicat, un peu précieux », rappelait sa sœur Giuseppina, qui devait aussi penser qu'il prenait bien assez de coups à la maison pour avoir envie d'aller en prendre d'autres dans un gymnase. « Joe était loin d'être un dur », racontait quant à lui Pietro Napolitano, un ancien coéquipier du Club Olympique. « Pour dire la vérité, c'était un *playboy* qui cherchait plutôt à faire attention à lui… » Chose certaine, si son père n'avait pas vécu à sa place, le vrai Joe Gatti aurait fait comme son frère Arturo et pratiqué d'autres sports. Au minimum, il aurait joué au hockey et même essayé le football à la polyvalente. Plus tard, il aurait aussi fait des courses de vélo et serait peut-être même devenu cycliste professionnel, comme on lui avait dit qu'il en avait le potentiel. Mais les plans que Giovanni avait en tête pour ses fils n'étaient pas identiques. Joe était son premier garçon, et il serait champion boxeur ou il ne serait pas. Toute autre alternative était exclue. Arturo, lui, n'apparaissait pas sur son écran radar, alors il pouvait bien s'amuser tant qu'il le voulait, même à des sports aussi insignifiants que le hockey, ce n'était pas important. Enfin, ce n'était pas important dans l'optique de développer un champion et de vivre par procuration.

En revanche, avec le sacrifice d'accepter de se tuer pour faire vivre son père venait une récompense, et dans le contexte de la vie des Gatti valait mieux sauter dessus parce que les récompenses n'étaient pas nombreuses. Cette récompense-ci : être l'enfant préféré de Giovanni. Cela ne voulait pas dire échapper à sa cruauté verbale et physique, c'était au-dessus des forces de Giovanni Gatti de ne pas masquer ses inaptitudes relationnelles par la domination. Mais au moins, pour Joe, cela voulait dire que ce que son père était capable d'amour, d'affection, d'intérêt, c'était toujours d'abord à lui qu'il le donnerait. Joe l'enfant chouchou de Giovanni ? Giuseppina le confirmait : « Oui, c'était bien le cas... malheureusement ! » Mais cela allait même encore plus loin : Joe Gatti était purement et simplement le préféré dans toute la famille, épouse comprise ! « Ma propre mère a toujours été jalouse de la relation que j'avais avec mon père, expliquait Joe. Elle n'a jamais pu accepter que la place que j'occupais dans le cœur de son mari ne soit pas la sienne. Ce qui fait que, tout au long de sa vie, à chaque fois qu'elle a eu l'occasion de parler en mal de moi devant mes frères et sœurs, elle s'en est rarement privée. Ma mère est à la base de la désunion de la famille et, en un sens, parce qu'elle a aussi contribué à m'éloigner d'Arturo, elle lui a fait un tort considérable... » Jusqu'où pouvait aller le ressentiment d'Ida envers Joe ? Il en donnait un bon exemple. « Quand ma mère apprenait qu'Arturo revenait passer quelques jours à Montréal, elle décrochait mes photos des murs pour les remplacer par des photos de lui ! C'était si ridicule qu'à un moment donné, mon frère lui a dit qu'elle n'avait pas besoin de faire ça et lui a fait remettre mes photos en place... »

Il y avait pourtant eu une époque où Arturo aurait été bien d'accord avec les agissements de sa mère. Toute cette période au cours de laquelle il avait fait les frais du favoritisme de son père à l'égard de Joe lui avait été en effet très pénible à vivre. Sa sœur Giuseppina s'en rappelait très bien, elle avait été au cœur de la même injustice. « La politique de mon père avec Arturo et Joe, disait-elle, c'était deux poids deux mesures. S'il donnait de l'argent à Joe, il en privait Arturo. S'il achetait un truc à Joe, il avait toujours une bonne raison de refuser de le faire pour Arturo. C'était injuste mais dans le fond, toute notre vie l'était. Nos parents avaient chacun leurs préférés dans la famille et ils le montraient clairement. » Mais la pire démonstration de discrimination dont pouvait être victime Arturo, celle qui se trouvait à la source de toute sa réussite pour avoir instillé en lui une rage exceptionnelle, c'est Joe lui-même qui la dévoilait. En reconnaissant le mal qu'elle avait pu causer. « À table, si par exemple mon père ne mangeait pas tout son steak, il ne l'offrait jamais à Arturo. Il me le donnait à moi, mais ce n'est pas tout, il ajoutait surtout : *Allez Joe, finis mon steak. La viande, c'est bon pour les boxeurs. Ça va t'aider à devenir champion.* Arturo avait beau être plus jeune que moi, un enfant ne peut quand même pas rester insensible à ces choses-là... » Encore là, il n'y avait pas meilleur témoin que Giuseppina et dans sa virulente réaction, ce n'est pas seulement ses plaies qu'elle exposait, mais aussi celles de son frère. « Tout ça est vrai. Et ce sont toutes ces injustices qui ont contribué à faire d'Arturo ce qu'il est ensuite devenu. À partir de là, il s'est juré qu'il allait prouver à notre père qu'il avait eu tort de le discriminer. Le champion de la famille, ça allait être lui et non Joe, il en faisait le but de sa vie. Et là, je vais peut-être dire une chose énorme, mais je ne peux m'en empêcher : je ne remercierai jamais assez Dieu pour avoir fait réussir celui que mon père discréditait et avoir fait échouer celui qu'il favorisait ! Par son comportement, il ne méritait pas mieux... »

Pendant de longues années, il avait beaucoup été question de jalousie dans l'entourage d'Arturo. Ses proches, qui avaient souvent un intérêt à le faire, lui répétaient de se méfier de son frère. Ils lui disaient : « La carrière de Joe est un désastre, la tienne un conte de fées, il ne peut faire autrement qu'être jaloux de toi... » Même Giuseppina partageait cette opinion et elle était probablement mieux placée que quiconque pour se prononcer. À la réflexion, ce n'était certes pas facilement que Joe avait dû vivre dans l'ombre de son jeune frère, quand il était celui que le père – et des experts aussi – avaient destiné à la lumière.

Joe avait pu être à l'occasion meurtri par cette situation, mais un détail important donnait à penser que ses sentiments envers son frère avaient toujours été assez purs. Puisque c'est en effet lui qui avait fait le lit d'Arturo dans le New Jersey, il lui avait d'abord fallu «vendre» son frère auprès de Mario Costa et Panama Lewis, les deux hommes qui en prendraient charge à Jersey City. Or, autant Lewis que Costa nous l'avaient confirmé, à chaque fois qu'il avait été question de la venue prochaine d'Arturo, Joe avait toujours insisté sur la raison qui les empêcherait d'être déçus: son jeune frère cognait plus dur et était encore meilleur que lui!

Mais ceci dit, il était particulièrement intéressant de voir à quel point on pouvait avoir parlé de jalousie autour d'Arturo, sans jamais avoir évoqué celle qu'il éprouvait à l'égard de Joe depuis ses jeunes années. Remarquez, cette jalousie n'avait rien de naturelle et, comme le reste chez les Gatti, elle s'était développée en réponse à des souffrances induites par des parents incompétents. Il n'empêche: elle était présente depuis les tout premiers moments de discrimination. C'est élémentaire, si Arturo avait un jour décidé de tout mettre en œuvre pour surpasser son frère et confondre son père, la dernière chose qu'il souhaitait, c'était de voir ledit frère atteindre des sommets! Auquel cas, ceux qu'il aurait lui-même dû toucher pour le dépasser auraient été himalayens! Dans cette optique, il ne pouvait rêver d'un meilleur scénario que celui à s'être produit, son frère n'avait pas duré deux minutes dans son premier combat de championnat WBC! Le résultat l'arrangeait d'ailleurs tellement que, ce soir-là au Texas, au sortir de l'amphithéâtre, il avait pris son ancien entraîneur Panama Lewis à part et lui avait refilé ce message: «Sois sans crainte: quand mon tour va venir, je te garantis que je ne m'écraserai pas comme ça…»

Parce que Joe Gatti avait une grande gueule, qu'il n'avait de cesse de répéter à son frère qu'il était dirigé par des voleurs (en réalité, Arturo le savait très bien puisqu'il lui arrivait de confier à des amis: *Je suis entouré de fake people et ils pensent que je ne le sais pas*), qu'il lui disait surtout que ces voleurs-là avaient tout intérêt à lui permettre de continuer à se droguer pour mieux l'abuser, parce que Joe Gatti considérait enfin que le rôle d'homme-orchestre de la carrière de son frère aurait dû être le sien avant celui de voleurs en cravate, il avait été souvent mis au ban par la garde rapprochée d'Arturo. Longtemps, il avait cru que c'était contre le gré de son frère et qu'il l'acceptait seulement par incapacité de s'affirmer. Mais il y a gros à parier, en définitive, que la situation faisait aussi l'affaire d'Arturo. Cela aussi c'était élémentaire: moins il voyait son grand frère dans son entourage, plus il arrivait à garder le plus enfoui possible ses plaies de jeunesse.

Le conflit interne que vivait Arturo par rapport à son frère n'avait vraiment rien d'évident. D'une part, après ses années de succès, il lui était facile de prendre sa revanche sur Joe. Maintenant millionnaire, il n'avait qu'à dire que son grand frère était plus intéressé par son argent que sa carrière pour trouver autour de lui un public ravi, servi par ces paroles, et qui ne manquerait évidemment pas ensuite d'en faire ses choux gras: «Vous voyez, ça ne vient pas de nous, ça vient d'Arturo lui-même. Joe Gatti est une honte…» Mais d'autre part, Arturo savait que chaque fois qu'il mentait, il le faisait pour répondre à des humiliations antérieures. C'était un garçon sensible, aussi détestait-il quand quelqu'un d'autre que lui ou de son entourage médisait de Joe en sa présence. Il se portait alors à sa défense, comme s'il se disait: *Moi, j'ai le droit d'en dire du mal pour me soulager des douleurs passées, mais je n'accepterai pas que ceux n'ayant à se libérer de rien puissent le salir.*

Tout ceci concernait donc la jalousie dite «sportive». Mais c'était triste parce qu'elle n'était même pas la seule à avoir interféré dans la relation entre Joe et Arturo. Il y avait aussi la jalousie plus personnelle, plus sociale peut-être et, selon Joe, son frère s'en était aussi rendu coupable. «On me croira ou non, mais j'ai toujours eu plus de succès avec les filles qu'Arturo, et ça aussi il ne l'a jamais accepté. C'est la stricte réalité. Si une fille avait à choisir entre nous deux, c'est toujours avec moi qu'elle partait. Arturo était un peu complexé, plutôt chétif, il arrivait même que les filles le prennent pour un Mexicain tellement il était petit. Alors, forcément, c'est un autre aspect de la vie qui a attisé sa jalousie à mon égard. Ses complexes expliquent même, à mon avis, pourquoi ses blondes n'ont été essentiellement que des danseuses. Arturo, foncièrement, n'avait pas une grande estime de lui et ne croyait pas mériter mieux que ces filles-là…»

Cela dit, s'il fallait trouver un seul mérite à toutes ces petites et grandes jalousies, c'est qu'elles montraient à quel point la conduite de Giovanni et Ida Gatti avait contribué à placer leurs fils au cœur d'une compétition des plus malsaines.

***

Il était né le 15 avril 1972 à l'hôpital Jean-Talon, d'une certaine manière déjà un peu lié à Joe qui, lui, était sorti le 12 du ventre de sa mère. Entre les deux frères, Mirella était venue s'intercaler en 1968 si bien qu'il devenait le cinquième enfant de la famille. Tout au cours de sa vie, ce ne sont pas les *alter ego* qui lui manqueraient : il y aurait évidemment *Thunder*, mais aussi *Arty*, *A.G.*, *Champ*, *Toro* pour l'enfant d'une amie incapable de prononcer tout son nom, et surtout *Artur*, que ses amis italiens prononçaient à la québécoise. Mais *Artur* à la québécoise ne faisait pas très chic, ni très rock star, et surtout pas devant les filles. Son nom de scène, le nom qui lui servait de passe-partout avec le sexe faible, c'était Arturo.

S'il y a un endroit où on n'avait pas dû le confondre, c'est à la pouponnière, là où il avait sûrement dû être le plus petit. D'ailleurs, jusqu'à l'âge de 14 ou 15 ans, ses amis n'avaient pas cru à ses rêves de devenir boxeur tellement il était resté malingre ! Pour ce que l'on en savait, sa présence n'avait pas non plus pesé bien lourd dans la maison car Giuseppina se rappelait d'un enfant beaucoup plus tranquille que tannant. Quant au reste, elle disait n'avoir que deux souvenirs distincts de l'enfance de son jeune frère : ses cheveux qu'on lui peignait alors en coq et... les coups de fils électriques sur les épaules. On pouvait bien ajouter aussi ceci : lors de son baptême, Filomena et Luigi Masella étaient officiellement devenus ses marraine et parrain, rôles qu'ils avaient officieusement endossés pour la famille à leur arrivée à Montréal.

La naissance d'Arturo faisait par ailleurs en sorte que la famille n'en avait plus pour très longtemps de cette vie au cœur du Mile End. Après trois déménagements, on commençait à avoir un peu fait le tour de la rue Drolet et cela faisait quand même maintenant sept personnes dans la même maison. Bientôt, le manque d'espace allait donc de nouveau contraindre Giovanni à transbahuter sa famille et la recherche d'un nouveau toit l'avait alors porté au cœur du quadrilatère formé par les rues Pie-IX, Fleury, Saint-Michel et Industriel à Montréal-Nord. Il y avait là plein de zones résidentielles, mais le secteur était aussi très commercial et ce n'est pas l'arrivée des Gatti qui allait nuire aux affaires: 20 ans plus tard Arturo remplirait encore tous les établissements les soirs de ses combats! Pour reloger sa famille, Giovanni avait donc arrêté son choix sur un immeuble de la rue Parc-Georges. Essentiellement, cette rue était bordée de deux longs chapelets de duplex comme les Italiens aimaient à en construire en ce temps-là pour loger toute la parenté à proximité. Mais il y avait tout au fond de la rue, à droite quand on venait du nord, une bâtisse différente des autres et suffisamment grande pour accueillir sept personnes, huit avec la naissance prochaine de Fabrizio. Elle était sise au 10 030, et c'est un peu triste parce que ce dont on chercherait plus tard à se rappeler, ce n'est pas des moments où on y vivait, mais de ceux où on s'en absentait. Car ce qui avait changé pour les Gatti, c'était seulement le quartier. La vie, elle, était restée la même, c'est-à-dire tellement peu réjouissante que même le temps des Fêtes n'arrivait pas à l'égayer. «Sans exagérer, nous n'avons jamais connu un seul Noël heureux, disait Giuseppina. À chaque fois, les journées commençaient plutôt bien, mais l'alcool venait immanquablement gâcher le peu de bonheur que nous avions. Même si ma mère ne buvait pas, l'alcoolisme de mon père suffisait pour tout détruire. Pourtant, sa mort n'a rien changé et, encore aujourd'hui, nous ne sommes jamais capables de vivre un Noël tous ensemble et heureux...»

Du temps des Noëls à Montréal-Nord, il ne fallait pas non plus compter sur les cadeaux pour mettre un peu de baume sur les plaies des enfants. Et pour cela, disons-le, personne n'était à blâmer. Sur le plan financier, avec cinq et bientôt six marmots, Giovanni Gatti faisait ce qu'il pouvait. «Des cadeaux, nous n'avons jamais vraiment connu ça, continuait Giuseppina. Nous en recevions, mais ils étaient toujours un peu les mêmes et répondaient à une nécessité. Des bottes, des trucs comme ça. La plupart du temps, on nous offrait cependant des vêtements confectionnés par ma mère. Elle était vraiment bonne couturière et c'est elle qui faisait tous nos vêtements (*y compris les culottes et les peignoirs de ses fils boxeurs*). Évidemment, à la longue, on a souhaité apporter un peu de variété à notre garde-robe et c'est l'une des deux raisons pour lesquelles nous avons tous commencé à travailler jeune… »

Joe racontait qu'à son souvenir, le premier emploi obtenu par Arturo en avait été un de pressier. « C'était dans le commerce d'un de nos oncles et Arturo avait fait du très bon travail. Je le sais, je travaillais à ses côtés… » Dans des notes biographiques, Arturo avait toutefois révélé avoir intégré le marché du travail dans un supermarché, à l'âge de 12 ans. Dans un cas comme dans l'autre, Giuseppina n'était pas surprise. « C'est l'autre raison qui explique pourquoi nous avons tous commencé à travailler tôt : nous aurions fait n'importe quoi, n'importe quand pour échapper à notre climat familial… »

Mais ils ne pouvaient assurément pas le faire souvent. Montréal-Nord avait beau avoir beaucoup à offrir, sous le règne de Giovanni, les permissions n'étaient pas légion. « C'est bien simple, nous n'avions pratiquement pas le droit d'avoir d'activités ou d'amis, disait Giuseppina. En tout cas, certainement pas de *petit ami*. Ça, c'était hors de question. Avec nous, les filles, mon père a été maladivement contrôlant. » Là-dessus, Joe s'inscrirait sûrement en faux. L'autoritarisme de leur père ne s'embarrassait pas du sexe des enfants. « Il m'était défendu de faire à peu près tout, renchérissait-il, sauf de la boxe. Je n'avais aucune liberté et quand j'en avais, c'était pas pour longtemps, je devais absolument être rentré au moment où la noirceur tombait… »

Aussi incroyable que cela puisse paraître, les premiers *sparring-partners* de Joe avaient été ses propres sœurs, comme quoi ce n'était pas tout à fait vrai que Giovanni ne permettait pas à ses filles d'avoir des activités. « Effectivement, mon père nous faisait boxer dans la maison avec Joe, expliquait Giuseppina. Tour à tour, Anna Maria, Mirella et moi devions nous battre contre Joe, avec des vrais gants et en donnant de vrais coups. Quand il n'y avait personne, c'était comme l'entraînement. Et puis lorsque de la visite se pointait, c'était comme le grand soir du combat : il fallait s'exécuter « en public » pour impressionner les invités, leur montrer tout le potentiel de Joe et à quel point il avait fait des progrès depuis la dernière fois. C'était, vraiment, n'importe quoi...» Si les faire-valoir s'en rappellent, vous pensez bien, la tête d'affiche ne l'a pas oublié non plus. «En réalité, rappelait Joe, on pourrait presque dire que j'ai commencé la boxe à cinq ans. J'avais cet âge quand mon père a acheté notre première paire de gants. C'étaient des petits gants comme on en utilise pour frapper sur les sacs, sauf qu'il me servait à moi pour frapper aussi sur mes sœurs et mon frère. Je dis ça, mais dans les faits, ils servaient plus à me protéger de leurs coups. Non mais quand même, on parlait de mes soeurs! Je n'allais toujours bien pas commencer à les frapper au visage! Alors, je les touchais sur les épaules de temps à autre et je passais le reste du temps à me laisser frapper par elles. Mais bon, comme l'idée de mon père était de démontrer à la visite mes aptitudes à devenir champion, fallait bien que je boxe un peu aussi. Puis, plus tard, quand Arturo a vieilli, j'ai vu arriver un autre *sparring-partner* dans le salon. Mais je n'étais pas plus avancé qu'avec mes sœurs, il était si petit. Je me plaçais donc à genoux, et je le laissais, lui aussi, me frapper...»

Au fil des ans, la boxe à domicile de la famille Gatti s'était toutefois professionnalisée, elle était passée du salon au garage. S'il était vrai que l'environnement conditionne la vie des hommes, il fallait offrir aux champions en devenir des installations idoines. Utilisé à l'origine comme bureau d'affaires pour la compagnie de Giovanni, le garage avait donc changé de vocation et était devenu une salle de boxe, format réduit. Le décor? Peut-être qu'il avait peu en commun avec le Gleason's Gym de New York, mais c'était comme avec les vêtements confectionnés par Ida, c'était de bon cœur. Il y avait notamment un sac de frappe qui, le jour où on l'avait posé, ne devait certainement pas s'attendre à faire parler de lui dans le prestigieux *Sports Illustrated*, et pourtant cela avait été le cas. «Nous avions trouvé une poche à courrier et l'avions suspendue à la manière d'un sac de sable. Heureusement pour le facteur, il n'était pas à l'intérieur!» avait ainsi rigolé Arturo dans l'édition de juin 2004 du magazine. Pour donner encore plus d'effet au reportage, il aurait pu également évoquer le ballon-poire, c'eût été aussi très drôle. En fait, ce n'est pas tant le ballon qui prêtait à rire, c'était ce qui permettait de l'atteindre. Le Arturo d'avant *Sports Illustrated* était en effet si petit que pour lui permettre de toucher la poire, Giovanni devait le grimper sur un monticule de caisses de vin! Chez les Gatti, c'était le genre de situation où l'alcool pouvait parfois être utile. Par ailleurs, Giovanni ne s'occupait pas seulement de l'intendance du gymnase, il y agissait aussi à titre d'entraîneur. Comme l'avait encore noté *Sports Illustrated*, il avait évidemment été le premier à enseigner les rudiments de la boxe à Joe et Arturo et, selon un ami d'enfance de ce dernier, si ses installations de fortune pouvaient faire sourire, lui n'était pas là pour rigoler. «Giovanni était très dur, très directif», rappelait Sergio Gennarelli, qui habitait sur la même rue et assistait régulièrement à l'entraînement d'Arturo. Même au Club Olympique, il arriverait encore à Giovanni de s'inviter pour rappeler à ses fils comment asséner un crochet du gauche et, en se fiant à la puissance qu'ils avaient tous les deux développée avec ce coup, il est permis de croire que l'enseignant s'y connaissait.

À la différence des premiers entraînements publics de Joe tenus dans l'intimité du salon, ceux d'Arturo étaient souvent ouverts à tous, livrés aux regards des voisins qui passaient devant le garage au moment où la porte était grande ouverte. Certaines fois, leur présence était due au hasard, d'autres fois elle était tout à fait volontaire. Comme pour la petite fille qu'était alors Sylvia Fagnani, même pas 10 ans encore et qui l'air de rien venait, comme elle le disait, *sneaker* autour du garage pour entrapercevoir le premier coup de cœur de sa vie. Mais quelles que soient les conditions, une chose était certaine par rapport à Joe et Arturo: c'est très tôt qu'ils avaient été habitués à se produire en public, à prendre goût à cette attention même si c'était à leur corps défendant qu'ils boxaient tous les deux. Ce n'était pas évident, ils aimaient l'attention dont ils étaient l'objet mais détestaient l'activité qui la leur procurait. Car, indépendamment de la préférence de Giovanni envers Joe, ce qu'il fallait savoir et ne pas oublier, c'est qu'il avait tout autant obligé Arturo à boxer. Pendant longtemps, Giovanni avait beau ne voir qu'un seul de ses deux fils sur son écran radar, ce qu'il y voyait aussi et surtout, c'était un sport (disons deux avec le soccer). Et que cela lui plaise ou non, Arturo allait devoir pratiquer le sport qui était sur l'écran radar. En fait, le portrait était le suivant: Arturo avait dans un premier temps été forcé de boxer, puis il s'était ensuite lui-même forcé à boxer quand il avait vu que c'était par ce sport-là qu'il pouvait obtenir sa revanche la plus directe sur son frère et son père. Car comme nous l'avait confié un émérite coach de soccer, Arturo avait eu aussi le potentiel pour devenir professionnel et faire carrière avec l'Impact, par exemple. Mais après la mort de Giovanni, au moment où lui seul pouvait enfin décider de sa vie, il avait tout de même choisi la boxe au détriment du soccer. Pour nous, la raison n'avait jamais fait de doute : c'est par la boxe qu'on l'avait discriminé, c'est par la boxe qu'il avait à prouver qu'on avait eu tort de le faire. Et à plus forte raison parce que Joe, lui, restait bien vivant.

Dans les rues de Montréal-Nord, bien avant le soccer, le premier sport auquel Giovanni avait toutefois dû arracher Arturo, c'était le hockey. Certes, au contraire de ce qu'il faisait avec Joe, Giovanni permettait qu'Arturo puisse s'y amuser. On l'a dit, les attentes pour les deux fils n'étaient pas les mêmes, alors Giovanni était plus permissif à l'égard d'Arturo. Il le laissait donc *désobéir* en jouant au hockey, mais restait quand même toujours prompt à le lui interdire ou à le lui reprocher. Ce sont d'ailleurs toutes les fois où il lui défendait de jouer, ou de continuer à jouer, qui donnaient lieu aux entraînements publics. Il était 17h30, Arturo et ses amis jouaient dans la rue depuis la fin des classes, et Giovanni se pointait à la maison après sa journée de travail. Il mettait fin au jeu, puis disait à Arturo de rentrer souper. Pour lui, c'est là que le cauchemar commençait. Après le repas, Giovanni et Arturo passaient au garage pour une séance d'entraînement imposée, pendant que ses amis se remettaient à jouer au hockey dans la rue, devant sa maison. « Ces moments-là, racontait son ami Sergio, étaient vraiment très pénibles pour Arturo. Il nous voyait nous amuser pendant que lui était forcé de s'entraîner. Il n'aimait pas la boxe, sa passion c'était vraiment le hockey. *Je déteste ça*, qu'il me disait parfois. Sa tristesse se lisait sur son visage, si bien que c'était aussi un calvaire pour nous de le voir dans cet état. Alors pour éviter de tourner le fer dans la plaie, on cessait carrément de jouer. Et c'est là, pour être quand même avec lui, que nous allions prendre place sur la bordure en ciment de l'entrée de garage, pour le regarder s'entraîner. Plus tard, quand il a intégré le Club de boxe Olympique, c'était peut-être pire encore. Là, en plus d'être forcé de s'entraîner, il devait aller le faire ailleurs. Le scénario était toutefois identique: son père arrivait de travailler, mettait fin à sa partie et lui disait de se préparer pour la boxe. Et là, on le voyait monter dans la voiture, l'âme terriblement en peine...»

Malgré tout, il y avait une journée de hockey sur laquelle Giovanni avait peu de regard et c'était celle du dimanche. Il n'y a pas un gymnase de boxe sur terre qui soit ouvert le jour du Seigneur et au moins pour cette journée-là, Arturo et Joe pouvaient avoir la paix. Immanquablement donc, tous les joueurs, réguliers comme occasionnels, se retrouvaient dans la cour arrière de l'école anglaise Saint-Alice. Le portrait culturel du Montréal-Nord du début des années 1980 concentré dans deux équipes de hockey-bottine: des francophones, des anglophones, des allophones et des Italiens. Un certain portrait pugilistique de Montréal également: Dave, Matthew, Alex et Stewart Hilton; puis Arturo et Joe Gatti.

À la toute fin des années 1970, Dave Hilton et Anna Maria Gatti avaient déjà commencé à se fréquenter et c'est souvent que le premier participait aux matches de hockey dominicaux. Normal, son père était encore plus tyrannique que Giovanni Gatti et il avait lui aussi mille raisons de vouloir échapper à son enfer familial. En fait, l'histoire des Gatti et des Hilton comportait tellement de similitudes que les enfants d'une famille auraient tous pu naître dans l'autre, et vice-versa, sans que leur destin ne soit le moins du monde modifié. À preuve, ce que l'on avait encore pu lire dans *Le Cœur au beurre noir*, à propos de Dave Hilton: *Parlons maintenant de mon père. Premièrement, il ne voulait pas devenir boxeur. Sa véritable passion était le hockey, il en rêvait la nuit. Adolescent, après l'école, il allait jouer avec quelques-uns de ses camarades. Lorsqu'il revenait à la maison, même s'il était crevé, mon grand-père l'obligeait à s'entraîner des heures et des heures. Mon père n'avait pas le choix. S'il résistait, mon grand-père le battait. Il était dur avec lui. C'était boxeur que mon père allait devenir, pas hockeyeur. C'est ce que mon grand-père avait décidé et personne n'allait le faire changer d'idée.* Il n'est par ailleurs pas inutile de préciser ici, pour bien illustrer quelle sorte d'enfer avait provoqué la réunion de ces deux familles déjantées, que ce grand-père en question, Dave Hilton Senior, allait aussi devenir plus tard le premier entraîneur chez les pros de Joe Gatti!

Pour en revenir à Dave Hilton fils, déjà boxeur professionnel, le dimanche était la seule journée où il se joignait à Arturo et Joe pour jouer au hockey. «Dieu merci, on le perdait de vue pour le reste de la semaine», rappelait Sergio. C'est que si Dave Hilton n'était pas encore la crapule qu'il allait devenir, ce n'était déjà pas un individu très agréable à côtoyer. À 17 ou 18 ans, il était de loin le plus vieux des joueurs et c'est la dernière chose qui paraissait en le voyant agir. «Il poussait, donnait des coups de bâton, intimidait, bref faisait un peu n'importe quoi pour provoquer le trouble au lieu de l'éviter, ajoutait Sergio. Ce n'était rien de majeur, c'était seulement désagréable. À l'inverse, Matthew était un adolescent gentil et sa présence était beaucoup plus appréciée. Foncièrement, c'était quelqu'un de doux. Arturo? Il jouait à l'avant, avait de bonnes habiletés et détestait perdre! Je me rappelle aussi, je ne sais trop pourquoi, qu'il ne voulait jamais jouer dans la même équipe que Joe…»

***

Il y avait toutefois un trio complet à qui Arturo n'hésitait jamais à faire une place. Et pas seulement au hockey de ruelle. C'était un trio d'amis bien avant d'être un trio de joueurs, et tout au cours de son existence, Arturo s'assurerait de les garder dans ses petits papiers. Ce ne serait pourtant pas faute d'avoir eu des candidats pour les remplacer, particulièrement aux États-Unis. C'était immanquable, on ne pouvait pas être devenu Arturo Gatti l'icône sans avoir au passage noué un nombre ahurissant d'amitiés, de Jersey City jusqu'à Atlantic City, en passant par New York, Vero Beach, Virginia Beach, Miami ou Las Vegas. Certaines étaient vraies, solides et reposaient sur des valeurs fortes. Une bonne majorité, par contre, était totalement insincère et n'avait que pour ciment la célébrité, la prodigalité et la toxicomanie d'Arturo. Comment reconnaître si une amitié était sincère ou non? Ce n'était guère difficile. Si, par exemple, quelqu'un acceptait l'invitation d'Arturo à passer une semaine dans un club de strip-tease de Miami et qu'à la fin Patrick Lynch devait envoyer une traite bancaire de 40 000 $ pour payer la cocaïne et les escortes, la question ne se posait pas: c'était la deuxième catégorie. Évidemment, les États-Unis n'avaient pas le monopole des amis de cette trempe et Arturo en comptait aussi une tapée à Montréal. Mais ce qui distinguait ceux-là de son trio d'amis d'enfance, c'est qu'ils avaient sauté dans le train bien après le début du voyage. Quand Arturo Gatti avait été seul en gare sans même savoir s'il y aurait un voyage ou quelle en serait la destination, il n'y avait eu souvent que trois garçons pour lui tenir compagnie : Amadeo Rizzo, Angelo Papa et, surtout, Christian Santos.

Il les avait connus tous les trois dans les langes, peu après son arrivée à Montréal-Nord. Ce qui s'était au fil du temps mué en proximité de cœur avait d'abord commencé par une proximité géographique. Le plus éloigné, Amadeo, habitait à deux rues du domicile des Gatti. Les deux autres, à quelques maisons à peine, rue Mont-Joly.

Selon tous les témoignages recueillis, autant ceux de la famille que des amis, les trois gamins avaient été les plus liés au jeune Arturo. Ils avaient été ses coéquipiers de hockey-bottine, mais pas seulement pour les grands rendez-vous dominicaux dans une cour d'école. Pour aussi toutes les petites parties de la semaine disputées dans la rue et constamment interrompues par les voitures qui passaient. Ou les camions d'électricité qui arrivaient. Ils avaient été au sommet de cette liste d'amis que l'on disait n'avoir jamais été reniés par Arturo. Mais des trois, un seul pouvait vraiment se targuer d'être devenu, et d'être resté, le meilleur ami d'Arturo Gatti : Christian Santos. Il pouvait en tirer gloire, en dépit de toutes les amitiés qu'Arturo avait développées au fil des ans, ce n'était pas si simple de jouir de sa confiance. En fait, c'est même de la confiance de toute la famille dont avait toujours joui Christian. Dans l'enfance d'Arturo, il avait d'abord été l'un des rares, sinon le seul, à être fréquemment admis dans l'antre des Gatti. Puis, à l'autre bout de la trajectoire, la famille lui avait réitéré cette confiance après la mort d'Arturo en lui permettant de répondre aux nombreuses demandes d'entrevues : « Tu connaissais Arturo même mieux que nous », lui avait d'ailleurs dit Fabrizio Gatti.

Depuis les premières fois où ils s'étaient croisés dans leur voisinage de Montréal-Nord, il était en effet légitime de se demander si Christian n'avait pas mis toute sa vie entre parenthèses afin que rien ni personne ne puisse altérer sa symbiose avec Arturo Gatti. En presque quarante ans, sa vie n'avait pas beaucoup changé, comme si inconsciemment il n'avait jamais voulu modifier les paramètres qui étaient les siens au moment de sceller son amitié avec Arturo. Il habitait toujours avec ses parents, on ne lui avait à peu près jamais connu de copine, et il n'avait bien sûr pas d'enfant. En somme, comme le disait le journaliste sportif Jeremy Filosa, qui avait côtoyé les deux garçons à l'enfance, c'étaient là des conditions parfaites à l'affermissement de leur amitié. «À la différence des autres amis de jeunesse d'Arturo qui avaient vu leur vie changer au fil des ans, *Chris* avait toujours été disponible pour lui. Par exemple, il pouvait se permettre plus de voyages à Atlantic City et y rester un peu plus longtemps que tout le monde. Même chose à Montréal, il pouvait sortir plus souvent avec lui et passer plus de temps en sa compagnie. Les deux étaient donc continuellement ensemble et c'est sans surprise que *Chris* est ensuite devenu la courroie de transmission avec le reste du groupe. C'est par lui que l'on apprenait les nouvelles… » Bien sûr, ce n'étaient pas toutes les nouvelles. Si Christian avait appris une chose au cours des années, c'est qu'il y avait des pans tout entiers de la vie d'Arturo qu'il devait garder pour lui. Un, parce qu'ils étaient trop préjudiciables à Arturo pour les révéler, et deux parce que la discrétion faisait simplement partie des qualités d'un bon ami.

Si on excluait le physique – l'un était crevard mais néanmoins charmant, l'autre rebondi et plutôt pataud –, ils avaient beaucoup en commun. À commencer par leur juvénilité. «Un éternel adolescent», avait dit Jeremy Filosa de Christian et il ne nous venait pas non plus à l'idée de décrire Arturo autrement qu'en ces termes-là. Sylvia Fagnani aussi était bien d'accord, mais pour elle il y avait plus important encore pour réunir les deux garçons: l'humour. «Christian, c'était avant tout un clown, une nature joyeuse qui souriait continuellement. Arturo étant pareil, ils avaient vraiment de bonnes prédispositions à s'entendre… »

Le hockey, le soccer, la bicyclette, l'entraînement, les sorties, Arturo Gatti et Christian Santos avaient donc tout fait ensemble. Pour dire, ils étaient même devenus champions américains des poids super-plumes ensemble! Si, si, ils avaient vraiment arraché le titre à deux, ensemble, c'est Arturo qui l'avait dit à *Chris*, personnellement. Dans les jours suivant sa conquête sur un ring de Secaucus dans le New Jersey, Arturo était revenu à Montréal-Nord, avait stationné sa voiture devant le duplex où habitait Christian et avait klaxonné. Il était ensuite sorti de la voiture, puis s'était installé sur le trottoir au bas des marches. Quand Christian avait enfin ouvert la porte, il avait porté à bras tendus sa toute nouvelle ceinture de champion américain et avait crié: *Chris, WE did it! Together! NOUS l'avons fait! Ensemble!* Si rien n'arriverait jamais à chasser de la mémoire de Christian les événements du 11 juillet 2009, en revanche il resterait toujours ce souvenir-là pour y faire contrepoids...

Un autre des facteurs qui avaient par ailleurs contribué à unir encore davantage les deux gamins, c'était l'école. Arturo et Christian avaient fait leurs débuts ensemble et au même endroit: à l'école primaire Saint-Rémi, rue Rome. De tous les proches amis d'Arturo, Christian était en effet le seul à avoir, comme lui, intégré l'école française et cela tenait peut-être au fait qu'il n'était pas rital mais portugais. Tous les autres tels qu'Amadeo, Angelo, Sergio, Jeremy et même Sylvia avaient été inscrits à l'école anglaise comme le voulait alors la tendance au sein de la communauté italienne du grand Montréal.

Il avait ainsi fallu trois lois – 63, 22 et 101 – pour arriver à empêcher le plus possible les Italiens d'étudier en anglais. Au milieu des années 1970, on y était toutefois enfin parvenu et juste à temps pour que cela coïncide avec l'entrée à l'école d'Arturo Gatti. Que se serait-il produit si la loi 101 n'avait pas été adoptée? En se fiant sur toutes les rencontres avec les amis d'Arturo ayant étudié en anglais, on doute que cela eût beaucoup affecté la qualité de son français. C'est en effet remarquable, toutes ces personnes sont trilingues et parlent un français très adéquat. Ils l'ont appris dans la rue, de la même façon qu'Arturo y a appris l'anglais. Car oui, la question avait été longue à éclaircir, mais Arturo parlait bel et bien anglais dans sa jeunesse et n'avait donc pas eu à surmonter, comme on l'avait prétendu, l'obstacle de la langue à son arrivée dans le New Jersey. «Aucun doute là-dessus, Arturo parlait anglais quand il est venu me rejoindre aux États-Unis», confirmait son frère Joe. «Moi, j'ai connu Arturo à l'âge de 10 ans et jusqu'à ce qu'il quitte pour le New Jersey, nous ne nous sommes jamais parlé autrement qu'en anglais», racontait pour sa part Maurice Cardillo, un autre ami d'enfance. «Et son anglais était très respectable...»

Chez les Gatti, comme dans la majorité des familles italiennes, le bilinguisme allait de soi. Les enfants communiquaient généralement entre eux en français, mais utilisaient l'italien pour s'adresser à Giovanni et Ida. «C'est la raison pour laquelle il revenait aux plus vieux de la famille d'aider aux devoirs d'Arturo, confiait Giuseppina. Mon père n'était pas à la maison et ma mère ne comprenait pas beaucoup le français...» Sans rien enlever aux efforts des enfants, les résultats affichés par Arturo à l'école Saint-Rémi étaient souvent à l'avenant. Arturo éprouvait de la difficulté en classe et son statut de fils d'immigrant n'y était pas totalement étranger. Il avait beau être trilingue et s'exprimer le plus souvent en français, sa connaissance de la langue – surtout écrite – restait somme toute limitée. Même écouter un professeur québécois avec un accent très différent du sien pouvait parfois poser problème. Quand ce n'était pas écouter tout court. «Arturo? Non, pour être bien honnête, ce n'était pas le plus concentré des élèves», se rappelait ainsi en riant Angelina Picanza, consœur de classe en 5ème année. «Lorsque notre professeur, Monsieur Pagé, lui posait une question, il n'avait jamais la bonne réponse. Il s'arrangeait pourtant pour en trouver une, mais c'était presque toujours une boutade. Il était drôle et était en fait plus concentré à faire rire ou à détourner l'attention qu'à briller devant le groupe...»

Chapitre trois

« Un jour, je vais être champion du monde »

Même à la fin des années 1970, le Club Olympique aurait difficilement pu être moderne. Il était situé au troisième étage du Théâtre Rialto, un fort beau bâtiment aujourd'hui classé patrimoine architectural – sa façade est une réplique de l'Opéra Garnier de Paris –, mais qui avait quand même été inauguré en 1924 ! Dans la revue *L'Esquive* que publiait alors la Fédération québécoise de boxe amateur, on le moquait d'ailleurs gentiment pour sa vétusté, mais comme toutes les vraies salles de boxe, une grande partie de son attrait venait aussi de là. Des cinéastes à la recherche du cachet particulier des vieilles salles y avaient déjà tourné des scènes et c'est encore aujourd'hui au cinéma auquel certains réfèrent pour le décrire. Ils disent : un gymnase comme dans les films de *Rocky*. Chose certaine, si le club est aujourd'hui disparu, il est néanmoins toujours bien présent dans les souvenirs sépia des boxeurs. Pour eux, sans rien enlever au Théâtre Rialto, il n'y a qu'un local de ce bâtiment qui fasse partie de leur patrimoine et c'est le Club Olympique. Ils se rappellent encore très bien des deux grandes portes noires du premier étage ; de la cinquantaine de marches qu'ils montaient souvent au pas de charge et qui tenaient presque lieu d'échauffement ; des deux rings et des fenêtres circulaires ; des lieux d'aisance désuets ; et du portrait de Donato Paduano accroché au mur qui semblait en faire le veilleur du gymnase. Il arrive que la boxe rende amnésique, mais il existe une façon de s'en prémunir et c'est de fréquenter une salle mythique.

Le Club Olympique avait été fondé au milieu des années 1960 par l'un des plus grands entraîneurs que le Québec ait jamais produits, Roger Larivée. D'abord localisé au 3956 Saint-Laurent, il avait plus tard fusionné avec le Club de boxe 20th Century qui occupait déjà le troisième étage du Théâtre Rialto, au 5711 de l'avenue du Parc. Pendant un certain temps, les deux clubs avaient gardé leur entité distincte à l'intérieur des lieux, mais en raison de la réputation de Larivée, c'est surtout le Club Olympique qui accaparait l'attention et le 20th Century avait fini par disparaître.

Chauffeur d'autobus à la Ville de Montréal, Larivée avait un emploi du temps qui lui permettait de consacrer plusieurs heures à la boxe, mais son club était devenu si populaire après son déménagement qu'il avait dû s'entourer de nombreux collaborateurs. Entre la fin des années 1960 et 1980, on avait ainsi vu des entraîneurs comme Bernie Ewenson, Abe Pervin, Dave Hilton Senior, Pierre Leclerc, Russ Anber et son frère Aimé Larivée se succéder à ses côtés pour le décharger de certaines responsabilités. Ces hommes avaient tous en commun d'avoir, selon leur âge, une certaine expérience du noble art et on pouvait dire d'eux qu'ils avaient suivi l'ornière. Essentiellement, c'était ce qui les différenciait d'un autre collaborateur à être venu s'ajouter autour de 1968. Son nom ? Dave Campanelli, un Italo-Montréalais que le milieu de la boxe avait plus tard appris à mieux connaître sous le nom de Dave Campanile.

Machiniste au Canadien Pacifique, Campanile n'avait à cette époque aucune expérience de la boxe et, à 40 ans passés, il avait commencé à fréquenter le Club Olympique à titre d'observateur seulement. À force d'avoir Larivée sous les yeux, il avait cependant beaucoup appris et à la mort du grand entraîneur en 1980, c'est finalement à lui que l'on avait remis les guides du célèbre gymnase.

La prise en charge du Club Olympique par Campanile avait coïncidé avec la venue à la boxe d'une talentueuse cohorte de jeunes boxeurs amateurs qui, mêlés à de très bons professionnels, avaient créé une formidable émulation. Déjà considéré comme une référence, le Club Olympique avait dès lors été propulsé vers de nouveaux sommets, confirmés par le titre du meilleur club de boxe au Québec en 1982, 1983, 1984 et 1985 !

À proprement parler, le club de l'avenue du Parc n'était pas le club attitré de la communauté italienne mais par le fruit du hasard, la plupart des jeunes talents à s'y être inscrits à la fin des années 1970 étaient italiens, comme leur entraîneur. Certains de leurs noms étaient déjà connus des amateurs de boxe, d'autres ne tarderaient pas à le devenir: Salvatore, Moffa, Baldassarre, Napolitano, Procopio et… Gatti!

Au départ, il n'y avait eu que Joe. En 1976, peut-être influencé par le fabuleux spectacle que l'Américain Ray Leonard avait offert aux Jeux de Montréal, Giovanni Gatti avait finalement poussé son fils aîné hors du confort douillet de la boxe à domicile et des *sparring-partners* féminins. L'heure était maintenant venue d'aller se frotter aux vrais hommes et Joe avait alors intégré le Club Olympique.

Au départ, il n'y avait eu que Joe? En réalité, ce n'était pas tout à fait exact, il y avait eu d'autres Gatti à avoir fréquenté le Club Olympique en 1976. Pour les deux premières années d'activité de Joe, Giovanni avait en effet exigé que ses deux grandes filles, Anna Maria et Giuseppina, l'accompagnent en alternance au gymnase. À neuf ans, Giovanni considérait Joe trop jeune pour prendre seul l'autobus, si bien que les *sparring-partners* étaient alors devenues, à 11 et 13 ans, gardes du corps. Hélas, sans le savoir Anna Maria était à cette époque la plus menacée des trois enfants et même si on la disait forte comme un garçon, elle ne pourrait rien contre le danger l'attendant à l'intérieur du Club Olympique.

Le moins qu'on puisse dire des débuts pugilistiques de Joe, c'est qu'ils ne l'avaient pas beaucoup enthousiasmé. Aux premières loges pour y assister, Giuseppina avait souvent eu l'impression du contraire. «À toutes les fois où j'ai eu à l'accompagner, je ne l'ai jamais vu sauter au plafond. D'ailleurs, j'ai toujours pensé que tout l'argent que mon père lui donnait servait surtout à acheter son intérêt pour la boxe. C'était la façon que mon père avait trouvée pour le forcer à s'entraîner…»

Au terme des deux premières années, le gardiennage des sœurs Gatti s'était terminé. À 11 ans, Joe avait ensuite lui-même veillé sur

Arturo qu'il traînait avec lui, avant de pouvoir enfin compter l'année suivante sur un vrai garde du corps. Il s'appelait Pasquale Procopio, habitait Montréal-Nord comme les Gatti et avait lui aussi choisi le Club Olympique pour commencer la boxe. Mais il avait surtout 16 ans, un âge beaucoup plus raisonnable pour protéger les enfants. Pendant plusieurs années, il avait donc agi comme grand frère pour Arturo et Joe, mais aussi pour un autre jeune boxeur de Montréal-Nord, Vittorio Salvatore. Presque 30 ans plus tard, le regard qu'il pose sur les sacrifices consentis par ses trois jeunes coéquipiers est admiratif. «Partir tous les jours au retour de l'école, se rendre au club, s'entraîner, juste ça était déjà méritoire. Mais à la fin de l'entraînement, à 20 heures, notre journée était loin d'être terminée, il fallait retourner à la maison. Nous prenions l'autobus coin avenue du Parc et Bernard et descendions ensuite à Beaubien pour prendre le métro. À mon âge, j'étais évidemment plus prudent, plus responsable, alors j'essayais d'éviter les situations fâcheuses. Je m'assurais que tout le monde reste ensemble, que personne ne rate son autobus ou n'oublie son sac d'équipement… Dans le métro, Joe, Arturo et Vittorio sortaient à la station Sauvé, d'où ils prenaient un autre autobus. Moi, je continuais jusqu'à la station Henri-Bourassa, où je me tapais aussi un dernier bus. Nous arrivions à la maison autour de 21 heures, crevés, affamés… et ça recommençait le lendemain. Mais ça ne recommençait pas à 15 heures, au retour de l'école, ça recommençait à 4 heures de la nuit pour la séance de jogging… J'avais 16 ans et cette vie-là exigeait de moi une discipline et des efforts immenses. Mais eux, imaginez, ils avaient 12 et 7 ans!»

Si les débuts pugilistiques de Joe Gatti n'avaient pas semblé trop l'emballer, ils avaient toutefois eu l'effet contraire sur les membres du Club Olympique. Peu importait que l'on s'adresse à des boxeurs ou à des entraîneurs, il n'y avait à peu près jamais de variante dans leur jugement: pour eux, Joe Gatti avait été un talent précoce en qui l'on voyait énormément de promesses. «Sans contredit le meilleur boxeur de toute notre cuvée», avait même été jusqu'à affirmer Vittorio Salvatore, alors membre de l'équipe canadienne de boxe amateur. Ce n'était pourtant pas que la génération de Salvatore avait manqué d'atouts, en plus de lui elle avait compté sur d'autres excellents boxeurs, tels Mike Moffa, Sylvain Proulx, Procopio – quoique plus vieux – et David Sébilleau.

À chaque année, Joe avait ainsi toujours figuré parmi les deux ou trois meilleurs boxeurs québécois de sa catégorie, quand ce n'était pas carrément le meilleur, comme en 1983, l'année de son titre de boxeur junior par excellence. Il avait aussi connu de bons moments sur les scènes nationale et internationale, dont le point d'orgue avait été une médaille d'or obtenue en juin 1986 à Acropolis, en Grèce. Mais au-delà des titres et des médailles, il restait quand même une réalité indéniable dans la vie de Joe: sa carrière amateur, au même titre que sa carrière professionnelle, avait été le fait d'un «*underachiever*». «C'est un fait, disait l'entraîneur Pierre Leclerc, avec les habiletés que Joe avait, avec surtout sa puissance, on aurait vraiment cru le voir connaître plus de succès. Il était vraiment doué…»

C'est bien pour dire, sachant quant à lui par quoi il était passé, Joe Gatti était d'un tout autre avis: il était un *«overachiever»*.

***

Les seuls détails dont n'arrivait pas à se souvenir l'entraîneur Pierre Leclerc, c'était le livret de boxe de Joe qui les donnait: c'était en 1980, à son 17ème combat amateur, pour lequel il avait été pesé à 83 livres. Tout le reste, c'était encore frais à la mémoire de l'entraîneur et il pouvait difficilement en être autrement: cela s'était déroulé dans sa voiture. Ils revenaient d'Acton Vale, où Joe avait conservé sa fiche intacte en vertu d'un succès aux points. La voiture était pleine: Joe, Arturo, Giovanni et Davey Hilton. Ils avaient tous déjà l'habitude de ces voyages, la carrière de Joe les menant aux quatre coins de la province. Un jour ils pouvaient se rendre à Hull, le lendemain à Jonquière où Joe venait récemment d'aller battre Stéphan Larouche, actuel entraîneur de Lucian Bute.

L'ambiance n'était pas folichonne. Elle l'était rarement, et forcément moins quand Joe avait mal boxé comme ce soir-là. Enfin, mal boxé selon les standards de Giovanni. On pouvait entendre une mouche voler, mais Pierre Leclerc se souvenait qu'on n'avait pas pu l'entendre voler bien longtemps. À un certain moment, comme le Vésuve à Pompéi, Giovanni était entré en éruption et il avait commencé à cracher sa lave sur Joe. Ils étaient trois à ne rien perdre de ce qui se disait alors, mais cinq à comprendre ce qui se passait. «Giovanni s'était soudainement mis à engueuler Joe comme ça n'avait même pas de bon sens, rappelait Leclerc. Il le faisait en italien, et bien sûr je ne comprenais pas tout ce qu'il lui disait, mais je n'avais pas besoin qu'on me fasse un dessin. Juste à voir l'attitude de Joe, c'était comme si je n'avais pas perdu un mot. Il faisait réellement pitié. Mais Giovanni n'en faisait pas de cas et il continuait de l'engueuler, si bien qu'à un moment donné je lui avais dit: *OK Joe* – on appelait aussi comme ça Giovanni – *c'est assez maintenant, crisse, laisse-le tranquille, c'est un enfant*... C'était réellement dérangeant. Giovanni était bien trop dur avec Joe et c'est très triste ce qui lui est arrivé. Par chance, Arturo était à cette époque si petit, il a pu au moins échapper à ces comportements. Quand j'y pense, peut-être que ce n'était d'ailleurs pas un hasard que Dave Hilton soit dans la voiture avec nous. Parce que ma lecture des choses, moi, c'est qu'au moment où lui est entré dans la vie de la famille Gatti, il était un tel surdoué qu'il est devenu la fierté de Giovanni. À partir de là, Joe a écopé, comme si la barre était toujours placée trop haute pour lui...»

Voilà donc ce qu'avait toujours été depuis le premier jour la carrière de Joe Gatti: Pompéi. Un jeune garçon élevé aux pieds d'un volcan qui ne dormait pas souvent, et surtout pas quand il y avait de la boxe au programme. Un jeune garçon fréquemment enseveli sous un magma d'injures, dans l'intimité d'une voiture ou devant une foule de 300 personnes, cela ne faisait pas de différence. «Ce n'était pas très difficile de se rendre compte de la pression malsaine que Giovanni plaçait sur les épaules de Joe», disait Pasquale Procopio. «D'abord, il y avait tous ces coups de téléphone qu'il passait au club pour vérifier s'il était bel et bien à l'entraînement. Puis, il y avait aussi les réactions de Joe, ce qu'il me disait à l'occasion, tout stressé: *Vite, il faut que je termine mon entraînement avant que mon père arrive*. Mais le plus flagrant, c'était bien sûr dans les galas de boxe. Giovanni gueulait dans la salle, il criait à Joe quoi faire, comment le faire, comme si c'était facile... Sans surprise, Joe détestait donc que son père vienne le voir s'entraîner, et évidemment encore plus le voir boxer parce qu'il y avait du monde pour être témoin de ses comportements… » Selon Mike Moffa, Joe était cependant loin d'être le seul à ne pas souhaiter voir Giovanni Gatti se présenter aux galas. «À la fin, c'en était rendu que même Dave Campanile tentait de lui cacher le lieu des galas. Il se présentait ivre et faisait honte à un peu tout le monde… »

En définitive, à la liste de tout ce qu'avait déjà détruit Giovanni Gatti, il fallait ajouter la carrière de son fils Joe. Et dans la mesure où il s'agissait de son fils «préféré», celui pour lequel il avait eu tous les égards, celui par lequel il avait voulu vivre par procuration, le constat avait de quoi laisser pantois.

Pourtant, la suite de l'histoire était plus surréaliste encore. À partir du moment où Giovanni Gatti avait en effet réalisé ne pas avoir construit, mais déconstruit un champion, il s'était mis à se comporter comme le font trop de gérants de boxeurs. Sportivement parlant, il avait dès lors laissé Joe en plan et tourné son intérêt et ses espoirs sur le fils qu'il déconsidérait hier. Arturo avait maintenant commencé la boxe, affiché déjà de belles promesses et il était loisible à Giovanni d'en tirer fierté. En l'ayant rempli d'autant de ressentiment, il était vraiment l'architecte de ce champion en puissance, il n'y avait pas à en douter. Qu'il ait bâti un homme aussi faible que le boxeur était fort était au fond subsidiaire. L'important, c'était la boxe et Giovanni n'avait pas manqué de le rappeler à tout un chacun. Ainsi, au café Gentile sur l'avenue du Parc, au Bruno's Sports Bar sur Beaubien, en fait dans tous les commerces italiens de ses habitudes, Giovanni entrait avec Arturo, l'assoyait sur un banc, prenait tout le monde à témoin et lançait à la cantonade: «Cet enfant-là, regardez-le bien, il va être champion du monde!» «Particulièrement quand il avait bu, Giovanni était intarissable à propos d'Arturo», confirmait l'ex-boxeur Pietro Napolitano, dont le père avait été un intime de Giovanni. «Ils venaient souvent manger à la maison et c'est vrai, la chose que répétait le plus souvent Giovanni, c'est qu'Arturo serait un jour champion du monde… »

Mais d'abord, pour aller faire la preuve publique de la faillite du plan de son père, c'est Joe qui était passé chez les pros le premier. Le 29 avril 1987, en combat d'encadrement de Matthew Hilton-Muhammad Eltassi, il avait ainsi signé sa première victoire en carrière, par K.-O. au 2ème round.

Quant à la preuve privée, Joe l'avait aussi fournie à la même période, en devenant le premier membre de la famille à chercher à se tuer. Cela coïncidait avec l'arrivée dans sa vie de Davey Hilton.

***

Pour beaucoup des amis d'enfance d'Arturo, ses débuts dans la boxe avaient représenté une surprise. Depuis son arrivée à Montréal-Nord, ce qu'ils avaient appris à connaître de lui ne les inclinait à croire ni à un intérêt, ni à des prédispositions pour un sport aussi viril. Bien sûr, comme le disait Jeremy Filosa, même avec des yeux d'enfant ils voyaient bien que la famille d'Arturo ne ressemblait à aucune autre et qu'on y était élevé plus durement qu'ailleurs. Mais sinon, ses amis n'avaient jamais vu son inscription à la boxe autrement que comme un contre-emploi. «Quand tu es jeune, racontait Filosa, la boxe peut paraître intimidante et Arturo n'était tellement pas agressif qu'on ne l'imaginait pas fait pour ce sport-là. Au hockey de rue, par exemple, il n'était pas du genre à se quereller, c'était au contraire un garçon qui aimait avoir du plaisir. Et puis, comme d'autres l'ont dit, notre étonnement venait aussi de son allure. Ce n'était vraiment pas un costaud et je suis bien placé pour le savoir parce qu'à l'époque, j'étais petit et maigre comme lui, nous étions pratiquement des copies conformes. Par contre, là où il se distinguait de moi et de tous nos autres amis, c'est au niveau du *guts*, des couilles. Ça, Arturo en avait déjà plus que tout le monde et il était de loin le plus intrépide du groupe…» Intrépide, mais tout de même conscient. C'est Sylvia Fagnani qui l'avait confié, tout le cran du monde n'était pas arrivé à faire oublier à son premier amour sa chétivité. «À cause de son physique, la boxe faisait au début bien peur à Arturo…»

Peut-être pour cette raison-là, il ne semble d'ailleurs pas que ce soit à la boxe qu'Arturo se soit d'abord inscrit. Pendant longtemps, son comportement avait en effet donné l'impression que le Club Olympique avait changé de vocation et qu'il n'était plus un gymnase de boxe mais un parc d'amusement. «C'est vrai, à cette époque le club n'était pour lui qu'un lieu de plaisir où il venait s'amuser», confirmait Mike Moffa.

Le meilleur ami d'Arturo, dans les premières années, c'était bien sûr son frère aîné. À partir du moment où Joe avait commencé à le traîner au Club Olympique et mis toute l'histoire en marche, ils avaient été pour ainsi dire inséparables. «D'une certaine façon, rappelait Pasquale Procopio, c'est du baby-sitting que Joe faisait avec son frère. Arturo était très grouillant à la maison et ses parents tenaient à ce que Joe l'emmène au club pour les soulager un peu...» Ses premiers *shadow-boxing*, Arturo ne les avait donc pas faits devant une glace à boxer le vide, il les avait faits sur les talons de son grand frère, en étant son ombre partout dans le gymnase. Et même à l'extérieur. «Ce n'est pas compliqué, Arturo était toujours avec moi, racontait Joe. J'étais son grand frère, il me regardait avec des yeux impressionnés, et il voulait toujours me suivre partout. Moi, je ne peux pas dire que ça me dérangeait parce que sa présence était rarement envahissante. Arturo était un garçon enjoué, toujours de bonne humeur, et il disait oui à tout ce que je lui demandais. Mais c'était du donnant, donnant parce que quand il écœurait des plus grands à Montréal-Nord, c'est moi qui devais aller le défendre. C'était comique...» Joe ne se contentait d'ailleurs pas de venger Arturo dans la rue, il lui arrivait aussi de le faire au club, en remettant les gants avec des types qui venaient de le corriger. «La réalité, affirmait l'entraîneur Pierre Leclerc, c'est que Joe prenait grand soin de son petit frère. Il le protégeait, autant dans le gymnase que dans la vie. Et je suis très triste de ce qui s'est ensuite passé entre eux parce que je vais dire une chose: de toute ma vie, je n'ai jamais revu un amour aussi fraternel, aussi désintéressé que celui de Joe à l'égard de son petit frère. À ce point-là. À quoi je le voyais? Aux petits gestes de tous les jours, les attentions, les bienveillances, toutes sortes de petits détails qui ne pouvaient pas mentir...»

La hiérarchie, basée sur l'âge des deux frères, jouait par ailleurs un grand rôle dans leur relation. Si prévenant Joe pût-il être à l'égard d'Arturo, il était quand même, à 12 ans, le chef du tandem et les règles étaient les siennes. «À l'intérieur du gymnase, rappelait Leclerc en souriant, Joe pouvait tout faire à Arturo, mais le contraire n'était évidemment pas vrai. Arturo n'avait pas le droit de rouspéter et encore moins de brailler parce que Joe aurait refusé de continuer de l'emmener au club…» Et comme rester à la maison n'était surtout pas une option, Joe se retrouvait toujours avec le gros bout du bâton. «En fait, Joe avait beau s'occuper très bien d'Arturo, il y avait quand même des fois où sa présence lui tapait sur les nerfs», se souvenait Mike Moffa. «Dans ce temps-là, on s'en apercevait à la fin de notre entraînement. Entre 19 heures 30 et 20 heures, on avait l'habitude de jouer à la lutte sur le tapis du ring et quand Arturo avait été tannant, disons que Joe ne le ménageait pas». Arturo n'était décidément pas chanceux, à partir du moment où il était véritablement devenu un boxeur, Joe avait dès lors bénéficié de deux opportunités de punition. La lutte et la boxe. Et il n'avait pas tendance à être plus clément avec des gants aux poings. «La fameuse mâchoire d'acier d'Arturo, c'est Joe qui en est en quelque sorte responsable», révélait Moffa. «Joe lui faisait bouffer du cuir mais tout en lui expliquant la raison: *Tu dois renforcer ta mâchoire!* qu'il lui disait. Sauf que des fois, il y allait un peu fort et Dave devait l'avertir de se calmer…»

C'était un fait, à compter du moment où il avait mis les pieds au club, Arturo avait également pu jouir du protectorat de Dave Campanile. Un protecteur de 12 ans, c'était généralement bien, mais un deuxième d'une cinquantaine d'années que l'on avait mis dans notre manche par notre charisme, c'était encore mieux. «Arturo était bel et bien le chouchou de Dave et fallait surtout pas lui faire de mal!» rappelait Pasquale Procopio. «De toute façon, Dave ou un autre, c'était la même chose, Arturo était le chouchou de toute la famille du club. C'était un vrai soleil sur deux pattes et tout le monde voulait lui toucher, *sparrer* avec lui pour le fun, lui faire faire de la mitaine. En tout cas dans le gym, Arturo ne manquait certainement pas d'amour…» Des propos qui faisaient écho à ceux de l'adjoint de Campanile, Pierre Leclerc. «Je ne sais pas si Arturo était le préféré de Dave, mais c'était presque inévitable, tout le monde était sous le charme de son espièglerie et de sa joie de vivre. Ce que je sais cependant, c'est qu'il n'y a qu'un seul entraîneur à qui l'on doit être redevable pour la carrière amateur d'Arturo, et c'est Dave Campanile. D'autres ont occasionnellement travaillé avec lui sur les équipes québécoises et canadiennes, moi j'ai parfois donné un coup de main ici au club, mais Dave Campanile reste le seul et unique à avoir façonné Arturo Gatti…» Conscient de l'influence que l'entraîneur italien avait eue sur lui, Arturo n'avait d'ailleurs jamais hésité à lui témoigner sa reconnaissance et, une fois chez les pros, il l'avait régulièrement invité aux États-Unis pour ses combats.

En dépit de la contribution de Campanile à la carrière d'Arturo, ils avaient toutefois été plusieurs à participer au façonnement du jeune boxeur. Mais Pierre Leclerc n'avait pas menti, ce n'étaient pas à proprement parler des entraîneurs. Du moins pas officiellement. «Le personnel du Club Olympique faisait du bon travail, mais dans les faits, nos vrais professeurs ont été tous les boxeurs du gymnase», racontait Vittorio Salvatore. «Par exemple, juste en regardant et en étudiant tous les bons pros qu'il y avait autour de nous *(Paduano, Curto, Innis, Chavez, Leclair, Avila et compagnie)*, on pouvait apprendre énormément. Mais en plus, parce qu'il n'y avait pas de clivage entre pros et amateurs, on avait aussi la chance de mettre les gants avec eux. Naturellement, même si tout le monde se contrôlait assez bien, il y avait des fois où c'était douloureux, mais c'était surtout très formateur.» Dans le cas d'Arturo, cela allait même encore plus loin, il ne se contentait pas d'observer les professeurs locaux, il le faisait aussi avec les internationaux. «À même pas 10 ans, disait Pasquale Procopio, Arturo montait sur le ring et s'amusait à imiter Roberto Duran et Muhammad Ali…»

Quand Arturo s'appliquait à rester lui-même, les membres du club pouvaient admirer son propre style, encore qu'il soit permis de se demander si c'était vraiment le sien. Dans la vie des Gatti, il y avait maintenant un personnage qui faisait de l'ombre à un peu tout le monde et qui, à l'intérieur comme à l'extérieur du ring, avait surtout une immense influence. «À quoi ressemblait Arturo Gatti chez les amateurs? Rien de moins qu'un Dave Hilton miniature», affirmait ainsi élogieusement Mike Moffa, très au fait du talent prodigieux de l'ex-champion WBC. «Quand j'ai commencé la boxe en 1979, rappelait Moffa, Arturo fréquentait déjà le gymnase et il ressemblait à un petit vétéran. C'était impressionnant de voir à quel point il avait déjà l'air d'un boxeur, comme s'il avait vraiment eu ça dans le sang. Il avait du style, de la présence et, ma foi, il savait déjà comment donner un coup de poing!»

Mais au fil du temps, Moffa avait surtout été impressionné par une qualité que l'on n'avait pas vue souvent accolée au nom d'Arturo Gatti: sa défensive! «Les gens auront du mal à le croire, mais le Arturo Gatti du temps du Club Olympique possédait effectivement une excellente défensive. Comme Dave Hilton, c'était un boxeur *slick*, qui se déplaçait beaucoup et pas du tout facile à atteindre. Et je parle en connaissance de cause parce que malgré la rapidité de mon jab, j'avais beaucoup de mal à le toucher.» Selon Pasquale Procopio, la qualité de la défensive d'Arturo était telle qu'à peu près personne n'a su chez les amateurs qu'il était courageux. «Les combats qu'il se faisait étaient trop faciles, il n'avait jamais à puiser en lui...»

Les analyses de Procopio et Moffa étaient cependant opposées à celle de leur coéquipier et ami d'Arturo, Phi-Lan Doan. Pour le Vietnamien d'origine, le Arturo Gatti qu'il avait vu chez les amateurs ressemblait déjà au roi des encaisseurs. «D'abord, Arturo était si petit qu'à chaque fois qu'il croisait les gants à l'entraînement, c'était contre plus lourd que lui. Même chose avec l'âge, il a commencé si jeune que tous les autres boxeurs étaient plus vieux que lui. Or, ses adversaires avaient beau se contrôler, il en prenait quand même plein la gueule. Joe est peut-être le premier mais certainement pas le seul dans le gymnase à avoir contribué à solidifier la mâchoire de son frère. Mais Arturo n'en faisait pas de cas, il prenait les coups et revenait toujours à la charge. J'en suis convaincu, le style qui l'a rendu célèbre chez les pros, c'est à l'intérieur du Club Olympique qu'il l'a forgé...» Là où l'opinion de Doan rejoignait toutefois celles de tous ses coéquipiers, c'est à quel point tous les combats d'entraînement à l'intérieur du Club Olympique étaient plus exigeants que les combats réguliers. Normal, il y avait souvent plus de talent là que dans tout le reste de la province. Et pour Arturo personnellement, c'était encore plus vrai, il n'y avait qu'en compétition qu'il risquait enfin de trouver des adversaires de son gabarit!

La carrière amateur d'Arturo s'était donc déroulée en trois étapes. Entre huit et 10 ans, l'époque du terrain de jeux révolue, il y avait d'abord eu une série d'exhibitions livrées un peu partout en province. Selon ce que semblaient indiquer tous les témoignages recueillis, la Fédération québécoise de boxe amateur avait alors fixé à 10 ans l'âge réglementaire pour participer à des combats officiels. Mais dans les faits, ces exhibitions n'étaient jamais autre chose que de vrais combats. La seule différence, c'est que les juges ne rendaient pas de décision à la fin des affrontements, ce qui n'excluait pas que les enfants puissent quand même gagner ou perdre par K.-O.! Tout était d'ailleurs tellement vrai et tellement comme les grands que les promoteurs organisaient même déjà des revanches!

Ainsi, le 15 septembre 1980, trois mois après le combat Leonard-Duran du stade Olympique, Arturo Gatti du Club Olympique avait affronté Éric Huard du Club Champion, dans le premier de leur diptyque. Les mensurations? Ils avaient huit ans, pesaient 45 livres «et je me souviens, disait Éric Huard, avoir trouvé qu'Arturo avait déjà de gros muscles pour un garçon de son âge!» Bon, jusque-là, il n'y avait quand même rien de vraiment extraordinaire, mais attention les yeux, l'événement s'était tenu au Centre Paul-Sauvé, devant une salle comble de 6 000 personnes... il est vrai venues surtout voir les cinq frères Hilton dans une rencontre de boxe amateur Québec-USA! Mais ce détail, rien n'obligeait à l'ajouter dans les comptes rendus, d'ailleurs même Arturo ne le faisait pas toujours. Quand son gérant Patrick Lynch s'était inquiété pour lui à la veille de sa première apparition au Madison Square Garden de New York, Arturo l'avait rassuré en lui rappelant exactement cette soirée à Paul-Sauvé: «Dors tranquille, Pat, je ne serai pas nerveux, je me battais déjà devant des salles pleines à huit ans...» Et il n'avait pas parlé des Hilton, comme personne ne l'avait non plus fait ce 15 septembre 1980. «J'étais présent ce soir-là, se souvenait Pasquale Procopio, et le spectacle que ces deux enfants-là avaient donné était franchement impressionnant... » Huard a conservé les archives de cette soirée, mais il n'a jamais besoin de les consulter pour retrouver ses souvenirs. « Nous portions de petits gants, de petits casques...et Arturo cognait déjà dur ! C'était déjà un très bon boxeur et même à huit ans, je savais qu'il irait loin... »

Un moment de cette magnitude, Arturo avait attendu trois longues années pour en revivre un, et encore, la magnitude avait surtout été symbolique et émotive. Le 19 décembre 1983, il avait en effet donné le coup d'envoi à une carrière amateur de 49 combats (37-12), en battant par arrêt de l'arbitre un boxeur de Saint-Hyacinthe, Sylvain Perras. Le synchronisme était alors parfait, tout le monde connaissait du succès autour de lui : deux semaines avant, son beau-frère Davey Hilton avait rempli le Forum contre Mario Cusson ; puis son frère, son coach et son club allaient bientôt être nommés les meilleurs au Québec ! Par la suite, on ne peut toutefois pas dire qu'il leur avait volé souvent le plancher. Entre décembre 1983 et février 1988, il n'avait disputé que sept autres combats – et subi au passage son premier revers. Il était peut-être hyperactif comme plusieurs le disaient, mais ce n'était certainement pas sur les rings que cela avait paru. « Pour Arturo Gatti, la boxe n'était alors qu'un hobby », avait déjà affirmé Yvon Michel, à cette époque directeur technique à la fédération québécoise. Dans une entrevue accordée au journaliste Evan Rothman et parue en 2006, Arturo avait quant à lui légèrement nuancé. Bien sûr, il n'y avait pas abordé les vraies raisons familiales qui l'avaient fait choisir la boxe, mais ses propos avaient quand même levé le voile sur une partie de la réalité de la seconde étape de sa carrière amateur. « Je faisais de la boxe juste parce que c'était un sport. Au Canada, je jouais au soccer et au hockey. J'avais du plaisir, mais grandir en apprenant comment me battre m'était aussi bien utile. J'étais très petit, mais les brutes me laissaient pourtant tranquille... »

***

Sous l'impulsion de son directeur technique Yvon Michel, la Fédération québécoise de boxe amateur avait modifié sa dénomination sociale en juin 1984 pour devenir la Fédération québécoise de boxe olympique. Il n'y avait peut-être pas de clivage entre pros et amateurs au Club Olympique, mais ce n'était certes pas représentatif de ce qui se passait ailleurs au Québec. Les deux mondes étaient à couteaux tirés, principalement depuis la décision de Michel de retirer aux entraîneurs professionnels le droit de travailler avec des boxeurs amateurs. Depuis la mort de Cleveland Denny au soir du 20 juin 1980 au stade Olympique, la boxe professionnelle avait mauvaise presse au Québec, et l'idée de Michel était de chercher à s'en distancer à tout prix. En ce sens-là, le nouveau nom de la fédération y contribuait : dans l'esprit des gens, rien n'était plus contraire au spectacle du monde des pros que la noble boxe olympique.

Coïncidence ou non, c'est un peu à cette période que la fédération avait commencé à perdre la trace d'Arturo. À la différence de Joe, Arturo n'avait pas été catalogué en bas âge espoir olympique, mais n'empêche, si la fédération l'avait imaginé dans ses plans pour les Olympiques de 1992 à Barcelone, elle faisait mieux d'oublier cela. Pour l'instant, Arturo était au cœur d'un long hiatus qu'il consacrait surtout au hockey sur glace et au soccer. « C'était la période, confirmait Bernard Barré, où Arturo rentrait dans le gymnase, faisait une compétition ou deux, puis disparaissait ensuite pour un grand bout de temps… »

Des deux sports avec lesquels il avait occupé son temps entre 1984 et 1988, le hockey était de loin celui qui l'avait gardé le plus en contact avec la boxe. Il existait plusieurs différences entre ses carrières au hockey et au soccer, mais la plus importante était sûrement dans l'agressivité qu'il avait déployée dans l'un et dans l'autre. Il avait été beaucoup plus belliqueux au hockey, ce qui s'expliquait surtout par le fait qu'il l'avait pratiqué bien moins sérieusement.

Selon toute vraisemblance, la carrière de hockeyeur d'Arturo avait duré six ans et, à la lumière des témoignages, n'avait pas exactement bouleversé le livre des records du hockey mineur de Montréal-Nord. De ses débuts chez les Atomes jusqu'à sa retraite au niveau Bantam, Arturo n'avait pas laissé le souvenir d'un joueur talentueux, et même parfois pas de souvenir du tout. Par exemple, parmi les anciens du hockey mineur de Montréal-Nord, à peu près personne ne se souvenait qu'Arturo avait d'abord été gardien de but! Pourtant, il y avait des preuves et *La Presse* en avait un jour fourni une à l'intérieur d'un cahier spécial. On y voyait bel et bien Arturo photographié en gardien de but dans l'uniforme rouge de l'ASSO – l'Association sportive du secteur ouest –, et la pose apportait même une autre preuve: ce n'était pas lui l'inventeur du style «papillon»!

Durant ses années comme attaquant, Arturo avait par contre davantage marqué les esprits, encore que jamais pour ses habiletés. Les raisons pour lesquelles on se souvenait de lui n'étaient pas identiques, mais elles avaient essentiellement le même dénominateur commun: son caractère affiché sur la glace... et même à l'extérieur. Pour un, Winston Rowan, ancien coach à Montréal-Nord, avait croisé la route d'Arturo à l'âge de neuf ans. Il avait alors rencontré un enfant beaucoup moins sucre et miel que celui du Club Olympique, mais à son avis pas moins aimable. «Même à cet âge-là, Arturo avait déjà une personnalité très forte, disait-il. Il avait énormément de caractère, un orgueil déjà surdimensionné, et ce n'était surtout pas un défaut. Il fallait seulement, en tant qu'adulte, savoir comment négocier avec ce genre d'enfant. Ce n'était certainement pas un petit garçon à sa maman et c'était bien correct comme ça.»

Pour décrire le genre de joueur avec lequel il avait évolué dans la formation du Bantam B de l'ASSO, Patrick Paquette avait un nom en tête, familier aux amateurs québécois: Dale Hunter. «Comme l'ancien joueur des Nordiques, Arturo aimait partir le trouble, mais pas dans l'intention de se battre. Ce qu'il voulait, c'est rendre fous les adversaires et les faire écoper de punitions. Ce n'était certainement pas un *bum* ou un délinquant. J'ai assez passé de temps dans ma vie à jouer au hockey en sa compagnie, à longueur d'année, pour savoir que c'était plus un sportif qu'autre chose. Il cherchait peut-être le trouble sur la glace, mais à l'extérieur, il était gentil et pas agressif. Il n'avait surtout pas l'air d'un garçon malheureux, encore bien moins dans la chambre. Il parlait vraiment sans arrêt. Ça commençait avant le match avec la fille qu'il avait vue la veille et trouvée *cute*, et ça finissait après avec la performance des arbitres... »

Prisonnier de son physique de petit avorton, Arturo n'échappait toutefois pas aux petites cruautés des vestiaires de hockey. Que ce soit en 1987 ou en 2011, agglutiner une vingtaine d'adolescents dans une pièce fermée n'a jamais été le moyen d'atteindre des sommets de sensibilité. «Il y avait des moments où, disons-le, on se moquait pas mal d'Arturo, racontait Patrick Paquette. Surtout à sa deuxième année Bantam, quand les mises en échec ont été permises. Avec son physique, ça ne pouvait faire autrement, Arturo se faisait brasser sans bon sens, même si je dois dire qu'il n'avait jamais peur. Mais veux, veux pas, nous autres on riait de le voir se faire autant ramasser... Sauf qu'une fois, il en avait eu assez et j'ai en tête le souvenir intact de sa réaction, je l'entends encore très clairement nous dire: *Attendez, un jour vous allez arrêter de rire de moi parce que je vais être champion du monde!* La seule raison pour laquelle ça avait un peu de sens, c'est qu'il commençait à se remettre à la boxe avec plus de sérieux. Mais pour le reste, c'était pas très loin de nous faire encore plus rire. Un champion du monde si frêle et petit? On était incapables de l'imaginer... »

Pourtant, ce que le physique d'Arturo démentait, son environnement continuait de l'approuver. Même loin des gymnases, et même à l'aréna Fleury de Montréal-Nord, Arturo continuait de nager dans les histoires de boxe. La preuve: il arrivait que Davey Hilton aille le voir jouer et lui paye une visite au vestiaire. «À ce moment, rappelait l'entraîneur Raymond Paquette, Dave était déjà une grande étoile et je lui avais alors dit qu'il n'avait plus d'affaire au Québec, qu'il avait tout intérêt à partir pour les États-Unis. Il m'avait répondu que son père ne voulait pas, mais c'est quand même ce qui s'était ensuite produit... » Sinon, à part les encouragements de Dave Hilton, les Paquette se souvenaient de ceux d'Ida Gatti. «Moi, je l'ai vue au moins sept ou huit fois à nos matches, estimait Patrick. Arturo semblait être reconnaissant à son égard puisqu'il nous disait qu'elle devait faire beaucoup de sacrifices pour payer ses saisons de hockey. Pourquoi disait-il ça de sa mère et pas de son père? Je sais pas, peut-être s'identifiait-il davantage à elle… » Les propos d'Arturo étaient en effet curieux car tout indique qu'à cette époque, Ida n'avait pas encore quitté ses fonctions de mère au foyer. Quant à Giovanni, aucune des personnes interrogées ne l'avait déjà vu mettre les pieds dans un aréna. À sa décharge, l'horaire de son fils impliquait de faire des choix : à compter du moment où Arturo s'était mis au ballon rond, c'est entre trois activités qu'il s'était alors partagé. Et des trois, le soccer avait peut-être été celle qui lui avait réclamé le plus de temps.

Arturo avait commencé à y jouer à 12 ans, chez les Pee-Wee, pour l'équipe de la paroisse Pompéi. Très vite, il avait annoncé en quoi cette carrière-là serait différente de celle du hockey : il était bien meilleur avec un ballon au pied, plus sérieux, plus concentré, surtout plus encouragé par Giovanni à se dépasser. « Sauf circonstance exceptionnelle, Giovanni ne ratait effectivement aucune rencontre », racontait Luciano Gidari, premier entraîneur d'Arturo et longtemps considéré comme la référence du soccer à Montréal-Nord. « Comme tous les pères italiens, il était très fier de sa progéniture et voulait qu'elle réussisse le mieux possible. Il était très audible pendant les matches, criait, encourageait l'équipe, mais ses paroles n'étaient pas déplacées. Sauf que je voyais quand même bien qu'il était dur avec Arturo et qu'il plaçait sur lui une grande pression à performer… » Les résultats d'Arturo n'avaient pas dû souvent décevoir Giovanni : tout au long de sa carrière, son fils avait toujours joué dans le niveau le plus fort de sa catégorie et compté parmi les meilleurs joueurs de son équipe, sinon de sa ligue. Dès sa première année, il avait fait la joie de Gidari et n'avait par la suite jamais cessé de l'impressionner. Le portrait que le coach brossait d'Arturo le joueur de soccer était d'ailleurs à ce point dithyrambique qu'il ne semblait pas être question du même athlète à avoir foulé les glaces de Montréal-Nord. Comme si tout ce qu'Arturo avait de qualités athlétiques, il s'était assuré de le garder pour les sports préférés de Giovanni. « Arturo était vraiment rempli de qualités, disait Gidari. Il était rapide, travaillant, très technique, aussi bon passeur que marqueur, extrêmement compétitif sans être agressif, bref, il ne lui manquait pas grand-chose. Même sa taille n'était pas un obstacle parce qu'il avait une bonne impulsion. Le soccer a eu plein de petits joueurs devenus de grandes vedettes, comme Maradona par exemple. D'ailleurs, c'est la raison pour laquelle je voyais Arturo capable d'aboutir chez les pros.»

Ce qui était aussi remarquable, c'est que Gidari n'avait pas été moins impressionné par le garçon qu'il avait côtoyé à l'extérieur du terrain. «Tu ne pouvais pas avoir de problème avec Arturo, disait-il. Impossible. Jamais nous n'avions à le pousser, jamais il ne rouspétait si je lui demandais d'évoluer à un autre poste que le sien – avant-droit. C'était un caractère facile, ponctuel, assidu, qui était aussi très apprécié de ses coéquipiers. Il n'était pas individualiste, ni sur le jeu ni en dehors. Je me rappelle entre autres l'avoir déjà vu payer, dans des tournois à l'extérieur, pour faire manger un coéquipier moins en moyens. Il riait avec le groupe, s'amusait, et n'avait surtout pas l'air d'un enfant en difficulté. Au fil des ans, j'ai quand même appris à le connaître, et deviné dans quel état pouvait le mettre sa relation avec son père. Même s'il s'extériorisait davantage avec ses coéquipiers, en général il était plutôt renfermé et replié sur lui-même.»

La carrière de joueur de soccer d'Arturo avait pris fin autour de l'âge de 16 ou 17 ans. Résolu à confondre les sceptiques et à devenir champion du monde, il avait alors dû faire un choix et s'il avait attristé son ancien entraîneur, il ne l'avait pas surpris le moins du monde. «Pour moi, c'était une décision qui coulait de source. Avec son frère Joe et la famille Hilton dans son entourage, Arturo nageait trop dans la boxe pour faire à mes yeux un autre choix que celui-là.»

***

Ils s'étaient croisés pour la première fois sur le chemin de l'école, et Arturo avait pourtant fait un bel effort pour créer un froid: il lui avait lancé une balle de neige! Mais puisqu'on lui pardonnait toujours tout et qu'il avait tant en commun avec cette fille, leur rencontre avait quand même fini par déboucher sur une longue histoire d'amour et d'amitié.

C'était en 1979. Arturo Gatti et Sylvia Fagnani avaient sept ans et habitaient à une rue l'un de l'autre. Deux ritals qui n'en avaient pas trop l'air, sauf les fois où ils se murmuraient des mots d'amour en italien. Le reste du temps, leurs petits yeux bridés les faisaient tellement ressembler à des Chinois que c'était ainsi que leur père les appelait parfois : mon petit Chinois, ma petite Chinoise ! Leurs corps étaient identiques aussi, ceux de deux demi-portions qui seraient nées prématurément. Ils ne pesaient pas 100 livres à deux, c'est probablement pour cette raison qu'ils étaient toujours ensemble : pour essayer de faire au moins un. Un sourire éclairait constamment leur visage, c'était comme si l'ère des chirurgies plastiques avait commencé plus tôt et qu'on le leur avait greffé là. Enfin presque. Il leur arrivait bien de le perdre à l'occasion, mais jamais pour très longtemps, et toujours pour la même raison : ils avaient un caractère tempétueux qui les rendait capables d'exploser à tout moment. À la maison, leur vie semblait aussi avoir été tirée du même moule. Leur famille comptait chacune six enfants et était minée par des problèmes d'alcool et de violence domestique. Bref, même avant de partager ce qu'ils avaient de plus intime, Sylvia Fagnani et Arturo Gatti avaient déjà bien trop en commun pour être refroidis par un lancer de balle de neige.

Les premières années, jusqu'à l'âge de 15 ans, on pouvait dire qu'ils n'avaient été « que » des amis, simplement pour illustrer qu'ils n'étaient pas encore amoureux. Mais on ne pouvait pas le dire si on voulait rendre compte de la force de leur amitié. De l'avis de leurs amis d'enfance, Arturo et Sylvia avaient été bien plus « que » des amis, ils avaient presque été siamois. En fait, dans la vie d'Arturo, Sylvia avait été le pendant féminin de Christian Santos. La seule différence, c'est que leur couple était plus appareillé, ce n'était pas *Laurel et Hardy*, c'était *Laurel et Laurel*.

Comme tous les enfants du quartier, ils avaient fait du parc Ottawa un lieu de rassemblement et avaient l'habitude de s'y présenter ensemble. C'est d'ailleurs très tôt que Sylvia avait réalisé l'importance de ne pas y aller seule ou accompagnée d'une de ces lavettes de son âge. Un jour, à 10 ans, elle épongeait ainsi sa soif à l'abreuvoir du parc. Un vieux de 12 ou 13 ans s'était présenté derrière elle, avait considéré que l'avorton à ses côtés ne représentait pas une menace et lui avait pris les fesses. Mais l'avorton en question était boxeur, avait quelques exhibitions derrière la cravate et était surtout déjà extrêmement protecteur. «Arturo n'avait fait ni une ni deux, rappelait Sylvia, et avait expédié le garçon au pays des rêves d'un seul coup de poing. Il a toujours pris soin de moi, même à cet âge-là, et je pouvais être certaine que rien ne m'arriverait car il disait: *Si quelqu'un veut te toucher, ce sera over my dead body!*»

Pour Sylvia, toutefois, cela avait toujours été les seules circonstances où il lui était possible de voir son champion en action. «La boxe est trop dure, lui avait dit Arturo, je ne veux pas que tu viennes assister à mes combats...» Tout ce que faisait donc Sylvia, en rapport avec la boxe, c'était de visualiser tranquillement ce que serait la carrière professionnelle d'Arturo. C'est en effet à peine croyable, mais à toutes les fois que Sylvia trouvait un surnom pour dépeindre le garçon à ses côtés, elle évoquait sans le savoir un grand pan de sa carrière à venir. Cherchait-elle à souligner sa beauté? Elle l'appelait *Pretty Boy*... le surnom de Floyd Mayweather! Voulait-elle lui faire comprendre ce qu'il représentait à ses yeux? Elle l'appelait *Golden Boy*... le surnom d'Oscar De La Hoya! Souhaitait-elle trouver une formule pour illustrer leurs deux caractères et le côté passionnel de leur relation? Elle accouchait de *the Thunder and the Lightning*... les deux surnoms donnés à Joe et Arturo à leur arrivée chez les pros!

Tout au cours de ces années, Sylvia n'avait toutefois pas que réussi à voir une partie de l'avenir d'Arturo Gatti, elle avait surtout été le témoin privilégié de son présent. Elle l'avait vu évoluer et vieillir dans un contexte familial vraiment pas évident. «Même avec moi, Arturo avait des tiroirs privés qu'il préférait ne pas ouvrir et je respectais ça. Je le laissais s'exprimer quand il en avait besoin, c'est tout... Mais je savais néanmoins, même s'il semblait être capable de jouir de la vie, qu'il traînait en lui quelques blessures. Arturo aimait sans aucun doute son père, la photo de Giovanni était même la seule qu'il avait dans sa chambre et la seule qu'il a emportée avec lui dans le New Jersey. Il voulait réussir pour lui, Giovanni avait mis une telle pression à ce qu'il y parvienne... Mais en même temps, ça ne pouvait faire autrement, il le haïssait aussi. Arturo aimait sa mère et ça lui faisait de la peine quand il la voyait se faire battre...»

Alors qu'elle s'était fréquemment désespérée des greluches dans la vie de son fils, Ida Gatti avait toujours eu beaucoup de considération pour Sylvia Fagnani. Aucune autre fille n'avait autant fait ses preuves aux côtés d'Arturo, n'avait fait précéder une liaison amoureuse d'un aussi long préambule d'amitié. Pour Ida Gatti, cela forçait donc le respect et jamais ne l'avait-elle mieux témoigné à Sylvia qu'au service funèbre d'Arturo. Ce jour-là, elle avait en effet consenti à partager avec elle le peu qu'il lui restait de son fils, quand elle l'avait serrée dans ses bras et lui avait dit: «Pauvre Sylvia, *notre* Arturo ne reviendra plus...»

En parallèle avec la relation entretenue par Arturo avec ses parents, Sylvia avait d'autre part pu suivre celle avec ses frères et sœurs. Pour elle, le sujet était intéressant puisque certaines des petites et grandes luttes étaient les mêmes dans sa famille. «Arturo a évidemment commencé à boxer en suivant Joe, mais au fil des ans, la compétition entre les deux a compliqué, modifié leur relation. C'est d'ailleurs la raison pour laquelle je pense qu'Arturo, avec le temps, est devenu plus près de Fabrizio que de Joe. L'entente était plus facile, il n'y avait pas constamment la boxe pour interférer entre eux. Mais la boxe n'explique pas tout non plus. Je pense que l'âge, la hiérarchie entre Joe et Arturo a aussi joué un rôle. Je me souviens en tout cas qu'Arturo se plaignait de ce que Joe tente de le contrôler... D'un autre côté, il est vrai que Joe en a bien pris soin dans le New Jersey, mais il est difficile de déterminer à quel point son attitude était sincère. Jouait-il au père avec Arturo pour vraiment veiller sur lui par *amour*, ou tentait-il de le contrôler avec mauvaise foi? Ça, seuls les deux frères le savaient... Et puis, il y a enfin cette histoire qui veut que les liens entre eux se soient brisés après que Joe lui eut chipé une de ses blondes. Arturo a toujours dit à quel point ça lui avait brisé le cœur et à quel point il n'a jamais été capable d'oublier cette trahison. Mot pour mot, Arturo m'a déjà dit, avec un faciès à l'appui: *I hate him!* Dans ces circonstances, on peut donc penser qu'Arturo a probablement dû marcher sur son orgueil en allant rejoindre Joe dans le New Jersey. S'il voulait faire avancer sa carrière, il n'avait guère le choix. Joe lui disait qu'elle ne lèverait pas à Montréal et demandait à ce qu'il vienne le rejoindre...»

Un jour, nous avions demandé à Joe pourquoi, à son avis, son frère avait éprouvé autant de ressentiment à son égard et il avait de lui-même ramené cette histoire sur le tapis. «Je sais pas... Il y a eu un temps où il m'a accusé d'avoir couché avec une de ses *blondes*... Si c'était vrai? Non, mon frère était paranoïaque, et il a dit ça de tout le monde. Il était si mal dans sa peau. C'en était rendu que ses *blondes* ne pouvaient même plus embrasser par politesse des hommes sur la joue, il faisait trop d'histoires. Il leur disait: *Qu'as-tu ressenti? Il me semble que tu as aimé ça, que tu l'as embrassé longtemps, que tu as collé tes seins sur lui......*»

Bien sûr, Sylvia n'avait quant à elle jamais fait les frais d'un pareil harcèlement, mais elle avait bien eu le temps de se rendre compte de la possessivité de son *Pretty Boy*. «Arturo pouvait être le genre à entrer dans un bar et m'arracher littéralement au gars avec lequel j'étais en train de jaser, avait-elle confié. Ce n'était pas nécessairement pour mal faire. C'était juste qu'avec tout ce qui nous unissait, il jugeait que je lui appartenais – dans le bon sens du terme – et que j'étais ainsi sous sa protection.»

On pouvait situer le début de l'«appartenance» de Sylvia à Arturo à l'âge de 12 ans. Ils avaient alors cinq années d'amitié derrière eux et ils avaient considéré que le temps était maintenant venu de franchir un nouveau pallier, de pousser leur relation un cran plus loin. Les deux s'entendaient sur le moyen pour y arriver: se donner leur premier baiser. Mais les circonstances et le décor dans lesquels ils allaient vivre l'expérience avaient été déterminés par Arturo et par Arturo seulement. Il en avait mérité le droit, cela faisait déjà longtemps qu'il le répétait à Sylvia: «Je veux que le premier baiser de toute ma vie soit un moment merveilleux, original, inoubliable.» Il eût pu se donner à la plage, c'eût été très fleur bleue, mais c'était trop loin. À défaut de mieux, la piscine du parc Ottawa était par contre à seulement deux minutes de la maison. Il n'y avait pas de sable, mais s'embrasser assis sur le rebord d'une piscine, lovés l'un contre l'autre avec les pieds dans l'eau, revêtait quand même un certain charme. «Justement, Arturo n'avait pas souhaité que l'on s'embrasse à l'extérieur de la piscine, ou même à l'intérieur avec la tête hors de l'eau. Pour lui, le comble de l'originalité, c'était de s'embrasser… sous l'eau! Ce qui fait que le premier baiser de notre vie a surtout eu le mérite d'être moins gênant parce qu'on avait les yeux fermés… »

Dans l'immédiat, il n'avait pas non plus scellé la fin de leur amitié et le début de leur amour. Entre 12 et 15 ans, Arturo et Sylvia avaient franchi d'autres étapes qui les avaient soudés encore plus l'un à l'autre. Puis, ce qu'ils n'avaient pas encore partagé depuis l'âge de sept ans avait suivi. À 15 ans, ils s'étaient enfin mis à se fréquenter officiellement et avaient perdu ensemble leur virginité. Quand il avait revu Sylvia plusieurs années plus tard, Arturo avait d'ailleurs tenu à lui avouer ce qu'il avait alors tu par orgueil: « Je ne te l'ai jamais dit, et tu t'en doutais probablement, mais tu as été la première dans ma vie… »

« Au delà de la place symbolique du premier amour, notre relation amoureuse avait beaucoup aidé Arturo, rappelait Sylvia. Elle lui avait donné davantage confiance en lui et l'avait rendu moins timide. À cette époque, Joe connaissait effectivement beaucoup de succès avec les filles, mais Arturo avait plus de difficulté à s'affirmer de ce côté-là. Il ne s'acceptait pas toujours et parce qu'il ne se trouvait pas suffisamment beau, il détestait se faire prendre en photo… Pourtant, il a bien fallu qu'il s'habitue parce qu'au fur et à mesure que sa carrière amateur progressait, sa photo apparaissait de plus en plus souvent dans les hebdos de quartier. C'est d'ailleurs l'autre facteur qui a contribué à le changer et à augmenter sa confiance en lui… »

Pendant longtemps, toutes ces photos, toutes les historiettes publiées par les gazettes trouvaient une place de choix dans les albums de Sylvia Fagnani. Son *Pretty Boy* était une petite célébrité et elle n'avait pas attendu la grande renommée internationale pour en être fière. Mais, peu à peu, il n'y avait pas qu'Arturo qui s'était mis à changer. Les choses aussi. Plus de succès, plus de confiance voulaient peut-être dire aussi plus d'émancipation et le couple avait fini par payer le prix et se séparer. C'était à la fin des années 1980, environ 12 mois avant le départ d'Arturo pour le New Jersey. Douze mois pendant lesquels Sylvia était restée sans nouvelles d'Arturo, jusqu'à ce que quelqu'un vienne finalement lui en donner une : oublie-le, il est bel et bien parti rejoindre son frère aux États-Unis. À partir de ce moment, Arturo Gatti n'avait plus été le seul à détester ses photos. Sylvia avait balancé à la poubelle tout ce qu'elle avait alors accumulé sur lui, pour évidemment beaucoup le regretter plus tard. «J'avais toujours su qu'il partirait pour sa carrière, il me l'avait tellement répété. Mais quitter ainsi sans même me dire au revoir? Cela m'avait fait très mal et je lui en avais voulu pendant longtemps…»

Cette fois, Arturo avait réussi là où il avait échoué dix ans plus tôt. Un froid s'était installé. Mais comme tout le monde lui pardonnait toujours tout, cela avait eu beau prendre une dizaine d'années, Sylvia avait refait la paix avec lui. Il lui avait fait promettre de ne jamais assister à ses combats, mais elle s'était mise à tricher et à les regarder à l'occasion quand la télé les remontrait. Généralement, elle ne trichait pas longtemps, quand elle voyait le vrai *Pretty Boy* néantiser celui de son enfance, elle changeait de chaîne.

En personne, ils avaient aussi recommencé à se voir, mais seulement de loin en loin, lorsque Arturo revenait à Montréal. Comme le 30 juin 2009, moins de deux semaines avant la funeste soirée du Brésil. Arturo rentrait tout juste d'Europe et se préparait à repartir rejoindre son épouse Amanda Rodrigues en Amérique du Sud. Mais Sylvia n'avait pas retrouvé le même garçon qu'elle avait connu. Sa joie de vivre avait disparu, et son sourire ne semblait plus capable de servir de linceul à son malheur. «Arturo paraissait préoccupé et j'avais bien compris pourquoi quand il avait été question de sa vie de couple. Il m'avait dit, en anglais parce qu'il arrivait qu'on se parle dans cette langue : *I'm going through a rough time right now, but I know things will get better.* Pour ça au moins, c'était le même Arturo, il arrivait toujours à être positif, optimiste devant la vie… Sa relation avec Amanda battait de l'aile, il disait qu'elle était bien jeune et que ça n'aidait pas les choses. J'ai demandé quel âge, il a répondu : *23 ans.* J'ai dit : *Tu es fou ou quoi ?* C'est la dernière rencontre de notre vie que le hasard avait provoquée…»

***

L'un des moyens utilisés par Arturo *Thunder* Gatti et Sylvia *Lightning* Fagnani pour se voir davantage avait été de s'absenter de certaines périodes de classe. Arturo avait sûrement beaucoup d'amour pour Sylvia et aurait fait n'importe quoi pour elle, mais disons que dans ce cas-là, rater l'école n'avait jamais dû trop le forcer. Au primaire comme au secondaire, Arturo n'avait jamais trouvé sa place et ne l'avait d'ailleurs pas cherchée longtemps. «J'ai su très tôt que l'école n'était pas pour moi», avait-il ainsi souvent répété aux journalistes du New Jersey qui, dans le cadre de longs reportages, s'intéressaient à son passé. Il ne pouvait mieux dire.

Après son passage oubliable à l'école Saint-Rémi, Arturo avait commencé, en 1985, la grande aventure de sa vie au secondaire dans l'un des établissements scolaires les moins invitants de Montréal, la polyvalente Louis-Joseph-Papineau. La plus réussie de ses deux années à «Louis-Joe» avait certainement été la première. Dans la plupart des matières, il s'en était plutôt bien tiré et il avait connu une année relativement satisfaisante. Sa deuxième secondaire avait toutefois été digne d'un grand cancre (par exemple une note de *3* en Cheminement de carrière) et il avait d'ailleurs dû la recommencer l'année suivante, mais dans une autre institution. Comme il l'avait annoncé à des professeurs, son ambition était d'intégrer l'équipe canadienne de boxe amateur et il avait semblé vouloir se rapprocher du Club Olympique en intégrant l'école Saint-Louis, située tout près. Mais il n'y était pas resté longtemps et avait eu bientôt tout son temps pour l'entraînement.

Les archives de la Commission scolaire de Montréal le confirment aujourd'hui, il s'était effectivement volatilisé au début de 1988, peu après les vacances de Noël et juste avant la mort de Giovanni, au début du mois de mars. Ce faisant, la pression qui venait alors de s'abattre sur lui pour réussir dans la boxe était immense.

Sa décision d'abandonner si rapidement les études n'avait pas dû beaucoup surprendre le personnel de l'école. Dans la famille Gatti, le décrochage scolaire était en effet de règle, comme l'avait montré le parcours de tous les enfants avant lui. Mariée précocement à Davey

Hilton, Anna Maria avait été la première à renoncer aux études et sa décision n'avait sûrement pas plu à Giovanni. Il la destinait au poste de comptable de sa compagnie, mais n'avait pas dû lui donner beaucoup le goût d'étudier. *Si ses résultats à l'école ne lui plaisaient pas, il la faisait s'agenouiller sur le gravier du jardin pendant de longues minutes*, avait-on pu lire dans *Le Cœur au beurre noir.*

À la différence d'Arturo, Giuseppina avait quant à elle tout aimé de l'école, au point d'avoir été la seule de la famille à terminer son secondaire et à décrocher son diplôme. Mais elle l'avait fait bien des années plus tard, par l'éducation aux adultes, et au prix d'efforts considérables qui n'avaient pas laissé son jeune frère indifférent. Quand Arturo lui avait fait cadeau d'un condominium dans son complexe immobilier de la rue Jarry, c'était d'ailleurs avant tout pour souligner cette réalisation: «Tu es la seule de la famille à avoir été capable de te rendre au bout et ça mérite au moins ça. Tu peux être très fière de toi...» Arturo avait bien raison, sa sœur revenait de loin. Quand elle avait quitté l'école, au milieu de sa troisième secondaire, c'était pour une seule raison: veiller sur sa mère, expédiée à l'hôpital par Giovanni. La convalescence d'Ida avait ensuite duré plusieurs semaines et n'avait pas permis à Giuseppina de reprendre ses cours. «Et puis de toute façon, disait-elle, il devenait de plus en plus difficile de masquer les véritables raisons de nos absences à l'école. Nous étions écœurés, il fallait toujours se justifier auprès de la direction et on commençait à ne plus pouvoir trouver d'excuses...»

Sans grande surprise, Giovanni avait aussi été indirectement responsable du décrochage de Joe. En fait, Joe avait déjà décroché une première fois, quittant une autre institution moribonde de Montréal, la polyvalente Calixa-Lavallée. Mais il avait plus tard repris du service dans une école de métiers de Montréal, avec l'ambition de devenir ingénieur-électricien. Puis, Giovanni avait éprouvé de sérieux ennuis de santé et Joe avait dû s'absenter pour le relever dans la compagnie. Quelques semaines plus tard, quand il avait été prêt à renouer avec sa vie d'étudiant, les dirigeants de l'école avaient estimé son absence trop longue et avaient décroché à sa place.

En apparence, quitter l'école pouvait toutefois avoir un revers séduisant pour les enfants Gatti: obligés de travailler et de devenir des adultes avant de l'être, il leur était maintenant possible de penser aussi quitter la maison. «Consciemment ou non, confiait Giuseppina, nous avons tous cherché à fuir la réalité de notre vie à la première opportunité. C'était pour nous tous un besoin criant, et peu nous importait alors de quitter un enfer pour un autre...» Giuseppina savait de quoi elle parlait, c'était exactement ce qui s'était produit dans sa vie. À l'âge de 18 ans, elle avait marié le premier venu et avait eu l'infortune de tomber sur pire encore que son père. Le type était italien, il avait 28 ans et, surtout, le flair pour savoir reconnaître une victime toute désignée quand il en rencontrait une. Après le mariage, le couple était parti pour des vacances en Italie. Elles devaient durer une quinzaine de jours, ce fut juste un peu plus long: 11 ans. Pendant tout ce temps, Giuseppina avait été tenue captive d'une brute sans scrupule qui avait repris là où Giovanni avait laissé. Elle vivait dans une maison isolée d'un village tout aussi isolé, sans personne pour la secourir. Son seul salut était le téléphone mais, à Montréal, ses appels au secours restaient vains. Chez les Gatti, pour être libéré d'un enfer, il ne fallait pas compter sur ses parents. Quand on s'ouvrait à eux, l'un disait d'endurer, l'autre que les coups étaient sûrement mérités.

L'histoire d'Anna Maria, si cela se pouvait, était plus effroyable encore. Le pattern de sortir d'un enfer pour entrer dans un autre avait été le même que Giuseppina, mais il avait fait plus de dégâts et plus de victimes collatérales. La crapule qu'elle avait rencontrée – elle l'appelait plutôt «l'animal» – ne s'était pas contentée de la battre et de l'écraser, elle avait aussi battu et agressé sexuellement les enfants nés de leur union. Elle était également entrée plus tôt dans sa vie et cela, un peu par la faute de Giovanni. C'est à 13 ans, quand elle s'était mise à accompagner Joe au Club Olympique, qu'Anna Maria avait fait la connaissance de Davey Hilton. Dire qu'elle n'avait pas eu l'impression de rencontrer un bourreau et de basculer dans un cauchemar serait un euphémisme. Au contraire, tout avait plutôt eu l'air d'un conte de fées avec un prince charmant. À ses dires, Davey Hilton, 13 ans lui aussi, était alors la chose (sic) la plus jolie qu'elle avait vue dans sa vie et elle avait cherché à se la mettre sous les yeux le plus souvent possible. Ses filles racontaient: *Ma mère n'aimait pas trop accompagner son père et Joe au gymnase, mais, à compter du jour où elle a croisé le regard de mon père, elle ne ratait aucune occasion d'y aller, insistant parfois même auprès de son père dès qu'elle trouvait le temps trop long entre deux visites.*

Le pire pour Anna Maria, c'est qu'il lui aurait juste suffi d'un peu plus de chance pour ne pas croiser la route de Davey Hilton et l'épargner à tout le monde autour d'elle. À cette époque, le Club Olympique n'était effectivement même pas le véritable port d'attache de la famille Hilton. Élevés comme des romanichels, ballottés de ville en ville et de roulotte en roulotte, les Hilton n'étaient pas moins des itinérants dans le monde de la boxe. Ils n'avaient pas de club attitré et avaient l'habitude de s'entraîner un peu partout pour des périodes plus ou moins longues. Ce n'est qu'au début des années 1980 qu'ils s'étaient finalement liés au Club de Boxe Champion, et pour une bonne raison, le propriétaire George Cherry l'avait ouvert essentiellement pour eux! Pour Anna Maria Gatti, il était toutefois trop tard, elle avait déjà posé les premières pierres de son malheur. À l'âge de 16 ans, elle avait officiellement commencé à fréquenter Davey Hilton et l'avait marié deux ans plus tard, le 17 avril 1982. La plus belle journée de sa vie, avait-elle alors confié en dépit du fait qu'elle avait reçu une bague… volée! À peine un mois plus tard, maintenant installée dans sa belle-famille, à Rigaud, elle avait pourtant déjà été trompée et avait encaissé ses premières volées. Pourquoi n'avait-elle pas cherché à fuir son enfer à ce moment, s'étaient demandées ses filles? *Parce que la violence faisait partie intégrante de sa vie. Son père l'ayant maltraitée plus souvent qu'à son tour, elle trouvait ça «normal» d'être battue par mon père. (…) Depuis la prime enfance de ma mère, son existence a été parsemée d'agressions brutales, disproportionnées et injustifiées. Comment aurait-elle bien pu faire pour savoir que sa situation était négativement singulière.*

Mais même en connaissant la responsabilité de Giovanni Gatti, cela n'avait jamais empêché Anna Maria de beaucoup s'en vouloir pour cette union avec Davey Hilton. Il y avait d'abord sa propre vie qu'elle avait gâchée auprès de lui, sacrifiant en cours de route les plus belles années de sa vie de femme. Mais il y avait surtout le remords de ne pas avoir été capable de protéger ses enfants du monstre qu'elle avait marié. «Je suis désappointée de moi-même», avait-elle un jour admis au réputé chroniqueur de boxe américain Bernard Fernandez. «Je me sens mal de ne pas avoir été là pour eux. Je ne pourrai jamais rien faire pour réparer les torts que cette vie leur a causés...»

Mais ce n'était pas tout. Pour finir de nourrir ses regrets, il y avait aussi la vie de ses frères qu'Anna Maria s'était trouvée, d'une certaine façon, à exposer au monstre. Et comme dans son cas, le danger avait probablement été amplifié par le fait que ses frères avaient aussi été aveuglés par l'apparence du monstre. Sauf qu'eux n'avaient pas dit que c'était «le plus joli des garçons», ils avaient dit «le plus beau de tous les boxeurs à avoir jamais existé». Et ils l'avaient également entendu partout autour d'eux.

Auprès des anciens boxeurs du Club Olympique, la chose n'a jamais fait de doute: le jour où Davey Hilton a été parachuté dans la vie de la famille Gatti, c'est ni plus ni moins qu'un dieu qu'Arturo et Joe ont eu l'impression de voir apparaître. «Il fallait voir de quelle façon les deux frères surveillaient Davey dans le gymnase», racontait notamment Vittorio Salvatore. «Sans exagérer, ils avaient un air béat d'admiration, une sorte de dévotion dans le regard, presque comme s'ils le voyaient marcher sur les eaux. Ce que Hilton n'était d'ailleurs pas loin de faire, tellement il était surdoué...» Sans aller évidemment aussi loin que Salvatore sur l'influence de Davey Hilton dans sa carrière, Arturo n'avait cependant jamais cherché à la nier. «Bien sûr que je regardais Davey avec respect durant mon ascension. Il était Davey Hilton! Il était LE boxeur! Je me suis entraîné avec lui, j'ai mis les gants avec lui. Son père m'a même entraîné pendant un moment. D'une certaine façon, sa famille donnait peut-être des indices que tout ne tournait pas rond, mais sinon, il avait l'air d'un gars correct», avait-il expliqué à Bernard Fernandez. Un gars correct qui faisait déjà un tas de conneries même avant d'agresser sexuellement ses filles, mais qui restait quand même un dieu à ses yeux. Et comme le rappelait l'entraîneur Pierre Bouchard, très bon ami d'Arturo chez les amateurs, gare à ceux qui s'avisaient de le profaner. «Un jour, dans la période où Hilton commençait à avoir des ennuis avec la justice, un de nos coéquipiers avait eu la mauvaise idée d'écœurer Arturo, de lui dire que Hilton s'en allait sucer des queues en prison! Il l'avait vraiment regretté. Arturo était devenu si mauvais et l'avait tellement engueulé que le gars n'a pas dû le refaire souvent. Le message était clair pour tout le monde, il ne fallait pas toucher à Davey Hilton…»

Une des bonnes analyses quant à l'influence bénéfique des Hilton sur les Gatti était venue de leur ex-coéquipier Pasquale Procopio. Pour lui, Arturo et Joe avaient tiré de grands avantages de cette parenté, et pas seulement au contact de Davey. «Sportivement parlant, c'est de la présence de toute la famille dont bénéficiaient les Gatti. C'est simple, les Hilton étaient de grands boxeurs et ils les avaient continuellement sous les yeux, au gymnase comme à l'extérieur. La boxe était ce qui faisait respirer les Hilton, alors c'est la seule chose dont entendaient parler Arturo et Joe. Si, par exemple, le père Hilton conseillait à l'un de ses fils de ne pas manger tel aliment ou de s'y prendre de telle façon pour perdre son poids, c'est sûr qu'Arturo et Joe enregistraient l'information. Au bout de plusieurs années, cela leur faisait donc une expérience inestimable. Malheureusement, il aurait fallu que l'influence ne touche qu'à la boxe, et ce n'est pas nécessairement ce qui s'est produit…»

En raison de la dizaine d'années qui les séparait, Arturo avait toutefois échappé au pire de Davey Hilton. Il avait généralement été toujours trop jeune pour sortir avec lui et ne l'avait fréquenté que brièvement, à l'âge adulte, à Miami. Enfant, il lui était bien arrivé de l'accompagner quand son frère Joe partait avec lui régler des comptes en ville, mais il ne les voyait jamais à leur pire. Joe lui disait toujours: «Tu restes dans l'auto et tu nous attends ici. Ça ne devrait pas traîner.» Autrement, il avait joué au hockey de rue avec lui, avait pu compter sur sa présence dans ses activités sportives, mais leur relation avait essentiellement été celle d'un mentor et de son élève. Rappelons-nous: «Un Davey Hilton miniature», disaient ses coéquipiers du Club Olympique. La seule période où Arturo avait véritablement été menacé par ses accointances avec le monstre, c'est à la fin de son adolescence. Il était alors sans boussole, son père était mort, Joe avait quitté pour le New Jersey…

et les Hilton en revenaient, plus décérébrés que jamais. Il était encore pur, ne se droguait pas et n'avait à son palmarès que quelques cuites… dont sa première que les Hilton lui avaient fait prendre. Mais c'était précisément à ce moment que Joe, flairant le danger, avait réussi à le rapatrier à ses côtés à Jersey City.

Joe, justement, n'avait pas eu la même chance. De quatre ans le cadet de Davey, son âge ne lui avait que très rarement permis d'en être préservé. En fait, de la même façon que Hilton avait obtenu une dérogation pour boxer plus tôt chez les professionnels, Joe en avait obtenu une pour être admis précocement au sein des hommes de main du boxeur. Au fil des ans, ils avaient partagé une longue amitié, s'étaient battus aussi souvent côte à côte dans les bars que l'un contre l'autre à l'entraînement et avaient fait beaucoup de folies ensemble. Tout cela, pour Joe Gatti, n'avait alors pas eu de prix. La boxe avait un dieu au Québec et il le comptait parmi ses intimes, c'est dire l'honneur qu'il en tirait. « C'est vrai, avait-il admis, Davey représentait une idole à nos yeux et on le considérait comme telle. » Toutes ces années, Hilton avait donc bénéficié d'un formidable ascendant sur Joe et cela s'était évidemment remarqué. Si, au gymnase, Arturo ressemblait à un Davey Hilton miniature, Joe avait l'air partout ailleurs d'un Davey Hilton format réel. Dans *Le Cœur au beurre noir*, les filles de ce dernier l'avaient d'ailleurs relevé : *Quand ils sortaient ensemble, Joe s'habillait comme mon père, mangeait comme mon père et parlait comme mon père. Ils étaient comme des frères.*

Davey Hilton n'avait toutefois pas été d'une très grande aide dans la vie de Joe Gatti. Il menait une existence de petit caïd et il avait entraîné Joe dans ce milieu criminel vers la fin de l'adolescence. Comme le disait Pasquale Procopio, les Hilton avaient eu de l'influence à l'intérieur et à l'extérieur du ring, et il fallait autant tenir compte de l'une que de l'autre pour en déterminer les mérites. Ce que Joe avait fait. « En mettant tout dans la balance, il n'y a pas d'hésitation : ma relation avec Davey et le reste de la famille m'a beaucoup plus desservi que servi. Quand j'analyse ma vie, je vois plusieurs occasions où j'aurais pu ou dû mourir, et il y en a beaucoup qui sont arrivées avec

Davey en particulier. Avec toutes les bagarres auxquelles nous avons participé, avec surtout tous les *guns*, tous les couteaux qu'on nous a sortis sous les yeux, c'est un petit miracle que je n'y aie pas laissé ma peau. J'étais plus jeune que Dave et je n'avais peur de rien. Lui était impressionné par mon *guts* et mon sang-froid, et moi ça me valorisait de l'impressionner. C'était une vie remplie d'adrénaline, mais très dangereuse. Dave était le leader, bien entendu, et moi je le suivais. Ce qui fait que je ne choisissais jamais les situations dans lesquelles je me retrouvais. Et Davey, vraiment, il était fou. C'était un tueur avec ses poings, mais il n'avait pas de limite, il cherchait le trouble partout, et souvent dans des circonstances où on n'avait aucune chance. Il venait me réveiller à 3 heures de la nuit pour aller l'aider à éteindre un feu qu'il venait d'allumer quelque part en ville. Il me disait d'apporter le *gun*, ça commençait bien… On arrivait là, souvent parmi les pires criminels, des motards, des mafieux ou juste des aussi fous que Davey ! Mais surtout, ils pouvaient être six, sept, dix à nous attendre. Je me disais dans ma tête : *Tabarnak, Dave, t'as pas parti le trouble icitte pour vrai…* Fallait que je le dise dans ma tête parce qu'à ses yeux, c'était ce qui faisait ma force, j'étais pas intimidable. Mais des fois, c'était vraiment trop. Davey se croyait tout permis parce qu'il jouissait de la protection de Frank Cotroni, et quelque part, il avait raison. Sans mentir, je lui ai sauvé la vie quelques fois, mais il y a eu de bien plus nombreuses fois encore où des types se sont empêchés de le passer pour ne pas avoir ensuite Cotroni sur le dos… »

Joe avait raison. Tous ceux qui avaient eu la « chance » de côtoyer Davey Hilton en arrivaient à la même conclusion : sortir, ou juste passer du temps en sa compagnie, n'avait rien de vraiment agréable. « Il devait toujours tout décider, n'acceptait évidemment aucune critique, aucun reproche et cherchait la confrontation avec tout le monde, avaient-ils affirmé en chœur. Dès qu'il avait bu, en particulier, les soirées tournaient au cauchemar. Un type dans un bar ne pouvait même pas se permettre de croiser son regard par hasard parce qu'il s'exposait à de gros ennuis. Tu ne pouvais pas regarder Davey Hilton, il croyait que tu le défiais. Ou même s'il ne le croyait pas, il faisait accroire qu'il le croyait pour pouvoir se battre… »

Mais tout ceci était presque véniel pour ceux, comme Vittorio Salvatore, ayant également eu le «privilège» d'habiter dans la même maison que Davey Hilton et sa famille. Ça, comme occasion d'observer la bête dans son milieu naturel, à l'état sauvage, il ne s'était jamais rien fait de mieux. Salvatore, passé professionnel sous les ordres de Dave Hilton Senior, avait pu le faire pendant une année complète à Rigaud et cela avait suffi à le marquer. «D'abord, quand on parle des Hilton, il faut distinguer. Il y a eu Matthew – et probablement Stewart aussi – et il y a eu les autres. Matthew a toujours été de loin le plus doux, le plus gentil, le plus *normal* des Hilton. Les problèmes qu'il a connus sont tous attribuables à l'alcool et sont surtout apparus après la perte de son championnat du monde. Avant, ce n'était pas un *vrai* Hilton. Mais les deux autres, Davey et Alex, ils étaient complètement cinglés et ils m'en ont fait voir de toutes les couleurs au cours de cette année-là. J'aurais bien des histoires à raconter, mais tout ce que je peux dire sur le cas de Davey qui a été le plus médiatisé, c'est qu'il était déjà celui que les gens apprendraient à connaître plus tard. Un type dérangé, que j'ai vu frapper Anna Maria je ne sais combien de fois. Que j'ai vu agir avec ses filles avec tellement de possessivité et de jalousie qu'il semblait vraiment s'être dit qu'il serait le premier à les déflorer. Un petit, non plutôt un gros caïd qui avait des armes partout dans la maison, qui a fait un *power trip* incroyable, qui ne s'est pas contenté d'avoir Frank Cotroni pour parrain, mais qui a aussi voulu jouer les mafiosi. Il a juste oublié un détail en chemin: c'était un boxeur. Et je vais le redire, c'est trop dommage: le Québec n'a jamais connu de boxeur plus talentueux que Davey Hilton. Mais il a gâché sa carrière, et oui, c'est vrai, il a eu aussi une très mauvaise influence sur celle de Joe. Avant de le connaître, à l'adolescence, Joe avait l'habitude de se tenir avec nous, mais nous l'avons ensuite longtemps perdu de vue. Et je dirais que c'est aussi à partir de sa rencontre avec Davey qu'il a cessé d'être le boxeur exceptionnel qu'il était jusque-là...»

Certes, l'influence pernicieuse de Davey Hilton avait beaucoup contribué à changer Joe Gatti. Il était en effet très loin ce temps où le jeune garçon devait être revenu à la maison dès que le soir commençait à se profiler. C'était même alors plutôt l'inverse, c'était généralement le moment où il la quittait.

Mais il y avait aussi une autre cause, et elle était peut-être plus importante encore que Davey Hilton. Tout probablement, c'était même elle qui lui avait servi de combustible, lui avait permis d'exister. Après toutes ces années de violence, d'asservissement, de privation de liberté, Joe Gatti vivait une véritable révolte. Sa vie, même à l'extérieur de Davey Hilton, était engagée sur une pente descendante, au point que bientôt, son père ne serait plus le seul à le priver de liberté. Avec sa famille, il avait justement coupé le contact, et n'avait même pas su qu'elle était déménagée de Montréal-Nord à Rivière-des-Prairies. Après un passage en prison, il était retourné sur Parc-Georges, avait cogné à son ancien domicile et n'avait pas reconnu le type venu lui répondre. « Tes parents ? Il y a déjà un bout qu'ils sont partis mon homme… » Il coudoyait le crime, vivait de petits larcins et se perdait régulièrement dans les paradis artificiels. Pour dire, il était maintenant devenu lui aussi une menace à son entourage, une influence aussi délétère que Davey Hilton. «Nous étions à ce moment très liés, nous avait raconté son futur gérant Ivano Scarpa, et mon père ne voulait plus le voir à la maison. Pour bien qu'il le comprenne, mon père, pourtant paisible, lui avait un jour ouvert la porte en lui braquant une carabine au visage. Il lui avait dit : *Tu cesses de voir mon fils où tu ne verras jamais plus personne…* »

La menace n'avait pas dû beaucoup effrayer Joe et, pour un peu, il aurait même demandé au père d'Ivano de le descendre sur-le-champ. En ces temps-là, mourir ressemblait pas mal à ce qu'il tentait de faire. Ce n'était pas forcément conscient ni délibéré, disait-il, mais c'était souvent ce que ses actes suggéraient. Quand il n'était pas avec Hilton ou Scarpa, il était avec Serge Cusson – frère de l'ex-champion canadien des mi-moyens – ou Mike Moffa, et ce n'était pas moins autodestructeur. « C'était une période où Joe cherchait vraiment à s'émanciper, rappelait Moffa. On pouvait partir quelques jours sur le *party*, même qu'une fois Joe avait passé toute une semaine au motel Métropole avec Cusson. J'avais su que son père s'inquiétait, et j'étais allé le lui dire au motel. *C'est fini ce temps-là*, qu'il m'avait répliqué. *Mon père ne me dira jamais plus quoi faire dans ma vie…* »

Et il était resté là, à continuer de s'autodétruire à petit feu. Jusqu'à ce soir-là où il avait décidé que le petit feu ne suffisait plus à engourdir sa souffrance. C'était dans le temps des Fêtes, deux jours avant Noël. Il y avait de la neige partout, mais surtout sur sa table de salon. Une ligne inimaginable, avait-il confié, la plus longue de toute sa vie et qui aurait d'ailleurs dû y mettre fin. «Ça n'avait pas de sens, un homme normal ne pouvait pas sniffer cette quantité de coke et s'en tirer. C'est ce qui me fait dire qu'en quelque sorte, c'était une tentative de suicide...» Mais mille exemples l'ont montré depuis la nuit des temps, les boxeurs ne sont pas des hommes normaux. La mort doit souvent s'y prendre à plusieurs reprises avant de les emporter, comme s'ils étaient trop forts et qu'elle devait les ramener au ciel par à-coups.

Joe s'était donc réveillé. C'était encore le temps des Fêtes, mais ce n'était déjà plus Noël. Il l'avait raté, et l'homme qui pouvait être tenu responsable de le lui avoir fait rater avait eu très mal. «Quand je suis retourné à la maison, l'affront fait à mon père avait été trop grave, il m'a dit que je n'étais plus son fils...»

***

Comme ses fils, Giovanni Gatti était loin d'être une plante de serre. Petit mais extrêmement vigoureux, il était de la race des durs à cuire et pouvait difficilement être abattu par un seul homme. Joe racontait que même Dave Hilton Senior, pourtant un des plus violents de Montréal, avait dû un jour plier devant lui, au cours d'une dispute. «Mon père avait renversé Dave Senior et l'avait pris à la gorge, sous les yeux de Davey. J'ai d'ailleurs toujours eu l'impression que l'attitude de Davey avait changé à mon égard à compter de ce moment, comme si la «surprise» causée par mon père l'avait amené à croire que j'étais capable d'en faire de même...»

Dans la vie de Giovanni Gatti, seule la maladie avait réussi à en venir à bout. En effet, les seuls K.-O. enregistrés à ses dépens avaient toujours été consécutifs à des ennuis de santé. Il y avait d'abord eu ses accidents cérébro-vasculaires, qui avaient mené aux seules périodes de sobriété de sa vie, puis la crise cardiaque dont il avait été victime au cours des années 1980.

Mais comme allaient le démontrer les prochains événements, les plus importants dommages au corps de Giovanni Gatti n'avaient toutefois rien eu à voir avec ces malchances. À la fin du mois de février 1988, par une journée comme toutes les autres, Giovanni avait été victime d'un accident de travail. Au sommet de son échelle, il avait perdu l'équilibre en voulant tirer sur un câble et était tombé. Sa chute l'avait réellement laissé mal en point, mais pas assez pour qu'il se rende à l'hôpital. Il avait plutôt décidé de s'accorder quelques jours de convalescence à la maison. En l'espace de trois jours, sa condition s'était toutefois beaucoup détériorée. Il avait beau être dur, souffrir en silence, cela avait fini par se remarquer. La première à l'avoir fait avait été Ida Gatti. De jour en jour, l'haleine de son mari avait changé et était devenue trop putride pour que ce ne soit pas le signe d'un grave problème. Ensuite, c'est toute l'apparence de Giovanni qui avait accusé le déclin de sa condition et plus personne ne pouvait y échapper. Trois jours après l'accident, quand ses beaux-fils Rocco Crispo et Davey Hilton s'étaient présentés au domicile de la rue Parc-Georges, ils avaient ainsi tout de suite compris que son état était sérieux. «Sans exagérer, Giovanni était jaune comme un citron», avait rapporté Rocco. «Son comportement avait changé, il n'était pas jovial comme j'avais l'habitude de le retrouver. Et puis, il y avait aussi sa bière pour nous indiquer qu'il n'allait vraiment pas bien. Devant lui, sa bouteille était pleine et en temps normal Giovanni avait l'habitude de la vider comme si c'était de l'eau. Quand Mirella m'avait dit qu'il n'y avait pas touché de la journée, il n'y avait plus de doute dans notre esprit. Je lui avais offert de l'emmener à l'hôpital, il avait d'abord refusé, puis nous avions réussi à le faire changer d'idée. Avec Davey, je l'avais donc conduit à l'hôpital Santa Cabrini.»

Mais il était déjà bien tard. Le temps ayant séparé l'accident de l'admission à l'hôpital avait aggravé la condition de Giovanni au point de mettre sa vie en péril. Une infection s'était produite et il n'était plus possible de la guérir avec des antibiotiques. Une fois dans sa chambre, Giovanni n'avait d'ailleurs pas cessé d'agir comme quelqu'un sentant sa dernière heure arrivée. «Sans arrêt, Giovanni s'était mis à réclamer la présence de Joe, racontait Rocco. Il n'arrêtait pas de nous demander

Où est Joe? Où est Joe? et c'était plutôt triste... Joe était alors dans une période de grande révolte, il avait quitté la maison et, malheureusement, personne ne savait où il se trouvait. Puis, à un moment donné, Giovanni nous avait lancé cette phrase, venue de nulle part: *Je sais où se trouve Joe. Il est en prison.* Sur le coup, personne n'en avait trop fait de cas car Giovanni avait commencé à avoir des hallucinations, à dire qu'il voyait des bibittes au plafond, des trucs comme ça... Mais comme sa condition se détériorait rapidement, c'était quand même urgent de trouver Joe pour que les deux puissent se voir et se parler. J'avais donc refait des recherches pour finalement apprendre que Joe était bel et bien en prison, à Bordeaux *(aujourd'hui appelée Centre de détention de Montréal)*. Cette histoire-là est vraiment un mystère parce que d'aucune façon Giovanni n'avait pu être mis au courant que son fils était en prison. Il était à l'article de la mort, n'avait pas de journaux ni de télé dans sa chambre, de sorte qu'il faut vraiment qu'il ait eu une vision pour nous dire à quel endroit trouver son fils. Alors sans perdre un instant, j'étais allé chercher Joe à Bordeaux, mais je savais que le temps jouait contre nous. Juste avant de partir, j'avais discuté avec le médecin et il m'avait dit que les jours de Giovanni étaient comptés. Une fois avec Joe, j'avais commencé par lui dire que son père avait d'abord eu un accident, qu'il n'allait pas bien, qu'il se trouvait à l'hôpital, et c'est à peu près à ce moment que Mirella m'avait appelé. Elle m'avait dit: *Voilà, mon père vient de mourir...* J'avais dit: *Ouais, j'ai ton frère à côté de moi, c'est pas trop évident...* Non, mais tu annonces ça comment une telle nouvelle à un enfant? Je l'avais fait du mieux que j'avais pu, puis nous étions arrivés à l'hôpital. Là, Joe s'était enfermé seul pendant une heure avec son père. Il lui avait parlé tout ce temps et c'étaient bien sûr des moments d'une grande tristesse...» Ce l'était encore plus de 20 ans plus tard. Quand nous avions voulu en discuter avec Joe, l'émotion avait semblé l'étrangler et ses yeux s'étaient rembrunis, nous faisant bien comprendre que la plaie restait trop vive pour insister.

Giovanni Gatti était donc décédé à l'âge de 46 ans, le 2 mars 1988, deux jours après son admission à l'hôpital Santa Cabrini. Seuls les membres de la famille avaient connu les véritables causes de sa mort. Toutes les autres personnes s'étant informées depuis ce jour ont eu droit à une histoire édulcorée, fabriquée pour sauver les apparences. La vérité était plutôt la suivante. Comme l'avait démontré l'enquête de la CSST et comme les médecins l'avaient expliqué à Rocco Crispo, Giovanni Gatti était décédé des complications d'une cirrhose. En heurtant le sol, son foie avait éclaté, répandant dans son organisme tout ce qu'il contenait de sécrétions infectieuses. Le temps avait ensuite contribué à propager et aggraver l'infection, lui donnant son haleine nauséabonde et son teint cireux. En définitive, c'était bien l'infection qui l'avait tué, même si sa cirrhose aurait probablement fini par avoir raison de lui. Et évidemment, pour ces raisons, la CSST n'avait pas dédommagé la famille Gatti.

Des six enfants de Giovanni, le plus touché – ou le plus remué – par sa mort avait certainement été Joe. Quant aux autres, cela avait dû être variable. En Italie, par exemple, Giuseppina disait avoir versé le grand total de zéro larme au moment d'apprendre la nouvelle. Ses frères et sœurs au cœur de l'événement à Montréal avaient sûrement eu plus de mal à rester insensibles, mais à long terme, à l'instar de leur mère, ils avaient aussi dû se sentir délivrés par cette mort. Arturo n'avait alors que 15 ans, ce qui de l'avis de Joe expliquait qu'il puisse avoir eu de la peine de perdre son père, sans pour autant avoir été anéanti. Ce qui est sûr, c'est qu'il répéterait ensuite souvent à quel point il regrettait que Giovanni n'ait pas été là pour être témoin de ses exploits, et on peut penser qu'une partie de son chagrin venait de là. «C'est indéniable, la mort de Giovanni a beaucoup bouleversé Arturo», estimait pour sa part son beau-frère Rocco Crispo. «Pour moi, sa véritable mère a toujours été son père, c'est celui qui s'en est occupé le plus. Giovanni parti, avec ses qualités et ses défauts, Arturo n'avait plus personne pour gouverner sa vie et ce n'est assurément pas son futur gérant Pat Lynch qui allait l'aider dans cette voie-là…»

En dépit de tous ses torts, Giovanni Gatti était tout de même une figure populaire et comptait de nombreux amis. L'un de ceux-là, Elio De Lauris, disait donc que son service funèbre dans un salon de Rivière-des-Prairies avait attiré une foule considérable. Après, toute la famille s'était ensuite envolée vers l'Italie pour un dernier hommage à

San Pietro Infine. Pendant quelque temps, Giovanni avait été exposé dans la maison familiale, puis enterré au cimetière du village. Selon les anciens, Arturo avait plus tard affirmé vouloir aller déposer sa ceinture de champion du monde sur la tombe de son père, mais avec les années, les autorités du village avaient cessé de l'attendre.

***

Dix jours à peine après le décès de Giovanni, Arturo était remonté entre les cordes à Schenectady, dans l'État de New York, au cours d'une réunion organisée par le réputé soigneur Bob Miller. Dans l'avenir, il répéterait souvent que son père lui servait d'inspiration et il n'avait pas mis de temps à le démontrer. Il avait enregistré ce jour-là le neuvième succès de sa carrière – contre deux échecs – en battant par décision unanime l'Américain Eric Dupuis. Sa parenthèse de soccer et de hockey étant maintenant refermée ou sur le point de l'être, l'école étant bannie de sa vie, il n'y avait donc plus rien pour s'interposer entre lui et la boxe. Résultat, l'année 1988 serait de loin la plus chargée de sa carrière amateur avec 18 apparitions sur le ring. En marge des événements vécus par la famille Gatti, ce combat de retour avait d'ailleurs pu paraître précipité, mais Arturo n'avait guère eu le choix: c'était le seul inscrit à son agenda pour le préparer aux Championnats canadiens juvéniles, disputés un mois plus tard à Jonquière. Il avait bien servi sa cause parce que le 24 avril 1988, en vertu d'une victoire finale par arrêt de l'arbitre au 1er round aux dépens de Trevor McAdam, il avait mis la main sur le premier titre canadien de sa vie. Malheureusement, c'était deux mois trop tard pour que son père ait pu en être témoin, mais peut-être aussi, comme l'avaient avancé certains, que ce n'était pas une coïncidence. «Avec ce dont j'ai été témoin au Club Olympique, disait Pasquale Procopio, je suis à peu près convaincu qu'Arturo ne serait pas devenu champion si son père était resté en vie. C'est simple à comprendre, comme son frère Joe, il aurait lui aussi été étouffé par la pression malsaine qu'il aurait mise sur lui…»

À la fin de cette année 1988, avec l'apparition des galas pro-am accordant plus de visibilité aux boxeurs amateurs, Arturo avait en effet été l'objet d'une attention médiatique accrue. Rien de majeur, certes, mais à quatre ans des Jeux de Barcelone, son retour à la boxe en avait refait un légitime espoir olympique. Mais déjà, en prenant notamment connaissance des propos qu'il avait livrés au *Montreal Daily News* en mars 1989, les dirigeants de la fédération pouvaient déduire que sa préférence allait à la boxe professionnelle. C'était criant d'évidence à la lecture de cet article, Arturo avait besoin de reconnaissance et la seule plateforme susceptible de lui en procurer suffisamment, c'était la boxe pro. «Gatti wants to be a hit», annonçait d'ailleurs le titre original du texte, très justement choisi. «Les plus fervents amateurs de boxe savent sûrement qu'Arturo Gatti est l'un des plus brillants jeunes espoirs au Québec», écrivait la journaliste en introduction. «Mais pour l'amateur de sports moyen, son nom reste plutôt méconnu. Toutefois, la boxe pro-am est en voie de changer les choses. *Les gens commencent à me découvrir,* dit Gatti, qui s'entraîne au Club de boxe Olympique sous la direction de Dave Campanile. *Quand je vais passer chez les professionnels, tout le monde va me connaître. Les promoteurs vont ainsi être capables de me faire progresser plus rapidement.*» La journaliste avait bien ajouté qu'Arturo avait encore beaucoup à faire chez les amateurs et que son but ultime restait les Olympiques de 1992, mais il avait été le seul à ne pas en faire mention dans l'article!

Faire parler de soi avait évidemment un revers, et Arturo l'avait aussi appris au cours de cette période où la presse et lui commençaient à faire connaissance. En retour de l'espace rédactionnel consacré aux athlètes, les journalistes exigeaient, sinon des résultats, à tout le moins des efforts sur la surface de jeu. La soif de reconnaissance d'un jeune boxeur de 16 ans, ils n'avaient rien contre et étaient même d'accord pour en faire état, mais en autant qu'elle s'affiche là où cela comptait le plus: sur le ring. Dans le cas contraire, cela pouvait donner des mots comme ceux écrits en février 1989 par le respecté chroniqueur de boxe du *Journal de Montréal*, Daniel Cloutier: «Le poids mouche Arturo Gatti (18-7-0), porte-couleurs du Club Olympique de Montréal, a inscrit un gain par vote majoritaire des juges (4-1) face à Robert Allard de Saint-Hyacinthe, le médaillé d'argent du dernier championnat junior canadien. Champion juvénile canadien 1988, Gatti a su imposer suffisamment sa force de frappe pour dominer les hostilités, mais force est d'admettre que sa victoire a été quelque peu ternie par le manque d'ardeur dont il a fait montre au cours du dernier engagement.» La chose est difficilement imaginable, mais l'ultime guerrier Arturo Gatti avait donc déjà été critiqué pour son manque d'engagement entre les cordes! Considérant l'immense fierté du garçon, il ne serait d'ailleurs pas interdit de penser que c'est à la lecture de ces mots qu'Arturo Gatti puisse être vraiment né, qu'il puisse s'être dit ce matin-là que jamais plus aucun journaliste n'allait pouvoir écrire qu'il avait manqué d'ardeur dans un ring de boxe.

Au strict plan des résultats, Arturo avait en tout cas donné bien peu à critiquer au cours de cette année 1989. Il était demeuré invaincu en 11 présences sur le ring, mettant au passage la main sur le deuxième titre canadien de sa carrière, cette fois chez les juniors. Cela s'était passé entre les 8 et 10 décembre, à Oromocto au Nouveau-Brunswick, le détour obligé pour tous les boxeurs canadiens désirant se rendre à Lima, au Pérou. Pour mériter le droit de représenter le pays aux Championnats mondiaux juniors péruviens, disputés du 12 au 21 octobre 1990, les boxeurs devaient en effet gagner le titre national, puis le défendre avec succès aux *Box-off*, quatre mois plus tard. Ce qu'avaient réussi Arturo et son bon ami des amateurs, Pierre Bouchard.

Gonflés à bloc par un excellent tournoi préparatoire en Pologne où ils avaient chacun inscrit trois victoires, guidés par le talentueux entraîneur de Jonquière Stéphan Larouche, Gatti et Bouchard étaient donc débarqués à Lima en pleine confiance. «Dans notre esprit, avait raconté Bouchard, il n'y avait pas de doute, nous allions repartir du Pérou avec le titre de champion du monde junior.» Un combat plus tard, pourtant, la compétition des deux Québécois avait déjà pris fin. Arturo avait été battu par un Portoricain tandis que Bouchard avait bénéficié du pire tirage possible en tombant d'entrée sur l'éventuel médaillé d'or – et plus tard challenger mondial –, le Cubain Juan Carlos Gomez.

C'est donc par une défaite à Lima qu'Arturo Gatti avait conclu son stage chez les juniors. Il avait alors 18 ans et sa majorité lui imposait maintenant d'aller se frotter aux adultes de 125 livres de la catégorie des seniors. Revenu à Montréal à la fin octobre, il avait d'ailleurs à peine eu le temps de défaire ses valises qu'il lui avait fallu plonger dans son nouvel univers. Octroyés cette année-là à la ville de Hull, les Championnats nationaux seniors de 1990 avaient en effet été programmés bien tôt, soit du 1er au 4 novembre. Bien trop tôt en fait pour la nature du défi qui attendait Arturo et qui se présentait sous les traits de l'Ontarien Michael Strange.

A priori, ce n'étaient certes pas des traits très menaçants. Michael Strange était l'indiscutable favori de la catégorie des 125 livres, mais sûrement pas parce qu'il était une bête de férocité. Il n'avait rien d'un artiste du K.-O. et trouvait aisément sa place dans cette liste de pugilistes que l'on disait incapables de briser un œuf. Contre lui, c'est ce qu'il y avait de bien, on était sûr de ne pas avoir mal durant le combat. Après, au moment de la décision notamment, c'était autre chose. Michael Strange était à peu près impossible à battre et le moins que l'on puisse dire, c'est que son palmarès en témoignait : durant toute sa carrière amateur, il avait été couronné 11 fois champion canadien et avait réussi à se qualifier pour trois Jeux Olympiques. Bien au fait de son manque de punch, il avait développé une boxe très technique, parfaitement adaptée à la façon de juger les combats amateurs. En défensive, sa garde était si étanche qu'elle constituait pour l'adversaire une forteresse inexpugnable. À l'attaque, il marquait des points au moyen de petites touches inoffensives, comme l'encourageait le système de la «*scoring machine*». Son style était donc souvent ennuyant à regarder, mais néanmoins d'une redoutable efficacité (passé pro, il avait d'ailleurs eu grand mal à intéresser des promoteurs).

En arrivant en Outaouais, Arturo avait tout de même reçu une bonne nouvelle : oui l'obstacle Strange se dressait entre lui et la conquête du titre, mais il ne l'affrontait pas à son premier combat. Pour apprivoiser son passage chez les seniors, le sort lui avait au moins réservé un premier tour moins périlleux. Ainsi, le 1er novembre, Arturo avait enregistré la dernière victoire de sa carrière canadienne – il en signerait une autre à Jersey City avant son passage chez les pros – en défaisant par décision unanime l'Albertain Tops Flores. Ce faisant, il avait surtout acheté son billet pour l'affrontement avec Strange et avait eu deux jours devant lui pour s'y préparer. Mais sa situation était particulière. En dépit du fait qu'il s'apprêtait à rencontrer l'archétype parfait du boxeur olympique, celui qu'il aurait aussi à vaincre pour aller aux Jeux de Barcelone, c'était comme si l'ombre de la boxe professionnelle ne cessait jamais de planer autour de lui, de le traquer pour l'amener à elle. À Hull, Arturo en voulait pour preuve la présence de son frère Joe et de Patrick Lynch, venus du New Jersey pour le supporter. Pro depuis plus de trois ans et détenteur d'un dossier de 10-2, Joe était à ce moment géré par Lynch et avait bien hâte qu'Arturo le rejoigne pour aussi goûter à cette vie. Déjà, en 1989, il l'avait fait venir une première fois à Jersey City, mais Arturo s'était ennuyé au bout de quelques mois et avait renoncé à s'y installer à demeure. Il n'avait alors que 17 ans et devait de toute façon attendre une autre année avant de pouvoir faire son entrée chez les pros. À 18 ans, toutefois, il en avait maintenant le droit, peu importe le résultat du combat contre Strange. Avec sa boxe académique, l'Ontarien était peut-être un obstacle au titre national et aux Jeux Olympiques, mais pour le passage chez les pros, il n'entravait absolument rien.

Le 3 novembre, sans trop de surprise, Arturo avait donc encaissé un revers par décision unanime aux mains de Michael Strange. Ce soir-là, l'Ontarien ne s'en doutait pas une miette, mais il venait d'accélérer un processus et de rendre un immense service à la boxe professionnelle américaine. Convaincu qu'il ne viendrait jamais à bout du style de Strange et qu'il serait encore battu l'an prochain pour les sélections olympiques, Arturo avait sauté sur l'occasion pour mettre un terme à sa carrière amateur. Dans les faits, il pensait à le faire depuis l'époque de son premier séjour à Jersey City. Juste avant d'aboutir chez Joe, au cours d'une tournée en Italie en avril 1989, c'est ce qu'il avait tenu à annoncer à Gaby Mancini, le président de la fédération : « Je renonce à me rendre aux Olympiques et je passe pro. Tout ce qui me reste à décider, c'est le moment… » Probable que s'il ne s'était pas ennuyé la première fois au New Jersey, il aurait pris sa décision plus tôt. Mais la défaite face à Strange lui offrait une occasion en or et même le prétexte idéal pour justifier sa décision. Sachant à quel point son annonce allait faire mal à la fédération qui comptait assez peu d'espoirs olympiques, Arturo pouvait dès lors se sentir moins coupable.

Il avait laissé passer le temps des Fêtes, puis au début de 1991 il avait été prêt à annoncer sa décision aux dirigeants de la fédération. En compagnie du directeur technique Yvon Michel et du président Gaby Mancini, il s'était retrouvé au restaurant Le Bourbon, dans le quartier Hochelaga-Maisonneuve. Dans *La Presse*, Yvon Michel avait rapporté l'essentiel de son message. *«J'ai analysé tout ça. Je ne peux pas battre Strange. Il a le style amateur. Moi, j'ai le style professionnel. Je n'irai pas aux Jeux Olympiques, c'est sûr.»* Averti presque deux années plus tôt, Mancini n'était évidemment pas tombé en bas de sa chaise. Michel non plus, quoique pour une autre raison. En leur temps, les Hilton n'avaient jamais cru aux Jeux Olympiques et étaient tous devenus pros prématurément. Avec l'influence qu'ils avaient sur les Gatti, Michel se disait qu'il était dans l'ordre normal des choses qu'Arturo veuille agir de même. Ce qui ne l'avait pas empêché d'exprimer son désaccord. «Tu es trop jeune encore. Tu fais la pire bêtise de ta vie.» La réplique d'Arturo avait été polie, mais péremptoire: «Je vais aller habiter chez mon frère au New Jersey. Ma décision est prise. Je vais commencer ma carrière là-bas.» Dans les jours suivants, l'enthousiasme avait évidemment baissé d'un cran dans les bureaux de la fédération québécoise, au stade Olympique. Comme l'avait déjà expliqué le coordonnateur technique Bernard Barré, la vocation élitiste de toute fédération était de réussir à qualifier des athlètes pour les Olympiques. Une fédération qui n'y parvenait pas perdait beaucoup de prestige et se privait surtout des subventions attachées à la qualification d'un athlète. «Aucun doute, rappelait Barré, la déception avait été grande à l'annonce de la décision d'Arturo. Pour nous, bien sûr, il avait tort de renoncer à sa carrière amateur. Encore aujourd'hui, je reste convaincu qu'il était capable de battre Michael Strange...»

C'était bien dommage pour la fédération, mais Arturo n'avait jamais rêvé de devenir champion olympique, ou même olympien tout court. Il songeait à passer chez les pros depuis au moins 1989, mais c'est depuis bien plus longtemps encore qu'il rêvait et qu'il se conditionnait à devenir champion du monde. Il l'avait dit à Sylvia, à ses coéquipiers de hockey, et puis aussi à tous ceux qui sonnaient chez lui à Montréal-Nord et qu'il accueillait par ces mots: «...and NEW super-featherweight champion of the world... Ar-tu-ro Gat-ti!»

Malgré tout, avant le départ pour le New Jersey, ce n'étaient pas encore tous les amis de Montréal-Nord qui connaissaient la grande nouvelle. Il était donc arrivé que Christian Santos, l'ami d'Arturo, l'apprenne à quelques-uns et il l'avait fait en se conditionnant lui aussi: «Ouais, c'est décidé, Arturo s'en va boxer aux États-Unis. Et il sera champion du monde...»

Chapitre quatre
L'aventure américaine

Durant presque une vingtaine d'années, Arturo Gatti a représenté le véhicule publicitaire par excellence de la ville de Jersey City. En raison de sa popularité télévisuelle – 21 apparitions au seul réseau HBO –, nul n'a davantage fait connaître cette ville qui, autrement, a souvent peiné à sortir de l'ombre de sa proche et envahissante voisine, New York. À toutes les fois que l'illustre speaker de HBO Michael Buffer claironnait, en apothéose de sa présentation, *«...from Jersey City, New Jersey, the ultimate blood and guts warrior, Ar-tu-ro Gaaat-ti»*, cela équivalait pour la ville à une campagne de promotion mondiale. Bien sûr, tout ça était accidentel et une fois son nom projeté aux quatre coins de la planète, Jersey City aurait pu ne rien avoir en commun avec Arturo. Mais dans leur cas, le hasard avait drôlement bien fait les choses et si la ville avait eu à se choisir une personnalité pour la représenter, sûr qu'Arturo aurait été un candidat idéal. Essentiellement, Jersey City était une ville d'immigrants et de cols bleus qui ne craignaient ni l'effort ni la souffrance pour se faire une place au soleil. Dans les circonstances, il était donc presque véniel que des employés de l'hôtel de ville aient déjà surpris Arturo en train de se poudrer le nez dans leurs toilettes. La notoriété qu'il avait gratuitement apportée à la ville tout au long de sa carrière compensait bien largement pour ce petit péché.

Jersey City n'avait toutefois pas attendu Arturo pour faire parler d'elle au plan pugilistique. Il y avait même eu un moment dans son histoire où, selon le *New York Times*, elle avait été rien de moins que «la capitale mondiale de la boxe». Le samedi 2 juillet 1921, la ville avait été effectivement le théâtre du premier d'une longue série de combats du siècle, un affrontement pour le titre mondial des poids lourds entre l'Américain Jack Dempsey et le Français Georges Carpentier. Toute la ville avait été le théâtre? C'était presque ça: à 15h15 cet après-midi-là, au moment où la cloche avait signifié le début du combat, plus de 90 000 personnes emplissaient à ras bord un gigantesque bol de bois érigé en plein air qui devait bien couvrir une bonne partie de la ville. Au travers des États-Unis, 300 000 personnes avaient aussi pu écouter la retransmission de l'affrontement dans des salles de cinéma et entendre parler, probablement pour la première fois, de Jersey City.

Au cours des années suivantes, sans évidemment revivre la magnitude de ce «combat du siècle», Jersey City avait néanmoins continué d'être une plaque tournante de la boxe dans le New Jersey, sinon dans tout le pays. Le 21 septembre 1948, au défunt Roosevelt Stadium, elle avait utilisé la formule qui avait si bien marché la première fois et présenté le combat pour le titre des moyens entre l'Américain Tony Zale et le Français Marcel Cerdan. Soutenu à Jersey City par l'élue de son cœur, la chanteuse Édith Piaf, Cerdan avait ce soir-là ravi le titre à Zale en vertu d'une victoire par abandon à l'appel du 12e round. Battu à sa première défense contre Jake LaMotta, il allait disparaître dans l'écrasement de l'avion qui le ramenait aux États-Unis pour la revanche.

Hormis Dempsey, Zale et les deux Français, plusieurs autres grands boxeurs s'étaient produits à Jersey City. «The Cinderella Man», Jim Braddock, élevé tout juste à côté à North Bergen, y avait livré quelques combats, tout comme les Rubin «Hurricane» Carter, «Sugar» Ray Robinson, Chuck Wepner et Charles «Sonny» Liston. Avec pour conséquence que la popularité de la boxe avait augmenté, contribuant à l'ouverture de plusieurs gymnases à l'intérieur de la ville.

Pendant longtemps, les deux salles les plus réputées de Jersey City avaient probablement été le Bufano's Gym et le Marciano's Gym, tenu par le frère de Rocky et par l'ex-entraîneur de Buddy McGirt, Al Certo. Puis, au milieu des années 1980, un nouveau gymnase était apparu dans le décor et avait commencé à retenir l'attention pour la qualité de son effectif. Son nom: le Ringside Gym. Il appartenait à un Portugais d'origine d'à peine 30 ans du nom de Mario Costa, qui le tient encore ouvert aujourd'hui même si les stars des rings ont vidé les lieux depuis belle lurette.

À Jersey City, Mario Costa est une figure avantageusement connue, sinon une petite célébrité. Et la boxe n'est pas l'unique raison. À deux pas de son gymnase, de chaque côté de la fourmillante Tonnelle Avenue, il exploite deux restaurants qui donnent l'impression de se toiser comme deux boxeurs sur un ring. Sa plus ancienne propriété est le White Mana Diner, un fast-food à l'architecture un brin futuriste.

En face du «Mana» se trouve le Ringside Lounge, un resto-bar sportif à la devanture transformée en Temple de la renommée de la boxe. Costa y a fait peindre quelques portraits en pied des plus grands boxeurs de l'histoire, de Dempsey à Ali en passant par «Sugar» Ray Leonard, «Marvelous» Marvin Hagler, «Iron» Mike Tyson, Alexis Arguello, Jake LaMotta et… Arturo «Thunder» Gatti.

À l'intérieur du resto-bar, mis à part les effluves de la cuisine portugaise qui tranchent avec celles de la friture d'en face, cela sent aussi beaucoup la boxe. Les photos sont plus petites, mais elles offrent à la fois un bon éventail de l'histoire de la boxe et des amitiés que Costa a tissées dans le milieu. Sur la foi des lieux, deux boxeurs semblent avoir davantage marqué son parcours: Mike Tyson et Arturo Gatti. C'est d'ailleurs sur les photos où Costa apparaît avec l'ancien monarque des lourds que l'on comprend le mieux le sens de son sobriquet de «Godfather». Au milieu des années 1980 particulièrement, avec cette grande barre noire lui servant de moustache, cette épaisse chevelure d'ébène qu'il laquait vers l'arrière, ses traits à la Al Pacino, il ressemblait vraiment à un parrain de la mafia. Mais dans son cas, s'il faut en croire des dizaines de témoignages, les apparences sont plus que trompeuses. Dans la réalité de sa vie, Costa vit au-dessus de tout soupçon. En tant qu'homme d'affaires d'abord, il est vu comme un humaniste – «Je n'ai jamais vu ce type refuser un repas à un itinérant», disait un client –, un très bon patron et un indécrottable mécène qui paye pour tout et pour rien. Y compris pour les pigeons appartenant à Tyson depuis son enfance à Brooklyn et qu'il garde encore aujourd'hui dans des volières derrière le Ringside Gym. En tant qu'homme de boxe, ce n'est pas différent. Au cours de la trentaine d'années qu'il a passées dans le milieu, il n'a jamais pris un clou aux boxeurs auxquels il a été associé. Comme il n'a non plus jamais rien demandé aux mômes s'étant entraînés dans ses gymnases. C'est Tyson lui-même qui le lui disait: pauvre comme il l'avait été, si on avait exigé de lui ne serait-ce qu'un seul dollar pour s'entraîner, il aurait été incapable de le payer et serait plutôt devenu camionneur. Mais surtout, au-delà de l'argent que Costa n'a jamais pris, il y a celui qu'il a donné, dépensé, des milliers et des milliers de dollars allongés pour faire vivre des boxeurs, assurer leur intendance, les loger, les nourrir, les entraîner. Cela, Costa l'a bien sûr fait avec les Gatti à leur arrivée à Jersey City, mais avec aussi les Hilton quelques années plus tôt.

Tout avait commencé au printemps de 1984, peu de temps après l'ouverture fructueuse du Ringside Gym à... New York. Avant de fermer et de rouvrir plus tard à Jersey City, c'est en effet dans la *Grande Pomme* que Costa avait choisi de lancer sa carrière de propriétaire de gymnase. «Juste pour assouvir une passion», avait-il confié. Le temps de le dire, le Ringside Gym avait avalé à peu près tous les meilleurs boxeurs s'entraînant autour de New York, vidant les autres clubs, y compris le réputé Gleason's Gym. «Le Gleason's, rappelait Costa, avait tellement perdu de boxeurs que son propriétaire m'avait fait une offre pour fermer et me joindre à lui. Mais comme je vivais cette aventure pour le *kick* et non pour l'argent, j'avais refusé...» Ainsi, les Roberto Duran, Iran Barkley, Mike McCallum, Saoul Mamby, Lonnie Smith, Simon Brown, Doug Dewitt, Davey Moore, Maurice Blocker, Marlon Sterling et autres Hector Camacho, tous des boxeurs parmi les meilleurs mondiaux, étaient donc restés au Ringside et avaient continué de faire la fierté de son propriétaire. Aucun de ceux-là, pourtant, n'avait autant influencé le destin de Costa que le jeune super mi-moyen de Bayonne, New Jersey, Michael Nino Gonzalez. Au printemps 1984, Gonzalez ne figurait peut-être pas dans l'élite de sa catégorie, mais après une défaite honorable contre Roberto Duran, il était en demande, surtout de la part des jeunes challengers qui souhaitaient se mesurer à lui. Comme c'était alors le cas pour un jeune boxeur montréalais de 19 ans du nom de Matthew Hilton. Au moment où Mario Costa avait été approché par le clan Hilton pour un possible combat, Matthew était en pleine ascension. Il avait jusque-là remporté ses 11 premiers combats, et la plupart du temps de façon impressionnante. C'était un cogneur d'une puissance exceptionnelle doublé d'un technicien très adéquat. Tous le disaient depuis son passage chez les amateurs: il avait l'étiquette de champion du monde collée au front. Mais Mario Costa ignorait cela et n'avait vu aucune raison pour refuser d'aller à Montréal botter le derrière de ce jeune blanc-bec.

Le 1er juin 1984, dans un Forum enfiévré qui avait un peu soufflé Costa, Nino Gonzalez et Matthew Hilton s'étaient donc retrouvés face à face. Au grand malheur de Nino, Matthew s'était montré trop fort. Au cours du 8e round, Costa avait même dû jouer les arbitres en sautant sur le ring pour s'interposer entre les deux boxeurs et mettre fin à la punition. Elle avait été jusque-là peu banale: «Nino» y avait entre autres laissé deux morceaux de dent, retrouvés plus tard enfoncés dans l'un des gants de Matthew. «Ce *son of a bitch*, je te le jure, frappe plus dur que Duran», avait-il dit en sortant du ring. Entendant cela, Costa avait traversé le ring pour répéter le compliment à Dave Hilton Senior. Mais surtout, il avait ajouté les mots suivants: «Votre fils a l'étoffe d'un champion du monde. Si vous souhaitez qu'il se développe à son plein potentiel, je pense que j'ai ce qu'il vous faut. Je dirige un gym à New York où s'entraînent les meilleurs mondiaux et je vous invite à venir vous y entraîner. J'habite dans le New Jersey, j'ai les facilités pour vous loger, vous nourrir, cela ne vous coûtera pas un sou. La seule chose dont vous aurez à vous préoccuper, c'est de la boxe de votre fils. Si l'invitation vous tente, faites-moi signe...» Pour le père Hilton, c'était une offre qui arrivait à point nommé. Parce qu'ils cherchaient à descendre tout le monde à chaque séance de *sparring*, ses fils n'étaient à peu près plus capables de se trouver des partenaires d'entraînement autour de Montréal. Quand ils en trouvaient, c'était parce qu'ils avaient menti. Le père Hilton assurait le partenaire que ses fils allaient mettre la pédale douce, mais c'était faux. Ils avaient entre eux un code et lorsque les fils voyaient le père le donner, ils passaient à l'action et l'adversaire à tabac. Dans les circonstances, il n'y avait donc pas eu de surprise:

moins d'un mois après l'invitation de Costa, la famille Hilton au grand complet débarquait à Jersey City, donnant, l'air de rien, le coup d'envoi à toute la vie américaine d'Arturo Gatti.

Au cours des cinq années suivantes, les Hilton avaient en effet habité le même appartement qui logerait plus tard Arturo à son arrivée en sol américain. Un appartement correct, modeste comme ils le sont à peu près tous dans ce quartier – The Heights – qui ne paie pas de mine. Il était situé dans un immeuble à logements appartenant à Costa, juste en face du White Mana Diner. Costa vivait au premier niveau, les Hilton juste au-dessus. Le Portugais est formel : pendant toutes ces années, les Hilton ont été tranquilles. Quelques cuites occasionnelles – à Montréal, on disait Dave Hilton Senior sobre depuis sa crise cardiaque, mais ce n'était pas le cas –, quelques gifles du père à sa femme, quelques échauffourées ici et là, mais dans l'ensemble Jersey City avait été un havre de paix pour les Hilton. Et ce n'était pas le moindre des paradoxes car la ville n'était pas réputée pour son raffinement.

C'est donc dans cet environnement que Matthew avait préparé tous ses principaux combats de cette époque, ceux contre De Jesus, Antuofermo, Benitez, Hines, Dewitt et, bien sûr, celui pour le titre mondial contre Drayton. À toutes les fois, d'ailleurs, que le clan Hilton et son nouvel homme de coin Mario Costa quittaient Jersey City pour un combat à Montréal, il y avait un petit garçon qui, dans son cœur, faisait le chemin inverse. « C'était toujours la même chose, rappelait Costa. Dès que je mettais le pied au Forum, je voyais Arturo apparaître et commencer à bourdonner autour de moi avec toujours les deux mêmes questions : *Quand j'aurai l'âge, vous pourrez aussi me prendre à Jersey City ?* et *Est-ce que je vais moi aussi pouvoir m'entraîner avec Panama ?* Même jeune, Arturo était déjà rusé, brillant. Il me voyait tirer les ficelles du *boxing business* et comprenait que je pouvais jouer un rôle dans son histoire… »

***

À la fin de l'année 1989, en prévision du championnat WBO (World Boxing Organization) de son fils contre l'Américain Doug

Dewitt, Dave Hilton Senior avait réquisitionné les services de Joe Gatti à titre de partenaire d'entraînement. Rien de nouveau, il l'avait déjà fait souvent dans le passé et ce n'était pas la première visite de Joe à Jersey City. Chaque fois que le père Hilton avait pu l'utiliser pour faire progresser la carrière de ses fils, il ne s'en était jamais privé et on peut dire qu'il l'avait exploité jusqu'à la corde. Il ne l'avait jamais rétribué pour ses services et lui avait fait vivre un véritable calvaire dans le ring en lui demandant parfois d'affronter tous ses fils au cours de la même séance d'entraînement. Et comme si ce n'était pas assez, il lui refusait le droit de se déplacer pour tenter de survivre et lui ordonnait de se battre au centre du ring. Cela donnait lieu à des moments un peu pathétiques. Quand Joe n'en pouvait plus et qu'entre les rounds il murmurait à Costa qu'il voulait retourner «au Canada», ce dernier lui rappelait que ce n'était peut-être pas la meilleure idée. «Si tu fais ça, le père Hilton ne l'acceptera jamais. Mais tu ne dois pas l'écouter et tu dois continuer à te déplacer parce qu'ils vont tous te tuer, Joe...» Une possibilité à laquelle il était bien préparé, il disait rédiger son testament avant chaque mise de gants avec les quatre célèbres frères!

En temps normal, le combat Dewitt-Hilton devait donc servir à relancer la carrière de Matthew après la perte de son titre IBF aux mains de Robert Hines, l'année précédente. Mais les choses ne s'étaient pas passées comme prévu. Matthew avait été battu par K.-O.T au 11ème assaut et, par un juste retour des choses, c'est plutôt Joe qui en avait profité pour relancer sa vie. Avant de retourner à Montréal avec les Hilton – la famille n'était plus jamais revenue à Jersey City après la défaite contre Dewitt –, il avait en effet demandé à Costa s'il accepterait de le prendre aussi sous son aile. Au cours d'une bonne partie des cinq dernières années, le Portugais avait beau avoir subvenu aux besoins de Jeannie, Jimmy, Matthew, Davey, Alex et Dave Hilton, il n'avait pas pour autant pensé être mûr pour un répit et avait accepté! Il était un incorrigible groupie de boxeurs et, à l'évidence, le succès de ses deux commerces lui permettait de continuer de dépenser pour eux sans trop de soucis. «Tu pourras jouir des mêmes conditions que les Hilton, avait-il dit à Joe. Tu vas reprendre leur appartement, tu vas pouvoir te nourrir gratuitement dans les deux restaurants, et Panama sera bien content de travailler avec toi. Reviens quand tu voudras… »

À Montréal, Joe avait avisé sa mère qu'il donnait un nouveau départ à sa vie et qu'il quittait pour le New Jersey. Il avait alors 22 ans et il devenait le quatrième enfant de la famille à partir de la maison. De son propre aveu, la réaction de sa mère n'avait pas été très émotive. « Ça lui faisait juste une bouche de moins à nourrir », se rappelait-il. Pour sa part, le changement avait été un peu plus bouleversant. « Il y a vraiment eu des moments à mon arrivée à Jersey City qui n'ont pas été faciles. J'avais parfois le cafard et il m'arrivait de me demander ce que je faisais dans cette galère. D'un autre côté, quand je repensais à ma vie à Montréal, je savais que j'avais pris la bonne décision… » Joe le savait d'autant que, ce qu'il avait tenu à fuir, son frère en était toujours au cœur. « Du New Jersey, je continuais d'appeler Arturo, car je n'avais pas un bon feeling. Avec tous les Hilton revenus à Montréal, je voyais mal comment il arriverait à rester longtemps à l'écart des ennuis. Et puis un jour, il s'était produit un incident qui m'avait fait comprendre que le temps était venu de le sortir lui aussi de Montréal. Il m'avait raconté que les Hilton avaient formé un cercle autour de lui et Jimmy *(le plus jeune des cinq frères Hilton, qui n'avait toutefois à peu près pas boxé)* en leur demandant de se battre pour déterminer qui était le plus fort. Pour moi, c'était vraiment le signe que, dans un avenir rapproché, il allait vivre ce que j'avais vécu. Les armes commenceraient à faire partie de son quotidien, avec les conséquences prévisibles. À partir de là, j'avais intensifié mes demandes pour le faire venir à Jersey City… » Une fois Arturo décidé, ne restait plus à Joe qu'à aviser Costa et Panama Lewis de l'arrivée d'un nouveau membre au Ringside Gym.

Comment Arturo avait-il vécu la cassure tant avec ses mauvaises relations qu'avec ses bonnes ? Son ami d'enfance Sergio Gennarelli croyait en avoir un souvenir assez vivace. « Il avait le cœur gros au moment de partir. Il y avait l'émotion, évidemment, mais je me rappelle qu'Arturo ressentait aussi une grande pression face au défi qui s'offrait à lui. Il disait : *Il faut que je fasse mes preuves en partant, que je leur démontre que je fais l'affaire.* »

Chose certaine, Arturo n'avait pas perdu de temps à faire ses malles. Dans la touchante lettre qu'il avait lue à ses funérailles, Mario Costa avait rappelé en quoi consistait son barda lorsqu'il l'avait accueilli au New Jersey. «Arturo était arrivé à Jersey City avec quelques vêtements dans un sac de plastique, sans argent, avec un grand rêve, un grand cœur et un grand sourire. Le rêve était si fort que l'argent n'avait pas d'importance. Probablement la période la plus heureuse de sa vie.»

La première fois qu'Arturo avait mis les pieds à Jersey City, il avait 13 ans et s'était rendu visiter sa sœur Anna Maria. Il y était ensuite retourné pour passer du temps avec Joe, de sorte qu'il était loin d'arriver en terre inconnue. «L'acclimatation d'Arturo a été plutôt facile, rappelait Joe. Il rencontrait beaucoup de monde et, avec l'entraînement, n'avait pas le temps de s'ennuyer...» Évidemment, Costa avait été un des premiers à s'asseoir avec lui pour jeter les bases de leur nouveau «partenariat». «Tu es ici pour boxer. Le reste, tu n'auras pas à t'en préoccuper, lui avait-il dit. À partir d'aujourd'hui, tout ce que tu vas gagner dans la boxe sera à toi. Si dans cinq ans tu deviens millionnaire, tu le deviens seul, je ne le deviens pas moi aussi...» Pour dire vrai, les termes du «partenariat» avaient un peu soufflé Arturo. Il avait beau être vert dans la boxe, il savait bien que ce n'étaient pas là des mots que l'on avait coutume d'entendre de la part d'un manager, fût-il seulement officieux. Il avait donc offert à Costa de lui remettre un petit montant à chaque bourse touchée, mais ce dernier n'avait pas accepté. Pour lui, sa récompense était ailleurs. «La meilleure raison de faire de la boxe, disait-il, c'est qu'elle permet de développer des amitiés. La vraie vie est faite de petits bonheurs, de petits moments partagés sans trop de prétention, en regardant un match de baseball, de soccer ou un combat important avec mes anciens boxeurs...» Par son comportement, c'est donc ces valeurs-là que Costa avait souhaité inculquer au nouveau jeune envers qui il avait maintenant charge d'âme.

Pour la boxe à proprement parler, Arturo était cependant tombé à Jersey City sur un guide à la morale un peu plus élastique. L'entraîneur du Ringside Gym, Carlos «Panama» Lewis, avait une réputation sulfureuse et se trouvait alors sous le coup d'une suspension à vie. Il était plus ou moins toléré dans les gymnases – Costa avait voilé les fenêtres pour le soustraire aux regards –, mais ne pouvait plus travailler dans le coin de ses boxeurs les soirs des combats. «J'étais celui qui préparait le cheval pour le jockey», expliquait-il. Cela n'empêchait pas Costa d'être son ami et de considérer qu'il ne pouvait pas mettre ses boxeurs entre les mains d'un meilleur entraîneur. «Si j'étais moi-même boxeur, disait le Portugais, Panama Lewis est celui que je voudrais dans mon coin parce qu'il n'a toujours eu qu'une seule idée en tête: gagner.» Les méthodes de Lewis, toujours un peu *limites*, n'avaient jamais semblé donner de cas de conscience aux plus grands boxeurs. Duran, Pryor, Botha, Tyson, Judah, les Hilton, McCallum, les Gatti, ils avaient tous travaillé avec lui à un moment ou l'autre de leur carrière. Bien sûr, il pouvait être arrivé que certains se trouvent associés à lui uniquement parce qu'ils s'entraînaient dans le même gymnase, mais dans la plupart des cas il avait été réclamé personnellement par les boxeurs. Pour sa part, Arturo n'avait évidemment pas abouti au Ringside Gym spécifiquement pour lui, mais il y avait si longtemps qu'il le réclamait à Costa que c'était tout comme.

Si Joe disait que l'acclimatation d'Arturo à la ville avait été facile, il en avait été de même pour celle avec le gymnase. Dans ses grandes lignes, la boxe de Panama Lewis comportait en effet beaucoup de similitudes avec celle enseignée au Club Olympique. Comme Roger Larivée en son temps, Lewis croyait aussi aux vertus d'une préparation physique soignée et il avait développé une véritable obsession pour la défense. Sous son régime, il n'était pas permis d'être frappé quand on pouvait éviter de l'être. Tout au cours de son association avec Lewis, Arturo avait donc été soûlé de directives à chaque mise de gants. À Montréal, il se conditionnait à ces mots: «Je vais être champion du monde.» À Jersey City, Lewis le conditionnait à ceux-là: *«Move your head. Hands up. Move your head. Hands up. Move your head. Hands up.»*

En dépit de l'affection que Lewis avait pour Arturo, la vérité était qu'il l'avait traité sans aménité. C'était volontaire, et dans l'une de leurs premières discussions au Ringside Gym, Lewis lui avait expliqué pourquoi. «Je vais te pourrir la vie, je vais t'en faire baver, je vais te traiter encore pire qu'on traite les nègres dans ce pays *(il n'y avait pas plus noir, pas plus foncé de peau que Panama Lewis)*. Et tu sais pourquoi? Parce que c'est justement ce que vont vouloir faire tous les nègres qui vont se retrouver devant toi. N'en doute pas une seconde, et crois-en la parole d'un nègre, la seule chose qu'ils vont avoir en tête, même à l'entraînement, c'est de détruire ta belle petite gueule d'Italien blanc. Mais à cause de moi, tu seras prêt...» Et comment! Pour bien préparer Arturo – et Joe – à cette réalité, Lewis ne s'était pas contenté de faire appel à ses seuls services. Certaines fois, il lui était arrivé de quitter le douillet confort du Ringside Gym de Jersey City et d'aller jeter l'ancre à... Philadelphie. Là-bas, Lewis et Arturo passaient quelques jours à visiter des salles perçues comme les plus dures au pays et les plus inhospitalières aux Blancs. «Nous devions payer 20 $ du round, mais aucun gymnase n'avait le temps de faire de l'argent avec nous. On faisait deux rounds, Arturo *knockait* deux gars, et soudainement, comme par enchantement, tous les volontaires noirs qui avaient souhaité se faire la peau du mignon petit Italien se défilaient...»

Stigmatisé par sa condition de Noir, Lewis plaçait véritablement les relations raciales au cœur de son œuvre. Il n'était pas raciste, mais son expérience lui avait appris que le racisme exerçait beaucoup d'influence dans la boxe. Consciemment ou non, c'était comme si son discours était toujours teinté de sa négritude. Cela se voyait aux mots qu'il utilisait pour présenter Joe à Philadelphie: «Lui, c'est mon diamant blanc!» Cela se voyait aux mots qu'il utilisait pour entraîner Arturo: «Je veux que tu boxes comme un nègre parce que ce sont des nègres que tu vas affronter. Je veux que tu boxes comme le faisait Pryor, avec du rythme, et non pas en garde orthodoxe comme le font tous les Blancs.» Cela se voyait, enfin, aux mots qu'il utilisait pour expliquer son attachement à Mario Costa: «Ce que j'ai toujours admiré de lui, c'est que jamais dans sa vie il ne m'a fait sentir comme un Noir.»

Et c'est ainsi que le premier combat disputé par Arturo sous l'ère Panama Lewis avait montré que le longiligne entraîneur n'avait pas discouru dans le vide. Le 3 mai 1991, à «l'École 27» de Jersey City, Arturo avait en effet conclu sa carrière amateur par une brillante performance qui, dans le rythme, ressemblait à celle d'un Noir. Elle lui avait valu le titre du meilleur boxeur de la soirée et, un mois plus tard, Lewis et le reste de l'entourage du Ringside Gym l'avaient autorisé à réaliser ses débuts pros.

***

L'entraînement débutait chaque après-midi à 13 heures. Hébergé lui aussi gratuitement à deux pas du Ringside Gym, Lewis s'y présentait à pied. Des fois, quand il arrivait et que les boxeurs l'attendaient en prenant le frais à l'extérieur, il voyait Arturo tenter de faire disparaître sa cigarette au creux de sa main, exactement au même endroit et de la même façon que Davey Hilton l'avait fait avant lui. Cela lui donnait encore plus de raisons de lui en faire baver à l'intérieur et de lui seriner à quel point il était important de faire son footing. En général, les boxeurs en avaient pour deux bonnes heures à suer sang et eau dans le gymnase. Là n'avait jamais été le problème d'Arturo. Beaucoup de ceux s'étant entraînés en sa compagnie le disaient, il était un infatigable bosseur. En ce temps-là, la vie des boxeurs était toutefois un peu moins astreignante. Rares étaient ceux qui soulevaient alors de la fonte, de sorte qu'une fois l'entraînement en gymnase terminé, ils n'avaient qu'à se soucier de leur course.

Joe et Arturo y sacrifiaient le matin. Ils quittaient l'appartement et se rendaient jusqu'au Pershing Field, au coin de la Summit Avenue. Autour des deux terrains de baseball, des courts de tennis et de basketball se trouvait là un rond de gravier, s'apparentant à une piste d'athlétisme. Panama exigeait d'eux qu'ils en fassent neuf fois le tour, ce qui donnait une séance de trois milles. À l'occasion, ils y retournaient dans la journée mais pas seuls et pour une activité plus ludique. Ils apportaient deux paires de gants de boxe et avec une vingtaine de petits durs du quartier, ils s'adonnaient à la boxe de rue comme on s'adonnait au hockey de rue. Ils s'installaient sur les courts de basket et donnaient la «chance» à tout le monde de disputer un vrai round de trois minutes contre eux. Ce n'était pas courant et ils devaient être les seuls en ville à le faire, mais à Jersey City, on risquait beaucoup plus de voir cela que du hockey de rue. Le quartier Heights en particulier n'était pas le plus fortuné de la ville et aux yeux de tous ces enfants d'immigrants, le hockey était vu comme un sport de *rednecks*, bien trop onéreux.

Au retour, ils arrêtaient déjeuner au White Mana. Joe disait que c'était à peu près le seul repas qu'ils pouvaient se permettre d'y manger, s'ils tenaient à avoir une alimentation saine. Arturo faisait des gamineries et gagnait encore des cœurs par son espièglerie. Une employée prenait son café sans sucre ? Il lui en ajoutait plein à son insu et croulait de rire en la voyant boire et faire la grimace.

Après, ils retournaient à l'appartement juste en face. Joe le croyait hanté et c'était peut-être vrai. D'une certaine façon, Giovanni Gatti était de retour auprès de ses fils. À son arrivée à Jersey City, Arturo avait placé la photo de son père sur sa table de chevet et à chaque jour, les colocataires s'agenouillaient près du lit et lui destinaient une prière. Ils étaient trois, même en excluant Giovanni. Arturo et Joe partageaient alors l'appartement avec leur garde du corps, Luis Ocasio, et c'est ce dernier qui avait la tâche de réciter la prière. C'est bien le seul temps de la journée où il avait l'air d'un enfant de chœur. Le jeune Portoricain avait connu tôt des ennuis avec la justice, mais un policier qui croyait en lui et surtout à sa force avait demandé à Costa de l'orienter vers la boxe. Cela n'avait pas marché et Costa l'avait plutôt orienté vers… ses boxeurs ! Les deux Canado-Italiens avaient eu beau quitter Montréal pour fuir les problèmes, ils avaient toujours le sang aussi chaud et le caractère aussi bouillant. Au cours de leurs activités « sociales », il arrivait donc que les esprits s'échauffent et pour leur éviter d'avoir à se battre, Costa leur avait fourni ce « bagarreur d'urgence ». Comme disait Joe, « Luis était ni plus ni moins déjà en prison, alors c'était plus commode pour tout le monde si c'était lui qui y retournait à notre place… » Il avait une carrure de déménageur avec des mains démesurées qui lui suffisaient amplement, même seul, à protéger deux boxeurs à la fois. S'il se peut, il avait peut-être même plus de difficultés à se débarrasser des filles que des garçons. À l'approche d'un combat, il avait aussi pour mission d'éloigner les midinettes des deux boxeurs et elles revenaient plus souvent à la charge que les types qu'il estampillait. Ocasio ne pouvait toutefois pas être l'ombre des Gatti à chaque seconde de leur vie et il y avait certainement eu des moments où des types l'avaient regretté. «Certaines fois, racontait Joe, c'était comme si Arturo avait remplacé Davey à mes côtés. Je me souviens entre autres d'une bagarre à Hoboken où on s'était battus contre cinq ou six gars en même temps, et on avait vraiment l'air de Batman et Robin, il manquait juste les bulles au-dessus de nos têtes avec les mots *pif ! paf ! pouf ! bang!*»

Au grand malheur de leurs adversaires dans les clubs mais au grand bonheur de leur entourage, le ciment avait repris entre les deux frères dès leur réunion dans le New Jersey. Pour un peu, en oubliant que les deux frères avaient vieilli, on aurait presque cru que c'était le retour aux années du Club Olympique. «Arturo et Joe habitaient ensemble, s'entraînaient ensemble, sortaient ensemble, bref il n'y avait à peu près rien qu'ils ne faisaient pas à deux», rappelait Mario Costa. Bien sûr, rien n'aurait empêché les deux frères d'être aussi près l'un de l'autre à Montréal, mais comme Arturo l'avait un jour confié à Costa, le contexte aurait été légèrement différent. «Si mon frère et moi étions restés à Montréal, y'a un seul sort qui nous attendait et c'est la prison... »

À cinq minutes de l'appartement, Arturo et Joe fréquentaient un salon de coiffure tenu depuis une vingtaine d'années par un immigrant italien du nom de Guiseppe Boccia. «Joe the Barber» était né à Naples, pas très loin de San Pietro Infine, et avait aussi en commun avec Giovanni Gatti d'avoir émigré la même année que lui, en 1964. Mais dans le cœur de Joe et Arturo, le barbier au fort accent italien était surtout important pour avoir été le témoin du grand pacte de leur vie américaine. «Un jour, racontait Joe, Arturo et moi avions promis devant Joe the Barber que si l'un de nous deux réussissait et devenait millionnaire, l'autre le devenait aussi, automatiquement. Ce n'étaient pas des paroles en l'air et nous avions bel et bien scellé un pacte, pour montrer comment fort était notre lien. Mais j'ai l'impression que Joe the Barber avait eu une sorte de prémonition de vieux sage parce qu'il nous avait répliqué : *Faites très attention. À partir du moment où l'argent va devenir un facteur dans vos carrières, il se trouvera des gens pour tenter de vous séparer*. Il a malheureusement eu raison... »

À cette époque, les Gatti avaient cependant beaucoup de temps devant eux avant que cela puisse se produire. La carrière professionnelle de Joe était bien commencée, mais il se battait encore essentiellement pour des prunes. Quant à Arturo, il n'avait même pas de quoi s'acheter un soda ! Comme Costa l'avait encore exprimé dans sa lettre aux funérailles, la vie d'Arturo était alors frugale, à des années-lumière de ce qu'elle deviendrait ensuite, mais elle semblait pourtant suffire à le combler. « Je n'oublierai jamais cette image d'Arturo, marchant main dans la main avec sa copine Michelle vers le parc Mosquito, et me demandant 3 $ pour lui acheter une boisson gazeuse. Comme un gentleman. Avec un grand sourire. Il était au paradis. »

Michelle Burke avait été sa première petite amie dans le New Jersey. C'est elle qui, s'il fallait en croire certains témoignages, avait été la source des premières tensions entre les deux frères pour avoir eu une coucherie avec Joe. Mais la chose apparaît difficile à imaginer, d'autant plus que ce n'est pas ce que laissait suggérer le climat d'alors entre Arturo et Joe. De l'avis de ce dernier, c'est la copine suivante d'Arturo, prénommée Emily, qui était venue perturber leur relation.

Arturo avait donc rencontré Michelle au White Mana Diner, où sa grand-mère travaillait. Il allait y déjeuner mais les employés disaient aussi le voir souvent utiliser le téléphone public pour appeler sa mère, à Montréal. Michelle était jeune, pas plus de 15 ans, alors qu'Arturo en avait au moins 20. Leur amour avait été marquant, surtout pour elle : il avait été le premier de sa vie et elle l'avait immortalisé en se faisant tatouer un gant de boxe à l'omoplate. Mais leur relation n'avait pas duré très longtemps. Probablement en raison de la différence d'âge, ils n'avaient passé que quelques mois ensemble et s'étaient laissés d'un commun accord. Au dire de la tante de Michelle, Sue Burke, sa nièce avait néanmoins eu le temps de connaître le meilleur Arturo Gatti à avoir vécu dans le New Jersey. « Je travaillais aussi au White Mana à ce moment et je n'ai jamais vu Arturo avec les yeux plus brillants, plus vivants, plus allumés qu'à cette époque, disait-elle. Par comparaison, je l'avais recroisé en 2008, trois semaines après la naissance de son fils, et le contraste était terriblement frappant. Il avait l'air vieux, éteint, son visage était enflé et il n'avait plus aucune lueur dans les yeux. *Que t'arrive-t-il?* lui avais-je demandé, sachant bien que la boxe n'expliquait pas tout. *Je suis simplement fatigué. Très très fatigué par ma vie*, m'avait-il répondu… »

Il y avait de quoi. Entre les deux périodes, Arturo était devenu alcoolique, poly-toxicomane, accro à tous les clubs de striptease ; il avait frayé avec la mafia de New York, vu sa tête mise à prix par celle de Miami, été menacé par le FBI d'être expulsé au Canada, livré plus de bagarres à l'extérieur du ring qu'à l'intérieur, failli mourir quelques fois, payé sous la couverture pour empêcher un de ses dealers de publier son histoire, brisé les liens avec son grand frère, abîmé le visage de son petit frère et surtout, surtout, rencontré un tas de types qui, à des degrés divers, avaient fait partie de sa descente aux enfers.

Des types comme Mike Skowronski, dit « Mickey Red ». Aujourd'hui entraîneur de boxe dans quelques gyms de la région, il était arrivé au Ringside Gym à peu près en même temps que les Gatti mais n'avait, contrairement à eux, aucun bagage pugilistique. Pas grave, à force de flâner dans le gym, d'observer Panama Lewis, de croiser les gants avec les deux frères quand ils avaient besoin d'un sac de frappe, de les côtoyer à l'extérieur, il avait fini par se familiariser avec *la douce science des coups*. « Je n'ai pas peur de l'avouer, j'ai fait mon collège au contact de ces deux gars-là », nous avait-il dit. Au début, il l'avait surtout fait avec Joe. Il l'accompagnait un peu partout, même aussi loin qu'au Texas où Joe s'était rendu affronter Terry Norris en 1993. « Mais après la défaite de Joe, rappelait Mario Costa, Mickey Red l'avait abandonné comme une vieille chaussette. Le changement avait été instantané, on l'avait ensuite vu se coller à Arturo pour ne plus jamais le quitter… » À compter de ce moment, le petit rouquin à la silhouette un peu boulotte était devenu omniprésent dans la vie d'Arturo. D'abord à l'intérieur du ring où il avait mérité suffisamment de galons pour agir comme homme de coin pour la grande majorité de ses combats. Puis à l'extérieur, où il avait endossé auprès de lui pratiquement tous les rôles. Il avait été son ami purement et simplement, son gardien de soccer quand l'envie de jouer lui revenait, son confident, son souffre-douleur, son commissionnaire quand il était à court d'antidouleur et, accessoirement aussi, l'un de ceux que certains appelaient «les parasites ayant vécu sur le bras d'Arturo pendant tant d'années».

Des types comme Frank Rotella, dit le «Cheeck». Une bonne pâte. La soixantaine au moins, le dos un peu voûté, les manières engageantes. Docteur de son état, il avait d'abord été, comme ils le disent dans le milieu, le *fight doctor* de Joe à son arrivée dans le New Jersey. C'est lui qui l'avait ausculté et déclaré apte à boxer auprès de la commission athlétique. À l'un de ses combats, il avait rencontré son jeune frère Arturo qui s'apprêtait à passer chez les pros. Était devenu son *fight doctor* à lui aussi, et même bien davantage au fil des ans. «Je pense avoir représenté dans sa vie une figure parentale», disait-il. Leur relation avait été bien au-delà de la simple pratique médicale. C'est chez lui, à Secaucus – à 10 minutes de Jersey City – qu'Arturo faisait garder son gros berger allemand noir à toutes les fois qu'il partait en voyage. Chez lui aussi qu'il entreposait sa ceinture de champion WBC, qu'il craignait de se faire voler à la maison. «Arturo avait confiance en notre famille parce que jamais nous ne lui demandions quoi que ce soit. Les services, c'est toujours lui qui les demandait. Cela faisait changement, nous disait-il, avec sa vie publique où un peu tout le monde essayait de s'accaparer une partie de lui...» Pour le remercier de sa confiance, le bon docteur Rotella n'en finissait plus d'en prendre soin. Selon des membres de l'entourage du boxeur, il lui avait en effet autorisé nombre de prescriptions au cours des années et en septembre 2005, il était celui qui l'avait veillé au Christ Hospital, après la surdose qui l'avait pratiquement tué. Pourtant, ce n'était pas encore assez et on disait aussi de lui qu'il avait peut-être été le plus grand responsable de la dernière partie de sa carrière en le déclarant apte à boxer malgré ses dépendances et son ralentissement cognitif.

Des types comme Joey Perrenod, beau-fils de Frank Rotella. L'un des amis les plus intimes d'Arturo dans le New Jersey. Pour la force des liens, il marchait un peu dans les traces de Christian Santos, à Montréal. À son avis, il avait été en parfaite adéquation avec Arturo tant pour les goûts, les intérêts, que la personnalité. Comme son beau-père, sa nature était plutôt bonne. Il était sympathique et très avenant. Surtout envers Arturo. Il avait pratiquement été son chauffeur personnel pendant toutes ces années où Arturo avait été privé du droit de conduire. «Mes bagnoles étaient usées à la corde, pourtant Dieu qu'il les aimait!» Il était sensible et pleurait quand Arturo lui manquait de respect, lui disait qu'il ne voulait plus le voir dans son entourage. Vraiment, Joey Perrenod était un type bien. Son seul problème, majeur puisqu'il était l'ami d'un boxeur, c'est qu'il était aussi un noceur invétéré. Ce qui nourrissait Arturo - les entrecuisses et les nichons des stripteaseuses, la coke, les pilules, l'alcool - le nourrissait aussi. Résultat, il s'était retrouvé au même endroit – à l'hôpital –, pour la même raison – une surdose –, et avait été veillé par le même homme – son beau-père.

Des types comme Robert Villanova Jr, dit «Bobby». Fils d'un prospère planificateur financier de Florham Park, N.J., c'est une chance que l'on ait pu lui parler: il dit lui-même, au travers de sanglots, qu'il ne devrait plus être de ce monde aujourd'hui. «J'ai été tiré à cinq reprises. Je me suis drogué avec toutes les substances possibles et inimaginables. J'ai participé à des orgies où il y avait tellement de filles que certaines étaient inutiles. J'ai vraiment eu une vie de fou. J'ai vu je ne sais combien de mes amis mourir du genre de vie que j'ai eue. Meurtres, surdoses, accidents de voiture… Je suis un rescapé. Aujourd'hui, j'habite en Floride où je possède deux très bonnes business. Je remercie le ciel d'être encore en vie. En guise de reconnaissance, je rencontre d'ailleurs des jeunes pour les sensibiliser aux méfaits de la drogue.» Cette vie, Bobby Villanova l'avait menée pendant de nombreuses années aux côtés de son bon ami Arturo Gatti. Comme les autres, il l'avait connu dans les premières années, à Jersey City. Comme les autres, il l'avait d'abord connu par la boxe. Sportif, issu d'une famille impliquée dans le *bodybuilding*, Bobby disait avoir livré une quinzaine de combats amateurs et servi de partenaire d'entraînement occasionnel à Arturo. Il avait suivi toute sa carrière, assisté à ses combats, vu ses préparations – *C'est bien vrai qu'il arrêtait de fumer un mois avant les combats. Même la mari…* – et partagé sa déception aux soirs des grands échecs. Mais la majeure partie de sa relation avec Arturo, Bobby l'avait vécue dans des lieux moins austères qu'un gymnase de boxe. «Nous étions deux célibataires, jeunes, beaux, entraînés et nous en profitions. Nous vivions vraiment à fond la caisse. Nous pouvions passer douze heures à danser dans les meilleurs clubs de New York, avec les plus belles filles. Souvent, on quittait les bars doublement accompagnés: deux filles pour lui, deux filles pour moi! La drogue? Bien sûr qu'elle faisait partie de notre quotidien. Je serais bien mal placé pour le nier. Nous avions une vie d'excès, avec tout ce que cela suppose, mais avant tout avec beaucoup de plaisir. Sortir avec Arturo n'avait rien de banal et réservait son lot de situations cocasses. Je devais être prêt à tout. Y compris à prendre les commandes d'une interminable limousine si Arturo se bagarrait avec le chauffeur et le laissait secoué sur le bord de la route.»

Des types comme James Cassano, dit «Jimmy». Une autre des amitiés d'Arturo à Jersey City. Un autre gentil garçon, sûrement, qui continue de manquer encore aujourd'hui à sa mère. Jimmy n'a en effet pas eu la même veine que Joey Perrenod et Bobby Villanova. Sa vie tumultueuse aux côtés d'Arturo et de leurs amis lui a valu, lui, une notice nécrologique dans le *Jersey Journal:* «James Jimmy Cassano est décédé vendredi, le 20 novembre 2009. Jimmy était né à Jersey City et y avait résidé toute sa vie. Il était cuisinier au restaurant familial Mahnke's Deli, à Jersey City. Il était le fils de Bernice Britton et Joseph Cassano Sr; le frère de Joseph Cassano Sr.»

Des types, enfin, comme Patrick Lynch.

***

Patrick Lynch avait grandi à Union City, à cinq minutes de Jersey City. Comme à peu près toutes les villes du Hudson County, Union City était reconnue au cours des années 1960 pour être plutôt rude, souvent en proie à des tensions et des conflits ethniques. Étonnamment, si ce contexte avait déteint sur la plupart des enfants, il n'avait toutefois pas semblé contaminer la personnalité du jeune Patrick. Ses origines avaient beau être irlandaises, il avait laissé à quelques anciens de la ville le souvenir d'un gamin un peu pleutre que l'on n'aurait pas cru destiné au monde de la boxe. Quand une bagarre éclatait, disait-on de lui, il ne faisait pas qu'éviter d'y prendre part, il la fuyait littéralement à toutes jambes. «Je ne me souviens pas qu'il se soit battu dans sa jeunesse, nous avait confié l'un de ses amis d'enfance, et pour réussir cet exploit-là à Union City, il fallait être vraiment différent des autres gamins…»

Élève moyen, Patrick avait fréquenté le Union Hill High School où, avec son goût pour la fête, il avait enfin montré pouvoir être un vrai Irlandais. Il y avait joué au football quoique avec un talent modeste. En revanche, en se fiant aux propos de l'un de ses amis d'enfance, Sergio Badarji, l'idée de seulement participer suffisait peut-être à le combler. «Sans être le meilleur athlète, Pat aimait graviter autour du monde du sport. Que ce soit comme joueur ou comme supporteur, on le voyait toujours dans l'entourage des équipes.» Selon toute vraisemblance, ses aptitudes sportives limitées ne l'avaient de toute façon jamais chagriné. Patrick, ce qui l'intéressait dans le sport, ce qu'il attendait de lui, c'est qu'il lui permette de faire du business. Son père avait d'ailleurs déjà raconté à Joe Gatti qu'à l'âge de neuf ans, il avait confié que son grand rêve n'était pas de devenir un athlète professionnel, mais plutôt propriétaire d'équipe! «À Union City, affirmait un ancien de la ville, la chose est d'ailleurs bien connue, les deux meilleurs amis de Pat ont toujours été Franklin et Jackson» *(deux des présidents apparaissant sur les billets de banque américains)*.

Quelques années après sa sortie du High School, Patrick avait été engagé dans une agence de tickets, située tout près du domicile familial. C'était une agence comme il en existe maintenant beaucoup, où il était possible de se procurer des billets pour toutes sortes d'événements, tant sportifs que culturels. La seule condition: s'attendre à payer plus cher que le prix réel du billet. Au bout d'un certain temps, une fois bien au fait des rouages du commerce, il s'était estimé prêt à en prendre le contrôle et à pousser son propriétaire vers la sortie. Une fois cet objectif atteint, les affaires étaient restées tranquilles jusqu'à l'arrivée dans sa vie d'un jeune boxeur du nom d'Arturo Gatti.

Par la suite, Patrick avait déménagé son agence à Secaucus, voisine d'Union City et de Jersey City. C'est là, au 1317 Paterson Plank

Road, qu'il continue aujourd'hui de l'exploiter sous le nom de Curtain Call inc., que l'on pourrait traduire par l'expression «dernier rappel». Le nom est joli, les bureaux au second étage d'un édifice commercial rendent le tout très professionnel, pourtant, dans son essence, Curtain Call n'est rien de plus qu'un revendeur de billets comme on en voit des dizaines aux abords des stades, et qui a connu une extraordinaire croissance à partir de 1995. Cette année-là, avec la conquête du titre IBF par Arturo, avec sa venue parmi les têtes d'affiche de l'industrie et son attrait sur les foules, l'agence de son manager s'était en effet trouvé une véritable locomotive. Ainsi, pour chaque combat d'Arturo des dix années suivantes, non seulement Patrick Lynch bénéficiait-il d'un matelas de billets qu'il revendait à gros prix, mais il avait aussi la chance, à chacune de ces transactions, d'établir une connexion avec un client qui reviendrait ensuite le solliciter pour un important événement sportif. Résultat, des observateurs du milieu de la boxe estimaient, de manière conservatrice, que son association avec Arturo Gatti avait fait doubler, voire tripler son chiffre d'affaires. Ce qui l'avait forcément placé au cœur de son premier conflit d'intérêts dans sa gérance d'Arturo.

Plusieurs s'étaient en effet demandé comment, par exemple, Patrick Lynch pouvait avoir envie d'ajourner un combat pour lequel son boxeur aurait été insuffisamment préparé s'il était celui qui avait peut-être réalisé les plus gros profits avec la vente des billets. La question était excellente parce qu'en étudiant la carrière d'Arturo, il est vrai qu'on n'y voyait à peu près aucun report, sinon peut-être seulement le deuxième combat contre Tracy Harris Patterson pour une blessure à une main (la revanche contre Ivan Robinson avait quant à elle été simplement repoussée alors qu'aucun billet n'avait encore été offert à la vente). Pourtant, principalement au cours des années 2000 où Arturo visitait assez fréquemment les hôpitaux du New Jersey pour des surdoses, ce n'étaient pas les occasions qui avaient manqué d'annuler des combats.

Il était par ailleurs intéressant de constater que Curtain Call n'aidait pas seulement Lynch à soutirer le maximum de son association avec Arturo, mais aussi à se protéger auprès des médias américains.

Parce qu'il était déjà businessman avant de connaître Arturo, il passait aux yeux de certains journalistes pour un type désintéressé qui avait presque accepté de devenir gérant par altruisme. «Contrairement à d'autres gérants et promoteurs, Lynch ne dépend pas de la boxe pour vivre», avait-on ainsi pu lire en juillet 2006 dans le quotidien *The Record*. «Il possède une agence de billets et une compagnie de construction et Gatti est le seul boxeur qu'il gère.»

Cela, bien sûr, c'était en 2006 quand Arturo suffisait bien largement à faire grassement vivre Patrick Lynch. Mais avant, comme de raison, il y avait eu Joe, et bien d'autres choses encore.

Patrick Lynch était venu à la boxe peu après les Jeux Olympiques de Séoul, en 1988, en s'associant à l'excentrique homme d'affaires et manager Marc Roberts, qui venait tout juste de mettre sous contrat trois boxeurs de l'équipe amateur américaine: «Merciless» Ray Mercer, Alfred «Ice» Cole et Charles «The Natural» Murray. Roberts avait baptisé son trio «The Triple Threat» («La triple menace»), lui avait donné comme port d'attache la ville de Newark – à 15 minutes de Jersey City –, et avait surtout dépensé un bon million de dollars à lancer leur carrière. À Newark, il avait notamment fait construire l'un des gymnases les plus modernes des États-Unis qui n'avait pas que servi de berceau à ses boxeurs: c'est aussi là que Lynch avait eu ses premiers véritables contacts avec le monde de la boxe.

Au fil du temps, Lynch était plus ou moins devenu le gérant d'Al Cole. Les deux avaient développé une excellente relation et demeurent en très bons termes aujourd'hui. Cole est donc mieux placé que quiconque pour raconter quel genre de gérant était Lynch au début des années 1990. «D'abord, au plan pugilistique, Pat avait évidemment très peu de connaissances. Ce n'était pas ce qui l'avait amené à la boxe et nous en étions bien conscients. Malgré tout, il avait très vite réussi à se faire accepter par le groupe. Il avait 30 ans, nous autres 23-24, alors nous avions déjà là une certaine complicité due à l'âge. La plupart du temps, nous étions pas mal sur la même longueur d'onde: quand nous avions envie de nous amuser, Pat en avait envie aussi! C'était une époque un peu rock'n'roll, on faisait la fête assez souvent, et tout ce qui pouvait servir à amuser des gars de 25-30 ans y passait. Moi, personnellement, je n'ai jamais touché à la drogue, mais disons que j'en ai vu circuler en masse. Marc Roberts était un gars qui fêtait aussi sans demi-mesure, alors les virées nocturnes faisaient un peu partie de notre vie. Pat nous accompagnait, se payait du bon temps avec nous et… payait souvent pour nous. Il était vraiment gentil, aucun doute là-dessus. Mais c'est vrai qu'avec le recul, quand je repense à cette période, je me dis que ce n'était pas très normal que mon gérant fasse la fête à nos côtés et partage nos excès. La logique aurait voulu que ce soit le contraire parce que, dans le fond, la responsabilité du gérant est de chercher à éviter que son boxeur tombe dans cette vie-là… »

Entre ses sorties avec Cole et ses amis, il y avait bien quelques fois où Patrick Lynch se retrouvait au Triple Threat Boxing and Training Center pour jeter un œil aux entraînements. L'une de ses présences lui avait d'ailleurs valu, à la fin de l'année 1989, de rencontrer pour la première fois Joe Gatti. Partenaire d'entraînement de Matthew pour le combat contre Doug Dewitt, Joe avait suivi Costa et le clan Hilton qui se rendaient parfois faire des mises de gants à Newark. Lynch avait été impressionné par sa performance – il avait cru que c'était lui l'ex-champion mondial et non Matthew ! – et avait ensuite cherché à le revoir de nouveau.

Les premières visites de Lynch au Ringside Gym lui avaient toutefois révélé bien plus que Joe Gatti. Venant d'un gymnase *high tech*, Lynch ne pouvait pas être en pâmoison devant l'intérieur presque désuet de la salle de Jersey City, mais il avait été conquis à bien d'autres égards. Pour la boxe d'abord, il avait beaucoup à se mettre sous les yeux avec le spectacle de Lewis entraînant des boxeurs de classe mondiale comme Hilton et Mike McCallum. Mais le Ringside avait aussi une particularité, assez unique pour un gym de boxe, qui ne déplaisait pas à Lynch : quand l'action venait à manquer, quand les boxeurs quittaient le ring pour s'adonner au travail routinier sur les sacs, il pouvait aller se désennuyer au bar du Ringside Lounge. Cela changerait évidemment avec le temps, mais au départ il s'y sentait vraiment bien. Si bien que, selon

Mario Costa, il n'était pas rare de le voir prolonger ses présences et en venir à se contrefoutre du travail des Lewis, Cole, Gatti et compagnie. Il buvait jusqu'à plus soif, se payait de fréquents voyages à la salle de bains, et revenait faire la conversation au personnel. C'était une époque où Lynch était curieux, avide de connaissances et il posait beaucoup de questions. Autant au Ringside Gym qu'au Ringside Lounge. Costa se rappelle d'ailleurs encore de la toute première que l'Irlandais lui avait posée à sa visite initiale, elle l'avait un peu surpris : « Dis-moi Mario, sais-tu à quel endroit dans les environs je pourrais avoir un *blow job* ? » C'était malheureux, Costa n'avait pas su l'aider. Les deux hommes seraient bientôt partenaires mais ils n'avaient pas, disons, la même vie et les mêmes intérêts.

Différents à bien des égards, Costa et Lynch partageaient cependant un goût commun pour les affaires et, avec le temps, c'est beaucoup ce qui avait contribué à les rapprocher. En Panama Lewis, Lynch avait son professeur pour ce qui se passait à l'intérieur du ring. En Costa, il avait celui pour ce qui se déroulait à l'extérieur, les affaires, le *boxing business*. L'une des premières discussions « d'affaires » entre Costa et Lynch avait porté sur le cas Joe Gatti. Pro depuis maintenant trois ans, entraîné d'abord par Dave Hilton père puis par Panama Lewis, Gatti n'avait toujours pas, officiellement, de gérant. Bien sûr, il en avait un au plan moral, dès lors que Costa s'occupait autant de sa carrière que de sa vie. Mais sur papier, aucune entente ne liait les deux hommes. Tous ceux qui connaissent Costa le disent, la dernière chose susceptible de l'intéresser était de voir son nom figurer sur un contrat de boxe. C'était d'autant plus le cas avec Joe, avec qui les liens remontaient jusqu'au temps des Hilton. Lynch était maintenant au fait de cette histoire et il n'allait quand même pas chaparder comme ça, grossièrement, Gatti à Costa. En l'absence de contrat, la porte était toutefois ouverte pour s'en accaparer une partie et c'est ce qui l'avait poussé à entamer ses premières sérieuses discussions avec Costa. Il avait une idée, et s'il parvenait à la faire accepter à Costa, il allait vraiment avoir un pied dans la porte.

Encore sous l'influence de son mentor Marc Roberts, Lynch avait donc proposé à Costa de fonder une firme de gérance de boxeurs, entre autres pour régulariser le cas Gatti. Ce dernier ne risquait pas de faire faux bond à Costa, mais dans le monde de la boxe, on n'assurait jamais trop ses arrières. De toute façon, si les choses allaient le moindrement bien, la compagnie ajouterait d'autres boxeurs à Gatti et il était impensable de ne pas coucher ces ententes sur papier.

Preuve que les deux hommes pouvaient parler le même langage, Costa avait favorablement accueilli l'idée de Lynch. «Je voyais d'un bon œil cette occasion de donner une bonne fondation à quelques jeunes boxeurs.» Le plus expérimenté des deux, il s'était alors mis à plancher au concept possible de la compagnie. Voulant rompre avec une tradition presque séculaire de la boxe, il avait d'abord convenu que le pourcentage pris sur les bourses des boxeurs ne serait plus de 33 %, mais de 25 %. Ce qui voulait dire qu'en payant absolument tout le monde autour de lui – gérants, entraîneur, soigneur, hommes de coin –, un boxeur touchant une bourse de 100 000 $ retournerait à la maison avec 75 000 $. Bien sûr, pour Costa personnellement, la baisse de pourcentage ne changerait pas grand-chose puisqu'il entendait faire comme à son habitude et ne rien prendre aux boxeurs. À celui moins détaché des questions de fric, l'idée n'avait toutefois pas souri. «Pat avait estimé qu'à 25 %, le pourcentage de la compagnie était trop bas et il l'avait ramené à 33 %», disait Costa. L'autre grand principe énoncé par ce dernier avait reçu un meilleur accueil. À cette époque, l'un des gymnases les plus crédibles aux États-Unis était le fameux Kronk Gym de Detroit, et Costa avait souhaité voir la nouvelle compagnie en devenir le pendant de la côte Est. Et c'est ainsi que de cette volonté était née la société East Coast Boxing, avec à sa tête le président Mario Costa (nommé par Lynch), le vice-président Patrick Lynch, et le secrétaire et troisième partenaire Richard Siebert. Autour du mois d'avril de l'année 1990, elle avait signé sa première entente avec son seul boxeur à ce jour, Joe Gatti, un contrat de trois ans incluant une année d'option.

Entre avril 1990 et avril 1993, Joe avait livré 15 combats, remporté 14 victoires… et fait très peu de sous. À l'automne 1993, une occasion de se remplumer et de véritablement lancer sa carrière s'était toutefois présentée. Le clan du redoutable champion WBC «Terrible»

Terry Norris l'avait en effet approché pour défendre sa couronne à San Antonio, au Texas, en demi-finale du combat entre Julio Cesar Chavez et Pernell Whitaker. Montant de la proposition financière du promoteur Don King: 135 000 $. Une offre *a priori* intéressante, mais qui l'était un peu moins en vertu des circonstances. Elle était arrivée tard, Joe l'avait reçue alors qu'il se trouvait à Montréal avec une bonne surcharge pondérale sur le dos, et il s'attendait plutôt à affronter le champion IBF, l'Italien Gianfranco Rosi. Rencontrant Don King à New York sans Costa et Siebert, Lynch avait quand même accepté l'offre du promoteur américain et, le 10 octobre 1993, Joe s'était retrouvé en face de l'un des meilleurs boxeurs livre pour livre de l'époque. Il avait probablement été placé trop vite en face d'un défi de cette ampleur, mais il est le premier à dire aujourd'hui que la décision de Lynch faisait un peu son affaire. «Je boxais alors depuis l'âge de neuf ans et j'étais fatigué mentalement. J'avais abordé ce combat-là en me disant que tout allait passer ou casser…» Bien sûr, ça avait cassé. Et plutôt rapidement. «Terrible» Terry Norris avait expédié Joe au sol à 52 secondes du premier round et contraint l'arbitre à arrêter le combat quelques instants plus tard. La déception et l'humiliation avaient été terribles, Joe avait pleuré comme un veau dans le vestiaire et les partenaires de la East Coast Boxing avaient tenté tant bien que mal de le réconforter. Les heures suivantes avaient toutefois montré que tous n'avaient pas la même compassion.

Avant de repartir du Texas, Mario Costa avait tenu à s'asseoir et discuter avec Lynch et Siebert. La désillusion était grande pour eux aussi, mais par-dessus tout il fallait se souvenir que le résultat faisait surtout mal à Joe Gatti. À 26 ans, il venait de voir sa crédibilité sérieusement entachée dans les cercles de la boxe et il pouvait probablement dire adieu à ses espoirs de s'enrichir avec la boxe. Avec ceci en tête, Costa avait donc pris la parole. Il avait d'abord rappelé à ses partenaires que Joe Gatti n'avait à ce jour jamais fait d'argent avec le dur métier des coups. Des bourses de 5 000-6 000 dollars ici et là, mais vraiment rien pour se construire un avenir. Puis, les regardant dans les yeux, il leur avait ensuite dit: «Dans les circonstances, je veux qu'on lui laisse toute sa bourse. Moi, ma *cut* de 10 000 $, je n'en ai pas besoin et j'y renonce.

Toi, Richard, est-ce que tu as besoin de ces 10 000 $? » Richard Siebert était aussi un homme d'affaires plutôt prospère et il avait suivi Costa et renoncé à son cachet. « Et toi Pat, tu as besoin de ces 10 000 $? » Se sentant un peu coincé par le lièvre que venait de soulever Costa et ne voulant pas mal paraître, Lynch n'avait eu d'autre choix que de répondre par la négative. De toute façon, la question dans son cas n'était pas de savoir s'il avait besoin de ce fric mais plutôt s'il le voulait, point. Et la réponse était évidemment oui, ce pourquoi il avait d'ailleurs consenti à accepter l'offre de Don King. Peu de temps après le retour du groupe au New Jersey, il avait donc passé un coup de fil à Joe et, se disant dans une situation difficile, lui avait demandé de lui rendre son argent ! Le pire, c'est que Joe n'était pas encore au bout de ses peines en rapport avec cette bourse-là. Selon lui, Lynch l'avait amputée de bien plus que 10 000 $. « Après mon combat contre Norris, j'avais vécu à peu près une année avec le montant de ma bourse. Bien vécu, mais je n'avais pas fait de dépenses vraiment folles. Surtout, j'avais tenu ma comptabilité toujours à jour. Dans ce temps-là, c'était plus facile de le faire, on payait avec des chèques plutôt qu'en utilisant toutes sortes de cartes comme aujourd'hui. Toutes mes dépenses étaient donc notées. Peu de temps après avoir rencontré ma femme, elle avait voulu acheter de la lingerie de Victoria's Secret. J'avais décidé de la lui offrir en cadeau. Selon mon bilan, il était censé me rester 23 000 $ dans mon compte… mais le chèque avait rebondi ! Parce que Pat avait aussi accès à mon compte et n'avait pas besoin de ma signature, je l'avais évidemment tout de suite questionné. Si je m'étais trompé de 5 000 $ ou même 10 000 $, je dis pas, mais là, 23 000 $, ça n'avait aucun sens. Mais Pat avait nié m'avoir volé, il m'avait simplement dit que j'avais fait une erreur de calcul de 23 000 $! »

Quant à lui, Mario Costa n'avait su que quelques années plus tard que Lynch avait manigancé pour remettre la main sur ses 10 000 $. Cela l'avait indigné, mais plus vraiment surpris. À cette époque, il y avait déjà longtemps que le courant ne passait plus très bien entre lui et Lynch. Un tas de petites et de grandes raisons l'expliquaient, mais Costa disait qu'il y en avait une pour surpasser toutes les autres. « Nous avions été amis au départ, mais les choses avaient commencé à se gâter à peu près à l'arrivée d'Arturo à Jersey City. Peu à peu, j'avais réalisé à quel point Pat plaçait l'argent au centre de sa vie. À part les salons de massage, c'était son unique intérêt et il me prouvait sans cesse jusqu'où il pouvait descendre au nom de l'argent... »

Au-delà du fric, il y avait toutefois eu un autre brandon de discorde dans la relation entre Costa et Lynch. C'est qu'après une courte lune de miel avec le Ringside Lounge, Lynch avait déchanté des lieux et n'avait plus été capable de les souffrir. Le resto-bar, c'était bien beau, mais Lynch considérait qu'il y avait là bien trop de nègres, de Portoricains, de Mexicains, de Cubains et de... Portugais pour continuer d'y être bien. « Pat et moi avions eu un jour une discussion animée sur cette question, relatait Costa. Un quartier comme celui de Heights, avec une grande diversité d'ethnies, n'était pas le genre d'environnement qu'il souhaitait pour Arturo. Trop dangereux, disait-il, et pas bon pour son image. C'est d'ailleurs pour cette raison que, plus tard, il avait tenté d'identifier Arturo à la ville de Middletown, plus blanche et cossue, mais la presse n'avait pas embarqué et avait continué de l'identifier à Jersey City. Et donc, dans notre discussion, je lui avais dit que c'était bien correct de vouloir vendre Arturo comme un Italien blanc avec une belle gueule. Sauf que, lui avais-je demandé, qui penses-tu qu'Arturo va affronter sur le ring ? Penses-tu qu'il va affronter souvent des Italiens blancs avec une gueule d'ange ? Non. Il va se battre, surtout dans une catégorie comme la sienne, contre des p'tits Mexicains, des Argentins, des Portoricains, et des nègres aussi. Alors plus il en voit, plus il est en contact avec ce monde-là, mieux c'est pour lui. Le jour où il va se retrouver sur le ring devant ces types, il n'y en a pas un seul qui va être capable de l'intimider... »

Ces mines patibulaires que l'on pouvait voir déambuler dans le Ringside Lounge avaient donc offert à Lynch le prétexte en or pour tenter d'arracher Arturo aux lieux. Et il y avait aussi cette autre menace qui planait sur Arturo et dont Lynch pouvait aussi se servir pour le faire fuir : la dope. Vertueux comme il l'était, Lynch affirmait que le Ringside Lounge abritait trop de dealers de came et qu'un jeune boxeur méritait mieux qu'un tel environnement. De tous les arguments que l'Irlandais avait utilisés dans sa petite guérilla avec Costa, celui-là avait de loin été le plus suave. Comme l'avait en effet montré le reste de sa carrière et de sa vie, le jour où Arturo Gatti avait été présenté à Patrick Lynch, il n'avait pas rencontré le plus grand opposant à sa consommation de drogue, mais son plus grand allié! Cela, ils avaient été nombreux à le dire, mais il n'y avait probablement pas meilleure source que son grand ami Joey Perrenod: «Pat s'est toujours assuré qu'Arturo ait tout ce qu'il voulait.»

Avec ce contexte en toile de fond, Patrick Lynch s'était donc mis à prendre ses distances avec le Ringside et Costa. Subrepticement, insidieusement, le contrôle moral des frères Gatti était en train d'échapper au type qui avait orchestré leur venue à Jersey City. «La rupture entre Lynch, les Gatti et moi avait été plus graduelle que radicale, rappelait Costa. Cela s'était fait de manière un peu hypocrite, tranquillement. Il n'y avait pas eu de grandes disputes ou de grandes engueulades parce que ça, ce n'est surtout pas le style de Pat. Jamais il n'a agi ainsi parce qu'il n'a pas les couilles pour le faire. Il préfère plutôt faire les choses par en-dessous, en cachette. Avec Arturo et Joe, il avait commencé à agir comme il l'avait fait auparavant avec les membres de la «Triple Threat». Il sortait avec eux, les emmenait dans les gros restos de Jersey City comme la Casa Dente, les baladait en limousine de salon de massage en salon de massage et de club de danseuses en club de danseuses, payait pour les escortes et pour le reste, bref, il leur faisait goûter à une vie de plaisirs que peu de jeunes garçons de leur âge auraient détestée. Et c'était triste parce que nous autres, dans l'entourage du Ringside, nous avions cherché à faire exactement le contraire. Nous tentions de faire apprécier à Joe et Arturo les petits plaisirs simples de la vie, comme juste de jaser de tout et de rien en partageant un bon repas. On faisait tout pour essayer de leur mettre d'autres choses en tête que boire, sniffer et trouver une place pour faire sucer leur queue! Mais Lynch a tout fait basculer. À ses côtés, Arturo est devenu une tout autre personne, un tout autre athlète.»

Joe n'avait surtout pas envie de contredire les propos de Costa. Les choses s'étaient malheureusement passées ainsi et il le regrettait amèrement. Lui, comme Arturo, avait peu à peu quitté le giron de l'homme qui avait beaucoup contribué à le sortir de son enfer de Montréal. Et il avait d'autant plus à le regretter qu'il avait quitté Costa pour se coller à un type l'ayant ramené par la main à la porte du même enfer. «Je ne suis pas fier de l'avouer, la seule raison pour laquelle Arturo et moi avions dévié vers Lynch, c'est à cause du style de vie. Il était pas mal de notre âge, insouciant comme nous, et il nous donnait accès à sa vie de party. Le reste était secondaire... »

Au cours des quelque quatre années de leur association, Joe affirmait avoir consommé de la coke à quatre ou cinq reprises avec Lynch. «Je mentirais de dire que ce fut plus souvent que ça», ajoutait-il. «Et jamais devant Arturo parce que, ce faisant, je serais aussi coupable que Lynch de l'avoir perverti. » Il se souvenait d'une occasion en particulier où il s'était gelé avec Lynch, et pour une bonne raison: c'était peut-être une heure après l'un de ses combats! «Puisque Pat ne voulait rien savoir de manger aux deux restos de Mario, nous étions allés sur la rue Franklin à Jersey City, près du Pershing Field. Pat avait un ami qui y tenait un resto et nous avions fêté ma victoire en se *cokant* là. »

Si une personne en particulier méritait le crédit pour avoir dessillé les yeux de Joe à propos de Lynch, c'est bien sa femme, Vikky Ballora. Joe l'avait rencontrée dans un centre d'entraînement, dans la période précédant sa victoire sur l'Américain James Stokes, en octobre 1994. Le monde de la boxe lui était alors étranger et l'une des premières occasions qui lui avaient été offertes de le découvrir ne lui avait pas donné envie d'en faire longtemps partie. Invitée après le combat à une réception à la résidence de Lynch, à Secaucus, elle était restée sous le choc du spectacle à s'être ce soir-là déployé sous ses yeux. «La scène était réellement pitoyable, avait-elle raconté. Il y avait de la drogue partout, c'était tout juste si on n'avait pas remplacé les plats de bonbons sur les tables par des sacs de coke. Tout le monde était complètement givré, en pleine déchéance, et je tombais des nues parce que Joe m'avait présenté ce type – Pat Lynch – comme étant son gérant. Je ne connaissais peut-être rien à la boxe, mais j'en savais assez sur le sport pour réaliser qu'il y avait quelque chose d'anormal là-dedans. En plus, Arturo n'était pas loin d'être le plus gelé de tous, il avait voulu se battre avec Joe qui était prêt à le réduire en bouillie, si bien que je me demandais dans quel univers de junkies je venais de débarquer ! »

À ce moment, Joe et Arturo étaient désormais gérés exclusivement par Lynch. Toujours partenaire avec Richard Siebert, il avait fait signer une nouvelle entente aux frères Gatti. « Avec Siebert, il nous avait emmenés dans le stationnement, si je me rappelle bien, d'un Best Buy à Secaucus. Là, dans la voiture, il nous avait présenté un nouveau contrat censé nous rendre partenaires d'un projet immobilier, un concept plutôt vague dont je n'ai plus jamais entendu parler. Mais bien sûr, le changement le plus important au contrat, c'est que le nom de Mario n'y figurait plus. Arturo et moi avions malgré tout signé, sans trop poser de questions… »

De l'avis des proches de Costa, il avait évidemment très mal encaissé le coup. « Cette histoire-là a beaucoup blessé Mario », rappelait notamment Al Cole. Quant à l'entraîneur Panama Lewis, il disait qu'en dépit de la douleur ressentie par Costa, les deux hommes n'avaient pas fait d'efforts pour retenir les deux frères. « À partir du moment où les agissements de Lynch étaient endossés par Arturo et Joe, que pouvait-on y faire ? Comme je l'avais expliqué à Mario, un boxeur devait avoir assez de cran dans une situation comme celle-là pour mettre son poing sur la table et dire : *Si Costa ne fait pas partie de l'entente, je ne signe pas*. S'il renonçait à le faire, il ne valait pas qu'on se mette à ses genoux. Des deux trahisons, c'est probablement celle d'Arturo qui avait fait le plus mal à Mario parce que Joe, lui, s'était ouvert les yeux rapidement et était revenu dans l'entourage du Ringside. Mais Arturo a été plus ingrat. Il a mis beaucoup de temps à revenir au resto et, en public, n'a jamais même eu un seul mot de remerciement pour tout ce que Mario avait fait pour lui. Et quand il a commencé à revenir au Ringside, ce fut pour se plaindre qu'il se faisait voler par Lynch ! À chaque fois, pourtant, Mario a mis sa déception de côté et l'a accueilli comme la première fois, les bras ouverts. »

« Les gens ont raison, cet épisode-là m'a fait mal, racontait Costa. Mais honnêtement, j'ai surtout eu de la peine de voir ce que Lynch a fait d'Arturo. Ce jeune homme est arrivé ici, à Jersey City, complètement pur et Lynch en a presque fait une loque humaine. L'une de ses excuses préférées pour se disculper a toujours été de dire qu'il avait perdu tout contrôle sur Arturo et qu'il n'arrivait plus à l'arracher à ses dépendances. Il avait raison, c'était exactement le cas. Mais Pat Lynch est celui qui a le plus contribué à dévoyer Arturo Gatti. Il est celui qui l'a pris par la main et l'a emmené boire à la rivière de tous ces vices. Il est celui qui, en haut de la montagne, a poussé la boule de neige pour qu'elle se transforme en avalanche.

«Il me dit jaloux qu'il ait réussi à faire d'Arturo une star millionnaire? On voit bien où se situent ses priorités. Premièrement, il n'est pour rien dans ces succès, Arturo aurait brillé dix fois plus avec n'importe quel autre gérant à ses côtés pour en prendre vraiment soin. Deuxièmement, l'argent n'a rien à voir dans mon chagrin. Je n'ai jamais pensé une seule seconde à l'aspect financier de cette rupture. Mais si Lynch veut parler d'argent, alors il faut dire la vérité: ce qu'il a réussi à faire d'Arturo, c'est un millionnaire junkie qui a dû s'enlever la vie au Brésil parce qu'il n'arrivait plus à s'extirper de l'avalanche...»

En définitive, c'était bien aussi ce que croyait Joe: la décision de quitter Costa pour Lynch avait ultimement coûté la vie à son jeune frère. De là l'immensité de ses regrets. «Ce fut probablement la plus grande erreur de notre vie. Si nous étions restés avec Mario, Lynch n'aurait pas pu faire en sorte d'éloigner mon frère de tous ceux qui lui voulaient du bien. Et j'en suis absolument convaincu, il serait encore vivant aujourd'hui...»

***

Au sein d'East Coast Boxing telle qu'elle avait été originalement formée avec Costa, Lynch et Siebert, Arturo avait tout de même eu le temps de disputer les six premiers combats de sa carrière. Le 10 juin 1991, il avait notamment réalisé ses débuts professionnels au Meadowlands Convention Center de Secaucus, dans un gala qui avait présenté son frère Joe en demi-finale et l'ancien médaillé olympique

Mark Breland en finale. La boxe avait réuni les deux frères dans le New Jersey et c'était comme si cette soirée-là avait servi à pendre la crémaillère et à célébrer officiellement leurs retrouvailles. Au souvenir de Joe, auteur de sa 14e victoire en carrière, Arturo n'avait toutefois pas vécu l'événement avec une émotion particulière. «Dans les jours, les heures et même les minutes précédant le combat, il n'avait pas du tout été anxieux ou nerveux. On avait fait le voyage tout le monde ensemble dans la fourgonnette de Costa, et je ne l'avais pas senti différent. Pour lui, c'était une journée comme d'habitude où il allait simplement faire son boulot...» Une fois sur le ring qu'il foulait pour la première fois sans casque ni maillot, Arturo avait cependant perdu sa belle assurance. À l'évidence, comme il l'avait déjà raconté avec humour au *Star-Ledger*, sa vie au cœur du Ringside Lounge n'avait pas suffi à lui faire voir tout l'éventail des mines sinistres. «J'ai regardé de l'autre côté du ring, j'ai vu ce type et j'ai fait: *Oh mon Dieu, j'ai peur à mourir!* C'était un gars qui semblait tout droit sorti de prison, avec une queue de cheval et des tatouages partout sur le corps. J'étais un adolescent et je n'avais encore rien vu comme lui dans ma vie.» Le sympathique jeune homme s'appelait Jose Gonzales, habitait Trenton N.J., et risquait davantage d'effrayer avec son allure que son palmarès: il n'avait jusque-là disputé qu'un combat et l'avait perdu. Surmontant sa trouille, Arturo l'avait donc battu par arrêt de l'arbitre au 3e round et avait déjà ouvert les yeux de certains observateurs. La bonne impression qu'il avait dit vouloir faire à son départ de Montréal avait été réussie.

Poursuivant sur sa lancée, il était revenu en action moins d'un mois plus tard à Philadelphie, là où Panama Lewis l'emmenait se durcir la couenne au contact des teignes boxeurs de la ville. Approché par le célèbre promoteur Russell Peltz, il avait eu droit cette fois-là à une bien intéressante proposition: des débuts simultanés à la salle mythique du Blue Horizon et à la télévision, via le réseau USA Network. Il ne les avait pas ratés ceux-là non plus: opposé à un boxeur local du nom de Luis Melendez, il l'avait pulvérisé en 19 secondes pour inscrire le record – toujours actuel – du plus rapide knock-out de l'histoire de la boxe en Pennsylvanie! Après le combat, l'histoire avait fait les manchettes partout, mais elle avait bien failli être éclipsée par une autre qui le concernait tout autant. C'est que ce soir-là, pour la première et seule fois après son bannissement à vie, Panama Lewis avait été autorisé à travailler dans son coin. D'ordinaire, Lewis avait le droit d'être dans le vestiaire mais devait ensuite s'installer au parterre pour suivre le combat, d'où il criait ses directives. À chaque fois qu'il y avait un répit, entre les rounds ou lorsque l'arbitre interrompait l'action, Arturo tournait son regard vers lui pour chercher son approbation. Pour le combat de Philadelphie, toutefois, la Commission athlétique de la Pennsylvanie lui avait octroyé une licence provisoire lui permettant de retrouver son poste aux côtés de Costa et du soigneur Jimmy Glenn. Une décision qu'Arturo avait beaucoup appréciée mais que les dirigeants de la commission avaient vite regrettée. Sitôt Melendez mis knock-out, des spectateurs s'étaient mis à crier *«Check the gloves!» «Check the gloves!»* et il y avait à cela une excellente raison. En 1983, la Commission athlétique de New York avait révoqué à vie la licence de Panama Lewis pour avoir trafiqué les gants de son boxeur Luis Resto et ainsi causé de graves problèmes oculaires à son adversaire Billy Collins Junior. Il a même fait deux ans et demi de pénitencier pour cette affaire.

Un mois après le knock-out historique à Philadelphie, Lewis avait retrouvé sa place au parterre pour observer Arturo disputer son troisième combat en carrière. Aux côtés de Costa et de Jimmy Glenn, sa place avait été prise par un jeune Patrick Lynch aux cheveux moins en boule que lui, mais tout aussi longs. Il faisait d'ailleurs bon de revoir, sur les vieilles images du combat, les mines épanouies et presque complices de Costa et Lynch, à cette époque où leurs différends ne les avaient pas encore séparés. Côte à côte dans le coin, attifés tous les deux de survêtements identifiés à «Lightning Joe Gatti» qui faisait les frais de la finale, ils n'avaient peut-être jamais paru plus harmonieux que ce soir-là. Pour un peu, on aurait même été jusqu'à souhaiter, pour tout le monde, que le temps se soit arrêté ce vendredi soir 2 août 1991. Les partenaires d'affaires semblaient sur la même longueur d'onde, Joe avait son petit frère auprès de lui dans la vie et sur les cartes de boxe et Arturo avait encore ce visage d'éphèbe qui pétillait de vivacité et de bonheur. Il portait déjà beau ses tenues bleues et blanches, était déjà connu sous le surnom de «Thunder», comptait déjà sur une légion d'admirateurs pour le suivre et cognait déjà comme une mule.

Après avoir stoppé le chronomètre à 19 secondes à Philadelphie, Arturo avait ainsi récidivé pour ce combat-ci avec un arrêt de l'arbitre à… 28 secondes, contre un adversaire du nom de Richard DeJesus *a priori* beaucoup plus dangereux. Jusque-là, DeJesus avait gagné son unique combat pro et il avait surtout un palmarès amateur nettement plus étoffé que celui d'Arturo. Avant l'affrontement, le *matchmaker* Russell Peltz avait même avisé le clan Gatti de la menace que représentait DeJesus et l'histoire voulait que Lynch ait un temps songé à annuler le combat. À la place, comme l'avait rapporté le site internet *The Sweet Science*, il s'était plutôt contenté de mettre Arturo en garde. «Si je ne suis pas capable de mettre DeJesus knock-out, lui avait répliqué Arturo, je ne serai jamais champion du monde!»

Il avait donc été rassuré sur son potentiel assez rapidement. Au son de la cloche, les deux boxeurs s'étaient immédiatement engagés dans un échange de coups qui avait obligé DeJesus à reculer dans les cordes. Là, Arturo l'avait douché de taloches et seule son imprécision avait empêché DeJesus d'être mis K.-O plus rapidement. Finalement, une combinaison de trois coups directement sur la poire l'avait fait chuter, rendant tout le monde zinzin autour d'Arturo. Costa était entré à l'épouvante sur le ring pour le soulever à bout de bras, Joe exultait en camisole au bas de l'arène et les Duva, de la firme Main Events, étaient en transe. «J'ai compris dès ce moment que nous avions quelqu'un de spécial entre les mains», avait confié Lynch à *The Sweet Science*.

Cela avait continué de se vérifier au cours des deux combats suivants où Arturo avait inscrit deux autres mises hors de combat dans le round d'ouverture. Et puis, c'est bien vrai que la vie aurait dû s'arrêter à cet instant parce qu'il avait ensuite achevé sa collaboration professionnelle avec Panama Lewis et Mario Costa par une victoire aux points à Atlantic City.

Chapitre cinq
Enfin champion du monde

Des fenêtres arrière du Ringside Gym, les boxeurs peuvent l'apercevoir. Ils n'ont qu'à porter leur regard vers la cour en continuant de boxer le vide et c'est la première chose qui leur saute aux yeux. Une baraque blanche de deux étages, ceinturée de grillages et montée sur une plateforme, avec une porte coulissante en bois dans laquelle on a gravé l'inscription *Tyson's Corner*. C'est là que sont désormais gardés les pigeons de l'ancien champion incontesté des poids lourds. Depuis son enfance, ils l'ont toujours suivi. D'abord à Brooklyn, ensuite à Castkill chez Cus D'Amato, maintenant à Jersey City. Quatre ou cinq fois par année, «Iron» Mike débarque donc en ville, crée autour du Ringside une commotion semblable à celle qu'il avait infligée à Trevor Berbick et vient jeter un œil au sort de ses volatiles. Il a peu à s'inquiéter, ils sont traités aux petits oignons. Mario Costa assigne juste pour eux un employé qui porte le titre de «gérant des pigeons» et qui veille quotidiennement à leur bien-être. Chaque fin d'après-midi, il se présente pour nourrir les oiseaux, nettoyer leur environnement et, surtout, à la demande de Tyson, les faire voler pour les tenir en forme. Quand ils ont tous bien volé, le gérant ferme toutefois leur Ringside Gym et les rappelle à l'ordre. La démonstration de fidélité des oiseaux est alors fascinante. Tous, sans exception, reviennent au bercail et la plupart réintègrent d'eux-mêmes leur volière. Quelques-uns tentent d'étirer le plaisir en flânant sur le seuil de la porte, mais le gérant leur parle, répète quelques fois *«inside, inside»* et ils vont rejoindre leurs congénères.

Avec ses boxeurs, Mario Costa aurait certainement aimé qu'il en soit aussi ainsi. Au milieu de l'année 1992, les deux qu'il avait pris en charge à leur arrivée aux États-Unis avaient décidé de déployer leurs ailes et de suivre un nouveau gourou. Destination : Paterson, au nord de Jersey City. Dans la foulée de son conflit avec Costa, c'est dans cette ville au long passé pugilistique que Patrick Lynch avait transplanté Arturo et Joe Gatti pour qu'ils y poursuivent leur carrière. Pendant une bonne année au moins, les deux frères avaient trouvé niche au Lou Costello Sportsmen Club, un petit gymnase fatigué qui devait son nom au célèbre comédien de la populaire série *Abbott et Costello*. Durant sa jeunesse, Lou Costello avait boxé à Paterson sous le nom de Lou King et n'avait ensuite jamais cessé de contribuer financièrement aux activités de la boxe.

À l'arrivée des frères Gatti, l'effectif du Lou Costello Sportsmen Club était constitué d'un intéressant mélange d'amateurs et de jeunes professionnels remplis de potentiel comme Omar Sheika, les frères Frankie et David Toledo, John Molnar, Freddie Curiel, Scott DePompe et Kendall Holt. Tous étaient capables de tenir leur bout et d'être de bons partenaires d'entraînement, mais il n'y avait aucun doute que Joe et Arturo étaient alors les plus talentueux, les plus aguerris du groupe. Leur décision de poursuivre leur carrière à Paterson avait donc été accueillie avec énormément d'enthousiasme par tous ces jeunes boxeurs assoiffés d'expérience et rien ne l'avait ensuite refroidie. Autant sur le plan humain que pugilistique, les deux frères avaient causé une très favorable impression et, si leur passage avait été assez bref, ils avaient néanmoins eu le temps de développer de très fortes amitiés. Ils s'étaient entre autres liés au poids welter Freddie Curiel, qui, avec ce sens de l'observation qui en fait aujourd'hui un bon entraîneur, avait pris grand plaisir à analyser leur personnalité. «Arturo et Joe étaient à cette époque à des stades bien différents, expliquait-il. Joe était alors le plus en vue, autant sur le ring qu'en dehors. Sa carrière allait très bien, il faisait des finales un peu partout dans le New Jersey et à ce moment, ça ne défrisait personne de le placer en avant d'Arturo. Il était la tête d'affiche et ce rôle-là lui allait vraiment comme un gant. Il avait le talent, la prestance, le charisme pour être un finaliste, au point que je l'enviais presque. Un soir, je l'avais notamment vu dans un bar après l'une de ses victoires et j'avais été épaté. Il avait une espèce d'aura au-dessus de la tête, de jolies jeunes filles l'entouraient et il était regardé, pas seulement par elles mais par tout le monde, avec beaucoup de convoitise. Il dégageait le succès, la notoriété et, pour le jeune homme que j'étais alors, c'était impressionnant. Dans le gym, ce n'était pas différent. Joe agissait en leader, accaparait l'espace, attirait l'attention, faisait le clown et, encore là, ce n'était pas un mauvais casting. Plus jeune et inexpérimenté, Arturo était quant à lui plus introverti, plus effacé, plus à son affaire. Mais même en retrait, on pouvait déjà voir qu'il avait lui aussi un charisme indéniable, un petit quelque chose de plus que les autres. Les deux étaient en très bons termes, se taquinaient amicalement et semblaient parfaitement épanouis. Dans le cas d'Arturo, c'est d'ailleurs la période où je l'ai vu le plus heureux dans sa vie. Il avait beau être concentré dans le gymnase, il était capable de décrocher, de rire, de s'entraîner dans le plaisir. Tout le contraire de ce que j'avais revu plus tard. Quand je lui avais servi de partenaire d'entraînement pour son deuxième combat contre Robinson en 1998, cette belle innocence avait disparu. Il n'avait plus aucune joie de vivre et la boxe était devenue un lourd fardeau. »

Au cours de son association avec le Lou Costello Sportsmen Club, Arturo n'avait disputé qu'un seul combat, son premier préparé sans Mario Costa et Panama Lewis, et l'avait perdu ! Une première défaite en carrière qui avait fait terriblement mal et qu'Arturo nommait encore, 15 ans plus tard, comme le plus douloureux moment de toute sa vie. « J'avais l'impression, avait-il mentionné au site *BoxingInsider.com*, qu'il fallait être invaincu pour devenir champion du monde. » Le combat avait eu lieu le 17 novembre 1992, encore une fois au Blue Horizon de Philadelphie qui était plus que jamais en passe de devenir sa salle fétiche. Pour la circonstance, le promoteur Russell Peltz lui avait réservé un autre boxeur local, King Solomon qui avait un palmarès décent – 5 victoires pour 1 défaite et déjà 3 nuls ! –, mais Peltz ne s'attendait pas à le voir gagner. Son profil, toutefois, était de nature à embêter Arturo. Il était plutôt grand, peu orthodoxe, compliqué à affronter, avec un bon jab et de bons déplacements. Pour l'aider ce soir-là à résoudre le style de Solomon, Arturo avait dans son coin Diego Rosario, un entraîneur de bonne réputation mais que l'on disait plus à l'aise avec les stylistes que les cogneurs.

Disputée en six rounds, la bataille avait été serrée. Arturo avait été fidèle à lui-même en se livrant avec abandon, mais selon quelques témoins faciles à croire, il avait trop cherché à descendre Solomon au lieu de construire méthodiquement ses actions. Un juge avait récompensé sa hargne, les deux autres non, et à l'arrivée il s'était incliné par décision partagée. Aux yeux de Freddie Curiel, présent dans la salle pour le soutenir, le résultat avait été décevant mais juste. «Pour les adversaires d'Arturo, la clé était toujours d'arriver à le frustrer et Solomon l'avait cette fois réussi à la perfection. Il méritait sa victoire et Arturo n'avait certainement pas été victime d'un vol. Sa préparation avait été bonne, il avait tout donné à chaque round, mais son inexpérience face à ce genre de boxeur l'avait probablement coulé. C'est pour cette raison que j'ai toujours vu ce combat-là comme une simple erreur de *matchmaking*. À cause de son style, Solomon n'était pas un bon adversaire pour Arturo. À la longue, j'ai toutefois l'impression que cette défaite a eu du bon. Elle a forcé le gérant d'Arturo à réajuster le tir et à se montrer plus prudent dans le choix de ses adversaires.» D'après Russell Peltz, la clairvoyance de Patrick Lynch avait cependant plus relevé du concours de circonstances. «Le clan Gatti avait poussé très fort pour obtenir une revanche, mais Solomon exigeait beaucoup trop cher et le combat n'avait pu être conclu.» Pas chanceux, Arturo n'avait même pas pu entretenir l'espoir de recroiser ensuite Solomon sur sa route. Comme s'il avait déjà prévu qu'un gain sur Gatti allait suffire à lui assurer la postérité, Solomon n'avait livré qu'un seul autre combat – une victoire – et avait décidé d'embrasser une carrière d'entraîneur. Résultat, Arturo avait été contraint de vivre avec la blessure et de s'en remettre au temps pour la guérir. «J'étais passé le voir au vestiaire après le combat, rappelait Curiel, et il était dévasté. Il pleurait, mais alors là réellement beaucoup. Il avait malgré tout fini par revenir au gymnase, mais c'était évident, il était encore affecté. Cette défaite-là lui était vraiment restée longtemps sur le cœur…»

Chose certaine, pour Patrick Lynch elle pouvait difficilement arriver à un pire moment. Le gérant vivait ses premières heures en tant que guide en chef des frères Gatti et on ne peut pas dire que ce résultat contribuait à le faire bien paraître. Pour sauver la face, Lynch avait donc pu être tenté de faire porter le blâme à quelqu'un d'autre, en l'occurrence Russell Peltz. «En début de carrière, Pat trouvait effectivement que je donnais des adversaires trop durs à Arturo et il ne se gênait pas pour me le dire», racontait le promoteur en souriant. Dans le même ordre d'idées, il était aussi loisible de se demander à quel point la confiance de Lynch envers Arturo avait pu être affectée par cet échec. D'une certaine façon, Arturo venait de le laisser tomber dans un moment charnière et peut-être fallait-il comprendre qu'il n'était pas un si grand espoir. C'était pour Lynch une situation difficile parce que de lui-même, il n'était pas en mesure de détecter le talent et d'estimer jusqu'où pouvait se rendre un boxeur. Il avait alors deux boxeurs dans son écurie, l'un beaucoup plus avancé que l'autre, bien placé dans les classements et susceptible de se battre pour le titre dans un avenir rapproché. Dans l'éventualité où il aurait à choisir sur lequel mettre son temps, son intérêt et son argent, il lui fallait donc savoir: qui, de Joe ou d'Arturo Gatti, était le plus prometteur? Seuls les hommes de boxe pouvaient répondre à cette question. La chance que Lynch avait alors eue, c'est d'en rencontrer un dès après le combat d'Arturo. Son ancien boxeur Al Cole était venu à lui et, fort de toutes les séances d'entraînement qu'il avait partagées avec les Gatti, il lui avait servi la réponse sur un plateau. «Tu en doutes sûrement après cette défaite, Pat, mais le champion que tu cherches, c'est bel et bien Arturo. Je ne te dis pas que Joe est un mauvais boxeur, c'est même tout le contraire. Je veux seulement que tu saches que celui qui a les aptitudes pour devenir ton champion, c'est Arturo.»

Chez Main Events, le promoteur d'Arturo, personne n'avait eu à être rassuré sur la valeur de son potentiel. Sa défaite avait fait peu de vagues et n'avait pas nui à sa réputation. Témoin du combat, le vice-président Dino Duva divergeait d'opinion avec Freddie Curiel et avait parlé d'un vol. «Solomon avait passé son temps à se sauver, de sorte qu'il n'y avait aucune raison de perdre confiance en Arturo. Nous avions chassé ce résultat-là de notre esprit dans le temps de le dire et avions préféré nous concentrer sur l'avenir...»

***

En mettant Arturo sous contrat après son premier combat pro, Dino Duva avait donné un véritable élan à la carrière du jeune boxeur. De tous les scénarios de rêve envisagés par Arturo à son départ de Montréal, aucun ne pouvait lui apporter plus de bénéfices que d'être enrôlé par la prestigieuse firme de promotion du New Jersey. Au début des années 1990, Main Events figurait en effet parmi les plus importants promoteurs de la planète et joindre ses rangs avait un peu la même valeur qu'être repêché par le Canadien de Montréal au hockey. Bien sûr, ce premier accomplissement ne garantissait aucun succès, mais un jeune boxeur embauché par Main Events avait la certitude de tomber dans une organisation de première classe, avec les ressources financières et les contacts appropriés à l'avancement de sa carrière. Une quinzaine d'années après sa création, la compagnie était solide, crédible, intègre et les plus grands noms continuaient de lui faire confiance. Elle représentait à ce moment des boxeurs comme Evander Holyfield – alors champion du monde des poids lourds –, Pernell Whitaker, Vinny Pazienza, Meldrick Taylor, Mark Breland, Jesse James Leija, sans oublier aussi Joe Gatti.

L'histoire de la compagnie Main Events était avant tout celle de l'une des familles les plus connues de la boxe, les Duva. Le père, Lou, véritable icône et membre du Temple de la renommée, avait sucé de la boxe avec le lait au début des années 1930 et avait commencé à organiser de petits galas dans la région de Paterson dans les années 1960. Son univers était plus celui des seconds couteaux de la boxe et, avec le temps, cela lui avait valu le surnom de « Garbage Collector ». Tout ce à quoi il était possible de toucher dans la boxe, il y avait touché et souvent pour peu de gratifications financières.

Mais il avait eu de l'aide. Père de cinq enfants – Daniel, Dino, Donna, Denise et Deanne –, il leur avait tous inoculé le virus de la boxe et ils étaient devenus ses plus fidèles partenaires. Au cours des années 1970, toute la famille s'était ainsi retrouvée au cœur de l'une des périodes les plus sympathiques de l'histoire de la boxe au New Jersey. Pour présenter ses petits galas, Lou avait décidé de se fixer au Ice World de Totowa, un aréna de quartier que les plus gentils avaient comparé à une caverne. Tous les enfants participaient à la promotion, à des tâches diverses. Puis, en 1978, Lou avait fondé une vraie société de promotion. Il voulait continuer à organiser des galas, mais tenait en plus à ce que la famille prenne en charge des boxeurs et s'occupe du développement de leur carrière. Il avait trouvé le nom, Main Events, et avait expliqué à ses enfants ce qui l'avait incité à agir: «Je veux que cette compagnie soit la vôtre», leur avait-il dit. Pour la mettre sur pied, Lou avait fait appel à son fils Daniel, un brillant avocat qui travaillait pour une firme de Newark. Selon les plans initiaux, Dan agirait comme promoteur et *matchmaker*, et Lou comme manager.

Les débuts avaient été aussi humbles que l'étaient les individus. Le seul espoir que les Duva avaient était de couvrir leurs frais à la fin de la soirée et, pour l'essentiel, cela restait pour eux une occupation à temps partiel. Il y avait règle générale un événement par mois, présenté à la télévision. C'était l'époque où la boxe n'avait pas encore trouvé refuge chez les chaînes câblées et où il était toujours possible d'en voir sur les réseaux conventionnels comme ABC, NBC et CBS. Les Duva n'avaient pas de têtes d'affiche pour allécher le public, mais ils avaient au programme de jeunes boxeurs talentueux tels Rocky Lockridge, Livingstone Bramble, Bobby Czyz, Johnny Bumphus, Vinny Pazienza et Pinklon Thomas qui fournissaient bien assez d'action. Certains de ces boxeurs n'avaient pu participer aux Jeux Olympiques de 1980 en raison du boycott des États-Unis et les galas de Main Events leur avaient permis de mettre un peu de baume sur leur déception.

Et puis, il y avait eu cet événement qui était venu faire basculer le destin de la compagnie et la propulser dans le monde des grands: le méga-combat de 1981 pour le titre unifié des poids mi-moyens entre les Américains «Sugar» Ray Leonard et Thomas «The Hitman» Hearns. Main Events ne gérait évidemment aucune de ces stars et ne devait pas être concernée par un combat d'une telle ampleur. Mais un homme en avait décidé autrement: Mike Trainer. Las de négocier avec les imbuvables promoteurs Bob Arum et Don King, l'agent de Leonard avait approché les Duva pour leur offrir les droits de présenter ce choc historique. Trainer n'avait pas été gourmand et avait posé une seule condition : trouver 13 millions en 10 jours ! « Nous avions alors dans nos poches exactement 138 $ », avait déjà raconté Lou Duva dans le *Boston Globe*. Au bout de l'échéance, après s'être mis en relation avec des promoteurs de shows rock (dont Shelly Finkel, qui deviendrait l'un de leurs plus fidèles alliés), ils avaient pourtant réussi à réunir la somme ! Ils n'avaient pas eu à le regretter : le combat avait généré des recettes de 38 millions et permis à Dan Duva de réaliser son rêve de devenir un influent promoteur.

À partir de ce moment, Main Events avait véritablement été digne de son nom. Au cours des années suivantes, les succès n'avaient fait que s'enchaîner et, en 1983, elle avait compté jusqu'à 30 boxeurs dans son écurie. Mais il y avait encore de la place. Un an plus tard, ses rangs s'étaient garnis d'une traite avec l'un des meilleurs coups de l'histoire.

Aidée de Shelly Finkel qui avait trouvé deux investisseurs au Connecticut, Main Events avait mis sous contrat six vedettes de l'équipe nationale américaine des Jeux Olympiques de Los Angeles : Pernell Whitaker, Meldrick Taylor, Evander Holyfield, Mark Breland, Virgil Hill et Tyrell Biggs ! Les cinq premiers étaient devenus champions du monde (Hill alors qu'il n'était plus chez Main Events) et le dernier, Briggs, avait eu sa chance mais l'avait perdue contre Tyson ! De leurs débuts professionnels au Madison Square Garden jusqu'au milieu des années 1990, ils avaient donc constitué une véritable mine d'or pour la compagnie et l'avaient portée à un nouveau sommet. À lui seul, Evander Holyfield avait rempli les coffres plusieurs fois. Son titre de champion du monde des poids lourds – obtenu en 1991 contre *Buster* Douglas – était l'un des plus convoités et des plus rémunérateurs. À titre d'exemple, son combat contre George Foreman, encore en 1991, avait à l'époque fracassé des records et généré des revenus de plus de 80 millions !

Toutes ces réalisations avaient donc mis la table à la venue d'Arturo avec le groupe Main Events. Engagé la même année que le combat Holyfield-Foreman, il lui aurait été difficile d'arriver dans une meilleure période. C'était l'évidence, la compagnie ne manquerait pas de ressources pour le faire progresser et ne lésinerait pas à l'envoyer dans les camps d'entraînement qu'elle tenait au Texas, en Arizona ou encore en Virginie. Elle avait son propre groupe d'entraîneurs – Ronnie Shields, Tommy Brooks et George Benton – et ils avaient tous beaucoup de savoir à lui transmettre. Quant à Lou Duva, à bientôt 70 ans, il entraînait encore à l'occasion, travaillait dans les coins les soirs des combats, gérait toujours, mais agissait surtout en mentor. Car il y avait aussi cela à mettre au crédit du fondateur de Main Events: au-delà de la réussite professionnelle des boxeurs, il avait également à cœur de réussir leur développement personnel. Pour lui, le rôle d'un entraîneur était autant d'enseigner à vivre qu'à boxer. «De toute façon, disait-il, en montrant à vivre on travaille déjà sur la boxe parce que les deux aspects sont étroitement liés. C'est élémentaire, un boxeur qui mène une bonne vie va être encore meilleur dans le gymnase.»

Durant son association d'une dizaine d'années avec Arturo, Lou Duva, Italien et grand sanguin lui aussi, avait donc eu de fréquentes mésententes avec Patrick Lynch au sujet de sa façon de se conduire avec Arturo. À son avis, l'Irlandais s'était montré bien trop mou avec son boxeur. «Pour Pat, il n'y avait jamais rien de grave», nous avait-il confié en octobre 2009. «Arturo pouvait faire ce qu'il voulait, être indiscipliné autant de fois qu'il en avait envie, il n'y avait jamais de conséquences. Pat passait l'éponge sur tous ses comportements et j'avais beaucoup de difficultés à l'accepter. De l'école où je venais, celle des entraîneurs inflexibles, je n'avais jamais été habitué à autant de mollesse. Mais quand je donnais mon opinion, Pat me répondait toujours la même chose. Il disait qu'Arturo était un adulte, qu'il faisait ce qu'il voulait de sa vie, et qu'il dépensait son argent comme il le voulait.»

Dans une entrevue accordée un jour au journal *The Record*, Lynch avait toutefois tenté d'expliquer pourquoi il lui était difficile de se montrer autoritaire à l'égard d'Arturo. «Quand je m'emportais et criais après lui, Arturo avait l'habitude de me dire: *Pat, tu dois me voir comme ton quatrième enfant et je suis le mouton noir. Toutes les familles en ont un!* Et là j'éclatais de rire…»

Chez Main Events, ce n'étaient toutefois pas tous les Duva qui croyaient comme Lou qu'il fallait se soucier autant de la vie que des performances des boxeurs. Le vice-président Dino avait plutôt tendance à se ranger du côté de Lynch et à penser que, pour un promoteur, une seule chose importait: la conduite du boxeur entre les cordes. Forcément, sa philosophie lui faisait donc voir la spectaculaire carrière d'Arturo d'un tout autre angle. «Arturo incarnait le rêve de tout promoteur. À chaque fois qu'il se présentait dans l'arène, nous étions absolument convaincus qu'il allait donner tout ce qu'il avait dans le corps, et même bien au-delà. Il répondait présent à tous les défis, endurait les pires supplices au nom du spectacle, il avait une superbe relation avec le public, vraiment, nous ne pouvions pas espérer mieux de lui. Son indiscipline? J'aurais pour ma part envie de répondre: *Quelle indiscipline?* Je n'ai jamais entendu d'histoires à son sujet, n'ai jamais été témoin de rien et, surtout, n'ai jamais rien vu dans l'arène qui pouvait me laisser croire à de graves problèmes personnels. Il avait la réputation d'aimer la vie, soit, mais il faut aussi se rappeler dans quel business nous opérons. La boxe est un monde à part, c'est un sport dur, la vie dans les camps d'entraînement n'a rien de joyeux, alors je peux comprendre les boxeurs d'avoir besoin de ventiler. Surtout Arturo, qui avait atteint un tel statut. Personnellement, il est en tout cas le boxeur qui m'a procuré mes plus grandes sensations à titre de promoteur.»

Dans les faits, Dino avait probablement été le premier à croire en Arturo chez Main Events. C'est lui qui l'avait mis sous contrat et comme il avait l'habitude de le dire, il avait pratiquement grandi avec lui. Deux hommes, disait-il, l'avaient encouragé à s'intéresser à Arturo: Joe Gatti et Patrick Lynch. Il avait pu jeter un œil au jeune athlète avant même son passage chez les pros et avait tout de suite aimé ce qu'il avait vu. À ses dires, il avait notamment découvert un boxeur plus dédié à son sport que pouvait l'être Joe à la même période. «À mon avis, Joe était beaucoup plus doué qu'Arturo, mais il ne prenait pas sa carrière avec autant de sérieux. Arturo travaillait plus dur que lui, était plus concentré. En regard du potentiel qu'ils avaient tous les deux, je serais d'ailleurs porté à dire que Joe a été un *underachiever* et Arturo un *overachiever.*»

Il était toutefois amusant de constater que peu de temps après la signature du contrat d'Arturo, Dino avait été d'une certaine manière désavoué par son frère Dan. Président de la compagnie et considéré à juste titre comme l'homme-orchestre, Dan avait en effet semblé voir davantage de promesses en Joe, et s'était départi de 50 % des droits d'Arturo ! L'histoire est savoureuse et avait été racontée dans le *Ring Magazine*. Au départ, Joe n'appartenait pas à Main Events mais au promoteur et *matchmaker* de Philadelphie, Russell Peltz. Désireux de mettre la main sur l'aîné des frères Gatti, Dan Duva avait un jour présenté un marché à Peltz, avec lequel il entretenait une excellente relation : il lui offrait la moitié des droits d'Arturo en retour de la moitié de ceux de Joe ! Comme si les deux frères n'étaient déjà pas suffisamment en compétition dans la boxe ! Parce qu'il nous avait dit n'avoir rien vu d'emballant chez Joe, Peltz avait accepté l'offre de Dan Duva et touché du même coup le gros lot. « Un des meilleurs marchés que j'aie jamais conclus dans ma carrière », avait confié Peltz au magazine américain. « J'ai détenu 50 % des droits d'Arturo jusqu'en janvier 1998, et ensuite 35 % jusqu'au combat contre Terronn Millett en 2002. Puis ensuite plus rien… » En dépit de sa mauvaise transaction, Dan Duva avait cependant conservé la direction de la carrière d'Arturo et c'est Main Events qui avait continué à prendre toutes les décisions de boxe. Ce qui voulait dire que du début de sa carrière, en 1991, jusqu'à la fin en 2007, Arturo avait toujours été fidèle à un seul promoteur. Pourtant, ce n'étaient pas les occasions de quitter le navire qui avaient manqué. Au début des années 2000, par exemple, de nombreux litiges avaient entraîné un schisme dans la compagnie et les boxeurs vedettes Lennox Lewis, Zab Judah et Jeff Lacy en avaient ainsi profité pour la quitter.

À l'époque, le fait qu'Arturo n'ait pas suivi ses coéquipiers vers la sortie avait commencé à éveiller quelques soupçons. En coulisse, plusieurs pontes du milieu de la boxe s'étaient demandé quel pouvait être son intérêt à rester avec la compagnie du New Jersey. Certes, justement, il s'en trouvait pour dire que Main Events lui était commode parce qu'elle faisait ses affaires à une trentaine de minutes de chez lui, mais dans cette industrie où seuls les millions parlaient, il y avait sûrement plus que cette raison. Et pour les suspicieux, cette raison-là avait encore et toujours un seul nom, Patrick Lynch.

Durant la carrière d'Arturo, Lynch lui avait négocié au moins quatre ententes avec Main Events. Une à son entrée chez les pros – pour laquelle il ne jouissait évidemment d'aucun pouvoir de négociation ; une en 1998 entre les deux combats contre Ivan Robinson ; une avant la défaite contre De La Hoya ; et une dernière avant l'affrontement avec Mayweather. Tout au cours de ces renouvellements de contrat, il y avait donc eu des moments où Arturo s'était retrouvé « agent libre » et Lynch en avait profité pour le mettre à l'article auprès des autres promoteurs. Plusieurs avaient alors manifesté de l'intérêt, mais c'est probablement Bob Arum qui s'était montré le plus agressif dans sa tentative de débaucher le courageux boxeur. Selon Joe Gatti et Mario Costa, Arum avait en effet offert un million de dollars à Arturo pour qu'il rejoigne la Top Rank après sa spectaculaire victoire sur Gabe Ruelas, en 1997. L'offre avait mis tout le personnel de Main Events sur les dents et le *matchmaker* Carl Moretti avait même appelé Costa pour lui demander de ne pas chercher à influencer Arturo. « J'avais répondu à Moretti qu'il avait tort de me prêter cette influence et qu'en bout de ligne l'argent allait être le seul facteur de la décision d'Arturo. Si vous offrez 100 000 $ à Arturo, lui avais-je dit, et qu'Arum lui promet un million, penses-tu vraiment qu'il a besoin de mon avis pour savoir avec qui poursuivre sa carrière ? Le plus drôle, c'est que c'est pourtant le même Moretti qui a plus tard quitté Main Events et qui travaille aujourd'hui pour… Top Rank ! Pourquoi le changement était-il donc bon pour lui, mais pas pour Arturo ? La réponse est simple, parce que ces gens-là ont toujours fait passer leurs intérêts avant ceux d'Arturo. C'est pour ça que je lui ai toujours dit qu'il n'avait pas besoin de promoteur, que son nom était bien assez fort pour lui permettre de s'occuper seul de sa carrière… » Finalement, le clan Gatti avait dit non à Bob Arum et accepté ce que Main Events offrait alors. C'est-à-dire, selon Joe Gatti, une Dodge Viper d'une valeur de 75 000 $… dans une période où le permis de conduire d'Arturo était suspendu !

En juillet 2006, il avait été révélé dans le quotidien *The Record* qu'à toutes les fois qu'Arturo était personnellement approché pour changer de promoteur, sa réponse était toujours la même: «Appelle Pat!» Or, c'était exactement la raison pour laquelle Lynch s'était retrouvé sous la loupe. Ce n'était plus l'intérêt d'Arturo à demeurer chez Main Events que l'on questionnait dans le milieu, mais le sien, puisqu'il était celui qui décidait de tout. Le journaliste Thomas Hauser avait même donné l'impression d'écrire un paragraphe complet sur les agissements de Lynch dans un texte intitulé *Conflits d'intérêts*: «L'avocat Judd Burstein énonce un truisme lorsqu'il dit: *le rapport entre certains managers et certains promoteurs est très troublant.* Et Jim Thomas ajoute: *Il y a de trop nombreux cas où la relation entre un manager et un promoteur en particulier est plus importante pour lui que celle avec son boxeur.*» Pour un manager, écrivait encore Hauser, il n'est pas inhabituel de se dire: *les boxeurs ne font que passer, mais le promoteur, lui, sera là pour très longtemps.*»

Sachant cela, les questions se posaient: qu'avait donc Lynch à être si lié à la firme du New Jersey, au point de renoncer aux ponts d'or de certains promoteurs? Qu'avait-il à privilégier la fidélité à la cupidité, lui qui n'avait jamais eu cette réputation? Pour plusieurs influents personnages de la boxe, Thomas Hauser avait répondu à ces questions dans le même texte, lorsqu'il avait aussi écrit: «Un manager est un fiduciaire. Sa loyauté appartient au boxeur. Sa plus importante fonction est de négocier pour lui, d'obtenir le plus d'argent possible pour chaque combat puisque les meilleurs intérêts du promoteur lui dictent de le payer le moins cher possible. Pourtant, quelques managers restent asservis à certains promoteurs. La relation père-fils entre Don et Carl King est un exemple classique, mais il y en a d'autres. Il y a des managers, par exemple, qui font des affaires avec un seul promoteur en retour de ce qu'on présume être une part de la tarte promotionnelle.»

Que Lynch ait été ou non l'un de ces managers, une chose était toutefois certaine: cette fidélité qu'il semblait partager entre Main Events et Arturo n'avait rien fait pour arranger sa réputation dans les cercles de la boxe. «J'ai beaucoup de difficulté avec le fait qu'un gérant se proclame presque le père d'un boxeur et manque autant de scrupules à son égard», nous avait notamment confié un influent promoteur. L'un de ses confrères avait pour sa part ajouté: «Si tout ce que j'entends de Pat venait un jour à se confirmer, je perdrais énormément de respect pour lui. Déjà que je me questionne sur sa décision d'avoir permis à Arturo de disputer tous ces combats de trop pour toucher encore plus d'argent.»

Quant à Main Events, il n'y avait pas de doute non plus, elle avait aussi tout intérêt à entretenir de bonnes relations avec Lynch. Entre 2002 et 2007, elle avait en effet vécu une grande période de vaches maigres et Arturo avait à peu près été le seul boxeur à lui apporter de l'eau au moulin. «Pendant ces années-là, Arturo est celui qui a permis à Main Events de continuer à opérer, mentionnait Mario Costa. Tous ceux qui travaillaient là lui devaient de pouvoir continuer de se nourrir.» Dans les circonstances, on comprenait facilement jusqu'où la firme du New Jersey avait pu être tentée d'aller pour le garder en son sein.

***

Dans les autres aspects de sa vie, on ne se trompait pas en disant qu'Arturo avait été pas mal plus volage. Peu de temps après avoir abandonné Mario Costa, il s'était ainsi rendu coupable d'une nouvelle défection, dans la période suivant son passage au Lou Costello Sportsmen Club et sa défaite contre King Solomon. Et cette fois, c'était plus grave encore parce que la personne qui en avait fait les frais avait été son frère Joe.

Au dire de ce dernier, il n'avait rien vu venir. Arturo et lui étaient toujours colocataires à Jersey City et la bonne entente qu'ils avaient affichée à Paterson continuait de régner. Tout avait toutefois changé à l'arrivée d'une nouvelle copine dans la vie d'Arturo. Elle s'appelait Emily et il l'avait rencontrée au Ringside Lounge qu'il avait recommencé à fréquenter en catimini, Lynch ne voulant pas qu'il y remette les pieds. Profession d'Emily? Cela avait dû redonner le sourire au gérant: elle était actrice, mais le genre d'actrice qui montait nue sur scène avec une partenaire et dont le numéro consistait à batifoler par terre en faisant semblant de lui faire minette. Autrement dit, une sorte de strip-teaseuse mais qui remplaçait le poteau par une partenaire de longue date. Emily était la première travailleuse du sexe à partager la vie d'Arturo, et il n'avait pas dû détester l'expérience parce qu'il l'avait ensuite répétée pour l'essentiel de sa vie amoureuse. Des quatre autres copines «officielles» qu'il aurait au New Jersey, seule Vivian Penha gagnerait sa croûte avec des vêtements sur le dos. Dès le départ, c'était pourtant une inclination que Mario Costa avait cherché à briser, et pas avec les mots les plus subtils. «C'était drôle parce qu'Arturo avait l'habitude de passer me voir avec ses nouvelles petites amies et de me demander ce que j'en pensais. Comme s'il venait chercher une approbation. Dans le cas d'Emily, il ne l'avait malheureusement pas reçue. Cela n'avait rien à voir avec elle, c'était juste qu'avec le métier qu'elle pratiquait, je ne voyais pas en quoi Arturo avait intérêt à vouloir la fréquenter.»

La décision d'Arturo avait peut-être déçu Costa, mais elle avait surtout scié les jambes de son frère Joe. «Dans l'ensemble, les choses allaient encore très bien entre nous deux. Et puis, Arturo avait rencontré cette fille, pas spécialement belle mais gentille. Elle avait continué à donner ses shows érotiques pendant un bout de temps, avant d'arrêter. Les deux se fréquentaient, mais ils retournaient coucher chaque soir chacun de leur côté. À quelques jours du Noël de 1993, Arturo avait cependant découché et disparu pendant un moment. Aucune nouvelle de lui, aucune explication. Au bout de trois jours, il était enfin réapparu pour m'en apprendre une, nouvelle: il venait cueillir ses effets personnels pour aller habiter avec Emily! Vraiment, j'avais été complètement bouleversé. Je n'arrivais pas à comprendre pourquoi il prenait une telle décision. Arturo était venu me rejoindre dans le New Jersey, nous avions redonné un nouvel élan à nos vies, nous étions de nouveau complices, et voilà qu'il me *crissait* là pour cette pute! Je lui avais dit: *Bro, il faut que tu m'expliques parce qu'il y a quelque chose qui m'échappe. On est venu ici pour se bâtir une carrière, être ensemble; on va avoir en masse de temps à consacrer aux filles dans l'avenir, et toi tu changes tous les plans pour cette fille! Tu ne penses pas qu'avec toutes les portes que j'ai ouvertes, je ne mérite pas mieux que d'être abandonné comme un chien dans le temps de Noël?* Mais Arturo ne m'avait pas vraiment donné d'explication et il était parti. Ma lecture des choses, avec le recul, c'est qu'il avait commencé à se droguer avec la gang à Pat et qu'il a alors voulu se cacher de moi. D'une façon ou d'une autre, c'est à partir de ce moment que notre relation s'est détériorée et, après, elle n'a plus jamais été aussi forte même si on a pu se rapprocher à certains moments.»

***

Entièrement loyal à Main Events et à Patrick Lynch, Arturo ne l'avait pas été autant avec ses entraîneurs. Au cours de sa carrière, il avait travaillé avec pas moins de sept entraîneurs différents, mais avait malgré tout réussi à entretenir deux longues relations. L'une avec Buddy McGirt, étalée sur quatre ans et 10 combats, l'autre avec Hector Roca qui l'avait dirigé pendant deux périodes, presque cinq ans en tout et 28 combats! Sans crainte de se tromper, on pouvait donc affirmer que la collaboration avec ce dernier avait été la plus marquante de sa carrière, ce qui n'était pas peu dire quand on savait tous les succès qu'il avait connus avec McGirt.

Les deux hommes s'étaient rencontrés dans des circonstances et, surtout, des contrées inusitées. Après son échec aux mains de King Solomon, pour revenir en action et tenter de retrouver le chemin de la victoire, Arturo avait pris la curieuse décision d'accepter un combat en… Hollande, contre un adversaire local du nom de Plamen Gechev! C'est là, plus précisément à Rotterdam, que le hasard l'avait placé sur la route de Hector Roca, venu quant à lui aider son boxeur Regilio Tuur à défendre son titre européen des super-plumes. «Je ne connaissais pas Arturo à l'époque, avait raconté Roca en octobre 2009, mais ses airs de famille me rappelaient quelqu'un et en le croisant, je lui avais demandé s'il n'était pas le petit frère de Joe Gatti. Puis, il m'avait parlé de sa situation, du fait qu'il n'avait pas d'entraîneur, et je lui avais offert de le dépanner pour son combat. Dans les faits, Arturo ne devait pas gagner et était supposé être là à titre d'*opposant*, pour servir de victime à son adversaire. Mais les organisateurs en avaient dû être quittes pour une petite déception car il avait mis le gars knock-out au premier round. À la fin de la soirée, il m'avait ensuite demandé si j'acceptais de devenir son entraîneur, mais je lui avais répondu que je négociais seulement avec les managers. Peu de temps après mon retour à New York, le gérant d'Arturo était donc passé me voir et nous nous étions entendus sur les termes d'une entente. Lynch me versait un salaire hebdomadaire, m'allouait un pourcentage sur les bourses et payait mes dépenses pour les camps d'entraînement. Beaucoup de travail nous attendait car, si Arturo était doté d'une puissance naturelle exceptionnelle, il était à ce moment, à mes yeux, un boxeur médiocre… »

Si Roca disait vrai sur la valeur d'Arturo à cette époque, alors il fallait lui tresser des couronnes pour la transformation qu'il avait produite chez son boxeur. Sous sa houlette, Arturo avait en effet remporté 23 victoires de rang, ascensionné les classements mondiaux, raflé au passage les titres des super-plumes de la USBA (United States Boxing Association) et de l'IBF, et fait sa niche parmi le groupe restreint des stars de la boxe. « Hector Roca est, à mon sens, l'entraîneur ayant eu le plus d'impact, ayant le plus contribué à la carrière d'Arturo Gatti, jugeait Dino Duva. Oui, Buddy McGirt a aussi fait beaucoup pour lui, mais quand Arturo l'a rencontré, il était déjà un boxeur accompli, qui avait déjà été champion du monde. Roca, lui, a eu à développer Arturo de bout en bout et il a fait un boulot remarquable. Les deux avaient créé une grande chimie, sans laquelle le boxeur peut difficilement obtenir du succès. Hector était notamment parvenu à évaluer parfaitement les forces et les faiblesses d'Arturo, ce qui est peut-être la qualité première d'un grand entraîneur. »

De prime abord, l'aspect le plus intéressant de l'embauche de Roca avait peut-être été de donner l'impression à Arturo de renouer avec ce Panama qu'il avait tant réclamé à l'âge tendre. Comme Carlos Panama Lewis, Hector Roca était lui aussi Panaméen d'origine et se faisait appeler « Panama » par ses pupilles du Gleason's Gym de New York. Comme Lewis, Roca arborait aussi dans ces années-là un monumental afro qui en faisait le sosie de Lionel Richie, mais son malheur avait été de travailler plus longtemps aux côtés d'Arturo et il disait l'avoir graduellement vu disparaître sous l'effet du stress ! Pour le reste, cependant, les deux «Panama» semblaient avoir assez peu d'atomes crochus. Loin de les avoir réunis, on aurait dit que leurs origines les avaient placés en compétition aussitôt qu'ils s'étaient retrouvés dans la même ville. Arrivé à New York en 1979, formé à l'école d'Angelo Dundee, Roca était débarqué dans les meilleures années de la carrière de Lewis et avait certainement peiné à sortir de son ombre.

À son arrivée, il s'était tout de suite fixé au Gleason's Gym, d'où il n'a jamais bougé depuis. Au moment d'entreprendre sa collaboration avec Arturo, Tuur était probablement son boxeur le plus connu – il a été champion WBO des super-plumes de 1994 à 1996 – mais des noms comme Iran Barkley et… Buddy McGirt s'ajouteraient ensuite à son palmarès. Aucun de ces boxeurs, pas même Arturo, n'était toutefois considéré comme le plus célèbre à avoir travaillé sous ses ordres, ce titre revenant à… Hilary Swank, l'actrice devenue boxeuse dans le film *La fille d'un million de dollars* qui lui avait valu, en 2004, l'Oscar de la meilleure interprète. Sa reconnaissance envers Roca avait d'ailleurs été telle qu'elle l'avait soulignée au moment de recevoir son prix, à la soirée des Oscars. «Hilary m'avait remercié pour mon travail dans son discours et, de toute ma carrière, elle est la seule à l'avoir publiquement fait. Et elle l'a fait statuette en main, devant je ne sais combien de millions de téléspectateurs…» Ce qui était plus ou moins exact car Arturo en avait fait de même au terme de certains combats.

L'amertume de Roca qui se dessinait dans ses propos était importante car au fil du temps, elle était peut-être ce qui avait le plus influencé sa philosophie d'entraîneur. En raison de l'ingratitude des boxeurs, prompts selon lui à blâmer les autres ou à changer d'entraîneur au gré de leurs humeurs, Roca avait en effet adopté une attitude qui lui avait valu une bonne part de critiques: il avait décidé de se désintéresser totalement de la vie privée de ses boxeurs, se contentant de leur témoigner de l'intérêt seulement à l'intérieur du gymnase. «Ils ont leur vie et j'ai la mienne, disait-il. Je participe peu aux célébrations d'après-combat, je ne les côtoie pas à l'extérieur du gym et, de toute façon, ma vie est souvent beaucoup plus plate que la leur. En tout cas, elle est certainement plus plate que celle que menait Arturo! Je ne bois pas, je ne fume pas, je vais au lit chaque soir à 21 heures pour pouvoir être dans le gymnase sept jours sur sept, de 5 heures le matin à 18 heures le soir. À 70 ans! Ma philosophie est de ne pas me mêler de la vie de mes boxeurs et de ne pas argumenter avec eux sur les questions de discipline pour éviter de développer de la rancune à leur endroit. Pour un entraîneur, il n'y a rien de pire que d'être à couteaux tirés avec son boxeur car, ce faisant, il pourrait vouloir se venger et prendre volontairement de mauvaises décisions à son égard. Oui, j'ai été sous un stress continuel avec Arturo car je ne savais jamais s'il allait se pointer à l'entraînement, mais sinon, je ne me disputais pas avec lui. Et de toute manière, tenter de lui faire entendre raison était à peu près impossible parce qu'il s'emportait plutôt facilement! Alors quand il réapparaissait dans le gym après ses absences, il me disait *I'm okay, I'm okay*, et on procédait à l'entraînement comme d'habitude. Et dans le gym, j'étais exigeant, sévère, mais je n'avais aucun problème avec Arturo car il bossait vraiment dur.»

Les méthodes de Hector Roca étaient à des années-lumière de celles, par exemple, d'un Lou Duva, ce qui avait justement eu le don de faire damner ce dernier. Certes, le bouillant Italien lui reconnaissait des mérites certains en tant qu'entraîneur, mais il divergeait d'opinion avec son fils Dino et considérait qu'Arturo n'avait pas été si bien servi que cela par lui. «Hector avait en fait plus de chance de bien s'entendre avec Lynch car il était pareil à lui. Il était bien trop mou, bien trop indulgent dans ses relations avec Arturo. Il disait que la vie d'Arturo à l'extérieur du ring n'était pas de ses affaires et, bien sûr, j'étais d'un tout autre avis. C'était simple, Hector ne voulait pas se casser la tête avec ce genre de considérations. Il voulait entraîner, point, et ne pas avoir à jouer à la maman avec ses boxeurs. Il les considérait comme des adultes et il remettait la responsabilité de leur vie entre leurs mains. Mais certains, comme Arturo qui avait perdu son père, avaient encore beaucoup à apprendre et auraient bénéficié de se faire enseigner aussi la vie.»

La nomination de Hector Roca à titre d'entraîneur en chef avait donc signifié qu'avec son gérant Patrick Lynch, Arturo s'était retrouvé avec deux individus assez peu ou pas concernés du tout par ses actions à l'extérieur du ring. Les conséquences ne s'étaient pas fait attendre longtemps. En même temps que ses succès avaient commencé à s'accumuler, il avait entrepris dans sa vie personnelle une descente en enfer qu'il n'arriverait jamais plus à freiner. Ainsi, sur les 28 combats qu'Arturo avait livrés à ses côtés, Roca disait qu'il n'y en avait eu qu'un seul où sa préparation avait été sans reproche, celui contre Joey Gamache au début de l'an 2000 (et pour des raisons que nous évoquerons plus tard)! Toutes les autres préparations, selon lui, avaient été ou correctes, ou moyennes, ou carrément mauvaises. À un point tel que Lynch, en sa qualité de gérant, avait dû un jour prendre des mesures pour protéger son investissement. «À un certain moment, racontait Roca, Pat m'avait rencontré pour me dire que nous ne pouvions plus garder Arturo au Gleason's Gym. C'était trop dangereux pour lui, disait-il, il y avait trop de clubs de nuit autour du gymnase et il fallait l'envoyer dans des endroits isolés. C'est comme ça que l'aventure des camps d'entraînement a commencé. Nous avons d'abord emmené Arturo dans les Pocono's (en Pennsylvanie, tout à côté du New Jersey), puis ensuite à Virginia Beach, qui ne fut pas une décision heureuse. Pour dire, c'était presque un cauchemar. Le gymnase était collé sur la plage, entouré de bars là aussi, et Arturo y côtoyait Pernell Whitaker qui n'exerçait pas une bonne influence sur lui. Pat avait donc dû se mettre à la recherche d'un autre site et arrêté son choix sur Vero Beach. Là, c'était plus tranquille, mais Arturo avait quand même trouvé le moyen de se permettre des écarts.»

De New York à Vero Beach, en passant par les Pocono's et Virginia Beach, cela faisait décidément beaucoup de circonvolutions pour éviter de regarder la vérité en face, admettre qu'Arturo avait de sérieux problèmes et chercher à les régler autrement qu'en le mettant dans un avion à destination d'un camp d'entraînement. «La réalité, disait Joe Gatti, c'est que Pat Lynch n'a jamais eu à cœur de régler les dépendances de mon frère. Pour une raison bien simple: plus longtemps il le gardait dans cet état comateux, plus longtemps il pouvait continuer de le voler.» Au moins trois personnes pouvaient confirmer les dires de Joe et faire la preuve que Lynch, malgré toutes les décisions qu'il avait pu prendre, n'avait jamais eu la volonté de véritablement venir en aide à Arturo.

La première, c'était Mario Costa. En 2004, c'est à lui qu'Arturo avait décidé de confier son terrible mal-être et ses idées de suicide. Un peu parce qu'il savait qu'il possédait une arme à feu, beaucoup parce qu'il l'appelait «The Truth» («La vérité») et savait pouvoir compter sur lui pour raconter les vraies raisons de son éventuel décès. «Durant cette longue confession, rappelait Costa, il y avait eu une éclaircie parce qu'Arturo avait accepté de recevoir une aide professionnelle. Dans l'état moral et physique où il était, je lui avais conseillé d'entrer en thérapie, de voir un psychologue ou même un hypnotiseur, comme l'avait fait Tyson avec un certain succès. Mais c'était toujours la même histoire, personne ne pouvait prendre de décision dans la vie d'Arturo sans d'abord passer par Lynch. Je n'avais évidemment aucune envie de lui parler, et Arturo le savait trop bien, mais sa condition prévalait alors sur tous les conflits. Le moment était crucial parce qu'il venait enfin de tendre la main et il fallait agir vite, avant qu'il change d'idée. J'avais donc demandé à Arturo s'il acceptait que j'informe Lynch de sa condition pour qu'il puisse le diriger vers un professionnel compétent et il m'avait donné son autorisation. «Arturo, tu me promets que si demain, à la première heure, je vais rencontrer cet enfant de chienne, tu vas accepter de te faire aider?» Arturo me l'avait promis et le lendemain matin j'étais dans le bureau de Lynch, marchant sur mon orgueil. Je lui avais tout dévoilé d'Arturo. Ses troubles mentaux. Ses douleurs permanentes. Ses troubles de vision. Sa dépendance aux antidouleur. Ses problèmes de coke. Ses réflexions sur le monde de la boxe. Je n'avais rien oublié, et surtout pas ses idées suicidaires. «Mais le plus important, avais-je dit à Lynch, c'est qu'Arturo a accepté et même réclamé que tu lui trouves un professionnel à qui se confier.» Ce que m'avait répondu Lynch? Ceci, mot pour mot, et je ne l'oublierai jamais: *Non, non, il est correct, il vient juste de passer trois ou quatre jours sur la brosse, il est un peu déprimé, dans deux jours tout va être rentré dans l'ordre.* J'étais estomaqué, furieux, et j'avais quitté son bureau en lui rappelant à quel point il pouvait être *a piece of shit.* Je savais qu'Arturo allait continuer de souffrir, de maudire sa condition, et Lynch de s'enrichir.»

La deuxième personne, c'était le bon docteur Frank Rotella. Le 26 septembre 2005, peut-être dans une nouvelle tentative d'en finir avec la vie, Arturo avait été victime d'une surdose et s'était retrouvé au Christ Hospital de Jersey City. Pas une petite surdose : un membre du personnel de l'hôpital, sous le couvert de l'anonymat, avait téléphoné au Ringside Lounge pour informer Costa que « Gatti venait tout juste de rendre l'âme ». Costa avait alors cherché à joindre toute la garde rapprochée d'Arturo, d'abord sans succès, avant d'avoir enfin Lynch au téléphone, plus détaché que jamais. « Aucune inquiétude, avait tenu à préciser le gérant, Arturo est bien vivant et a juste été victime d'une mauvaise réaction à des antibiotiques. » La vérité était évidemment tout autre et c'était l'un des meilleurs amis d'Arturo, Joey Perrenod, qui nous l'avait confirmé : « Il s'agissait bel et bien d'une surdose. » Pour ceux qui seraient toutefois tentés d'en douter encore, voici des extraits du rapport de consultation rédigé ce jour-là par le docteur Nagesh Krish :

Nom : *Arturo Gatti*
Chambre : *9I-0007-A*
Médecin consultant : *Nagesh Krish*
Raison de la consultation : *changement d'état mental. Le patient est un homme de 33 ans qui a été retrouvé inanimé à son domicile par un ami. Il a été conduit à la salle d'urgence pour une évaluation plus approfondie. Historique de consommation d'alcool, de tabac et d'Ambien* (un sédatif-hypnotique utilisé pour traiter l'insomnie). *Selon son ami, le patient n'a jamais affiché de tels symptômes par le passé.*
Passé médical : *historique de chirurgie au coude droit en Californie.*
Statut social : *il est célibataire et boxeur professionnel.*
Examen neurologique : *le patient réagit à son prénom. Il obéit aux commandes. Pas de confusion droite-gauche. Il est léthargique.*
Conclusion : *le patient présentait une dysfonction cérébrale bilatérale, probablement consécutive à son overdose de drogue. La question de savoir pourquoi il a pris une surdose de médicaments est discutable.*
Examen toxicologique : *présence de cocaïne et niveau d'alcool de 252.0*
Recommandations : *1) Suppléments de Thiamine. 2) Nous allons surveiller le delirium tremens. 3) J'aimerais qu'il consulte un psychiatre. 4) Électroencéphalogramme. 5) Vérifiez son taux d'électrolytes.*
Je vais suivre le patient avec vous, Dr Rotella.

Sur le même sujet, Joey nous avait aussi appris qu'après que son beau-père se fut occupé de la convalescence d'Arturo, il avait cherché à sensibiliser Lynch aux graves problèmes personnels de son boxeur.

Malheureusement sans succès. «En ce qui concerne Arturo, avait dit Joey, Pat prenait toujours le parti de nier la réalité plutôt que d'y faire face.»

Enfin, le dernier homme à pouvoir confirmer les prétentions de Joe Gatti – et de bien d'autres – s'appelait John Rivera et était le père d'Erika, conjointe d'Arturo en 2005-2006 et mère de la petite Sofia Bella. C'était, peut-être, celui dont le témoignage était le plus bouleversant. Au cours des quelque 18 mois que sa fille avait partagés avec Arturo, John avait eu de nombreuses occasions de constater qu'Arturo éprouvait de sérieux problèmes personnels. C'est lui, notamment, qu'Arturo avait appelé alors qu'il se trouvait en pleine détresse psychologique, dans la période précédant le combat contre Mayweather. Arturo s'entraînait à Vero Beach, pleurait, disait vouloir quitter le camp d'entraînement et annuler le combat, ce qui avait contraint John à se rendre en Floride pour tenter d'y voir clair et lui remonter le moral. Cet épisode, couplé à bien d'autres, l'avait incité à s'intéresser d'encore plus près au sort d'Arturo. Il s'était mis à lire, par exemple, sur les dommages causés par les coups aux cerveaux des boxeurs et les effets qu'ils pouvaient avoir sur leur comportement. Et comme il le disait, quand il ajoutait à ces informations les problèmes d'alcool, de drogue et de médicaments d'Arturo, cela lui donnait un portrait global qui le faisait presque prendre le jeune homme en pitié.

Le plus grand souhait de John Rivera aurait été de bénéficier d'une intimité suffisante avec Arturo pour s'asseoir avec lui et tenter de l'aider. Pour toutes sortes de raisons, cela n'avait pas été le cas. «Je pense même, avait-il confié en octobre 2009, qu'Arturo pourrait être encore vivant si j'avais eu la chance d'avoir accès à son intimité. Parce qu'il aurait vu que mon intention était seulement de lui rendre service et non de profiter de lui.» À défaut d'avoir cette opportunité, John s'en était alors remis au type le plus intime dans la vie d'Arturo, Patrick Lynch. Comme Costa et Rotella, il avait lui aussi souhaité le mettre au parfum des ennuis de son boxeur, mais avait fait une plus grande découverte encore que dans ses lectures: Lynch était, selon ses termes, «une sangsue qui, loin de vouloir aider Arturo, tirait avantage de lui.»

« J'avais tenté à plusieurs reprises au cours de cette période de faire comprendre à Lynch que le comportement d'Arturo n'était pas normal, et chaque fois c'était comme si j'avais parlé à un mur. Parce que je n'avais pas l'occasion de le croiser, j'étais tenu de lui faire part de mes inquiétudes au téléphone et j'avais vraiment l'impression que ce que je lui disais entrait par une oreille et sortait par l'autre. Pour Lynch, il n'y avait pas de problème, tout était sous contrôle, tout allait dans le meilleur des mondes avec Arturo. Il était clair pour moi qu'il ne souhaitait entendre aucune note discordante à propos d'Arturo et je sentais que mon point de vue était loin d'être le bienvenu. Mais je ne pouvais pas m'empêcher de trouver ça extrêmement triste parce qu'Arturo avait visiblement besoin d'aide et la personne censée être là pour la lui procurer la lui refusait. Je l'avais très bien compris, Lynch ne voulait prendre aucune mesure susceptible de lui faire perdre la gérance d'Arturo. La dernière chose dont il avait envie, c'était de couper la main qui le nourrissait si bien. C'est ce qui me fait aujourd'hui affirmer que Lynch n'était certainement pas un père pour Arturo et qu'il avait avec lui une relation complètement vide. »

Et donc, pendant le règne de Hector Roca, tout continuait de bien aller dans la vie d'Arturo, Lynch répétait à Lou Duva et les autres qu'il n'y avait pas de problème, mais on ne pouvait pas dire que ses actions donnaient beaucoup de poids à ses propos. En réalité, Lynch ne savait plus quoi faire pour offrir à Roca un boxeur un tant soit peu opérationnel. Le départ du Gleason's et les changements de camp d'entraînement ayant donné peu de résultats, il avait ainsi tenté de discipliner Arturo en lui assignant pendant plusieurs années un chaperon doublé d'un garde du corps, le bien nommé John Capone ! Comme Luis Ocasio avant lui, Capone avait le physique de l'emploi, sauf qu'il n'était guère plus sain qu'Arturo et n'était pas non plus un gardien très efficace. « Arturo passait son temps à échapper à sa surveillance », avait confié Lou Duva. À l'occasion, Lynch avait toutefois la chance de compter sur un chaperon de réserve, Joe Gatti ! « Avant qu'on coupe les ponts lui et moi, Lynch me trouvait bien utile pour ça. Il m'appelait en plein cœur de la nuit pour me demander de partir à la recherche d'Arturo. C'était comme un roman d'espionnage, il me disait : *Je viens de le voir quitter, il a sauté dans une limousine bleue et il s'en va à New York, à tel endroit. Peux-tu le suivre?* Comme mes filles n'étaient pas encore nées, je partais alors avec ma femme, même si on travaillait tous les deux le lendemain matin, et j'allais ramasser mon frère à New York. Pendant que Pat allait se coucher.» En dépit de ses inattentions, John Capone avait malgré tout été bien utile. À cause de lui, il avait en effet été possible de connaître la véritable mesure de la condition physique d'Arturo sous Hector Roca. Capone l'avait révélée à Mario Costa, un jour qu'il s'était arrêté au Ringside Lounge: «Arturo n'a jamais été plus préparé qu'à 50 % ou 60 % de son potentiel, avait-il admis. Aucun doute, s'il avait été *clean*, il aurait tué tous ses adversaires!» Plus tard, au même endroit et en discutant avec le même homme, Arturo avait cependant exprimé son désaccord: «C'était même moins que ça. Je dirais que j'étais préparé à 35 ou 40 %. Pas plus.»

Forcément, comme avait dû le lui répéter Lou Duva, sa vie à l'extérieur des câbles avait influencé celle à l'intérieur et, entre 1993 et 1998, on avait graduellement vu son style se modifier. De boxeur-puncheur qu'il était jusque-là, avec des coups variés, un bon rebond dans les jambes et des déplacements coulants, il était devenu un bagarreur statique et unidimensionnel, cherchant presque essentiellement à s'imposer par sa puissance. Ses excès faisaient plus de tort à ses jambes qu'à ses poings, alors il composait dans le ring avec ce qui lui restait. En temps normal, ce changement aurait d'ailleurs dû lui valoir des critiques, mais il avait été chanceux. Ignorante de sa façon de vivre, la grande famille de la boxe s'était plutôt mise à tenir Roca responsable de la transformation, puisqu'il avait déjà la réputation de préférer les baroudeurs aux stylistes. On disait que Roca l'avait dépossédé de toutes ses qualités de boxeur et en avait fait un chat de ruelle pour plaire aux gros réseaux de télévision comme HBO. Effectivement, la mutation d'Arturo régalait les dirigeants du petit écran, et un type comme Lou DiBella, alors en charge de la boxe à HBO, disait être tombé en amour avec lui à cette période. Mais, parole de Roca, il n'y était pour rien et ce qu'il enseignait à Arturo aurait même dû faire en sorte de le rendre moins spectaculaire. «On m'a accusé d'avoir incité Arturo à se battre plutôt qu'à boxer et c'est complètement ridicule parce qu'en réalité, j'ai fait tout le contraire. J'ai mis énormément de soin et de temps à tenter d'améliorer sa défensive. Normal, toute la base de mon enseignement me vient d'un précepte que m'a appris dès le départ Angelo Dundee : la défensive te donne l'offensive. Si Arturo m'avait écouté, il serait donc devenu un bien meilleur boxeur défensif et il aurait été encore plus efficace à l'attaque. Et là on aurait eu raison de dire que je l'ai changé. »

***

Le Gleason's Gym avait originellement été ouvert en 1937 dans le Bronx par un chauffeur de taxi du nom de Bobby Gleason. Immigrant italien, Gleason s'appelait en fait Peter Robert Gagliardi, mais avait changé d'identité pour échapper au sentiment anti-italien qui grandissait aux États-Unis avec l'imminence de la Deuxième Guerre. Le choix de son patronyme n'avait toutefois pas été innocent et se voulait stratégique : Gleason était un nom irlandais et, à cette époque, la boxe était essentiellement vue comme un sport d'Irlandais. Pour 50 $ par mois, Gleason avait donc loué un local crapoteux mais ensoleillé au second étage d'un building sur Westchester Avenue, au coin de la 149e Rue. Il lui avait donné son nouveau nom et pendant 37 longues années, c'est en ces lieux qu'il avait accueilli, toujours impeccablement vêtu, le gratin de la boxe. En 1974, l'édifice qui abritait le club avait cependant changé de vocation et Gleason, alors âgé de 82 ans, avait dû lui trouver une nouvelle adresse. Il l'avait rouvert dans Manhattan, près du Madison Square Garden. Le changement n'avait pas affecté sa popularité, bien au contraire : la plupart du temps, les boxeurs qui allaient se battre au Garden décidaient de venir y préparer leur combat. Puis en 1981, à près de 90 ans, Bobby Gleason avait trépassé, mais son club séculaire lui avait survécu en héritage. Personne de la famille n'étant intéressé à le reprendre, il avait été acheté par un homme d'affaires et ancien boxeur amateur du nom d'Ira Becker, qui s'était plus tard associé au propriétaire actuel, Bruce Silverglade. Cherchant un moyen d'augmenter le nombre de licenciés, ce dernier avait convaincu Becker de désacraliser le Gleason's et d'en faire un lieu d'entraînement communautaire, ouvert à tout le monde. La décision avait donné de bons résultats, mais ailleurs qu'à Manhattan puisqu'en 1984, le club avait encore été forcé de déménager. Il avait cette fois abouti à sa localisation actuelle au 77, Front Street, à Brooklyn, où Silverglade le gère seul depuis la mort de Becker. Seul, mais toujours entouré de champions. Au cours des 25 dernières années se sont ajoutés aux grands noms de l'époque des boxeurs comme Zab Judah, Lonnie Bradley, Riddick Bowe, Floyd Mayweather, Iran Barkley, Oleg Maskaev, Vivian Harris et Paulie Malignaggi.

Au milieu des années 1990, à tous les champions s'entraînant déjà sur place, il fallait par ailleurs ajouter quelques-uns des meilleurs super-plumes du moment, des boxeurs comme Junior Jones, Kevin Kelley et Tom «Boom Boom» Johnson qui offraient à Arturo une qualité d'entraînement qu'il n'aurait évidemment pu retrouver au Costello's Gym. Celui qui avait toutefois contribué le plus à le faire progresser avait été l'autre protégé de Hector Roca, Regilio Tuur. Pendant une longue période, le Néerlandais avait servi de partenaire d'entraînement attitré à Arturo et Roca y voyait la principale raison de son amélioration. «À toutes les fois que Tuur préparait un combat, il le faisait avec Arturo. Peu importe où nous allions nous battre, aux Pays-Bas, aux États-Unis ou en France, je traînais Arturo avec nous. Au contact de Tuur, un boxeur complet qui cognait particulièrement dur, sa progression a été si rapide qu'à un certain moment, j'ai dû inverser les rôles et lui dire de se retenir, de ménager mon champion.» Comme pour être bien certain de ne pas voir ses relations avec Roca s'harmoniser, Panama Lewis avait cependant affirmé qu'Arturo n'avait tiré aucun bénéfice de son travail avec Tuur et qu'il avait même été dangereux de le faire croiser les gants si longtemps avec un tel cogneur. Mais à court terme, les faits parlaient en la faveur de Roca.

Après leur rencontre aux Pays-Bas, Arturo avait en effet enchaîné avec une séquence de neuf victoires en l'espace de 12 mois qui avaient beaucoup retenu l'attention. Cela avait d'abord commencé avec la première, dans un gala présenté à Newark où Joe faisait la finale. À ce moment, Arturo était encore présenté dans les journaux comme «le frère de Joe», mais aux yeux de certains, ce combat avait fait la preuve qu'il était temps d'inverser les rôles. C'est Gabe LaConte, le promoteur de la soirée, qui avait raconté l'anecdote: après la victoire par K.-O.T. d'Arturo, l'ancien aspirant mondial Bobby Czyz s'était tourné vers lui et lui avait dit: «Gabe, je pense qu'ils sont en train de monter le mauvais Gatti!» Les résultats suivants d'Arturo ne lui avaient certainement pas donné tort et à la fin de l'année 1993, il avait été nommé le boxeur professionnel par excellence par les membres du Temple de la renommée du New Jersey. Son palmarès s'établissait alors à 14 victoires et une défaite, et sa série de succès lui avait permis de se positionner avantageusement au classement des super-plumes de la USBA. Hector Roca avait donc jugé l'occasion idéale pour en apprendre davantage sur lui et, au milieu de l'année 1994, il avait consenti à l'impliquer dans un combat pour le titre national contre un boxeur de Mobile, en Alabama, Pete Talieferro. «Il vient un moment dans la carrière d'un boxeur, expliquait Roca, où son entraîneur doit savoir ce qu'il a dans le ventre, quel est réellement son potentiel. Pour moi, le combat contre Talieferro était celui que j'avais choisi pour avoir réponse à mes questions. Talieferro avait une bonne fiche *(25-2)*, une bonne réputation *(il n'avait jamais visité le plancher)* et c'était vraiment un test que j'avais présenté à Arturo. Mais j'étais néanmoins persuadé qu'il allait le passer haut la main.» Pour Patrick Lynch, ce n'était guère différent. Ce combat représentait entre autres une bonne occasion de vérifier si son ex-boxeur Al Cole lui avait dit vrai à propos des aptitudes d'Arturo à devenir champion. Depuis le faux pas contre King Solomon, sa carrière allait bien, mais ses adversaires avaient été pour la plupart déqualifiés et pour Lynch aussi il était enfin temps de savoir. Comme il l'avait révélé en juin 2000 au *Jersey Journal*, il voyait deux éventualités à un test semblable présenté à la télévision (cette fois-là au réseau USA Network): «Soit tu étais projeté sous les réflecteurs, soit tu te mettais à chercher un autre emploi.»

Pour Arturo, cela avait été les réflecteurs, encore que pas longtemps. Juste avant la finale entre Buddy McGirt et Kevin Pompey, il s'était débarrassé de Talieferro en moins d'un round et lui avait ravi le titre américain des super-plumes, au grand plaisir des 5 000 spectateurs qui emplissaient le Meadowlands Convention Center de Secaucus. «Je pensais que, pour un champion, il aurait un menton plus solide», avait-il confié au quotidien *The Record*. « Ce doit être que je cogne dur. » Au-delà de lui éviter d'avoir à se chercher un nouveau boulot, sa victoire avait été importante pour améliorer son classement à la IBF puisque cette fédération était liée à celle de la USBA. Avant de quitter le journaliste du *Record*, il lui avait donc fait part de ses ambitions, non sans avoir avant encensé tout son entourage. « Quand tu travailles avec les meilleurs, tu deviens le meilleur, avait-il affirmé. J'ai 22 ans et maintenant 18 combats pros. Quand j'en aurai 25, je vais me battre pour un titre mondial. Peut-être l'année prochaine. »

Dans l'immédiat, Arturo avait cependant trouvé à s'occuper avec son nouveau titre national. En l'espace de trois mois, il l'avait ainsi défendu à deux reprises, d'abord contre Richard Salazar au Blue Horizon de Philadelphie, ensuite contre l'ex-champion IBF Jose Sanabria, à Secaucus. De la première défense, il y avait peu à retenir, sinon qu'Arturo avait atteint pour la première fois le 10e round (victoire par arrêt de l'arbitre), contre un adversaire que Regilio Tuur avait battu en moins de trois deux ans plus tôt. Sa deuxième défense de titre, à l'inverse, méritait amplement qu'on s'y arrête. Elle avait été périlleuse, éprouvante, spectaculaire par moments, et extrêmement formatrice. Jose Sanabria était un très bon boxeur, expérimenté, habile à boxer à reculons, qui frappait avec des coups peu puissants mais courts. Il devait être aussi très apprécié puisqu'on disait que ce combat-là avait été le dernier dans la carrière d'Arturo où les amateurs du New Jersey avaient été partagés entre lui et un adversaire. À l'époque, Arturo courait d'ailleurs encore après la reconnaissance du public de la région et, pour l'enjôler, il montait sur le ring avec un maillot des Devils identifié à son nom. Au terme de l'affrontement contre Sanabria, il avait toutefois pu le ranger, sa performance avait parlé pour lui.

Sur l'ensemble du combat, Arturo avait fort bien boxé. Il avait été bon à l'attaque, plus efficace que spectaculaire, choisissant ses moments pour porter ses coups et recommençant aussitôt à se déplacer. Certains échanges avaient néanmoins été furieux et fait bondir les spectateurs, mais la plupart des rounds n'avaient pas été si excitants parce qu'Arturo avait trop excellé à mettre en pratique la règle première de la boxe, toucher sans être touché. Pour dire à quel point il n'avait pas ressemblé au Arturo Gatti que tout le monde connaît, il y avait même eu un moment où Sanabria, las d'avoir à le pourchasser, lui avait demandé de cesser de se pousser et de se battre! Mais ses efforts avaient eu un prix et quand la fatigue s'était installée à mi-combat, Sanabria lui avait fait vivre de pénibles moments. Au bas du ring, avait rapporté le *Jersey Journal*, cela avait inquiété Joe et la sécurité avait dû le retenir alors qu'il cherchait à se rendre dans le coin de son frère pour l'encourager. Ces frayeurs passées, Arturo était malgré tout parvenu à tenir le coup et à finir le combat comme il l'avait entrepris, en bougeant sans arrêt. Sur les bulletins des juges, tous unanimes en sa faveur, sa victoire n'avait fait aucun doute, même si Joe avait eu raison de craindre pour lui. «Arturo était si éprouvé après le combat qu'il avait été incapable de retourner au vestiaire par lui-même. Il n'arrivait plus à se tenir debout et j'avais dû le porter dans mes bras, du ring au vestiaire. Sanabria pouvait dire mission accomplie, il l'avait complètement vidé.»

Quatrième à l'IBF avant le combat, Arturo avait ensuite laissé sa ceinture américaine en déshérence pour se concentrer à la chasse au titre mondial. À son retour sur les rings, il avait signé deux rapides victoires par knock-out au 1er round et s'était retrouvé, deux ans après le début de sa collaboration avec Hector Roca, dans une position presque inespérée: premier aspirant mondial. Il avait alors pu en avoir la certitude, le combat auquel il rêvait depuis qu'il était gamin allait bientôt se matérialiser. Tout ce qu'il avait à faire était d'afficher un peu de patience et de continuer à gagner en attendant l'appel de son gérant. Désireux de rester actif, il avait donc accepté la proposition du promoteur Russell Peltz pour affronter le Montréalais et champion canadien Barrington Francis, le 13 juillet 1995, à Atlantic City. Mais le combat avait bien failli ne pas avoir lieu. Quatre jours avant, la grande nouvelle qu'il attendait était en effet venue changer les plans de tout le monde: Main Events lui avait offert son premier combat de championnat du monde, en décembre, contre le tout nouveau champion, Tracy Harris Patterson. Le 9 juillet, dans un combat disputé à Las Vegas, Patterson avait arraché le titre au gaucher invaincu Eddie Hopson, protégé de Main Events, et la firme du New Jersey s'était retrouvée avec les droits promotionnels des trois affrontements suivants du nouveau champion des super-plumes. Elle n'avait pas cogité longtemps et avait tout de suite décidé d'offrir la première défense de Patterson à son *darling*, Arturo Gatti. Pour éviter une blessure ou une défaite, Main Events avait alors décidé d'annuler l'affrontement contre Francis, mais comme l'avait rapporté le *Ring Magazine*, Russell Peltz ne l'avait pas trouvé très drôle. Gatti-Francis constituait la finale de sa réunion et devait de surcroît être présenté à la télévision. «Dino Duva m'avait appelé pour m'annoncer le retrait d'Arturo et j'avais pété les plombs, avait raconté Peltz. *De quoi tu parles?* lui avais-je dit. *Francis ne va pas donner de problème à Arturo, voyons donc! Nous ne pouvons pas courir de risque,* m'avait répondu Dino. *On ne sait jamais, ce pourrait être un combat difficile.* J'avais ensuite laissé des messages à Pat Lynch. *Pat, tu ne peux pas me faire ça, s'il vous plaît, rappelle-moi.* Puis j'avais recontacté Dino, encore furieux, et à la toute fin, juste avant de raccrocher, il m'avait dit: *Je vais te le dire tout de suite, si Gatti perd ce combat, je ne te reparlerai plus jamais!*»

Pas de nature à crouler sous la pression, Arturo n'avait pas mis fin à la relation entre Duva et Peltz, mais sa victoire avait été loin d'être aisée. Il avait gagné par arrêt de l'arbitre au 6e round, tout en prenant de bons coups au passage et en donnant des sueurs froides à tout le monde. «J'avais regardé le combat aux côtés de Lynch, avait confié Russell Peltz, et nous avions été épouvantablement nerveux du début à la fin. Après le combat, Arturo m'avait demandé si l'arrêt de l'arbitre était justifié et j'avais été honnête, je lui avais dit qu'il avait peut-être été prématuré *(Arthur Mercante Senior avait stoppé Francis alors qu'il semblait encore solide sur ses jambes, provoquant le mécontentement d'une partie de la foule)*. Mais il y a des moments dans une carrière où un boxeur a besoin d'un coup de pouce et je pense que, ce jour-là, Arturo a tout simplement reçu celui qu'il méritait.»

Après, il n'y avait plus eu d'obstacle au championnat du monde et Arturo avait pu donner rendez-vous à Tracy Harris Patterson pour le 15 décembre 1995, dans le ring du Madison Square Garden de New York.

***

Floyd Patterson avait réalisé deux grands exploits au cours de sa brillante carrière de 20 ans. En 1956, à l'âge de 21 ans, il était d'abord devenu le plus jeune champion poids lourd de l'histoire en passant le knock-out au vétéran Archie Moore. Son record de précocité a tenu 30 ans et n'a été battu que par Mike Tyson, sacré pour sa part à l'âge de 20 ans. Puis, en 1960, il avait été le premier à gagner le titre une deuxième fois en vertu d'une victoire sur le Suédois Ingemar Johansson. Pourtant, malgré ces deux faits d'armes et bien d'autres succès, le membre du Temple de la renommée n'avait jamais pris la grosse tête et son attitude en avait fait l'un des boxeurs les plus appréciés de son époque. Il avait été un champion comme il s'en fait trop peu aujourd'hui, modeste, à son affaire, qui donnait le spectacle au seul endroit où cela comptait, dans le ring. Très courageux, il n'avait jamais craint de se frotter aux meilleurs, souvent au mépris de sa sécurité et des objections de son entourage. Il avait notamment affronté Liston et Ali deux fois, en dépit de sa faible capacité à encaisser les coups. Liston l'avait d'ailleurs battu deux fois de suite par K.-O au 1er round et il lui était même déjà arrivé de visiter le plancher sept fois au cours d'un combat, ce qui lui avait inspiré la répartie suivante : « On dit que je suis celui qui est tombé le plus souvent, mais cela veut aussi dire que je suis celui qui s'est relevé le plus de fois... »

Paradoxalement, même s'il avait cherché à faire le contraire, Patterson avait peut-être laissé de meilleurs souvenirs encore par sa vie à l'extérieur des câbles. Doté d'une rare humanité, il avait, par exemple, été décoré par le président John F. Kennedy pour avoir été un modèle exemplaire dans la société. Marqué par sa jeunesse difficile dans l'un des pires ghettos de Brooklyn, il avait décidé à la fin de sa carrière de mettre son humanité au service des gens d'une petite ville du nord du New Jersey, New Paltz. C'est là que son destin avait croisé celui d'un jeune gamin du nom de Tracy Harris. Pour soustraire les mômes à l'enfance qu'il avait connue, Floyd avait ouvert un gymnase et, à l'âge de 11 ans, le petit Tracy avait commencé à s'y entraîner. Effrayé au départ de ne voir que des boxeurs plus vieux et plus gros que lui, il avait trouvé en Floyd le plus rassurant des protecteurs. Rapidement, l'ancien champion des poids lourds l'avait pris sous sa coupe et dans la plus pure tradition des entraîneurs de la vieille école, lui avait enseigné bien plus que la boxe.

À 14 ans, leur relation était devenue si étroite que Tracy, déjà extrêmement mature, n'avait pas voulu y mettre fin. Quand sa mère lui avait annoncé qu'elle partait vivre en Alabama, il lui avait dit que ce serait malheureusement sans lui, que la qualité de son encadrement avec Floyd était trop bonne pour s'en priver. La mère de Tracy avait alors demandé à Floyd s'il acceptait de se porter garant de son fils, il avait acquiescé et signé les papiers nécessaires. Les années suivantes, Tracy avait donc occupé avec quelques autres boxeurs un appartement contigu au gymnase, tout en prenant plusieurs de ses repas chez son entraîneur. Les liens entre les deux s'étaient encore raffermis et la voie naturelle des choses avait fait que Floyd était plus tard devenu, officiellement, son père adoptif. Tracy Harris n'était plus, il fallait maintenant faire place à Tracy Harris Patterson. Sous la tutelle de son père-entraîneur, Tracy avait ensuite connu une très bonne carrière amateur et fait le saut chez les pros en 1985. Floyd portait alors la double casquette de coach et manager, et Tracy avait engagé le réputé Johnny Bos (ex-manager de Joey Gamache et de bien d'autres) comme *matchmaker*. Sept ans après les débuts pros de Tracy, le trio avait connu une grande ivresse : en battant le Français Thierry Jacob par knock-out au 2ème round, Tracy avait mis la main sur le titre WBC des super-coqs. Sa réussite avait encore permis à son père de montrer quel genre d'homme il était : après le combat, Floyd avait déclaré que le moment l'avait rendu plus fier, plus heureux et plus excité que ses propres exploits sur le ring, pourtant infiniment plus grands !

En temps normal, le deuxième titre mondial obtenu par Tracy contre Eddie Hopson et qu'il remettait en jeu contre Arturo aurait donc dû procurer les mêmes sensations à Floyd. Hélas, puisque la boxe avait vraiment le chic pour les conflits familiaux, cela n'avait pas été le cas. Quelques mois auparavant, Tracy et Floyd avaient eu un désaccord et mis fin à leur relation professionnelle. Ils avaient cessé de se parler et Tracy avait alors formé une toute nouvelle équipe avec le gérant Marc Roberts, l'entraîneur Tommy Parks et le préparateur physique Matt Howard, que l'on verrait un temps aux côtés d'Arturo. Floyd n'était pas non plus resté longtemps les bras croisés puisque le Gouverneur de New York, George Pataki, avait reconnu son apport exceptionnel à la boxe et l'avait nommé à la tête de la Commission athlétique de New York. Oui, exactement là où avait lieu le combat Gatti-Patterson! Ce qui aurait pu être en d'autres circonstances un scénario de rêve, le fils défendant son titre au Madison Square Garden avec son père au parterre supervisant l'événement, s'était donc plutôt transformé en cauchemar. Les deux hommes avaient vécu les préparatifs du combat en s'ignorant totalement et l'état de leur relation avait beaucoup fait jaser. «La situation était terriblement perturbante», avait reconnu Tracy en octobre 2009. «Surtout une fois rendu sur le ring. Je m'apprêtais à disputer un combat de championnat du monde, et j'avais mon père assis à deux pieds de moi avec lequel j'étais en froid depuis plusieurs mois. Honnêtement, j'avais eu bien du mal à me concentrer sur Arturo...»

D'un autre côté, même avec son père dans la dernière rangée du Madison Square Garden, il aurait été bien difficile pour Tracy de l'oublier. Dans les faits, s'il se retrouvait impliqué dans un combat contre Arturo Gatti à New York, c'était beaucoup en raison de l'héritage que Floyd lui avait transmis. Au moment où Main Events lui avait offert de procéder à la première défense de son titre contre Arturo, il n'était en effet nullement tenu d'accepter. Il aurait pu d'abord livrer une, voire deux défenses optionnelles contre des challengers moins dangereux pour monnayer son titre et attendre que l'IBF lui impose de se mesurer à l'aspirant numéro un. À la place, il avait démontré être un vrai Patterson et consenti lui aussi à se frotter au meilleur homme de la catégorie. «Quand Main Events m'avait proposé d'affronter Arturo, j'avais tout de suite trouvé que c'était une excellente idée. Je me disais: à quoi bon tourner autour de lui puisque, de toute façon, je vais devoir lui faire face tôt ou tard. Je préférais vider la question rapidement, d'autant plus que les circonstances – mise à part la présence de mon père – étaient intéressantes. Le combat était présenté sur HBO, au Madison Square Garden, et l'un comme l'autre m'assuraient de beaucoup de visibilité. La seule raison pour laquelle j'aurais pu refuser l'affrontement, c'est qu'il avait été aussi question que je sois l'adversaire de De La Hoya et que ma bourse serait alors passée de 175 000 $ à 375 000 $...»

Pour le grand retour, après deux ans et demi d'absence de la boxe au Madison Square Garden, les organisateurs avaient effectivement appâté les amateurs avec les débuts new-yorkais de De La Hoya, alors la jeune sensation du monde de la boxe. Pour lui donner la réplique, ils avaient finalement opté pour Jesse James Leija, un bon boxeur mais que personne ne considérait du même niveau que le *Golden Boy*. Du coup, cela avait fait dire aux observateurs que la véritable finale de la soirée du 15 décembre 1995 allait être le combat Gatti-Patterson.

Sur papier, le choc était très indécis. Avec un palmarès de 53-3-1, Patterson était évidemment le plus expérimenté des deux hommes, mais il avait aussi bien d'autres qualités. C'était un boxeur extrêmement fort physiquement, complet, qui était capable de cogner avec autorité comme sa conquête du titre l'avait démontré (K.-O au 2ème round). De l'avis général, la vraie puissance était toutefois du côté d'Arturo et elle lui permettait de tenir toutes ses chances. Il avait jusqu'alors abrégé 19 combats sur 23, de sorte qu'il était attendu au MSG pour venir confirmer une fois de plus son surnom de *Thunder*. Tracy le premier, qui avait été vu en éclaireur à certains combats d'Arturo, s'attendait d'ailleurs à voir devant lui un boxeur résolu à aller au casse-pipe. Mais, au camp d'entraînement de Virginia Beach, l'entraîneur d'Arturo avait décidé de lui réserver une bien vilaine surprise. Là-bas, Hector Roca avait estimé que vaincre Patterson ne passait pas par la bagarre et il avait dépoussiéré le Arturo styliste, danseur, le Arturo «mini Davey Hilton» qui avait déjà fait merveille quelques fois. Il l'avait tenu propre comme un sou neuf pendant des semaines et le soir du combat, il l'avait drapé dans un chic peignoir blanc, presque un smoking, comme pour qu'il n'oublie pas que la stratégie avait plus à voir avec l'élégance que la férocité.

Mais c'était aussi une tenue bien de saison en regard de ce que signifiait l'événement pour Arturo. Ce premier combat de championnat du monde avait pour lui valeur de grande soirée et pour l'une des rares fois dans sa carrière, il était très tendu. Voilà maintenant une quinzaine d'années qu'il se gorgeait d'une idée, qu'il la répétait à tout le monde *«I'm gonna be a champion»*, que ses amis se la répétaient entre eux, *«il va être champion du monde»*, et le temps était désormais venu de livrer la marchandise. Une bonne partie des gens de Montréal à qui il avait cassé les oreilles avec son rêve semblait d'ailleurs l'avoir pris au mot et s'était donné rendez-vous au MSG. On disait que le célèbre aréna représentait la Mecque de la boxe et cela avait effectivement l'air d'un pèlerinage. Pour se mêler à la foule new-yorkaise, il y avait des amis, des coéquipiers du Club Olympique, son ancien entraîneur Dave Campanile et, bien sûr, beaucoup de membres de sa famille. Joe, notamment, y était et ne risquait pas de déranger la concentration d'Arturo comme Tracy avec son père: quelqu'un avait eu la brillante idée de le placer au sommet du Garden, comme pour lui donner un avant-goût de la distance qu'il y aurait entre son frère et lui dans la nouvelle ère post-championnat du monde. Des amateurs de boxe le reconnaissaient, lui demandaient ce qu'il faisait si haut perché et c'étaient toujours les mêmes mensonges: «Je suis trop nerveux pour être près du ring, le moment est trop gros, je ne pourrais pas supporter…» De toute façon, dans les balcons ou à l'orchestre, Joe disait être sûr d'être bien présent dans l'esprit d'Arturo. «Durant toute sa carrière, j'avais représenté la carotte après laquelle il courait et sa chance était enfin arrivée de passer devant et de devenir le leader…»

En quittant le couloir du vestiaire pour pénétrer dans l'enceinte du Garden, Arturo avait d'ailleurs donné l'impression que l'attente avait assez duré et il avait accéléré le pas. «Impatient d'arriver à la gloire», avait-on aussi dit de lui. S'il avait su ce qu'elle ferait à sa vie, probable qu'il aurait rebroussé chemin. Pour plusieurs de ses proches, le titre des super-plumes qu'il s'apprêtait à enlever à Tracy Harris Patterson était en effet l'un des trucs qui lui avait fait le plus de tort. Après cela, il n'avait pas su faire comme Floyd Patterson et garder les pieds sur terre, et la célébrité avait exacerbé sa conduite déjà désordonnée. Vraiment, pour son bien, il aurait fallu que Tracy garde sa couronne, comme Terry Norris avait gardé la sienne contre Joe en 1993. «Dans un sens la meilleure chose qui me soit arrivée, avait confié Joe. Au combat suivant, je me serais battu pour 750 000 $ et qui sait comment j'aurais alors réagi ? De ce que je sais de moi, des gênes que je partageais avec Arturo, j'ai envie de dire qu'il me serait arrivé la même chose que lui. J'aurais perdu la tête et plongé plus bas que je ne l'avais jamais été. C'est pour cette raison qu'aujourd'hui, si quelqu'un m'offrait la possibilité de revenir en arrière, qu'il me disait *je te fais gagner le combat contre Norris mais tu dois renoncer à la vie que tu as eue à la place, avec ta femme et tes deux filles*, je dirais non merci… »

Vraiment, le plus grand service que Tracy aurait pu rendre à Arturo aurait été de conserver son titre mondial. Dans les circonstances, avec ses problèmes familiaux, il s'y était employé autant que possible et avait même cru y être parvenu à la fin du combat. Mais la vérité est qu'Arturo avait été juste trop bon et qu'il méritait de gagner.

Pendant les six ou sept premiers rounds, il avait presque paru seul dans le ring. À la fin de l'année, les chroniqueurs de boxe des États-Unis avaient jugé le combat Gatti-Patterson comme le meilleur de l'année sur la scène nationale, mais ce n'était certainement pas pour sa première moitié. Elle avait été monocorde, obéissant toujours au même script : Arturo tournait autour de Tracy en lui pistonnant sans arrêt son direct du gauche. Il ne marquait pas toujours en raison des qualités défensives du champion, mais il était de loin le plus engagé des deux boxeurs. Sa plus grande activité empêchait Tracy de construire ses attaques et le tenait continuellement à distance. À chaque round, il était celui qui dictait le rythme du combat. Au 2ème, il avait ainsi laissé Tracy empiéter sur son territoire, mais seulement pour le cueillir d'un court uppercut du droit qui l'avait expédié au sol. Tracy nous avait confié ne pas avoir été ébranlé, ce qui était le cas, mais son explication d'avoir été frappé alors qu'il se trouvait hors d'équilibre n'était pas recevable. Le temps d'un bref instant, la puissance d'Arturo avait fait son œuvre et ce knock-down avait eu pour effet d'accentuer encore davantage son avance aux points. Sitôt Patterson relevé, il était toutefois retourné à sa boxe toute contenue, sans esbroufe, comme s'il avait eu peur que sa réputation de cogneur rejette dans l'ombre la démonstration de boxe qu'il était venu livrer. Et comme lors du combat contre

Sanabria, il y avait eu des moments qui paraissent aujourd'hui incroyables. Aux 5ème et 6ème rounds, par exemple, un spectacle qui incluait Arturo Gatti avait été sifflé ! L'exigeante foule du MSG s'était lassée de la domination technique d'Arturo et avait exigé plus d'action. Mais en toute honnêteté, c'était surtout le gentil Tracy qu'il fallait blâmer pour l'absence d'artifices. Il avait connu quelques bonnes séquences en passant notamment son direct du droit par-dessus le jab d'Arturo, mais il avait dans l'ensemble été bien trop attentiste et n'avait jamais obligé son adversaire à sortir de sa zone de confort. Il avait vraiment paru affecté par le conflit avec son père, qui n'avait pas dû non plus reconnaître le boxeur qu'il avait formé. Certes, comme il nous l'avait dit, la stratégie d'Arturo de boxer plutôt que de se bagarrer l'avait dérouté, mais il avait donné l'impression de s'ajuster bien trop tardivement.

Au cours des 7ème, 8ème et 9ème rounds, le combat avait été plus équilibré, mais Arturo avait semblé capable d'en faire toujours un peu plus que Tracy pour lui valoir la faveur des juges. Sa performance n'était pas étincelante, elle était simplement efficace. Il continuait d'embêter le champion avec son jab et, comme Roca le lui avait demandé à Virginia Beach, il enchaînait à l'occasion avec son direct du droit et son crochet du gauche. Ce que l'on appelle la base de la boxe et rien de plus. Il était vivant sur ses jambes, feintait, bougeait le corps et la tête pour éviter d'être frappé, bref, il était à livrer ce qui resterait pour plusieurs son plus beau combat en carrière. À la 10ème reprise, la physionomie du combat avait toutefois changé et la sienne aussi. Pendant la dernière minute, notamment, Tracy était enfin sorti de sa réserve et il l'avait atteint plusieurs fois solidement, lui causant deux importantes enflures sous les yeux. Pour se défendre, il avait fait comme les super-héros et revêtu ses habits de *Thunder* et cela lui avait valu une semonce de Roca à son retour dans son coin. L'entraîneur lui avait dit qu'il n'avait pas à s'exposer autant, que son avance était importante et il l'avait enjoint à plus de prudence.

Les deux derniers rounds, ceux que l'on appelle les «rounds de championnat», Arturo avait ensuite admis les avoir livrés en ne voyant plus du tout. Ses pommettes maintenant violacées avaient trop gonflé et Tracy en avait alors profité pour jouer son va-tout. Arturo avait eu beau écouter Roca et tenter d'écouler le temps en se déplaçant, le champion l'avait pourchassé et malmené. Vers la fin du 12ème round, le commentateur de HBO, Jim Lampley, avait même évoqué la fin dramatique du combat Chavez-Taylor quand ce dernier, en avance aux points, avait été stoppé alors qu'il ne restait que deux secondes au cadran. Mais Arturo avait tenu bon et quand la cloche s'était fait entendre, il savait déjà qu'il allait vivre le plus grand moment de sa carrière. Il avait grimpé aux câbles et levé ses bras au ciel, avant d'être rejoint par ses hommes de coin. Cette fois, c'était vrai, l'attente qui durait depuis une quinzaine d'années touchait à son terme.

Il était revenu au célèbre Michael Buffer d'annoncer son couronnement et ce n'était que justice, c'est lui qu'il imitait quand il allait répondre à la porte de la maison familiale à Montréal. L'annonceur avait commencé par donner le pointage des juges, 115-112, 114-113 et 116-111, tous en sa faveur. Puis Buffer était entré dans le club sélect de ceux qui, comme Giovanni Gatti et Christian Santos, l'avaient tant répété depuis une quinzaine d'années et il avait à son tour prononcé les mots magiques: *«...for the winner and NEW junior lightweight champion of the world, Ar-tu-ro Thun-der Gat-ti...»*

Sitôt, dans une scène émouvante, Arturo avait poussé un retentissant cri de délivrance pendant que Patrick Lynch l'arrachait au sol et le soulevait dans ses bras. Sûr que le manager ne pensait alors pas aux conséquences financières de cette victoire, mais on les lui avait rappelées bien vite. Dans la soirée, le promoteur du New Jersey Gabe LaConte lui avait passé un coup de fil et son message n'était pas tombé dans l'oreille d'un sourd: «Mon homme, tu as un boxeur de un million de dollars entre les mains...»

Dans le coin opposé, Tracy avait mal encaissé la décision. À son avis, il avait notamment gagné les cinq derniers rounds – en réalité, les trois juges lui avaient accordé les trois derniers – et s'il n'avait pas été plus actif, c'était justement parce qu'il s'était cru en avance dans le pointage. Si Arturo avait fini le combat les yeux occlus, ce devait bien être parce qu'il l'avait frappé souvent! Encore aujourd'hui, il reste d'ailleurs convaincu qu'il n'aurait pas dû être dépossédé de son titre ce soir-là. «Pour moi, Arturo ne s'était pas battu en champion, il n'en avait pas fait assez pour devenir champion du monde. Oui, il avait bien boxé, mais il avait fui le combat et ce n'est habituellement pas une façon de détrôner le tenant du titre. Sa performance avait été spectaculaire, il avait beaucoup dansé et donné un bon show pour la télé, mais je persiste à dire que j'avais été plus efficace que lui. Seulement, pour la business, je comprends que sa victoire était la bienvenue. Avec sa belle gueule, son style, la boxe avait besoin de lui et il valait mieux qu'il gagne. C'est l'une des nombreuses choses que mon père m'avait enseignées, comment marchait la business de la boxe et pourquoi il se prenait parfois des décisions injustes...» Pour le bien que la victoire d'Arturo avait fait à l'industrie, Tracy disait probablement vrai, mais à la fin du combat, il y avait quand même eu une réalité que les juges n'avaient pu oublier: Tracy avait donné 553 coups, soit...310 de moins qu'Arturo!

Avant de pouvoir réellement jouir de son accomplissement, Arturo avait toutefois dû affronter une autre controverse. Dans les jours suivant le combat, la IBF avait en effet reçu une lettre signée d'un «amateur de boxe» qui exigeait que sa victoire lui soit retirée parce qu'il avait boxé avec une plaque d'acier dans le poing droit! Il avait alors expliqué aux dirigeants avoir subi une opération en 1991 au cours de laquelle on lui avait inséré une vis dans la main, mais qu'elle avait ensuite été retirée. Puis, il les avait laissés avec un trait d'humour bien de son cru: «De toute façon, j'ai contrôlé tout le combat avec ma gauche...»

L'esprit enfin en paix, il était retourné à Montréal pour célébrer avec sa famille et ses amis son premier Noël à titre de champion du monde. Ce qui lui avait particulièrement fait chaud au cœur, c'est que tous les vieux amis de son défunt père s'étaient présentés à la maison pour le féliciter. «Ils n'avaient qu'une phrase à la bouche, avait-il raconté au *New York Times*, et c'était: *Imagine ça, le fils de Giovanni a réussi à le faire...*»

Pour eux, «réussi à le faire» voulait dire être devenu champion du monde.

Pour lui, «réussi à le faire» voulait dire avoir prouvé que le champion de la famille, ce n'était pas Joe.

Malheureusement, c'était trop tard pour que Giovanni ait pu en être témoin. «Arturo a beaucoup pleuré après sa conquête du titre», avait confié son ami Sergio Gennarelli. «Il avait de la peine que son père n'ait pas vécu ce moment avec lui, mais il se consolait en disant: *Je sais qu'il me regarde de là-haut…*»

Chapitre six

1998, la descente aux enfers

Le 1er octobre 1975, la chaîne HBO avait inauguré une nouvelle ère de transmission satellite en diffusant de Manille, aux Philippines, le légendaire « Thrilla in Manila » entre Muhammad Ali et Joe Frazier. La présentation du dernier volet de la trilogie entre les deux boxeurs avait eu un impact instantané : en l'espace d'un an, le nombre d'abonnés de HBO était passé de 15 000 à presque 300 000 et la notoriété de la chaîne avait fait un bond spectaculaire partout au pays. Au moyen d'un seul événement, la boxe avait ainsi révélé son grand pouvoir attractif et s'était justifiée auprès des patrons de l'entreprise.

Après la spectaculaire poussée provoquée par ce combat, le sport avait toutefois cessé d'être aussi profitable à HBO et la chaîne était même venue à un cheveu de faire disparaître le département. En 1978, les dirigeants avaient tout de même tenté de le relancer en le confiant à un jeune candidat intéressant du nom de Seth Abraham. Tout frais sorti des bureaux du baseball majeur où il travaillait dans la publicité, Abraham avait alors peut-être pris la plus importante décision de l'histoire de la chaîne : désormais, il n'y aurait pratiquement plus qu'un seul sport sur les ondes de HBO, et ce serait la boxe.

Repensant à une toute nouvelle façon de présenter la *douce science des coups* au petit écran, Abraham avait alors convenu de dépoussiérer le genre. Il avait placé la boxe aux heures de grande écoute, habillé ses commentateurs avec des smokings, installé des caméras un peu partout autour du ring pour compiler des statistiques plus détaillées, et présenté des portraits humains des boxeurs pour les rendre plus attachants. Mais par-dessus tout, il avait convaincu ses patrons de délier leur bourse pour que la chaîne puisse mettre sous contrat les meilleurs boxeurs. Résolu à mettre la main sur une vedette capable de vendre à la fois des combats et la marque de commerce HBO, il avait ainsi engagé en 1980 «Marvelous» Marvin Hagler. Le coûteux investissement avait été initialement mis en doute par ses patrons, mais il avait fini par les rendre heureux: les cotes d'écoute des combats de Hagler étaient de beaucoup supérieures à celles des films, pourtant la spécialité de la chaîne!

Dans les années suivantes, HBO avait cependant dû faire face à plus de compétition – notamment de Showtime – et sa base d'abonnés avait stagné autour de 15 millions. Pour aider la chaîne à franchir ce cap, Seth Abraham avait alors réalisé l'une de ses plus grosses prises en carrière. Il avait paraphé une entente avec le jeune Mike Tyson, pas encore champion à ce moment mais déjà immensément populaire. Le coup avait eu un impact immédiat sur les audiences et au moment du départ d'Abraham, promu à un échelon supérieur à la fin des années 1980, la boxe était donc en excellente santé à HBO. Consciente de l'intérêt que ce sport particulier suscitait auprès de son auditoire mâle, la chaîne y consacrait une bonne part de son budget – aujourd'hui autour de 75 millions par année – et en faisait pratiquement «sa» propriété.

Pour lui succéder, Seth Abraham s'était alors tourné vers un jeune avocat de Brooklyn qui venait de passer quatre ans à Wall Street, Lou DiBella. Il ne s'était pas trompé et cette capture-là avait peut-être été aussi importante que celle des meilleurs boxeurs. DiBella avait repris exactement là où Abraham avait laissé et au cours des 11 années (1989 à 2000) qu'il avait passées à HBO, il avait continué d'en faire le leader de la boxe télévisuelle. On disait de lui qu'il était l'un des plus habiles pour organiser des combats excitants, pour deviner quel appariement de boxeurs était le plus susceptible de fournir de l'action aux téléspectateurs. «Mon rôle à HBO? Rien de plus compliqué que de mettre sur pied des guerres», confirmait-il. Sachant cela, il n'y avait donc rien d'étonnant à ce qu'au début des années 1990, Lou DiBella se soit pâmé pour un jeune boxeur fougueux du nom d'Arturo Gatti, en qui il avait vu un fort potentiel télégénique. «J'avais suivi le début de carrière d'Arturo avec beaucoup d'intérêt, avait-il rappelé en février 2010. Je l'avais vu boxer dans plusieurs de ses combats autour de New York et j'avais été séduit à chaque fois. Arturo était bon, bien sûr, mais en même temps tellement dramatique, tellement vulnérable avec son style qu'il représentait à mes yeux un véritable cadeau pour la télévision. En fait, quand j'ai commencé à faire appel à ses services, je me foutais carrément qu'il gagne ou qu'il perde tellement son spectacle était fabuleux. En cela, il était le digne héritier de Rocky Graziano.»

Ce spectacle-là, les téléspectateurs de HBO y avaient eu droit à 21 reprises au cours de la carrière d'Arturo, un remarquable exploit dans la mesure où plusieurs auraient payé cher pour apparaître ne serait-ce qu'une seule fois à la prestigieuse antenne. Seuls les grands Oscar De La Hoya, Lennox Lewis, Roy Jones et Shane Mosley ont livré plus de combats à HBO, sans toutefois jamais faire aussi bonne impression qu'Arturo. Pour de nombreux observateurs de la boxe, dont Lou DiBella, Arturo Gatti s'est en effet révélé comme le meilleur boxeur jamais créé pour la télévision. Aucun autre que lui n'a autant fait pour se plier à la règle première du petit écran: divertir. «Ses cotes d'écoute à notre antenne étaient aussi bonnes que celles de De La Hoya», avait confié DiBella au *Ring Magazine*. Quelles étaient les motivations des téléspectateurs quand ils se rivaient à leur écran pour regarder Arturo? Le journaliste Jeff Ryan, du *Ring*, en avait donné une bonne idée: «Les filles se branchaient à HBO parce qu'elles le trouvaient beau. Les gars le faisaient parce qu'ils savaient qu'il ne le serait pas longtemps, qu'il serait coupé ou enflé autour des yeux en quelques rounds. Mais c'était un détail parce qu'il avait toujours un atout en banque: son formidable crochet. Dès qu'il l'utilisait, la dynamique changeait aussi vite qu'un James Toney grassouillet descendant une piste de bobsleigh. Puissance titanesque, défense erratique, peu tendre, cœur incroyable, inflexible courage, tout ça créait une parfaite tempête qui rendait Gatti si épouvantablement excitant. Une parfaite tempête. Pas pour rien qu'ils l'appelaient *Thunder*.»

Malheureusement, en dépit de toutes ces louanges, Arturo avait toujours eu l'impression de ne pas être apprécié à sa juste valeur par la chaîne à qui il avait tant donné. Certes, par les cachets qu'elle versait aux promoteurs, HBO lui avait permis d'augmenter considérablement ses bourses et de vivre dans l'aisance. Mais pour la plus grande partie de sa carrière, HBO avait fait fi de tous les «combats de l'année» dans lesquels il avait été impliqué et n'avait jamais voulu s'engager à long terme avec lui. Son style kamikaze le rendait-il trop risqué aux yeux des dirigeants? Vivait-il de manière trop désordonnée à l'extérieur des cordes? Qu'importent les raisons, Arturo avait trouvé cela bien injuste, surtout en prenant connaissance des faramineuses ententes que certains de ses confrères avaient signées avec HBO. Il avait ainsi vu l'Anglais Prince Naseem Hamed débarquer en Amérique sans avoir fait ses preuves et empocher 12 millions pour une série de six combats, mais surtout Roy Jones en obtenir 30 pour trois ans!

À la différence de ces deux-là, Arturo avait toujours eu à se crever la santé pour assurer sa présence à l'écran et n'avait jamais eu le luxe d'une entente prolongée. C'était toujours du «combat par combat», les négociations se faisant à la pièce. Sauf une fois: après son troisième combat contre Micky Ward, Arturo avait signé un contrat lui assurant cinq combats télévisés, sans avoir l'obligation de gagner comme cela était exigé de certains autres boxeurs. Une récompense? Une réparation de HBO pour l'avoir injustement traité dans le passé? Si peu. HBO s'était cette fois commis à long terme avec lui parce qu'elle n'avait guère eu le choix. Au courant de sa condition et de son insatisfaction, la rivale de HBO, Showtime, lui avait offert un pont d'or pour disputer à son antenne un seul combat, mais un vrai de vrai: contre le champion du monde incontesté des super-légers, Kostya Tszyu. À partir de cet instant, il s'était donc retrouvé en position de force et pour ne pas échapper à la compétition le «meilleur boxeur de tous les temps pour la télévision», HBO s'était enfin manifestée. Pas chanceuse, sa décision avait toutefois fini par se retourner contre elle. Vers la fin du contrat, elle avait été blâmée pour continuer d'exploiter le potentiel dramatique d'Arturo sur le ring alors qu'il n'avait visiblement plus les ressources physiques et mentales pour s'y trouver. L'un des plus virulents critiques de HBO au cours de cette période avait d'ailleurs été... Lou DiBella, son ancien employé! DiBella n'avait pas mâché ses mots quand nous l'avions rencontré. «*Shame* (honte), *shame* et encore *shame* à HBO pour avoir laissé Arturo se battre à son antenne à la fin de sa carrière. Après sa trilogie contre Ward, Arturo a au moins livré quatre combats de trop, au cours desquels son déclin était apparent. Malgré tout, HBO a quand même continué de l'exploiter. Ils avaient un contrat? C'était un détail. Les patrons de HBO auraient dû lui dire: *Écoute Arturo, pour ton bien tu ne te bats plus sur nos ondes. Libre à toi de poursuivre ta carrière si tu veux, tu peux aller te battre pour n'importe quel compétiteur, mais pour notre part nous ne cautionnerons plus ta présence sur le ring.*»

Le combat de championnat du monde contre Patterson, diffusé dans le cadre de la série *World Championship Boxing*, avait été le premier où DiBella avait requis les services d'Arturo. Mais dès sa conclusion, contrat ou non, il était déjà entendu que ce ne serait pas le dernier. À cette époque, pour épauler sa série vedette, DiBella venait en effet d'en créer une toute nouvelle appelée *Boxing After Dark*. Essentiellement, la série était destinée aux jeunes loups de la boxe, les jeunes vedettes émergentes comme Arturo Gatti que DiBella voulait faire connaître avant de les impliquer plus régulièrement dans sa série plus prestigieuse. Pour chaque *Boxing After Dark*, DiBella payait entre 500 000 $ et 750 000 $ au promoteur, ce qui donnait une bonne idée de son influence et du pouvoir de la télévision (c'était plus de 750 000 $ pour un *World Championship Boxing*).

Le premier *Boxing After Dark* de «l'histoire» avait donné lieu à une véritable bataille de (super) coqs entre le Mexicain Marco Antonio Barrera et l'Américain Kennedy McKinney. Pour donner le ton à la série, les deux boxeurs s'étaient livré une guerre inoubliable qui s'était terminée dramatiquement par un knock-out au 12e round. Pour Lou DiBella, il était donc à peu près impossible de faire mieux avec son spectacle suivant et pourtant, il allait y arriver avec le concours de Monsieur Télévision lui-même, Arturo Gatti.

Après sa conquête du titre IBF et son retour à Montréal, Arturo n'avait guère eu le temps de chômer. DiBella avait offert la date du 23 mars 1996 à son clan pour sa première défense, soit trois mois à peine après avoir quitté le Madison Square Garden avec deux coupures et les yeux fermés. Ses seconds avaient accepté, principalement pour deux raisons, nous avait dit Hector Roca: «D'abord, parce que c'était supposé être une défense plutôt facile, et ensuite parce qu'Arturo voulait retoucher rapidement une autre bourse.» Pour son combat contre Patterson, Arturo n'était alors que challenger et avait reçu autour de 100 000 $. Après les déductions et dépenses, le chèque avait perdu bien des zéros, mais Arturo avait surtout besoin de regarnir ses finances pour un autre motif. Dans l'ivresse de son championnat, il avait commandé une BMW Z3 blanc perle, réplique de la voiture de James Bond! Comme s'il avait d'ailleurs voulu commencer à ressembler à Bond avant de recevoir la voiture, il s'était mis à fréquenter deux filles en même temps, ce qui pouvait suggérer que sa concentration n'était pas, disons, totalement tournée vers sa défense de titre.

Son adversaire retenu, le Dominicain Wilson Rodriguez, n'apparaissait pourtant pas si facile à dompter. Oui, il avait 7 défaites en carrière (pour 44 victoires et 3 nuls), mais il était alors le deuxième aspirant au titre, un classement qui aurait dû suffire à l'éviter. Dans une situation identique à celle d'Arturo, les champions optaient généralement pour un aspirant moins bien classé et habituellement moins dangereux. En fait, tout juste après le combat Gatti-Patterson, Rodriguez s'était même retrouvé aspirant no 1 jusqu'à ce que la IBF le rétrograde d'un rang pour y replacer Patterson.

L'affrontement avait été une fois de plus bouclé au Madison Square Garden de New York, toujours dans le cadre de cette campagne visant à relancer la boxe dans le vétuste édifice. Pour cette occasion, les boxeurs étaient toutefois descendus un étage plus bas pour s'affronter dans la salle plus modeste de 5 000 places du Paramount Theater. Avec la grande pièce qu'ils avaient jouée sur le ring, l'endroit avait été parfaitement choisi.

***

Le premier round n'est pas encore terminé qu'Arturo peut déjà craindre pour sa ceinture de champion. À son retour à Montréal, il a fait faire des bagues pour commémorer son titre mondial et c'est une idée lumineuse parce que c'est peut-être bien tout ce qu'il va lui rester à la fin de la soirée. Profitant de son envergure supérieure, Wilson Rodriguez lui a déjà abîmé l'œil gauche à un point tel qu'à la minute de repos, le soigneur Joe Souza est aussitôt monté sur le ring à la place de Hector Roca. Entre le début et la fin du combat, le rituel ne changera d'ailleurs pas, ce sera Roca à l'extérieur des câbles et Souza à l'intérieur pour tenter de contrôler les bouffissures aux deux yeux d'Arturo. Car dès le 2e assaut, son œil droit se met aussi à enfler et la présumée défense aisée est en train de virer au cauchemar. Il n'y a pas encore cinq minutes d'écoulées dans le combat qu'à HBO, Larry Merchant avertit déjà ses partenaires: «Je pense, les gars, que Gatti est dans le pétrin, à moins qu'il soit capable de réaliser quelque chose de spectaculaire.» Pris à la gorge d'entrée par le Dominicain, c'est exactement ce qu'il s'emploie à faire. Roca et lui ont convenu qu'il fallait attaquer son longiligne adversaire au corps et on dirait que ses coups visent à le transpercer. Ce qu'il endure au corps, Rodriguez continue toutefois de le rendre à la tête d'Arturo et avec un peu plus d'une minute à faire au 2e round, c'est la consternation dans le Paramount Theater: Arturo se retrouve au tapis, foudroyé par une combinaison droite-gauche-droite au visage. Il n'y reste pas longtemps, à peine trois secondes, mais comme il le confiera après le combat, deux pensées lui traversent quand même l'esprit. La première: s'il ne se remet pas sur ses jambes, il peut dire adieu à sa BMW Z3! Ses prochaines bourses seront trop petites pour justifier son achat. La seconde: s'il ne se remet pas sur ses jambes, Pat Lynch va faire une crise cardiaque. Avec ceci en tête, il se relève donc prestement et ses signes de récupération sont bons. Mais il se fait cogner durement à la reprise parce qu'il est Arturo Gatti et qu'il tente à son tour d'ébranler Rodriguez plutôt que de se protéger. Il y parvient d'ailleurs à la toute fin du round, au terme d'une hallucinante démonstration de résilience, de volonté à inverser le cours du combat. À la cloche, encore étourdi, il marche cependant vers le mauvais coin et ce n'est qu'en voyant Rodriguez le suivre qu'il réalise sa méprise. Quand il réintègre le sien, le médecin de la Commission athlétique de New York s'y trouve déjà pour examiner ses yeux bouffis, mais c'est Joe Souza qui se charge de le mettre au courant de sa condition. «Écoute-moi bien Arturo, tu n'as vraiment plus beaucoup de temps devant toi. Tu m'entends? Tu ne verras bientôt plus rien alors tu sais ce que tu dois faire.»

Il le sait et c'est un monstre de détermination qui répond à l'appel du 4e round. Le premier coup qu'il assène à Rodriguez, une percutante droite à la tête, traduit bien ses intentions. Ce round-là doit être le dernier. Pendant de longues secondes, il frappe à grands élans sur la silhouette indistincte qui se trouve devant lui, comme s'il était un vulgaire boxeur de préliminaires. Rodriguez essuie un véritable bombardement, on imagine sans mal le sentiment d'oppression qu'il doit alors ressentir dans le ring. Arturo le mitraille de coups larges et prévisibles, mais plusieurs arrivent quand même à toucher la cible. Lou DiBella peut se rassurer, son deuxième *Boxing After Dark* ne sera pas moins réussi que le premier. Sur place, la foule goûte aussi le spectacle et Arturo a beau être encore un champion méconnu, elle scande déjà son nom: «Gatti...Gatti...Gatti!» Inspiré, animé par l'urgence, il se débat pour se libérer des accrochages et se remet à pourchasser Rodriguez. Il est absolument impossible de rester insensible à son feu intérieur, à son courage. Il est sûrement en voie de gagner le round, mais il le fait en courant des risques démesurés, en payant un prix immense. À la fin du round, ses yeux sont d'ailleurs la seule préoccupation dans son coin. Il y a là un médecin et un soigneur, et ils ne semblent pourtant pas appartenir à la même profession ni avoir à cœur les mêmes intérêts. Sur le bord du ring, le médecin tente de se faire une place pour examiner Arturo, mais Souza fait écran avec son corps pour lui bloquer la vue pendant qu'il cherche à débloquer celle d'Arturo. Le médecin insiste, bouscule Souza qui s'emporte: «Hey, ne me pousse pas et ne pousse pas mon boxeur non plus.» Souza est un vieux monsieur avec une tronche et une voix semblables à celles de Mickey Goldmill, l'entraîneur de Rocky Balboa. Cela n'impressionne pas le médecin qui lui ordonne de se reculer. Il dit à Arturo de couvrir son œil gauche avec son gant, pour vérifier s'il voit toujours du droit. Arturo n'obéit pas. «Je suis correct», dit-il seulement. «Couvre ton œil, j'ai dit», lui réplique le médecin. Il lui montre deux doigts. «Combien de doigts?» demande-t-il.

– Deux.

– Et là ?

Arturo a dévoilé son œil gauche et le médecin est de plus en plus remonté. « Tu couvres ton œil gauche ou le combat est terminé. » Arturo s'exécute.

– Combien de doigts ?

– Un.

De l'autre côté d'Arturo, Hector Roca vient peut-être de prononcer ses mots les plus importants de tout le combat. C'est lui qui a soufflé, en espagnol, les réponses à son boxeur. En réalité, lorsque Arturo se relève pour le 4e round, il ne voit plus goutte. Roca nous avouera qu'à partir de ce moment, Arturo boxait carrément à l'aveugle, qu'il devait d'abord exercer une pression tactile sur Rodriguez pour s'assurer qu'il était bien devant lui, et ensuite tenter de le frapper ! Il continue pourtant d'oppresser Rodriguez, s'acharne sur son corps avec une hargne terrible, mais il est aussi puni de retour par des attaques féroces à la tête. Merchant se demande ce qui peut bien faire tenir debout les deux hommes et sa question devient encore plus pertinente à la fin du round. Avec 30 secondes à faire, Arturo encaisse une interminable grêle de coups qui expédient sa tête dans tous les sens et qui contraignent presque l'arbitre Wayne Kelley à l'arrêter. « Mais je le connaissais, dira-t-il après le combat, et je le savais résilient. » Kelley ne s'est pas trompé. Dans les dix dernières secondes, c'est Arturo qui revient à la charge à grands coups de moulinet sur Rodriguez. « Je ne sais pas s'il va conserver son titre, dit Merchant, mais chose certaine il nous démontre un cœur de champion… » Tous les gens présents dans le Paramount Theater savent alors qu'il se passe quelque chose de peu coutumier, qu'ils sont les témoins d'un spectacle rare. À la fin du round, l'autre combat, celui entre Souza et le médecin de la commission athlétique, reprend et le vieux soigneur le perd encore. « Regarde-moi », dit le médecin à Arturo en lui couvrant cette fois lui-même l'œil gauche. « Combien de doigts ? »

– Trois.

– Dis-le encore.

– Deux.

– Dis-le une autre fois.

– Un.

Roca lui a encore soufflé les réponses, mais il a surtout continué d'insister sur l'importance de frapper Rodriguez au corps et, dans trois minutes, il faudra saluer son flair. Au début du 5e round, Arturo se plie immédiatement à sa directive et il y met même trop de zèle. Voilà deux rounds au moins qu'il frappe souvent Rodriguez sous la ceinture et Wayne Kelley se décide enfin à lui enlever un point. Soucieux de ne pas nuire au rythme haletant du duel et à son intensité dramatique, Kelley renvoie cependant Rodriguez trop rapidement au combat, sans lui accorder assez de temps pour récupérer. Cela lui sera peut-être fatal. Son adversaire est l'un des plus durs cogneurs au corps de toute la boxe. Quand Mike McCallum s'entraînait avec lui au Ringside Gym, il l'avait d'ailleurs baptisé *«The Baby Snatcher»* en référence à son propre surnom de *«Body Snatcher»*. Nullement ralenti par la perte du point, Arturo se remet donc à la tâche et pilonne le corps de Rodriguez. Quelques instants plus tard, il touche sa récompense : cueilli par un crochet du gauche qui lui brise une côte, Rodriguez s'écroule à son tour ! Mené aux points et menacé d'être arrêté par l'état de ses hublots, Arturo a peut-être enfin réussi à se sortir de ce cauchemar. Mais les grands combats mettent toujours aux prises deux grands hommes et c'est ce que démontre Rodriguez. Souffrant, il se relève péniblement au compte de huit, pour être aussitôt victime d'une autre injustice de Kelly. Quand l'action reprend, Arturo n'est en effet plus dans le coin neutre mais à deux pas de lui, bien résolu à l'achever. En dépit de ses efforts, il n'y parvient pas, Rodriguez finit même le round par une salve de coups et le suspense va durer encore au moins un autre round.

« Quand on assiste à un combat comme celui de ce soir », dit Larry Merchant à l'entame de la 6e reprise, « cela fait oublier toutes les mauvaises choses qui sont dites sur la boxe. Ce que nous avons sous les yeux, c'est une grande démonstration de courage et d'habiletés de la part de deux remarquables athlètes. » Durant les deux premières minutes, Merchant est encore servi à souhait. Les deux boxeurs continuent de s'infliger des sévices graves, Arturo ayant repris son travail au corps et Rodriguez contre-attaquant à la tête. Pour protéger sa côte brisée, l'aspirant est désormais obligé de baisser sa garde et on sent que les cinq premiers rounds ont laissé sur lui davantage de séquelles que sur Arturo. Jusqu'à maintenant, il a ployé sous l'effet de certains coups, mais n'a pas rompu. Sa résistance arrive toutefois à terme. Au cours d'un échange comme il y en a eu tant dans le combat, les deux boxeurs lancent un crochet du gauche, mais Arturo est le premier à toucher la cible. Atteint à la mâchoire, Rodriguez croule au sol dans une harmonie parfaite avec la foule qui se lève d'un trait. L'arbitre Wayne Kelley, qui ne l'a pas beaucoup aidé jusqu'ici, le compte pour la forme alors qu'il reste avachi au tapis et le déclare battu ! Le miracle s'est produit, Arturo Gatti a réussi à conserver son titre IBF des super-plumes !

***

Par-delà les nombreuses louanges que lui avait values sa spectaculaire victoire, il y avait une réalité incontournable à l'issue du combat contre Rodriguez : Arturo en était sorti vraiment amoché et sa santé en avait pris un coup. En plus de tous les coups qu'il avait pris à la tête, il s'était aussi fait mal à la main gauche, une expérience qu'il revivrait à de nombreuses autres reprises au cours de sa carrière. Ainsi, à son combat suivant (victoire par K.-O. au 3e round contre Feliciano Correa, sans titre en jeu), il avait cette fois abîmé sa main droite et elle lui avait réclamé son dû deux mois plus tard, juste avant la revanche contre Patterson. Au cours d'une séance d'entraînement, il s'était en effet tordu un ligament, ce qui l'avait contraint à passer sur le billard et à ajourner son combat.

Au cours de sa carrière, c'est au moins une demi-douzaine d'opérations aux mains qu'Arturo avait subies pour guérir des fractures ou des blessures diverses. Plusieurs avaient été pratiquées par l'éminent chirurgien de New York Charles Melone, un spécialiste des blessures aux mains auquel faisaient appel les plus grands athlètes (dont une centaine d'autres boxeurs). Arturo avait aussi subi deux opérations aux hanches au cours desquelles on lui avait prélevé des parties d'os pour les lui transplanter dans les mains. Selon Vivian Penha, compagne d'Arturo pendant quatre ans, toutes ces chirurgies et les douleurs consécutives n'étaient pas loin de le faire souffrir davantage que tout ce qu'il pouvait éprouver sur le ring. En fait, Arturo aurait facilement pu se faire interdire de boxer après 2003 et les deux fractures subies dans ses combats contre Micky Ward. Ses mains charcutées étaient alors tout atrophiées, gonflées, cabossées, et elles lui faisaient si mal qu'il devait se tenir les doigts d'une façon particulière pour rendre la douleur tolérable.

Tous ces problèmes aux mains avaient eu une conséquence plutôt prévisible. Pour rendre son quotidien supportable, pour calmer un tant soit peu ses souffrances, Arturo était devenu accro aux antidouleur. Son entourage le disait : il ne pouvait plus vivre sans ces petites pilules considérées maintenant comme un véritable fléau aux États-Unis. Selon son ami Joey Perrenod, Arturo se réveillait et s'enfilait systématiquement deux comprimés pour commencer sa journée. « C'était son déjeuner », disait Joey. De l'avis de certains utilisateurs, un seul comprimé suffisait pourtant à hébéter considérablement et on restait surpris qu'il puisse avoir eu l'idée d'en avaler le double. Arturo utilisait de l'OxyContin, du Vicodin mais surtout du Percocet, le plus puissant des antidouleur. De toutes ses dépendances, celle aux antidouleur était donc probablement devenue sa plus grave et il n'avait jamais eu trop de mal à s'en procurer. Tout pouvait être prétexte à en demander et tout pouvait être prétexte à lui en donner. Quel médecin pouvait lui refuser des médicaments antidouleur après un combat comme celui livré à Rodriguez ? Ou après une raclée comme celle encaissée aux mains de Mayweather ? Ou après une transplantation d'un os de la hanche dans la main ? S'il y avait un milieu dans le monde où la prise d'antidouleur était justifiée et banalisée, c'était bien la boxe. Entre eux, les boxeurs pouvaient même aller jusqu'à se dépanner et s'échanger des pilules comme l'avaient déjà fait Arturo et Micky après l'un de leurs combats, dans une chambre d'hôpital !

Cela dit, il arrivait tout de même parfois à Arturo d'être à court. Au New Jersey, ce n'était pas bien grave parce que pour remplacer ses fournisseurs officiels, il pouvait toujours se rabattre sur ses revendeurs habituels puisque ces drogues pharmaceutiques faisaient aussi généralement partie de leur marchandise. Mais à Montréal, où il avait moins ses aises, il pouvait lui être plus difficile de s'en procurer. Pour cette raison, il avait déjà demandé à son ami et ex-coéquipier du Club Olympique Phi-Lan Doan de lui en acheter sur Internet. «Arturo m'avait demandé un produit en particulier et je m'étais rendu compte, en faisant quelques recherches, que c'était purement et simplement une drogue», disait-il. Effectivement, c'était un autre détail que nous avait divulgué Joey Perrenod: au stade où Arturo en était dans sa dépendance, il utilisait autant sinon davantage les antidouleur comme drogue récréative que pour anesthésier ses souffrances.

Mais s'il y avait quelqu'un qui avait encore mieux compris Arturo, qui était encore plus au fait des effets néfastes des antidouleur sur un boxeur, c'était Mike Tyson. Dans ses périodes de grande noirceur, il en avait aussi abusé et quand il avait été porté à sa connaissance qu'Arturo avait le même problème, il s'en était inquiété auprès de son ami Mario Costa. «Par expérience, lui avait-il dit, je peux te confirmer qu'il n'y a pas grand-chose de pire que les antidouleur. Quand tu commences à abuser de ces produits, ton état change et tu deviens continuellement dépressif. C'est très sournois...» Dans les circonstances, il ne fallait donc pas s'étonner que deux membres de la famille d'Arturo, son beau-frère Rocco Crispo et sa belle-sœur Vikky Ballora, nous aient confié qu'il avait effectivement sa bonne part de périodes dépressives.

***

Entre 1995 et 1998, la vie personnelle d'Arturo avait subi plusieurs bouleversements. Les téléspectateurs qui le voyaient à l'antenne de HBO et qui le trouvaient excitant n'avaient même pas idée comment il pouvait l'être dans sa vie privée. C'est bien simple, si la télé-réalité avait eu la cote à cette époque, HBO aurait enregistré des records d'audience en braquant jour et nuit une caméra sur sa nouvelle vedette.

Maintenant séparé d'Emily, Arturo avait fait son choix parmi les deux filles qu'il fréquentait lors de son combat contre Rodriguez et noué une relation avec une autre strip-teaseuse, Laura Sosnowski. De l'avis de Joe, cette dernière avait été une des rares filles à ne rien attendre de lui sur le plan financier. «Elle refusait son argent et même les cadeaux qu'il voulait lui faire. Elle aurait pourtant pu agir comme les autres et le détrousser parce qu'il était vraiment fou d'elle. Malgré tout, Arturo ne se conduisait pas toujours correctement à son égard. Certaines fois, surtout quand il était intoxiqué, il lui arrivait de la battre. Enfin, je dis *battre*, il ne frappait pas *bang, bang, bang* à coups de poing sur elle, mais il la giflait et la prenait à la gorge…»

Durant cette période, Arturo s'était aussi beaucoup promené. Il avait quitté Jersey City pour Middletown où habitait Patrick Lynch, il avait acquis une résidence secondaire à Miami qui deviendrait un gouffre financier et était enfin revenu se fixer à Weehawken, entre Jersey City et Hoboken. Il avait acheté un condo de 235 000 $ sur la rue Gregory, tout juste en face de New York, mais surtout à cinq minutes du Squeeze Lounge, le «True Gentlemen's Club» où il rencontrerait l'autre Rodrigues de sa vie, Amanda. Encore là, l'acquisition de ce joli condo de deux étages n'avait peut-être pas représenté l'investissement le plus judicieux, et pour une raison bien précise: Arturo ne s'y trouvait à peu près jamais. Sa véritable résidence au cours de cette période, il l'avait en effet établie dans tous les clubs de strip-tease autour de New York et du New Jersey. Avant de faire partie des meubles du Squeeze de son bon ami Mike Sciarra, il avait ainsi fréquenté des établissements comme le Score's de New York (sanctionné pour prostitution et menacé de fermeture en 2007), le Satin Dolls de Lodi (où des épisodes de la série *The Sopranos* avaient été tournés), le Lookers d'Elizabeth, mais surtout le AJ's de Secaucus. Là, encore plus qu'ailleurs, Arturo s'était vraiment fait une niche et son long séjour n'avait pas été oublié. «Jusqu'à ce qu'Arturo déménage près du Squeeze, il a pratiquement vécu ici», nous avait confirmé Al, un des gérants du club. «Il venait tous les jours et pas seulement pour une heure ou deux. Il passait pratiquement ses journées entières dans le club, à peu près toujours à l'étage du haut. C'est un coin plus privé où il y a des fauteuils, des sofas et où les clients s'installent habituellement pour boire du champagne. Combien pouvait-il dépenser ? Ça, je n'ai pas le droit de le dévoiler, mais je peux dire qu'il dépensait beaucoup, beaucoup. »

Si le gérant du AJ's n'avait pu nous éclairer sur les dépenses d'Arturo, d'autres avaient cependant pu le faire. Joey Perrenod rappelait par exemple que les fois où il accompagnait Arturo au Score's, il n'était pas question de petite monnaie. « Juste pour aller dans un salon privé avec une danseuse coûtait 1 000 $ », précisait-il. « Mais à ce prix-là, il n'y avait pas de limite et elle faisait vraiment tout ce que tu voulais… » Une connaissance d'Arturo avait pour sa part raconté avoir déjà payé la facture du boxeur lors d'une visite au Squeeze et l'avoir un peu regretté. « J'étais monté au second étage du club et en arrivant, j'avais trouvé Arturo en pleine action avec une danseuse. La mienne m'avait demandé ce que je voulais, j'avais pointé Arturo du doigt et répondu : *la même chose que lui*. Pour jouer les gros bonnets, j'avais ensuite eu la mauvaise idée de payer pour nous deux. J'étais sorti de là moins riche de 3 000 $. » Le type pouvait quand même s'estimer chanceux, il aurait pu lui en coûter dix fois plus ! Un proche d'Arturo avait en effet vu son relevé de carte de crédit à la fin d'une soirée au Lookers et il s'était dit que, pour… 30 000 $, Arturo devait avoir eu bien du plaisir ! « Je ne suis pas étonné, disait son frère Joe, Arturo faisait prendre des douches de champagne Dom Pérignon aux danseuses. Alors… »

Plus globalement, son beau-frère Rocco Crispo, assez bien versé dans les chiffres pour être lui-même tenancier de bar, estimait qu'au seul Squeeze de Weehawken, Arturo avait dépensé entre 700 000 $ et 800 000 $! Et c'était là une estimation conservatrice. « D'abord, je tiens de l'un de mes amis, propriétaire d'un bar de Montréal, qu'Arturo y a dépensé environ 250 000 $. Et il ne vivait même plus au Québec ! Partant de ce montant et avec ce dont j'avais été témoin dans le New Jersey, j'arrivais donc facilement à une dépense de près d'un million. J'ai passé une semaine complète avec Arturo à Weehawken et j'ai vu combien il pouvait laisser chaque jour dans les coffres du Squeeze. Puisqu'il était là, systématiquement, du lundi au dimanche et qu'il l'a fréquenté pendant des années, le calcul est plutôt simple à faire. Ce n'est pas mêlant, le Squeeze était auparavant un club de danseuses ordinaire qui a été rénové de fond en comble avec le support d'un seul commanditaire, Arturo Gatti. Au cours de cette semaine-là, je lui avais d'ailleurs demandé s'il réalisait ce qu'il faisait, s'il était conscient d'avoir pratiquement payé un club neuf à Sciarra. Ça n'avait juste pas de bon sens… »

Aux yeux de Rocco, cela n'avait toutefois pas plus de sens qu'un propriétaire de club, sous le couvert d'une prétendue amitié, abuse ainsi de la faiblesse d'un homme et, pour cette raison, il avait apostrophé Sciarra aux funérailles d'Arturo. « Sciarra jouait les éplorés et ça me tapait sur le système. J'étais allé le voir et je lui avais dit d'arrêter son grand numéro parce que je savais très bien que ce n'était pas la mort d'Arturo qu'il venait pleurer, mais celle de son veau d'or… »

À Montréal, il y avait par ailleurs peu de différence. Si Arturo avait réussi l'exploit d'y dépenser 250 000 $ dans un seul bar, c'est que sa vie ressemblait à celle du New Jersey. Quand il débarquait dans sa ville natale pour, disait-il, « visiter sa mère », elle le voyait moins longtemps que les strip-teaseuses des clubs où il allait élire domicile. Des clubs modestes comme le Cabaret Mado, boulevard Pie-IX à Montréal-Nord, mais d'autres beaucoup plus prestigieux aussi. « En résumé, nous avait raconté un ami d'enfance d'Arturo, voici en quoi consistait la vie d'Arturo quand il venait à Montréal dans son rôle de *champion du monde :* il se ramassait au Wanda's, au Super Sexe ou au Solid Gold, puis il buvait, se droguait et baisait des escortes dans les limousines… en les molestant pas mal ! C'est de cette façon qu'il passait au travers de ses journées. »

Si aucun membre de sa garde rapprochée ne paraissait avoir trouvé anormal qu'Arturo vive dans les clubs de strip-tease, d'autres s'en étaient en revanche alarmés et avaient cherché à le tirer de là. Des types comme Mario Costa, bien sûr, mais aussi comme *Nino* Gonzalez (« je lui disais de diminuer ses visites, mais c'était comme parler à un mur ») et même Gary Shaw (« j'aurais aimé que ses souffrances sur le ring servent à autre chose »). Sans succès. Son attirance était tout simplement trop forte. Pourquoi ? La question laissait généralement dans le noir les proches du boxeur, mais certains avaient néanmoins tenté de répondre.

Phi-Lan Doan croyait par exemple que les strip-teaseuses étaient les seules filles susceptibles d'accepter, de tolérer la vie complètement folle d'Arturo. Son frère Joe percevait plutôt cet attrait comme une infinie quête d'amour, celui dont sa mère l'avait privé et qu'il cherchait simplement «dans les mauvais bras». Mais pour le célèbre Chuck Zito, Hells Angels notoire, acteur, garde du corps et, accessoirement, videur au Score's, son ami Arturo Gatti avait une raison simple de fréquenter ces établissements. «Arturo aimait ces endroits-là parce qu'il pouvait faire sucer sa queue autant de fois qu'il le désirait ! Point final. Malheureusement, il pensait d'abord avec sa petite tête avant de penser avec la grosse et ça lui a causé bien des problèmes.»

Zito et Arturo avaient été présentés l'un à l'autre en 1998, rencontre de deux célébrités qui éprouvaient un vif intérêt pour l'univers de l'autre. Fils d'un ancien boxeur professionnel, Zito avait lui-même livré plusieurs combats amateurs et avait donc accueilli avec joie la demande d'Arturo d'intégrer son équipe de seconds en 2003. Il lui avait servi de garde du corps pour ses marches vers le ring, s'était occupé de diriger le trafic à la porte de son vestiaire et avait même participé à quelques-uns de ses camps d'entraînement. En retour, l'ancien président des Nomads du chapitre de New York avait lui aussi pu faire pénétrer Arturo dans son monde bien particulier. «Comme un peu tout le monde, avait raconté Zito en février 2010, Arturo était fasciné par l'univers des Hells Angels et j'avais pu lui en donner un aperçu. Il avait rencontré plusieurs membres du chapitre de New York et quand ils allaient le voir boxer à Atlantic City, je les invitais au vestiaire pour qu'ils puissent le saluer. Arturo avait aussi beaucoup d'intérêt pour les motos Harley-Davidson *(il avait les lettres HD tatouées sur son bras droit)*, il projetait d'en acheter une et j'avais pu également le conseiller dans ce domaine-là.»

Mais à l'instar de certains autres, Zito avait surtout cherché à conseiller Arturo sur les lieux et les filles à éviter. Il avait beau faire partie des Hells Angels, il était de notoriété publique qu'il avait toujours vécu sainement, sans alcool ni drogue, de sorte qu'il se trouvait fondé à tenter de guider Arturo. «D'abord, il faut dire qu'à partir du moment où Arturo a déménagé près du Squeeze, il ne venait pas plus de deux ou trois fois par mois au Score's. Quand il le faisait, il passait me voir dans la section restaurant et on s'installait au bar pour discuter. Je commandais un jus de fruits, lui de l'alcool parce qu'il buvait, mais je ne l'ai jamais vu se droguer. Peut-être ne l'a-t-il jamais fait devant moi parce qu'il savait que j'étais opposé à ça, je ne sais pas... Puis au bout d'un moment, Arturo quittait le restaurant pour passer à la section des danseuses et, honnêtement, ça me rendait malade. Cette vie-là ne lui a causé que des problèmes. Arturo a peut-être couché avec bien des danseuses au fil des ans, mais il s'est aussi fait baiser par certaines d'entre elles. Tout le monde sait ce que lui a valu sa rencontre avec Amanda Rodrigues, au Squeeze. J'en entends d'ailleurs encore dire que cette fille n'a pas travaillé là et je tiens à leur rappeler qu'ils sont dans le champ: Amanda Rodrigues a dansé au Squeeze, c'est une certitude! Ce que les gens savent moins, cependant, c'est qu'Erika Rivera, la mère de sa petite fille, dansait aussi au Score's! On a dit d'elle, à la mort d'Arturo, qu'elle était ingénieure dans l'Armée, c'est faux, elle sévissait aussi dans les salons privés du Score's et c'est ainsi qu'Arturo l'a connue *(il semble toutefois véridique qu'elle ait abouti dans l'Armée à une autre période de sa vie)*. Si les parents d'Erika Rivera et d'Amanda Rodrigues doutent du passé de leur fille, qu'ils viennent me voir, ils n'en douteront plus. Pour Erika Rivera, Pat Lynch détient d'ailleurs toutes les preuves, il a en sa possession les calendriers et les jeux de cartes sur lesquels elle apparaît, au début des années 2000. Et donc, pour bien montrer à quel point Arturo s'est fait avoir, bien des hommes ont eu des aventures avec ces deux filles-là, mais le seul homme qui a pourtant réussi à les engrosser, c'est Arturo Gatti! Comme par hasard! La vérité, c'est qu'elles ont vu en lui un passeport pour la richesse et Arturo est bêtement tombé dans le panneau. J'avais tenté de le sensibiliser à ce danger, je lui disais: *Merde, ces filles-là profitent de toi alors qu'il y en a tellement des plus respectables qui rêveraient d'être avec toi*, mais c'était sans effet. Arturo convenait que j'avais raison, mais il semblait fataliste, il disait: *Qu'est-ce que tu veux, c'est comme ça...*»

Dans les faits, Arturo savait probablement qu'il était déjà trop tard pour revenir en arrière, pour apporter un véritable changement dans sa vie. À s'installer ainsi à demeure dans les clubs de strip-tease, à vivre au cœur de cet environnement, Arturo en avait subi l'influence et cela avait beaucoup modifié ses comportements. Il ne pouvait plus vivre «normalement», ne pouvait plus penser «normalement» comme l'avait malheureusement observé Lou DiBella. «De temps à autre, il m'arrivait encore d'accompagner Arturo, Patrick Lynch et Mickey *Red* Skowronski dans leurs sorties à New York. C'était toujours agréable, mais ce que je constatais, c'est qu'Arturo avait perdu toute inhibition. Il était suprêmement fier de la grosseur de sa queue et on aurait dit que son seul intérêt n'était plus que de la montrer. Pour ma part, j'y voyais là une conséquence de sa dure carrière. Les médecins le disent: trop de coups reçus à la tête entraînent une perte d'inhibition.»

Malheureusement, Arturo avait semblé perdre encore bien plus. En cours de route, il était même allé jusqu'à perdre son identité sexuelle. C'était peut-être en effet l'information la plus étonnante, sinon la plus troublante en rapport avec cette partie de la vie d'Arturo: selon un gérant d'un des clubs les plus en vue du New Jersey, Arturo était devenu bisexuel. «Je tiens d'abord à être clair, nous avait-il confié, il n'y avait pas de mineurs d'impliqués dans les débauches d'Arturo. Mais mes preuves sont solides, il était bel et bien bisexuel. Au cours de ses *trips* de coke, il virait vraiment fou et entrait dans un autre monde. Et dans cet autre monde-là, il y avait des limousines et des hommes déguisés en femmes... Est-ce qu'Arturo a pu n'avoir qu'une seule relation homosexuelle, pour tenter une expérience? Je suis obligé de dire la vérité: non. Arturo Gatti ne fut pas seulement un bisexuel d'occasion.»

Quoi qu'il en soit, Chuck Zito avait bien raison de dire que les clubs de strip-tease n'avaient attiré que des ennuis à Arturo. Pour cette raison, certains membres de sa famille avaient trouvé plutôt indécent l'hommage que Patrick Lynch, Mike Sciarra et quelques autres lui avaient rendu à ses funérailles. Ce week-end-là, pour commémorer sa disparition, une bonne partie de sa garde rapprochée n'avait en effet rien trouvé de mieux à faire que d'«aller aux danseuses». «Parce que c'est ce qu'Arturo aurait voulu», avaient-ils expliqué.

***

À la minute où s'était terminé le combat de championnat du monde entre Tracy Harris Patterson et Arturo, Lou DiBella avait pris sa décision: encore emballé par le spectacle auquel il venait d'assister, il s'était dit qu'à la première occasion il allait organiser une revanche entre les deux hommes. Initialement programmée le 20 septembre 1996 à Miami, elle avait dû être remise au 22 février 1997 pour permettre à la main droite blessée d'Arturo de guérir. Pour un peu tout le monde, y compris pour les téléspectateurs de DiBella à HBO, l'attente en avait toutefois valu la peine.

Présenté cette fois au Convention Center d'Atlantic City, le combat avait peut-être été aussi intéressant que le premier, quoique moins serré. Pour la deuxième défense de son titre IBF des super-plumes, Arturo avait remporté une large victoire aux points à laquelle n'avait pas été étranger l'arbitre Rudy Battle. En fait, avec un autre arbitre que Battle, le combat n'aurait bien pu durer qu'un round ou deux et se terminer en faveur de Patterson. Dès la première reprise, le fils de Floyd avait expédié Arturo au sol avec un coup au corps parfaitement exécuté, mais Battle l'avait jugé sous la ceinture. Il avait donc annulé le knock-down et les deux points de priorité qu'il aurait conférés à Tracy, et il avait surtout permis à Arturo de récupérer. Ce faisant, il avait tué une bonne partie de la détermination de l'ex-champion à reprendre son titre.

Le coup de main de Rudy Battle mis à part, Arturo avait aussi pu compter sur celui de son compagnon de sortie à Virginia Beach, Pernell Whitaker. Et cette fois, c'est à son entraîneur Hector Roca que cela avait déplu. Installé au parterre, à quelques pieds seulement du coin d'Arturo, «Sweet Pea» se levait entre les rounds, criait des conseils à Arturo qui se tournait vers lui et n'écoutait plus Roca, au point d'attirer l'attention des commentateurs de HBO. Il était dès lors aisé de mesurer l'influence de Whitaker, de voir quel ascendant il avait sur Arturo et même d'établir une corrélation avec sa performance sur le ring. En dépit de sa facile victoire, Arturo avait en effet démontré au cours de ce combat qu'il n'était déjà plus le même. Il avait modifié son style, perdu ses jambes, sa mobilité, assurément des conséquences de sa vie à l'extérieur du ring. Ce qu'avait aussi noté Hector Roca, bien évidemment. «J'ai

Le petit Arturo et son grand frère Joe font mine de boxer lors d'une réception du temps des Fêtes donnée par leur père Giovanni (ci-bas) à ses employés.

PHOTOS : GRACIEUSETÉ DE JOE GATTI

À 11 ans, Joe veillait lui-même sur Arturo qui l'accompagnait au Club Olympique, au 3e étage du Théâtre Rialto. Dominic D'Amico et l'entraîneur Dave Campanile apparaissent sur la photo.

PHOTO : ARCHIVES DU CLUB OLYMPIQUE

PHOTO : GRACIEUSETÉ DE MARIO COSTA

À son arrivée en sol américain, Arturo Gatti a été parrainé et hébergé par Mario Costa, propriétaire du Ringside Gym où s'étaient aussi entraînés les Hilton auparavant. Le modeste appartement occupé par Arturo (ci-bas) était situé dans le quartier The Heights, à Jersey City.

PHOTO : JACQUES POTHIER

Joe Gatti dans le Ringside Gym où lui et Arturo ont fait tour à tour leurs débuts professionnels aux États-Unis.

PHOTO : FRANÇOIS ROY, LA PRESSE

Des fenêtres arrière du Ringside Gym, les boxeurs peuvent apercevoir le Tyson's Corner. C'est là que sont gardés les pigeons de l'ancien champion des poids lourds. Mario Costa assigne juste pour eux un employé qui porte le titre de « gérant des pigeons » et qui veille quotidiennement à leur bien-être.

PHOTO : FRANÇOIS ROY, LA PRESSE

PHOTO : JACQUES POTHIER

Ouvert en 1937, le Gleason's Gym de New York est l'une des salles les plus mythiques aux États-Unis. Sous la direction de l'entraîneur Hector Roca, Arturo s'y est entraîné pendant quelques années et y a connu de beaux succès.

PHOTO : FRANÇOIS ROY, LA PRESSE

Au cours de sa carrière, Arturo a travaillé avec pas moins de sept entraîneurs. Sa relation très marquante avec Buddy McGirt s'est étalée sur quatre ans et 10 combats.

PHOTOS : FRANÇOIS ROY, LA PRESSE

Patrick Lynch, le gérant d'Arturo durant toute sa carrière, continue d'exploiter à Secaucus son agence de revente de billets connue sous le nom de Curtain Call inc., que l'on pourrait traduire par l'expression « dernier rappel ».

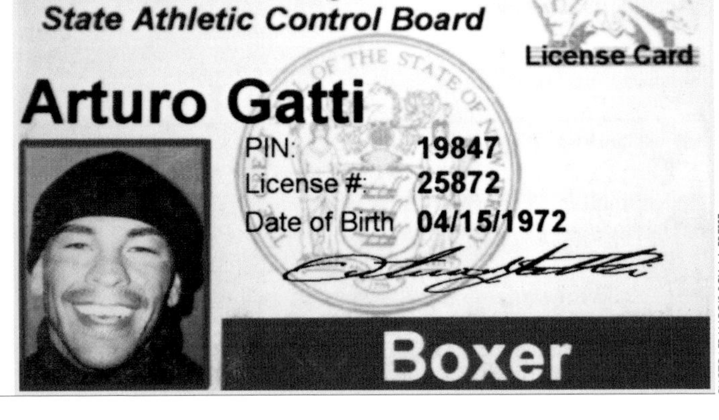

Cette carte officielle émise par la State Athletic Control Board du New Jersey constituait le permis de boxer d'Arturo aux États-Unis.

PHOTO : FRANÇOIS ROY, LA PRESSE

PHOTO : MICHEL GRAVEL, LA PRESSE

Arturo a vécu quatre ans avec Vivian Penha, sa « belle Brésilienne ». Elle a été photographiée avec la mère d'Arturo, Ida, en septembre 2000 à l'occasion du combat contre Joe Hutchinson à Montréal.

PHOTO : GRACIEUSETÉ DE SYLVIA FAGNANI

Sylvia Fagnani et Arturo ont vécu leur premier coup de cœur ensemble. Enfants et adolescents, ils ont passé une dizaine d'années soudés l'un à l'autre. Cette photo a été prise le 30 juin 2009, moins de deux semaines avant la mort d'Arturo au Brésil. Il rentrait tout juste d'Europe et se préparait à repartir rejoindre son épouse Amanda Rodrigues en Amérique du Sud.

PHOTO : BILL DENVER, THE NEW YORK DAILY NEWS

La fille d'Arturo, Sofia Bella Gatti, née le 31 mars 2006, est photographiée avec sa mère Erika Rivera.

En janvier 2009, Arturo Junior, né le 9 septembre 2008, a été baptisé dans une église du Vieux-Montréal en présence du parrain Fabrizio Gatti et de la marraine Flavia Rodrigues.

PHOTO : PHI-LAN DOAN

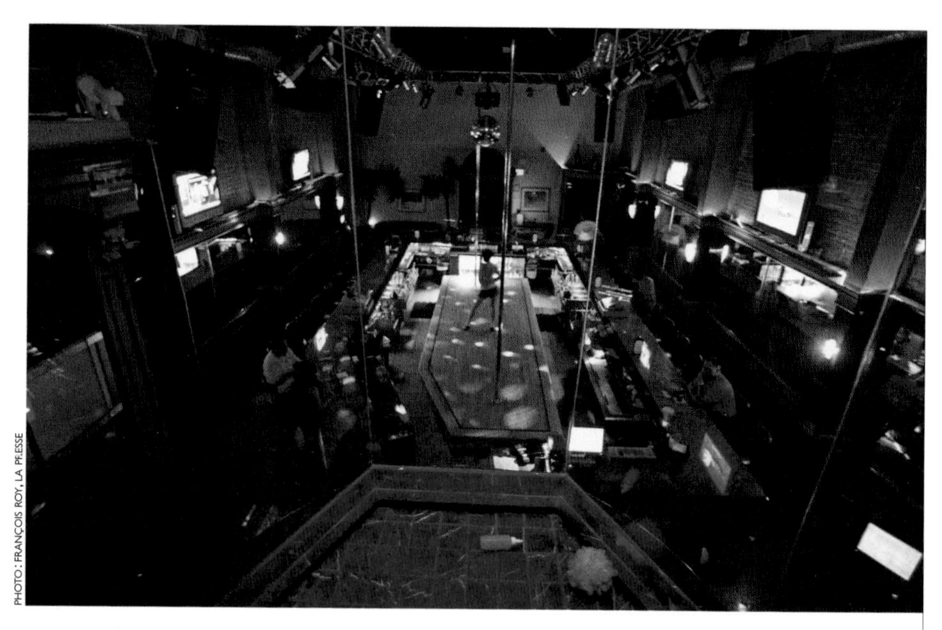

PHOTO : FRANÇOIS ROY, LA PRESSE

Le bar de danseuses «The Squeeze» où dansait Amanda Rodrigues et où Arturo l'a rencontrée. Amanda Rodrigues a toujours nié avoir été danseuse.

Arturo avait acheté un condo de 950 000 $ à Hoboken, tout à côté de Jersey City, dans l'immeuble connu sous le nom de Hudson Tea Building. C'est là qu'il avait demandé Erika Rivera en mariage. Mais leur relation a ensuite tourné à l'aigre et ils ont dû rompre leurs fiançailles.

PHOTO : FRANÇOIS ROY, LA PRESSE

PHOTO : REUTERS

Le 15 décembre 1995, au Madison Square Garden de New York, Arturo met la main sur le titre IBF des super-plumes contre Tracy Harris Patterson. Un exploit presque prévisible pour un garçon qui, depuis une quinzaine d'années, se conditionnait à ces mots : « I'm gonna be world champion.»

PHOTO : AL BELLO, GETTYIMAGES

Le 26 février 2000 contre Joey Gamache au Madison Square Garden : l'un des knock-out les plus brutaux de l'histoire moderne de la boxe. La veille, Arturo avait été impliqué dans une pesée on ne peut plus controversée.

PHOTO : MIKE SEGAR, REUTERS

Le 23 novembre 2002, Arturo remporte le deuxième combat de sa trilogie contre Micky Ward à Atlantic City. De son propre aveu, il a probablement réalisé ce soir-là la meilleure performance de sa carrière.

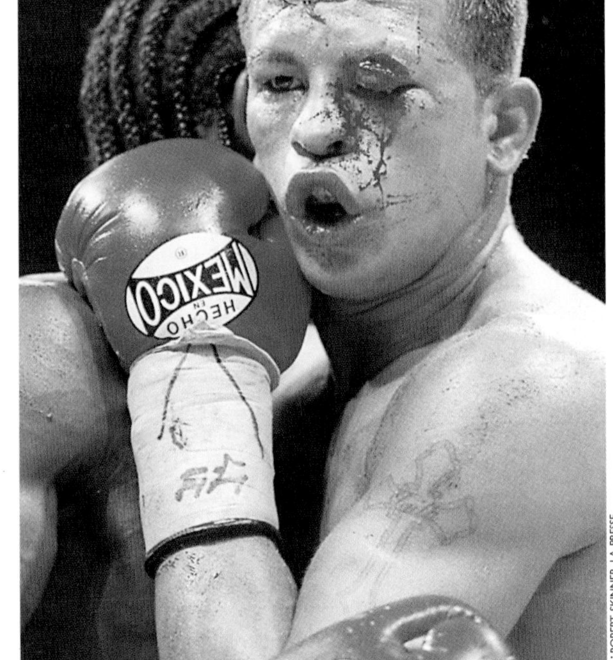

PHOTO : ROBERT SKINNER, LA PRESSE

Le 8 septembre 2000 contre Joe Hutchinson au Centre Molson, en pleine Gatti-mania : un des pires combats d'Arturo.

PHOTO : TIM SHAFFER, REUTERS

Le 24 janvier 2004 à Atlantic City, Arturo met la main sur la ceinture des super-légers de la WBC contre Giancula Branco…

… et la perd le 25 juin 2005 à Atlantic City contre Floyd Mayweather Jr.

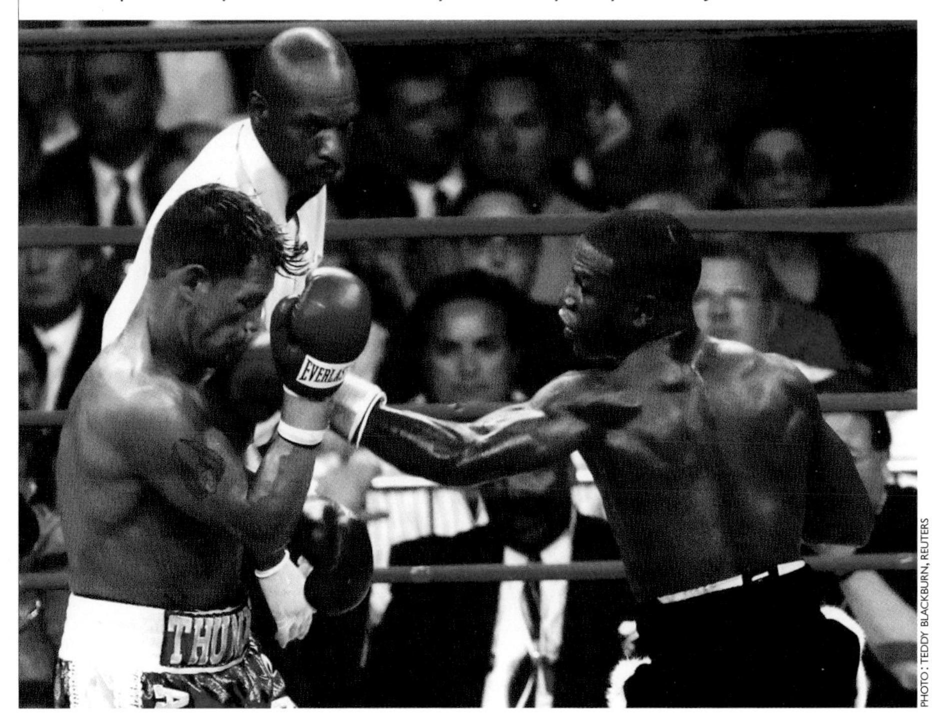

PHOTO : TEDDY BLACKBURN, REUTERS

PHOTO : FRANÇOIS ROY, LA PRESSE

Les frères Gatti se sont battus à trois occasions sur les mêmes programmes, dont le 10 juin 1991 qui marquait les débuts pros d'Arturo, au Meadowlands Convention Center de Secaucus. Une des périodes les plus heureuses dans le vie des deux frères, comme le démontre ce moment capté par leur ami-photographe Tom Casino.

PHOTO : JEFF CHRISTENSEN, REUTERS

En couverture du livre : battu par Oscar De La Hoya à son combat précédent, Arturo avait relancé sa carrière et souligné le début de son association avec Buddy McGirt par une impressionnante victoire sur Terronn Millett, en janvier 2002.

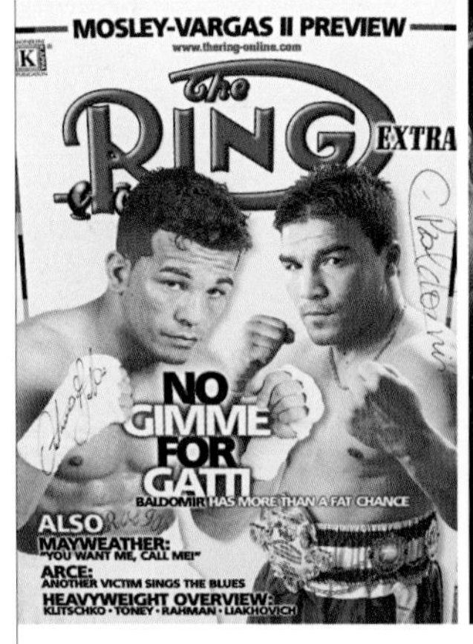

PHOTOS : FRANÇOIS ROY, LA PRESSE

Les trois affiches des combats d'Arturo contre Baldomir, Gomez et De La Hoya.

L'enceinte du Boardwalk Hall d'Atlantic City où Arturo a disputé les neuf derniers combats de sa carrière.

PHOTO : FRANÇOIS ROY, LA PRESSE

Arturo Gatti était chez lui à Atlantic City : il avait sa propre loge au Boardwalk Hall.

PHOTOS : FRANÇOIS ROY, LA PRESSE

PHOTO : FRANÇOIS ROY, LA PRESSE

Au cours de sa carrière, Arturo a subi au moins une demi-douzaine d'opérations aux mains à la suite de fractures ou de blessures diverses.

Nouveau détenteur de la ceinture IBF des super-plumes, Arturo était venu à Montréal la montrer à ses amis du Club Olympique. De gauche à droite : Donato Paduano, Mike Moffa, Pasquale Procopio, Arturo Gatti, Tony Salvatore, Dave Campanile et Pierre Leclerc.

PHOTO : ARCHIVES DU CLUB OLYMPIQUE

De décembre 2008 à juin 2009, Arturo Gatti avait défrayé la chronique judiciaire à cinq reprises, chaque fois à cause de ses problèmes conjugaux avec sa femme, Amanda Rodrigues.

PHOTO : DAVID BOILY, LA PRESSE

PHOTO : CLEMILSON CAMPOS, REUTERS

Le jeudi 30 juillet 2009, Amanda Rodrigues était remise en liberté, après 18 jours d'emprisonnement. Vers 16 h 30, accompagnée de sa sœur Flavia, elle avait quitté le Colonia Penal Bom Pastor sous les flashs des caméras, habillée comme une gravure de mode, portant encore ses larges verres fumés, mais montrant une chose qu'elle n'avait pas 18 jours plus tôt : un grand sourire triomphant.

PHOTO : SHAUN BEST, REUTERS

Les funérailles d'Arturo à l'église Notre-Dame-de-la-Défense le lundi 20 juillet. La ronde des témoignages avait atteint son point culminant avec la venue au micro d'un représentant de la WBC, l'arbitre montréalais Gerry Bolen. Effondré et en larmes, Bolen avait provoqué la plus forte réaction de toute la cérémonie : au nom de l'organisme, il avait remis à Ida Gatti la ceinture de champion du monde des super-légers détenue par son fils en 2004 et 2005.

PHOTO : ROBERT MAILLOUX, LA PRESSE

compris ce soir-là à quel point Arturo était sous l'influence de Whitaker et j'ai donc tout de suite demandé à Pat Lynch de ne plus nous envoyer en camp d'entraînement à Virginia Beach…»

Une décision qui avait eu peu d'effet, comme l'avait montré la prochaine et encore mémorable défense de titre, contre Gabe Ruelas.

***

Gabe Ruelas était un garçon si sensible qu'il ressentait parfois de la peine à cogner sur ses adversaires. Souvent, il le faisait presque avec modération, en s'assurant seulement de conserver l'avantage et en leur laissant bien assez de temps entre ses attaques pour récupérer. «À l'occasion, il m'arrive de me retenir, avouait-il. Pour moi, gagner par décision est satisfaisant.»

Voilà pourquoi la soirée du 6 mai 1995 l'avait tant dévasté. Ce soir-là, il avait défendu son titre des super-plumes de la WBC face au modeste Colombien Jimmy Garcia. Pendant 11 rounds, il lui avait infligé une lente et monocorde correction qui s'était bien mal terminée: juste après l'arrêt du combat, au moment où l'annonceur confirmait sa victoire, Garcia s'était évanoui dans son coin. Conduit à l'hôpital et opéré d'urgence pour un caillot au cerveau, il n'avait jamais repris conscience et avait sombré dans le coma. Treize jours plus tard, entouré de son père et de son frère qui travaillaient dans son coin, de sa mère et de sa sœur venues de Colombie, il avait rendu l'âme. Officiellement, il avait été la seule victime de ce combat tragique. Officieusement, il y en avait eu une deuxième. Gabe Ruelas, en tout cas Gabe Ruelas le boxeur était aussi mort ce soir-là.

Le soir du combat, la première chose qu'il avait faite en apprenant la condition de son adversaire avait été de se rendre à l'hôpital. Dans la chambre où il reposait, il était allé offrir ses excuses à son frère et à son père. «Vous savez, je ne voulais pas…» D'abord saisi par sa visite, le père de Garcia l'avait pris par le cou et l'avait conduit au chevet de son fils, intubé de partout. Au cours des 13 jours suivants, il avait ensuite multiplié les visites et les coups de téléphone à l'hôpital, au point de finir par irriter le personnel. Il se sentait terriblement coupable, pleurait sans arrêt, priait et implorait Dieu pour qu'il réussisse à inverser sa condition avec celle de Jimmy.

À l'annonce officielle du décès, il avait décidé qu'il ne remettrait plus jamais les pieds sur un ring de boxe. Ce sport-là qui lui avait tout donné après qu'il eut abandonné l'école, qui lui avait permis de développer son estime de soi, de gagner des bourses de 300 000 $ pour affronter des gars comme Jimmy Garcia, ce sport-là n'était plus pour lui. Il était trop marqué, trop amer, trop enragé par la tragédie. «Cette victoire-là devrait même être retirée de mon palmarès», avait-il affirmé aux journalistes. «Il s'agit en réalité de la pire défaite de ma carrière.»

Mais dans les mois suivants, Gabe avait été incapable de vivre deux deuils à la fois. La mort de Jimmy Garcia, il ne pouvait rien y changer parce que ses appels à prendre sa place n'avaient pas été entendus. La mort de la boxe, cependant, il pouvait y mettre fin quand il le voulait. La boxe était la seule chose par laquelle il se définissait, le seul moyen qu'il connaissait pour gagner sa vie, mais aussi pour occuper son temps. Neuf mois après la tragédie, à l'issue de la plus longue inactivité de toute sa carrière, il avait donc tenté de se convaincre qu'il l'avait suffisamment chassée de son esprit et il était remonté entre les câbles. Sa motivation? Montrer à Jimmy qu'il était un authentique champion, mais surtout utiliser une partie de sa bourse pour supporter financièrement sa veuve et ses trois enfants. Hélas, le résultat – sportif – avait été un véritable désastre. Défendant son titre contre l'ex-multiple champion du monde Azumah Nelson, il avait offert une performance affligeante et avait été mis knock-out à la 5e reprise. Mais il y avait eu bien pire encore. Au terme du combat, il avait avoué avoir aperçu le fantôme de Jimmy sur le ring! Le retour à la réalité avait alors été brutal. Il n'était guéri de rien, il n'avait absolument rien chassé de son esprit.

Au cours des mois suivants, il était entré en thérapie, avait pris d'autres longues pauses loin de la boxe, en tentant toujours de se faire croire qu'il pouvait être, sinon le même homme, du moins le même boxeur. Dans les faits, il n'était plus ni l'un ni l'autre. Tous ses combats subséquents, livrés à de médiocres adversaires, avaient montré qu'il continuait à se mentir à lui-même et qu'il était bel et bien hanté par la mort de Jimmy Garcia. Sur le ring, il avait même changé son style pour tenter de se convaincre et de convaincre les autres qu'il avait oublié, qu'il avait mis cette tragédie derrière lui. De boxeur qu'il était avant le combat contre Garcia, il était devenu un bagarreur pour faire la preuve qu'il n'avait plus aucune réticence, aucune retenue à frapper sur un être humain. Cela le desservait et ne faisait que le renvoyer à son mensonge. « Tu dois revenir à ton vrai style de boxeur », l'intimait d'ailleurs sa femme.

À l'automne de 1997, il y avait maintenant deux ans et demi qu'il vivait dans le déni, complètement malheureux. Il continuait pourtant de faire illusion, en tout cas au classement des super-plumes de l'IBF où il figurait toujours parmi les aspirants. Quand le clan Gatti l'avait choisi pour procéder à sa troisième et dernière défense de titre (Arturo allait ensuite monter chez les poids légers), il avait enfin cru qu'après toutes ces galères, son heure était enfin venue de faire tourner sa vie et de se débarrasser une fois pour toutes du spectre de Jimmy Garcia. Il était à la recherche depuis longtemps d'un défi susceptible de lui redonner sa motivation d'antan, celle qui le faisait boxer par pur plaisir, et le combat contre Arturo le lui proposait. « C'est ce dont j'avais besoin », avait-il confié au *Daily News* de Los Angeles. « Je le sais. Je sens en moi la motivation pour un tel combat. »

La soirée du 4 octobre avait effectivement tous les ingrédients pour l'exciter. Son combat contre Arturo avait été placé en demi-finale de la très attendue confrontation entre les poids lourds Lennox Lewis et Andrew Golota, au Convention Center d'Atlantic City. Durant son camp d'entraînement, à Big Bear en Californie, il avait donné l'impression d'en avoir fini avec les mensonges, il avait détruit plusieurs partenaires et semblait avoir retrouvé la pêche. Comme pour faire écho à sa nouvelle forme, Arturo l'avait d'ailleurs louangé dans la presse. « Gabe Ruelas est le meilleur adversaire que j'ai affronté dans ma carrière », avait-il dit.

En apparence, tout était donc en place pour qu'il puisse enfin monter sur le ring sans arrière-pensée et donner un nouvel élan à sa carrière. Mais ce qu'il ignorait, c'est à quel point il aurait suffi de peu de choses pour qu'il soit impliqué dans une seconde tragédie et qu'un autre homme tombe encore fatalement sous ses poings. Dans l'histoire, il aurait alors été le douzième boxeur à tuer deux fois, et le premier à le faire en ayant souhaité chaque fois être la victime plutôt que le bourreau.

***

Dans la période du combat contre Gabe Ruelas, Patrick Lynch avait été invité par un journaliste du *Post-Tribune* d'Indiana à raconter à quoi pouvait ressembler la vie d'Arturo au quotidien. Sa réponse avait été un monument d'édulcoration. «Arturo a la vie typique d'un jeune adulte de 25 ans», avait-il expliqué. «C'est un célibataire qui aime sortir entre amis, il a une copine, et il adore aller voir jouer les Devils du New Jersey et les Knicks de New York.» Quelques années plus tard, au bénéfice des lecteurs du *Sports Illustrated*, il avait toutefois fait amende honorable en révélant ce qu'elle était alors réellement. «Arturo essayait d'être un boxeur et une vedette rock. Il buvait. Il était sur le party. Il était devenu paresseux...»

Avec le combat contre Ruelas, Arturo entrait effectivement dans l'une des périodes les plus folles de sa vie. Les gens avaient pu commencer à s'en douter quatre mois avant le combat, lorsque son arrestation par la police d'Union City avait défrayé la chronique. *«Le champion boxeur Arturo Gatti a été arrêté après avoir prétendument été pris en chasse dans les rues d'Union City. La police tentait de l'intercepter pour excès de vitesse et pour avoir brûlé deux feux rouges. Au moment où la chasse à l'homme s'est enfin terminée, les policiers ont conduit Gatti au poste, où il aurait frappé un des officiers et menacé d'en tuer un autre. Gatti a été accusé d'assaut sur un policier, de délit de fuite et d'avoir conduit intoxiqué.»* Une semaine plus tard, les charges avaient été réduites et Arturo s'en était sorti avec une accusation de désordre public, mais c'est probablement à cette occasion qu'on lui avait sucré son permis pour une dizaine d'années.

Son arrestation avait été toutefois loin de le calmer, de la même manière qu'elle n'avait pas non plus provoqué une prise de conscience dans son entourage. La légende voulait que Patrick Lynch se soit servi de cette histoire pour discipliner Arturo, mais dans la réalité ce n'avait pas été le cas. Comme nous l'avait avoué Hector Roca, en ce temps-là Arturo pouvait passer deux ou trois journées complètes à boire, suivies de deux ou trois autres à dormir sans que personne ne puisse être capable de le réveiller. Ses amis le retrouvaient presque plus souvent étendu par terre que dans son lit, et même en le secouant vigoureusement, nous avait confirmé Joey Perrenod, il était impossible de le tirer de son sommeil éthylique. À une occasion, entre autres, la situation avait vraiment tourné au ridicule. Arturo s'était cuité à Jersey City et avait trouvé refuge chez l'homme de boxe et entraîneur Joe Trainer, qui avait déjà travaillé avec Matthew Hilton. Arturo y était resté quelques jours complets à dormir, ne se réveillant que pour aller soulager sa vessie. Le premier homme que Joe Trainer avait mis au courant de la présence d'Arturo avait évidemment été Patrick Lynch. Et pour cette fois-là, personne n'avait pu accuser ce dernier d'avoir fait la sourde oreille, de ne pas s'être occupé de la condition de son boxeur. Pendant ces quelques jours, il avait ainsi communiqué régulièrement avec Trainer pour avoir des nouvelles et donner des directives.

– Que fait-il? demandait chaque fois Lynch.

– Il dort encore.

– Es-tu bien sûr qu'il respire encore?

– Oui, oui, il se lève de temps à autre pour aller pisser.

– OK, assure-toi seulement qu'il continue de respirer. Ce gars-là est vraiment *crazy*...

Il n'y avait pas de doute, Arturo l'était un peu devenu au cours de cette période, et pas seulement qu'à Jersey City. À Montréal, l'un de ses amis racontait qu'il consommait alors une once de coke par semaine, ce qui lui valait bien entendu les ennuis appropriés. Au moins un bar, le défunt Goodfellas, rue Saint-Zotique, l'avait par exemple foutu à la porte en raison de ses problèmes de drogue. Arturo *sniffait* des doubles lignes de neige à l'intérieur du bar, c'était une chose, mais il ne se donnait même plus la peine de le faire en privé à la salle de bains. Il s'exécutait à sa table, au vu et au su de tous les autres clients, mettant ainsi en péril la réputation de l'établissement. «Après la conquête de son titre mondial, disait cet ami, on aurait dit qu'Arturo avait perdu toutes ses valeurs. Il souhaitait alors obtenir plus de visibilité à Montréal, se faire connaître davantage, mais en même temps il se faisait un tort immense avec sa conduite. C'est ce qui me fait dire que son championnat du monde est la pire chose qui lui soit arrivée.»

Le début du camp d'entraînement en vue du combat contre Ruelas n'avait rien arrangé, comme n'avait rien arrangé la décision de quitter Virginia Beach pour Vero Beach. De son propre aveu, Arturo s'était d'abord présenté au camp à 170 livres, exactement 40 au-dessus de la limite des super-plumes. Plusieurs rumeurs avaient alors circulé sur l'évolution de son poids durant sa préparation, et il avait fallu attendre trois mois pour connaître la vérité. Hector Roca l'avait dévoilée à Tim Smith du *New York Times*, dans les éditions du 15 janvier 1998. «Arturo est toujours trop lourd», avait-il commencé par lui dire. «Deux jours avant un combat, il a encore six ou sept livres à perdre. Il se tue alors pour essayer de faire le poids. Deux semaines avant le combat contre Ruelas, il était encore trop lourd de 25 livres.»

La méthode qu'avait alors employée Arturo pour se délester de sa surcharge pondérale avait de quoi faire frémir et devait certainement l'avoir prédisposé à une tragédie semblable à celle de Jimmy Garcia. C'est Joe qui l'avait découverte, au moment où son frère était revenu au New Jersey à l'approche du combat. «J'avais surpris Arturo en train de *sniffer* de la coke, nous avait-il confié. En fait, je dis *surpris* mais il avait *sniffé* carrément devant moi. Sous le choc, je lui avais dit: *Voyons Bro, qu'est-ce que tu fais là?*, et il m'avait tout bonnement répondu qu'il *sniffait* pour l'aider à baisser son poids, parce qu'ainsi il ne ressentait pas la faim!»

Selon ce que suggéraient les événements, Arturo avait toutefois dû se dire que, tant qu'à se poudrer le nez, il valait aussi bien joindre l'agréable à l'utile. À environ une dizaine de jours du combat, il était ainsi disparu de Vero Beach pendant plus de 24 heures avant d'être retrouvé complètement bourré et naturellement endormi sur un banc de parc… à South Beach, à près de deux heures de Vero!

À 25 ans, Arturo était encore bien jeune et, pour plusieurs, il aurait alors pu être possible de le sauver, de stopper sa descente aux enfers en annulant dès lors le combat contre Ruelas. En lui évitant d'aller presque mourir dans le ring, on se serait d'abord préoccupé de sa santé et on lui aurait aussi donné du même coup une bonne leçon. «Avoir pris cette décision à ce moment, disait par exemple Mario Costa, je suis convaincu qu'Arturo serait toujours en vie aujourd'hui.»

Pour la garde rapprochée d'Arturo, la situation n'avait toutefois jamais semblé assez critique pour se rendre jusque-là. En fait oui, on la savait critique, mais il y avait encore une façon de contourner le problème, de ne pas le regarder en face: en changeant encore une fois de destination pour tenter d'endormir les démons d'Arturo. À quelques jours du retour au New Jersey, le clan Gatti avait donc cette fois déménagé à Houston où Arturo, selon Roca, avait terminé sa «préparation» dans un gymase de conditionnement physique. Bien sûr, l'entraîneur d'Arturo n'était pas allé jusqu'à confirmer l'épisode du banc de parc, mais il l'avait fait pour une bonne partie du reste. «Arturo était effectivement disparu pendant une journée et cela avait été suffisant pour tout foutre en l'air sa préparation.»

Quand le clan Gatti s'était enfin pointé à Atlantic City, à quelques jours du combat, Arturo avait encore une bonne dizaine de livres à perdre. En complément à la méthode découverte par Joe, il s'était donc entraîné au Police Athletic Gym enveloppé dans une combinaison de caoutchouc. Déjà, on évoquait en coulisse qu'il n'en avait plus pour très longtemps chez les super-plumes et qu'il allait bientôt accéder à la catégorie supérieure. Sans savoir ce qui se cachait réellement derrière ces problèmes de poids.

Néanmoins, à la pesée du 3 octobre, Arturo avait miraculeusement perdu les 25 livres qu'il avait en trop deux semaines plus tôt et affiché 130 livres pile! «Tout ce dont je me souviens, nous avait dit Hector Roca, c'est qu'Arturo avait fait le poids. En tant qu'entraîneur, c'était pour moi la seule chose qui importait parce qu'à ce sujet-là, j'ai toujours été très professionnel.»

Dans quel état physique se trouvait Arturo au moment de s'installer, totalement déshydraté, sur le pèse-personne? Son ex-compagne Vivian Penha nous en avait donné une bonne idée le jour où elle nous avait dit: «Les gens n'ont jamais su à quel point Arturo pouvait être faible au moment des pesées. Pour dire, une simple pichenette aurait probablement suffi à le faire tomber.»

Chose certaine, Arturo était assurément dans une condition qui aurait justifié un ajournement du combat. Comme cela avait probablement dû être aussi le cas pour Jimmy Garcia, qui avait dû perdre 30 livres en deux mois pour affronter Gabe Ruelas.

***

Le texte était intitulé «Ce que Gatti a représenté pour moi» et avait été écrit par le journaliste du *Ring* Eric Raskin, à la mort d'Arturo. «Chaque amateur de boxe a ce moment qui l'accroche, qui lui fait regretter instantanément de ne pas s'être intéressé à la boxe plus tôt. Pour ma part, ce moment a été une courtoisie d'Arturo Gatti. J'étais un ambitieux et impressionnable journaliste sportif de 22 ans, fraîchement débarqué dans la boxe, couvrant pour mon premier gala le combat entre Lennox Lewis et Andrew Golota. La finale avait été mémorable pour toutes les mauvaises raisons *(Golota avait été mis knock-out en 95 secondes seulement)*. La demi-finale avait été mémorable pour toutes les bonnes raisons. Elle avait opposé Arturo Gatti à Gabe Ruelas et avait été désignée «Combat de l'année en 1997». Gatti avait encaissé une raclée au 4e round, s'était presque effondré, puis avait repris vie pour assommer Ruelas avec un crochet de gauche au 5e. Il était alors tombé à genoux dans un débordement de joie et de soulagement. Avant d'être témoin de ce combat, mon travail d'éditeur associé au Ring était seulement destiné à être un bref tremplin vers la couverture du baseball, du football ou de n'importe quoi d'autre. Mais l'émotion dramatique du combat Gatti-Ruelas avait fait de moi un amateur de boxe et fait naître en moi l'idée de devenir chroniqueur de boxe (...) Arturo Gatti a été plus responsable que n'importe quel autre boxeur pour m'avoir attiré dans le merveilleux monde tordu de la boxe. Pour cela, je le remercie. Et j'espère qu'avant la fin de sa trop brève vie, il a pu prendre conscience du nombre de personnes qui voulaient le remercier pour la même chose.»

C'était l'un des grands paradoxes de la boxe. À l'occasion, un combat qui n'aurait pas dû avoir lieu ou qui aurait au moins dû être remis pouvait permettre de rallier un tas d'amateurs à sa cause et contribuer à la légende de celui qui aurait dû être empêché d'y participer.

Ce soir-là, quand Arturo et le reste de son clan étaient arrivés sur le ring où les attendait déjà Gabe, il était manifeste que personne n'avait envie d'être là, que tous savaient ne pas avoir d'affaire sur un ring de boxe. Arturo, Lynch, Roca, Bob Wareing, Joe Souza, ils avaient tous une mine de 10 pieds de long durant les présentations. Ce n'est pas qu'ils avaient revêtu leur visage de guerrier, c'est qu'ils n'arrivaient pas à dissimuler leur culpabilité et leur inquiétude face au combat à venir. Depuis la pesée de la veille, Arturo avait repris 16 livres, mais on aurait dit que c'était le double tant il paraissait emprunté, différent. Le combat n'était pas encore commencé que les aveugles auraient pu voir qu'il n'avait plus rien en commun avec le boxeur qui avait pris le titre à Patterson, deux ans plus tôt. La grande particularité de cet affrontement Gatti-Ruelas était d'ailleurs qu'il mettait aux prises deux boxeurs dont les styles, pour des raisons différentes, avaient évolué pour le pire. Deux boxeurs qui, pour des raisons différentes, se présentaient sur le ring avec l'intention de faire illusion une autre fois. Le souvenir qu'ils avaient laissé aux amateurs et à des journalistes comme Eric Raskin prouvait à quel point ils avaient cependant bien réussi.

Pour quiconque ne connaissant pas les deux hommes, ne sachant pas qu'ils avaient été auparavant des «boxeurs», les trois premiers rounds avaient paru les révéler sous leur meilleur jour. Pour un type comme Hector Roca, qui les connaissait trop bien (Ruelas avait affronté auparavant son boxeur Fred Liberatore), il était toutefois patent dans ce premier tiers qu'ils étaient loin de leur meilleur niveau. «C'était vraiment l'enfer de les regarder, nous avait confié l'entraîneur, parce qu'aucun des deux ne se déplaçait.» Les deux pugilistes bougeaient à l'occasion, mais jamais sur le bout des orteils, se contentant d'aller là où leurs attaques les portaient. Même le champion boxeur Roy Jones, au micro de HBO, avait remarqué un changement. «Leur vitesse n'est plus celle des super-plumes, avait-il noté, mais celle des mi-moyens.»

Mais en dépit de tout ce qu'ils n'avaient plus, Gabe Ruelas et Arturo Gatti restaient d'extraordinaires battants et ils en avaient fait la preuve dans les deux derniers rounds du combat. Moins de six minutes d'action à ce point hallucinantes qu'elles avaient suffi, encore une fois, à faire passer Arturo Gatti et l'un de ses adversaires à l'histoire. Tout avait commencé, cela ne s'invente pas, au moment où le descripteur de HBO Jim Lampley évoquait les effets de la mort de Jimmy Garcia sur la vie de Gabe. Comme s'il avait été investi d'une force surnaturelle, celui-ci avait enchaîné avec une longue série ininterrompue de coups, du genre de celle dont il épargnait généralement ses adversaires. À cet instant, on aurait dit que le combat avait basculé dans une autre dimension, il avait pour ainsi dire trouvé son second souffle et il l'avait ensuite coupé à tout le monde. Après avoir tout encaissé, Arturo avait eu le bonheur de trouver Gabe adossé aux cordes et il était à son tour passé à l'attaque. La puissance de ses coups, parfaitement rendue par la caméra de HBO dans le coin du ring, était alors stupéfiante. C'est d'ailleurs par cette prise de vue qu'on pouvait vraiment comprendre ce que voulaient dire les gens en affirmant que son crochet du gauche était le plus puissant qu'ils aient jamais vu. Atteint de plein fouet par ce coup, un boxeur avait bien peu de chances de rester debout, à moins de s'appeler… Arturo Gatti. Car prendre des coups était son autre spécialité, comme Gabe l'avait appris à ses dépens dans les secondes suivantes. En l'espace d'une vingtaine de secondes, reprenant là où il avait laissé dans sa séquence précédente, il avait en effet atteint Arturo 18 fois consécutivement, sans arriver à le descendre.

Le premier coup qui avait amorcé le déluge avait été terrible. Spécialiste en la matière, Gabe avait passé un uppercut du gauche entre les gants d'Arturo qui lui avait presque décapsulé la tête et l'avait fait tituber de bord en bord du ring. Un peu plus tard, Arturo avait affirmé que Gabe Ruelas avait été le seul boxeur à lui avoir véritablement fait mal physiquement et on pouvait être certain qu'il avait alors ce coup en tête.

Tout au cours de la carrière d'Arturo, ils avaient été nombreux à craindre qu'il meure sur le ring, soit du résultat des coups, soit d'une crise cardiaque parce qu'en trop mauvaise condition physique pour se livrer à des efforts aussi intenses. Mais la toute première fois où les gens avaient eu vraiment peur, c'était au cours de ce 4e assaut contre Gabe Ruelas. Durant le court laps de temps qui avait suffi à Gabe pour lui administrer les 17 autres coups, des gens aux abords du ring criaient *«arrête ça, arrête ça»* à l'arbitre Benjy Esteves, assigné pour la circonstance au plus important combat de sa carrière. Esteves était resté sourd aux implorations des spectateurs, peut-être avec raison du fait qu'Arturo n'était pas tombé et qu'il lui était impossible de deviner à quel point il était monté sur le ring en étant déjà à risque. Ce qu'il ignorait toutefois, c'est qu'en laissant Gabe Ruelas s'acharner sur le corps d'Arturo, il n'avait pas seulement exposé le Convention Center à une tragédie, il en avait déterré une autre.

En mitraillant Arturo, Gabe Ruelas s'était en effet revu frappant sur Jimmy Garcia et il avait fait comme tant de fois au cours de sa carrière, il s'était retenu. Cette fois, il n'avait pas parlé de fantôme pour éviter de passer pour un timbré, il s'était seulement contenté de dire après le combat qu'il avait vu *un flash.* «Cela m'a freiné, avait-il révélé au *Daily News* de Los Angeles, et m'a fait perdre ma concentration». Plus tard, dans un entretien accordé à Sam Sheridan pour son livre *A Fighter's Heart,* il était revenu sur cette séquence du 4e round. «J'avais Arturo à ma merci. Au moment où je m'étais retrouvé en position de l'achever, je n'avais pas été capable de finir le travail. J'en étais rendu là. J'essayais de retrouver mon instinct, mais c'était impossible. Tu l'as ou tu ne l'as pas.»

C'était particulier parce que, de l'instinct, Arturo en avait pour sa part encore en double. Il avait celui du tueur et celui de survie, comme le reste du combat l'avait démontré. Pour finir le 4e round, il avait d'abord fait appel à celui de survie. Il avait alors profité des dix dernières secondes du round pour mettre fin au spectacle à sens unique de Gabe et lui avait rendu coup pour coup, soulevant la foule et Jim Lampley à HBO. *«What a battle!»* avait hurlé le commentateur à la cloche. Puis, il avait changé d'instinct dans son coin comme on change de vêtement dans une cabine d'essayage et il était revenu pour le 5e round avec celui du tueur. Très au fait de sa condition, il savait mieux que quiconque n'avoir guère plus de cinq rounds d'autonomie dans le corps, de sorte que c'était le temps ou jamais de brûler ses dernières cartouches.

De toute façon, de la manière dont le 5e round avait commencé, il était presque assuré qu'il ne pouvait aller à son terme. Les deux «anciens boxeurs» se bagarraient avec une sauvagerie extrême, Arturo pour la raison que l'on sait, Gabe comme s'il enrageait encore d'avoir découvert au round précédent qu'il était toujours hanté et qu'il cherchait à se donner une seconde chance de passer le test. Il avait coupé Arturo à l'intérieur de la bouche au round précédent, sous l'œil gauche dans ce round-là, et le tapis maintenant éclaboussé de sang rendait leur bagarre plus dantesque encore. Calme au cours des trois premiers assauts, la foule avait justement semblé attisée par l'hémoglobine et elle était devenue survoltée. Dans sa thérapie, on avait d'ailleurs expliqué à Gabe qu'il y avait bien d'autres responsables que lui pour la mort de Jimmy Garcia, à commencer par la foule sans laquelle, c'était tout simple, il n'y aurait pas de boxe. La boxe existait parce qu'il y avait près de 14 000 spectateurs pour assister à un combat Gatti-Ruelas et à peu près le même nombre pour devenir hystériques au moment d'en voir crouler un des deux.

Cette fois, ça avait été Gabe. Avec 45 secondes à faire au 5ème assaut, il avait chuté lourdement au tapis, comme arraché à l'attraction terrestre par un – autre – exceptionnel crochet du gauche d'Arturo. Sa belle tête aux cheveux de jais était allée rebondir sur le ring, mais lui si souvent malade dans sa jeunesse, il avait affiché une grande capacité de récupération en se relevant de suite. Il avait fait quelques pas pour tenter de retrouver ses sens, sans regarder l'arbitre Benjy Esteves qui ne lui avait pas offert de continuer et l'avait arrêté immédiatement. Comme bien d'autres avant lui, il venait lui aussi de faire connaissance avec le *joker* d'Arturo Gatti.

Sitôt le combat arrêté, Arturo avait changé de place avec Gabe et s'était à son tour retrouvé au tapis. Étranglé par l'émotion, perclus de fatigue, conscient comme personne d'autre d'avoir titillé la mort, il était tombé à genoux, les larmes aux yeux. Vraiment, sa réaction était parlante. Se couvrant les yeux de ses gants comme pour se couper du monde le temps d'un dernier instant, il n'arrivait pas à croire qu'il était récompensé d'une victoire avec tout ce qu'il avait fait en lien avec ce combat-là. Il était au bord de la rupture au moment de l'arrêt, ses jambes étaient flageolantes et il avait même failli perdre pied en même temps que Gabe avait chuté au sol. En fait, il était dans une condition si précaire que la fin du combat n'avait pas suffi à le mettre hors de danger. Le temps de le dire, le ring s'était en effet rempli de tous les autres responsables de la mort de Jimmy Garcia, c'est-à-dire tous ceux qui vivaient du business de la boxe, et les deux boxeurs, si seuls au moment où le ring n'était que violence, n'arrivaient plus à respirer. Arturo semblait le plus mal en point des deux, il exhortait les gens à lui libérer de l'espace pour qu'il puisse trouver de l'air. Joe l'avait soulevé en triomphe, mais il ne lui était même pas resté assez de force pour avoir une réaction. Il était d'humeur maussade comme si, en même temps qu'il continuait de souffrir de ses efforts, il était presque déçu de s'en tirer à si bon compte.

Autour de lui, ses seconds n'avaient pas l'air plus heureux. En comparant des images prises avant et après le combat, il aurait été d'ailleurs bien difficile de déterminer lesquelles suivaient une spectaculaire victoire par knock-out au 5e round. La réaction de Roca, Lynch et des autres était aussi parlante que celle d'Arturo, ils n'arrivaient pas à se réjouir de cette victoire, à en tirer une quelconque fierté tant elle avait été mal préparée. À l'évidence, le dernier camp d'entraînement avait laissé des traces chez tout le monde, comme n'avait pas tardé à l'apprendre Mario Costa.

Présent au combat, le propriétaire du Ringside Gym de Jersey City avait été dévasté par la performance d'Arturo. Certes, il y avait eu tout ce courage encore démontré, mais Costa avait surtout vu un athlète en nette régression, qui n'était plus l'ombre du boxeur agile et leste qu'il avait vu devenir champion IBF deux ans plus tôt. Le premier à qui il l'avait dit avait été Arturo lui-même. Enfin sorti de la fournaise du ring, Arturo avait marché jusqu'à son vestiaire en compagnie de son ancien mécène, comme il le faisait au début de sa carrière. Mais c'était vraiment tout ce qui rappelait cette époque. «Arturo avait la capuche de son peignoir sur la tête et il ne cessait pas de me demander dans quel état était son visage, avait raconté Costa. Il disait: *Je dois avoir des bosses partout n'est-ce pas, je sens mon visage tout enflé, tu es vraiment sûr que je n'ai rien de grave?* Étonnamment, son visage était assez peu marqué, mais juste le fait qu'il ait l'impression d'être couvert de bosses donnait une bonne indication de ce qu'il avait enduré. Je l'avais donc rassuré sur l'état de son visage, mais un peu moins sur celui de sa carrière. *Arturo, ça n'a pas de sens, tu ne peux pas continuer à te battre comme ça et à prendre autant de coups. Voyons, où sont passées tes jambes? Il faut que tu recommences à te déplacer, à utiliser tes qualités de boxeur. Ta puissance, ton cœur, c'est bien beau, mais tu peux tellement être meilleur que ce que tu as montré ce soir. Que s'est-il passé pour que tu en viennes là?*»

Costa avait laissé Arturo à la porte de son vestiaire, où il n'y avait pas eu non plus de grandes réjouissances. Tout de suite, le champion avait été conduit au Atlantic City Medical Center, là où on l'avait gardé en observation pendant toute la nuit après l'avoir traité pour déshydratation. Si durs les deux derniers rounds avaient-ils été, il n'en avait pourtant même pas livré cinq, ce qui témoignait bien de son état physique à l'entame du combat.

Après la finale Lewis-Golota, Costa avait ensuite fini sa soirée au Coffee Shop de l'hôtel Bally's. Au travers des nombreuses personnalités du milieu de la boxe, il avait aperçu Hector Roca, sûrement aussi déçu que lui par la performance d'Arturo. Les deux avaient piqué un brin de jasette, Costa avait avoué à Roca à quel point il trouvait Arturo changé et c'est là que, se sentant peut-être attaqué, le Panaméen avait réagi. Balançant toute idée de solidarité, révélant par le fait même pourquoi les mines sur le ring semblaient tendues, Roca avait levé le voile sur la vie du clan Gatti et répondu: «Quels genres de résultats penses-tu que je peux avoir quand, un, le boxeur n'est jamais dans le gym, et deux, le gérant est pire que le boxeur?» Invité à revenir sur sa déclaration, Roca avait dit ne pas s'en souvenir, sans la nier pour autant. «J'ai peut-être dit ça dans une période où ça allait moins bien dans le clan, mais pour moi Lynch a été un bon gérant.»

Quoi qu'il en soit, le mensuel américain *Boxing Digest* avait déterminé qu'avec ce combat contre Gabe Ruelas s'était achevé un des règnes les plus excitants de l'histoire moderne de la boxe. Incapable de se plier une fois de plus à l'exigence de faire 130 livres, Arturo avait ensuite abandonné ce titre mondial auquel il avait tant rêvé et fait le saut chez les poids légers.

Pour sa part, Gabe Ruelas avait poursuivi sa carrière sans jamais arriver à ressusciter le boxeur d'avant Jimmy Garcia.

***

De victoire spectaculaire en victoire spectaculaire, la renommée d'Arturo faisait des bonds de géant partout aux États-Unis, mais particulièrement dans la région de New York-New Jersey. Autour de son patelin d'adoption, il était désormais considéré comme une personnalité importante et, à ce titre, fréquemment invité à partager la société des gens riches et célèbres. Règle générale, quand il acceptait de se joindre à une réunion de notables, c'était avec son grand ami Joey Perrenod qu'il aimait le faire. Incapable la plupart du temps de reconnaître le visage des célébrités, il demandait à Joey de rester près de lui et c'est ce dernier, plus au courant de l'actualité sportive et culturelle new-yorkaise, qui était chargé de lui souffler à l'oreille les noms de celles qu'il s'apprêtait à rencontrer.

À cet égard, l'une des premières amitiés *people* cultivées par Arturo au cours de cette période avait été avec le basketteur vedette des Nets du New Jersey, Jayson Williams. Et ce n'était certainement pas un hasard. Comme Arturo, Williams éprouvait aussi de sérieux problèmes personnels et il n'était pas lui non plus à la veille d'en voir le bout. Au début de 2010, après une série de frasques consécutives à sa toxicomanie, il avait ainsi été condamné à cinq ans de prison pour son rôle dans la mort de son chauffeur de limousine, en 2002. Pourtant, au temps où Arturo et lui s'étaient fréquentés, il avait toujours été persuadé d'être le plus lucide, le moins tête brûlée du duo. Pour tout dire, quand les deux hommes s'intoxiquaient ensemble, qu'ils décidaient de se payer un vrai gros *trip* de coke, Jayson avait carrément peur d'Arturo. Pas physiquement parce qu'en dépit de la force d'Arturo, il était si petit et Jayson si grand (6'10"!) qu'il lui aurait fallu un marchepied pour arriver à le frapper. Non, ce qui effrayait surtout Jayson, c'était l'esprit d'Arturo, la folie qui pouvait l'habiter à certains moments. Comme au cours de cette soirée qu'ils avaient partagée au Ringside Lounge, un endroit que Jayson avait tant aimé qu'il avait même voulu l'acheter. Les deux «athlètes» s'étaient isolés au deuxième étage pour se fariner les narines à l'abri des gens, mais les choses avaient mal tourné et Jayson avait vite regretté de n'avoir personne autour de lui. C'était dans une période où, disons, Arturo disjonctait passablement parce que la coke n'était pas sa seule maîtresse. Il s'intoxiquait aussi aux amphétamines, à l'ecstasy, aux antidouleur bien sûr, à la mari, à la kétamine (un tranquillisant pour animaux que les drogués utilisent pour équilibrer leur humeur entre les ivresses et les dépressions) et certains ont même dit aussi au crack. Garder contact avec la réalité représentait donc son plus grand défi et, ce soir-là, il avait été incapable de le relever. Il avait commencé à délirer et Jayson, qui n'aurait jamais dû avoir peur de rien avec un prénom pareil, avait eu une telle frousse qu'il était descendu avertir le propriétaire des lieux. «Ton gars en haut, avait-il dit à Mario Costa, il faudrait vraiment y voir parce qu'il est en train de perdre la boule. Il est rendu si loin dans sa folie qu'il se prend pour le diable! En fait c'est pire que ça, il est convaincu D'ÊTRE le diable, il dit que c'est la raison pour laquelle il gagne tous ses combats, que c'est ce qui le rend si fort. Et je te le jure, il le croit dur comme fer et ses yeux donnent vraiment le frisson.»

À ce que l'on sache, la psychose d'Arturo n'avait toutefois pas duré et, pour cela, il fallait peut-être remercier, non pas Mario Costa, ni même le meilleur thérapeute de Jersey City, mais nul autre que... Angel Manfredy! Ironie du sort, pour ses débuts en poids légers, Arturo s'était en effet mesuré à Manfredy, surnommé depuis ses jeunes années «El Diablo», et celui-ci n'avait rien voulu entendre de céder les droits de son surnom. Monté sur le ring comme s'il allait à une soirée d'Halloween, avec un masque de diable rococo et une tenue aux motifs diaboliques, il avait battu Arturo par K.-O.T. au 8e round, lui faisant la preuve qu'il ne pouvait être le diable, qu'il ne pouvait tirer sa force de cet état puisqu'il avait perdu! Utile pour ramener Arturo à la réalité, cette première défaite après 23 victoires d'affilée l'avait cependant anéanti, et pas seulement parce qu'il vouait une grande antipathie à Manfredy. Accessoirement, elle lui avait aussi coûté un affrontement avec Prince Naseem Hamed qui lui aurait probablement rapporté 7 millions!

Le combat Gatti-Manfredy n'avait en réalité duré qu'un seul round. À la toute fin de la 1ère reprise, Manfredy avait sévèrement coupé Arturo à l'arcade sourcilière gauche, comme il avait annoncé vouloir le faire avant le combat. De deux centimètres au départ, l'entaille était ensuite passée à cinq au fil des rounds et au terme du 8e, le docteur de la Commission athlétique du New Jersey, Dominic Coletta, n'avait eu d'autre choix que de mettre fin au bain de sang. «Ce n'était plus juste pour Gatti», avait-il dit après le combat. «Il ne se battait plus qu'avec un seul œil.» Pour retourner le fer dans la plaie, Manfredy s'était aussi permis d'emprunter l'arme de prédilection d'Arturo et il lui avait payé un voyage à terre avec un crochet du gauche. Quand Arturo s'était relevé, Manfredy lui avait dit: *Je t'ai exactement là où je voulais*, et il avait pas mal raison. Malgré encore de vaillants efforts et une obstination à ne pas abandonner, Arturo n'avait jamais été en mesure de faire tourner le vent. De toute manière, si ce n'avait été que de son frère Joe, installé cette fois tout près du ring, Arturo n'aurait même pas eu la chance de retourner au combat après le 1er round, tant sa coupure était vilaine. «La situation était alors facile à lire, avait expliqué Joe. Arturo se fait couper d'entrée, trop gravement pour que ce soit approprié de continuer. Si le combat est arrêté à ce moment par Hector Roca, Arturo perd bien sûr parce que la coupure est le résultat d'un coup de poing *(et non d'un choc de têtes)*. Mais la défaite ne lui cause aucun tort parce qu'elle résulte plus d'une malchance et que les deux boxeurs n'ont pas véritablement eu le temps de faire un maître. Quatre ou cinq mois plus tard, une fois la coupure guérie, tu organises donc la revanche pour sensiblement la même bourse *(pour le combat contre Manfredy, Arturo avait touché sa première bourse de un million)*, ce qui fait que le boxeur est presque payé en double pour le même combat. C'était pourtant simple à comprendre, mais Roca a vu les choses différemment, plaçant Arturo dans l'embarras. Il l'a renvoyé round après round dans l'action, le faisant mal paraître parce qu'il n'était plus aussi concentré, exposant sa blessure à d'autres coups, mais surtout lui faisant perdre toute sa confiance.» De sa position au parterre, Joe n'avait d'ailleurs pas été passif et il s'était levé fréquemment à partir du 2e round pour crier à Roca d'arrêter le combat. «Faux, avait toutefois tenu à corriger l'entraîneur. Joe, comme Lynch et les autres de l'entourage d'Arturo, me criait plutôt de ne PAS arrêter le combat. Moi, j'avais fait la même lecture de la situation que tout le monde et j'étais prêt à lancer la serviette. La première raison pour laquelle je ne l'avais pas fait, c'est qu'Arturo ne voulait pas. Il me disait de le laisser continuer, qu'il allait finir par *knocker* Manfredy. Alors, comme tous les autres me suppliaient aussi de laisser le combat se poursuivre, je m'étais laissé convaincre.»

Pour la petite histoire, l'entaille maudite avait nécessité 20 points de cicatrisation, 13 à l'intérieur de la peau et 7 autres à l'extérieur. Comme après son combat contre Ruelas, Arturo ne s'était pas présenté en conférence de presse et avait été immédiatement conduit au Atlantic City Medical Center par Joe et sa femme Vikky. Chemin faisant, réalisant soudainement à quel point la situation tranchait avec ce qu'elle avait vu à l'issue de certaines victoires, Vikky s'était retournée vers Arturo et lui avait posé une question un peu délicate. «Au fait Arturo, il est où ton gérant présentement? C'est drôle, je regarde dans la voiture et il n'est pas avec toi, et il ne semble pas non plus nous suivre. Serait-il déjà au bar de son hôtel à se rafraîchir? C'est bizarre, je me demande vraiment pourquoi il n'est pas à tes côtés... Oh c'est vrai, j'étais en train de l'oublier: tu as perdu! Et tous tes autres supposés grands amis, tu sais, tous ceux qui t'appellent pour *sniffer* avec eux, ils sont où maintenant?»

À l'issue du combat contre Manfredy, Vikky ne s'était toutefois pas seulement émue de la situation d'Arturo en route vers l'hôpital. Le lendemain matin, le résultat du combat n'avait pas été transformé en victoire, de sorte qu'Arturo donnait une fois de plus l'impression de s'être présenté à Atlantic City sans entourage. «Sa solitude crevait vraiment le cœur, rappelait Vikky. C'était dimanche et je devais retourner à la maison avec Joe parce qu'on travaillait tous les deux le lendemain matin. Mais Arturo ne voulait pas nous laisser partir. Il nous avait suppliés de rester au moins une journée de plus avec lui parce qu'il avait désespérément besoin de quelqu'un. Et c'était bouleversant parce qu'il avait réellement l'air d'un petit enfant réclamant une présence à ses côtés. D'une fois à l'autre, on se servait donc de ces exemples pour lui révéler la vraie nature des gens de son cercle, et ça fonctionnait, Arturo nous donnait raison pour... 24 heures! *Je vais prendre des décisions*, disait-il chaque fois. Malheureusement, le même manège recommençait toujours le jour suivant. Il renouait avec les pilules, la coke, tout ça, perdait sa lucidité et retombait dans l'état d'hébétude où Lynch tenait à le garder.»

Après Manfredy, Vikky et Joe avaient toutefois eu matière à s'encourager quelque peu. Une autre discussion avait debouché sur des actions concrètes de la part d'Arturo. Dans les jours suivants, Joe s'était en effet assis avec son frère à son condo de Weehawken et lui avait expliqué pourquoi le combat n'aurait jamais dû durer plus qu'un round, même s'il tenait à le poursuivre. «Parce qu'après tout, lui avait dit Joe en conclusion, l'entraîneur est censé être le seul *boss* dans le coin. Celui qui avait donc la responsabilité de te protéger ce soir-là, c'est Hector Roca, c'est lui qui voyait la coupure, pas toi.» Le problème, c'est qu'au sein du clan Gatti, Arturo était le patron dans à peu près toutes les situations. À la suite de sa discussion avec Joe, il l'avait d'ailleurs rappelé brusquement à Roca en le congédiant, mettant ainsi fin à une relation fructueuse mais qui battait de l'aile depuis déjà de longs moments. C'était peut-être une décision fondée, mais qui avait aussi l'avantage, pour Arturo, de faire porter le blâme de cette défaite sur quelqu'un d'autre, l'empêchant de procéder à un examen de conscience sur la manière de conduire sa carrière.

***

La preuve que c'était bien Arturo le patron, il avait demandé à Lynch après le combat de ne pas prélever d'impôt sur sa bourse pour avoir «vraiment» son premier million à lui. Lynch l'avait écouté, avec le résultat prévisible que l'IRS (l'Internal Revenue Service, l'agence gouvernementale responsable de la perception des impôts) s'était ensuite manifestée et qu'Arturo avait dû payer 75 000 $ par mois de pénalité, pendant une certaine période. Dans l'immédiat, il s'était cependant retrouvé avec un joli magot à dépenser et beaucoup de temps devant lui pour le faire. Sa balafre à l'œil gauche l'avait contraint à une autre période d'inactivité de plus de six mois, qu'il avait surtout écoulée à Miami et qui ne lui avait pas beaucoup souri. Arturo avait souvent mentionné que Miami était sa destination préférée, mais on doute que ce soit à cette période qu'il ait eu le béguin pour elle. Cette moitié d'année passée au soleil, à goûter les joies de sa nouvelle résidence secondaire, avait été au contraire cauchemardesque et l'avait fait tomber encore plus bas qu'il l'était dans la période du combat contre Ruelas.

Ses ennuis avaient commencé le 20 mars, deux mois après le combat contre Manfredy, avec une arrestation par la police de Miami Beach qui avait bien sûr fait les manchettes. «L'ancien champion du monde Arturo Gatti, avait écrit le *Miami Herald*, a vraiment un sacré punch. Il a frappé un homme si durement dans un condo de South Point qu'il lui a arraché ses greffes capillaires. La victime, Michel Theuws, un agent immobilier de 51 ans, a donc déposé à la cour du district de Miami-Dade une poursuite civile contre le boxeur de 28 ans. Dans sa requête, Theuws affirme avoir rencontré Gatti dans un club de South Beach appelé le Living Room, puis l'avoir ensuite invité, lui et son amie de cœur Cynthia Shaw, à une fête à son appartement. Au moment de partir, Gatti et Shaw se sont séparés et cette dernière a voulu panser ses plaies en revenant plus tard chez Theuws. Gatti l'a retrouvée là et il aurait alors attaqué Theuws dans une crise de jalousie. Theuws fait valoir dans sa poursuite que Gatti aurait utilisé ses poings comme une arme meurtrière. La police de Miami Beach indique que Gatti avait une coupure au majeur gauche, compatible avec l'une des agrafes posées sur la tête de la victime. Les policiers l'ont d'abord arrêté pour voies de fait, puis pour avoir ensuite menacé un agent de la paix, en l'occurrence l'officier Robert Silvagni. Selon la police, Gatti aurait dit à l'officier: *Tu es de la viande morte.* L'avocat de Gatti, Jeff Weiner, l'a inscrit à un programme spécial d'intervention d'avant-procès.»

Pour Arturo, cette histoire n'avait toutefois été qu'une simple période d'échauffement. Dans le même texte, le *Miami Herald* nous apprenait en effet qu'il avait été coffré une deuxième fois un peu plus tard, avec l'une des deux mêmes personnes impliquées! «La police de Miami Beach a arrêté Gatti une seconde fois en 1998, cette fois pour emprisonnement illégal et assaut sexuel. La victime présumée: Cynthia Shaw, la même femme, une danseuse érotique au club Solid Gold. Elle a habité deux mois avec Gatti. Au cours de l'incident, a-t-elle soutenu, il l'a frappée à l'oreille et à la tête après qu'elle eut refusé d'avoir une relation sexuelle avec lui. Gatti a dit aux policiers qu'ils avaient consommé ensemble de la cocaïne et qu'ils avaient eu environ huit relations sexuelles consentantes au cours de la nuit. Lorsque Shaw a ensuite modifié sa version, les policiers ont relâché Gatti.» Plus tard, le *Ring Magazine* avait ajouté un dernier détail à l'affaire. Il avait publié une photo d'Arturo faisant voir une large cicatrice sous son omoplate gauche, gracieuseté d'un coup de couteau de la femme en question! Bref, Arturo ne s'était pas fait une très bonne réputation à Miami non plus et les rumeurs voulaient d'ailleurs qu'après toutes ces frasques, les autorités de la ville lui aient intimé l'ordre de foutre le camp et de retourner dans le New Jersey.

Ce que les autorités ignoraient toutefois, c'est qu'à peu près au même moment, un autre groupe d'individus avait aussi décidé de faire disparaître Arturo, mais pas seulement de Miami, de toute la surface de la terre ! L'histoire avait été racontée par le beau-frère d'Arturo, Rocco Crispo, et confirmée par Joe. Au cours de cette période rocambolesque, Arturo s'était enamouré de la compagne – était-ce Cynthia Shaw ? – d'un des plus gros caïds de la mafia de Miami. Le type était alors en taule, mais il restait tout de même assez bien informé de ce qui se passait à l'extérieur des murs de sa cellule et à l'intérieur de ceux de sa maison. Aussi, quand l'intérêt d'Arturo pour sa compagne avait été porté à sa connaissance, il n'avait pas demandé un temps de réflexion pour décider de son sort. Il avait ordonné tout de suite qu'on lui fasse sauter le caisson ! Probablement informé par son amoureuse, Arturo avait dû être légèrement sous le choc et il avait alors communiqué avec Rocco Crispo, blanc comme neige au Québec, mais ami avec les plus importants mafieux d'un peu partout. « Quand Arturo m'avait mis au courant, racontait Rocco, je m'étais rendu en Floride pour lui dire de ne pas s'inquiéter, que j'allais réussir à le tirer de cette situation avec mes relations. Mais soucieux de me garder à l'écart, Arturo m'avait dit qu'il préférait demander à Lynch de trouver une solution. *Pat va se mettre en contact avec eux*, m'avait-il dit, *ils vont négocier quelque chose, ça va me coûter un certain montant et je devrais avoir la vie sauve*. Et effectivement, Lynch l'avait fait et il avait sauvé la peau d'Arturo. Je n'avais toutefois jamais su ce qu'il en avait coûté à Arturo… jusqu'à une certaine soirée passée à la maison. Nous avions bu pas mal et comme l'histoire me chicotait toujours, j'avais profité de l'occasion pour tenter de tirer les vers du nez d'Arturo. Je lui avais demandé comment s'était conclue l'affaire, il m'avait dit que Pat avait réussi à tout arranger en versant de l'argent au mafieux. *Ah oui, et combien ça t'a coûté ?*, m'étais-je risqué. Il me l'avait dit, et sa réponse m'avait jeté par terre : 300 000 $! J'étais dès lors convaincu, comme Joe l'était aussi, que ça n'avait jamais coûté autant à Lynch. »

Chose certaine, cette perte de 300 000 $ avait eu pour effet de sérieusement entamer le bas de laine d'Arturo. C'est sans doute pour cette raison qu'à la même période, il avait étudié avec beaucoup d'intérêt une alléchante proposition d'affaires d'un autre groupe mafieux, mais cette fois de New York : les Gambino.

Les Gambino constituaient l'une des cinq familles mafieuses à contrôler le crime organisé dans la région de New York. Comme la plupart des autres, ils avaient connu leur apogée au cours des années 1970 et 1980, mais au moment où ils avaient approché Arturo, ils connaissaient un déclin attribuable à une famille en particulier, les… Gotti! Le parrain des Gambino, John Gotti Senior, préférait en effet les coups d'éclat médiatisés à la discrétion légendaire de la mafia. À la longue, sa mégalomanie avait valu à peu près les mêmes ennuis aux Gambino que les Hells Angels du Québec avec Maurice «Mom» Boucher. Certaines personnes allaient même jusqu'à affirmer que le comportement de Gotti avait aussi été néfaste à Arturo! En raison de la parenté phonétique entre les deux noms, du fait qu'aux États-Unis «Gatti» se prononce presque de la même manière que «Gotti», on disait qu'Arturo s'était mis à jouer les petits caïds comme Davey Hilton en son temps, à se croire invincible, bref, à agir comme s'il faisait partie de la célèbre famille. D'ailleurs, s'il fallait en croire le fin finaud avocat qui avait représenté Arturo dans sa cause de Miami, même la police se trompait entre les deux individus! «Ce n'est pas une grosse histoire, avait indiqué l'avocat au *Miami Herald*. De ce que j'en sais, la police croyait plutôt avoir affaire à John Gotti, pensant qu'il s'était échappé de prison. Quand ils ont vu mon client, ça les a déçus.»

En raison de cette parenté phonétique, du comportement dévoyé d'Arturo, de l'intérêt éternel de la mafia envers les boxeurs, en raison surtout du fait que les Gambino se spécialisaient dans les paris illégaux, il n'avait donc pas été très étonnant qu'ils tentent de faire des affaires avec lui. Ils lui avaient demandé d'investir 25 000 $ sur un coup, avec évidemment promesse de bons dividendes, une proposition qui arrivait à point nommé après la dépense liée à sa romance de Miami. Mais l'affaire était délicate et pour y voir plus clair, Arturo avait de nouveau fait appel à son spécialiste ès mafia, Rocco Crispo. «Aux yeux d'Arturo, la proposition des Gambino pouvait paraître intéressante, mais il importait de le mettre au courant de tout ce qu'elle impliquait, expliquait Rocco. J'avais donc dit à Arturo: *Tu fais ce que tu veux, mais il faut que tu saches que si tu dis oui, tu ne t'embarques certainement pas juste pour un deal avec ces gens-là. Si tu fais 30, 40, 50 000 $ avec ce coup, les Gambino vont considérer* *que tu as une dette envers eux et tu verras que ce n'est pas si facile de les quitter. Réfléchis-y à deux fois…»* Selon toute vraisemblance, Arturo n'avait pas donné suite à l'offre de l'organisation criminelle, ce qui ne l'avait pas empêché de continuer d'entretenir certains liens avec elle. Ivano Scarpa, ami d'Arturo et ancien manager de Joe, avait par exemple confié qu'Arturo avait un temps bénéficié des services d'un chauffeur de la pègre. «Un jour, le type a même détruit sa voiture personnelle dans un accident et Arturo lui a acheté une nouvelle Cadillac.»

***

Elles avaient enduré les agressions sexuelles pendant cinq interminables années. Jour après jour, Davey Hilton s'était acharné sur elles. Il leur avait tout fait. «Imaginez les pires sévices qu'un père puisse infliger à ses enfants et multipliez-les par dix. Voilà ce que nous avons subi», avaient-elles confié. Davey Hilton avait fait de ses filles Jeannie et Anne Marie ses jouets sexuels, ses esclaves. «J'étais la vraie femme de Davey Hilton», avait imagé la première. Davey Hilton leur avait tout fait, tout demandé, jusqu'à ce jour d'automne 1998 où, à Miami, elles avaient profité de son absence pour prendre leur courage et enfin le dénoncer. Dans une chambre de l'hôtel Colonial, reconnu pour sa clientèle québécoise, elles s'étaient installées et avaient attendu que leur mère, Anna Maria Gatti, revienne de l'un des trois emplois qu'elle cumulait pour faire vivre «l'animal» et ses quatre enfants. Quand la porte de la chambre s'était finalement ouverte, c'était comme si Anna Maria avait en même temps ouvert celle du cœur de ses filles. Leur *Cœur au beurre noir*.

«Lorsque notre mère est entrée, nous étions toutes les deux en larmes, assises sur le plancher, avait écrit Jeannie. Elle a fait de gros yeux:

Mais qu'est-ce qui se passe ici?

Je me suis levée.

Maman, assois-toi.

Quoi ? Qu'est-ce qui se passe ? Pourquoi pleurez-vous toutes les deux ? Il s'est passé quelque chose, non ? Dites-le-moi maintenant.

Ma sœur m'a demandé de parler. Ce que j'ai fait :

Anne Marie et moi ne sommes plus vierges.

Elle a échappé la cigarette qu'elle tenait entre ses doigts.

Nous ne sommes plus vierges parce que c'est papa qui nous a fait perdre notre virginité.

Son visage est devenu tout blanc.

Qu'est-ce que tu veux dire quand tu dis qu'il vous « l'a fait perdre » ?

C'est papa qui nous a fait perdre notre virginité.

Sa mâchoire s'est raidie :

Ce trou du cul vous a touchées ?

Oui.

Ma mère, ma sœur et moi pleurions. »

L'instant d'après, Anna Maria avait sauté sur le téléphone pour communiquer avec Hilton, retourné à Montréal pour participer à la promotion de son premier combat contre Stéphane Ouellet. Elle n'avait pu lui dire grand-chose, il était trop soûl. Alors, elle s'était rabattue sur ses proches, comme pour s'entraîner à raconter des choses aussi horribles avant d'avoir à le faire devant la police, le lendemain. Elle avait composé un numéro de téléphone répertorié dans l'État du New Jersey, mais la sonnerie avait retenti à Montréal, dans une Alfa Romeo ayant à son bord deux inséparables de cette époque. Au volant, Ivano Scarpa avait pensé que c'était sûrement une autre gonzesse qui rappelait Arturo pour prendre rendez-vous avec lui pour la soirée. Mais il avait réalisé bien vite qu'il n'était pas question d'amour. Les mots qui sortaient de la bouche d'Arturo étaient fielleux, haineux. *«Ah le crisse de chien! Ah l'ostie de pourri! Il a abusé d'elles pendant tout ce temps? Il les a pénétrées? Toutes les deux? Ah l'ostie de sale! Je vais le tuer le tabarnak! Je te l'dis Anna, je vais le tuer avant que la police s'en mêle!»* Avant même de raccrocher, il avait eu le temps de se demander combien Miami allait-elle encore lui réserver de mauvaises nouvelles en 1998. Cela avait vraiment tout l'air d'une malédiction, qu'il n'arrivait même pas à fuir hors de la ville. Il rageait toujours et, à ses côtés, Ivano savait maintenant trop bien de quoi et de qui il était question. *«Ah le crisse de chien! Il est où là? À Montréal? Tu es sûre qu'il est présentement à Montréal? Dis-moi où. Je m'excuse, ma sœur, mais cette ordure mérite que je m'en occupe avant la police. Il a fini de briser des vies autour de lui, il ne retouchera plus jamais à personne.»*

Même au cœur d'une épouvantable rage, il était toutefois impensable qu'Arturo puisse penser être capable d'occire Hilton avec ses poings. Avant de lui mettre la main dessus, il lui fallait donc trouver une arme à feu et, en raccrochant, cela avait été la première chose qu'il avait dite à Ivano: «Je dois trouver une arme.» Puis, il lui avait raconté ce qu'il venait d'apprendre, aussi hystérique que l'était sa sœur deux minutes plus tôt. «Arturo était très sérieux, avait rappelé Ivano. Il était enragé, il n'y a pas d'autre mot, et il n'avait qu'une seule idée en tête, trouver son arme. J'avais vraiment dû travailler fort pour le raisonner, le dissuader de mettre à exécution son plan de tuer Hilton. Je me rappelle, j'étais même resté avec lui jusqu'à 3-4 heures de la nuit pour être certain qu'il ne fasse pas de bêtise.»

Le lendemain, pendant que sa sœur racontait tout à la police de Miami, Arturo avait cependant repris ses recherches, engagé dans une course contre la montre avec les policiers pour punir Hilton le premier. Il savait qu'après s'être trouvé un flingue, ce serait une formalité de retracer Hilton, quitte à aller le brûler en pleine conférence de presse s'il le fallait. Il avait donc téléphoné à ses amis de confiance, ceux qu'il savait les mieux branchés avec le «milieu». Cela avait inclus son ex-coéquipier du Club Olympique, Vittorio Salvatore. Comme Rocco Crispo,

Vittorio était un incorruptible, mais il avait un tas d'amis susceptibles de pouvoir aider Arturo. «Arturo m'avait appelé pour me mettre au courant de l'histoire, disait Vittorio, mais il voulait surtout que je me serve de mes contacts pour lui trouver son *gun*. Il ne bluffait vraiment pas, il voulait *passer* Hilton. Malheureusement pour lui, même si je comprenais sa rage, je ne pouvais pas faire une chose pareille. Je lui avais dit: *Ce que tu me demandes là, Arturo, n'a aucun sens. Penses-y juste un peu: tu es prêt à briser ta vie pour tirer Hilton et tu veux que moi je brise la mienne pour t'avoir fourni l'arme du crime! Non mais ça va pas? Oublie-moi, je ne suis pas assez fou pour nous mettre dans un tel pétrin.* Je pense que notre conversation, au même titre que celles qu'il avait eues avec d'autres proches, avait pu contribuer à le faire renoncer à son plan.» Mais pas avant, avait confirmé Scarpa, qu'Arturo ait enfin mis la main sur ce qu'il cherchait. «Et le pire, avait-il dit, c'est qu'Arturo avait trouvé son arme par l'un de mes contacts.»

Armé ou non, Arturo était resté longtemps à ne pas décolérer, comme avait aussi pu le constater son premier amour, Sylvia Fagnani. «Il était passé me voir pour m'apprendre la nouvelle avant qu'elle soit rendue publique et il parlait encore de tuer Hilton, disait-elle. Je n'avais pas de mal à croire à sa haine parce que je savais à quel point il aimait ses nièces. Au temps où on se fréquentait, il me disait parfois qu'il ne pouvait me voir parce qu'il devait s'en occuper.»

Que se serait-il produit si le hasard s'en était mêlé et qu'il avait provoqué une rencontre entre les deux beaux-frères au cours de cette courte période de l'automne 1998? Mike Moffa, un autre coéquipier du Club Olympique, n'en avait jamais douté: «Malade comme l'était Hilton et enragé comme l'était Arturo, il y aurait eu un mort, c'est absolument certain.»

Et dire que, deux ans plus tard, les deux beaux-frères s'étaient retrouvés au Centre Molson, demi-finaliste et finaliste du même programme de boxe!

***

Guéri de sa taillade à l'œil subie contre Manfredy, de celle sous son omoplate subie contre Cynthia Shaw, Arturo avait renoué avec les cordes le 22 août 1998, pour le premier de deux combats consécutifs livrés à une vieille connaissance du temps où il fréquentait les salles de Philadelphie, Ivan Robinson. Comme on le priait de le faire depuis des années, il avait commencé à faire le ménage dans son entourage, sauf qu'en congédiant Hector Roca il allait se rendre compte qu'il ne s'était pas débarrassé de la pomme la plus pourrie de son panier. Pour remplacer le Panaméen, Arturo n'avait en tout cas certainement pas réalisé le coup du siècle. Il avait demandé à son préparateur physique de Virginia Beach, Bob Wareing, de lui servir d'entraîneur, un choix qui donnait l'impression d'être un pis-aller et qui tendait à démontrer qu'il n'avait pas attaché un très grand sérieux à ce combat. Bob Wareing était un type formidable, d'une grande droiture, mais il n'était pas un entraîneur de boxe à proprement parler et il avait été d'ailleurs le premier, à l'issue du combat, à se mettre au rancart et à dire à Arturo de s'en trouver un vrai. De plus, son embauche avait imposé à Arturo de retourner s'entraîner à Virginia Beach et de retomber dans les vices dont Roca avait souhaité le tirer, une erreur qu'il admettrait lui-même après le combat en disant : *Je quitte Virginia Beach, il y a décidément trop de tentations autour du gymnase.* Résultat, Wareing s'était révélé complètement inutile puisque l'indiscipline d'Arturo l'avait même empêché d'exprimer ses grandes qualités de préparateur physique ! À l'évidence, l'échec contre Manfredy n'avait été d'aucune utilité et ses proches continuaient de faire des découvertes sur sa manière de vivre. Après son frère Joe qui l'avait vu *sniffer* dans sa préparation contre Ruelas, c'est son beau-frère Rocco Crispo qui avait, cette fois, été confronté au spectacle de sa nouvelle vie. Arturo était un jour passé le cueillir à la maison, la porte de la limousine s'était malencontreusement ouverte trop tôt et il avait été vu en train de renifler aux côtés de son jeune frère Fabrizio. Penaud, mal à l'aise, il avait dit à Rocco : *Tu me hais, n'est-ce pas ?* et ce dernier n'avait pas voulu lui épargner la vérité : « Je ne te hais pas, Arturo, mais je suis extrêmement déçu. Je viens surtout de comprendre plein de choses à propos de tes dernières performances. » Rocco n'était pourtant pas au bout de ses surprises. L'un de ses amis viendrait bientôt lui avouer, tout contrit, avoir consommé de la coke avec Arturo la veille d'un des deux combats contre Robinson! «C'est ce qui m'a toujours fait penser, avait confié Rocco, qu'Arturo avait tous les membres de la Commission athlétique du New Jersey dans sa petite poche, comme se plaisait d'ailleurs à le dire Pat Lynchen en privé. Il est impossible qu'avec la vie que menait mon beau-frère, particulièrement en 1998, il n'ait échoué à aucun test antidrogue. Pour moi, c'est un non-sens.»

Pourtant, c'était un fait que nous avait péremptoirement confirmé le commissaire alors en poste, Larry Hazzard: contrôlé avant Robinson comme à tous les combats, Arturo n'avait jamais rendu de test positif. «Si ça avait été le cas, on n'aurait pas besoin de me poser la question parce que l'histoire aurait fait les manchettes partout. Alors, comme personne n'a jamais entendu parler de rien, c'est bien la preuve qu'Arturo a toujours été propre.» Effectivement, jamais aucun média n'avait fait état d'un test positif pour Arturo ou avancé que la commission athlétique avait pu faire en sorte d'en dissimuler. En revanche, certains avaient au moins aidé à mettre un peu de lumière sur le quotidien longtemps caché du Arturo de 1998. En 2005, le *Star-Ledger* de Newark l'avait notamment fait avec cet extrait d'un long portrait: «Mais les amis de Gatti savaient qu'il était en train de perdre le contrôle à l'extérieur du ring. Avec sa nouvelle célébrité et beaucoup d'argent à flamber, Gatti faisait la foire de la même façon qu'il se battait. Follement, sauvagement et à 100 milles à l'heure. Il allait dans les clubs de Manhattan et y restait toute la nuit. Quelquefois, il se présentait chez son ami Mike Skowronski à trois ou quatre heures du matin et frappait à coups de pied dans la porte. *Quand on jouait au golf, il était déjà soûl au 8ᵉ trou*, disait Skowronski. *Durant cette période, il s'entraînait trois ou quatre semaines avant un combat, le reste du temps il sortait et il buvait. Il était dépressif et il avait l'esprit ailleurs (...) S'adressant à la presse dans les jours précédant le deuxième combat contre Robinson, il buvait du vin dans un verre en carton. Les gens croyaient que c'était du soda.*»

Au cours de ces trois ou quatre semaines passées à Virginia Beach en vue du premier combat, sa dépression avait aussi été observée par l'un de ses partenaires d'entraînement favori, Freddie Curiel. Et elle avait constitué un petit choc parce que c'était tout le contraire de l'état dans lequel Freddie avait cru retrouver Arturo. Lorsque celui-ci avait sollicité ses services pour le préparer à Robinson, il avait dit oui sans hésiter et filé immédiatement vers Virginia Beach. Tout au long des deux heures de route qui le séparaient du Wareing's Gym, Freddie avait jonglé avec ses regrets de ne pas être devenu champion du monde, pensant à l'inverse à quel point Arturo pouvait être heureux d'avoir réalisé son rêve, d'être devenu une vedette du réseau HBO, de gagner des bourses mirobolantes. «Mais durant mon séjour au gymnase, disait Freddie, j'avais été confronté à une réalité totalement différente de celle que je m'étais imaginée dans la voiture. Arturo avait tellement l'air malheureux d'être là, la vie lui paraissait tellement à charge que je m'étais dit: *Wow, c'est ce que ça donne d'être champion du monde, c'est tout l'effet que ça fait? Si c'est le cas, je suis presque content de ne pas avoir réussi, d'avoir mes petits bonheurs tranquilles.*»

Puisque l'un n'allait généralement pas sans l'autre, Freddie n'avait pas que retrouvé un homme en dépression, il avait aussi retrouvé un boxeur en bien plus petite forme qu'au temps du Costello's Gym de Paterson. Comme à l'habitude, l'hygiène de vie d'Arturo faisait qu'il combattait des problèmes de poids, ce qui le rendait particulièrement vulnérable. «À mon arrivée, Arturo pesait peut-être 150-155 livres (l'affrontement avait été fixé à 136 livres) et il était très faible. Quand on croisait les gants, Bob Wareing attendait qu'Arturo lui fasse dos et il me faisait des signes de mettre la pédale douce, de me retenir tellement il était faible.» En dépit de ce qu'il avait vu à Virginia Beach, de ce qu'il n'avait pas vu les jours où Arturo ne s'était pas montré, Freddie l'avait tout de même cru capable de s'imposer face à Robinson. Comme l'avait aussi pensé le clan Gatti.

Ivan Robinson était loin d'être un inconnu pour l'entourage d'Arturo. Selon des coupures de presse, les deux boxeurs avaient déjà mis les gants ensemble à Philadelphie (quoique les commentateurs de HBO aient dit l'inverse), mais leur route s'était aussi croisée chez Main Events. C'était au début de la carrière des deux hommes, à l'époque où la firme du New Jersey travaillait avec l'intermédiaire Russell Peltz, qu'elle jugeait trop imprudent dans le choix des adversaires d'Arturo.

Soucieuse de protéger son espoir blanc, Main Events avait donc confié le choix des adversaires d'Arturo à Carl Moretti plutôt qu'à Peltz, à qui elle avait donné Robinson comme prix de consolation. C'est dire que, déjà à ce moment, Main Events avait fait son choix et qu'elle considérait Arturo supérieur au boxeur noir de Philadelphie.

D'autre part, «Mighty» Robinson n'était pas non plus un étranger aux yeux de ceux qui avaient lancé la carrière d'Arturo. Mario Costa et surtout Panama Lewis avaient appris à connaître Robinson dans leur tournée des salles de Philadelphie. Aussi, quand Lewis s'était fait dire que Robinson avait été retenu pour le combat de retour d'Arturo, il n'avait pas aimé. Robinson lui était apparu comme un boxeur trop actif, trop rapide et trop habile à se déplacer pour l'Arturo qu'il avait vu au cours des derniers combats. Il l'avait dit à Costa qui, à son tour, s'était rendu avertir Patrick Lynch à son bureau de Secaucus. Les relations entre les deux hommes ne s'étaient évidemment pas améliorées avec le temps, mais ils étaient capables de discuter quelques instants pour le bien-être de la carrière d'Arturo. En dépit du fait que Robinson avait bien paru dans sa défaite face à Philip Holiday en championnat IBF, du fait surtout qu'il avait lancé presque 1 100 coups au cours de ce combat, Lynch n'avait pas cru bon s'inquiéter. «D'abord, avait-il répondu à Costa, le combat est présenté sur HBO et on ne peut pas opposer n'importe quel boxeur à Arturo. Il lui faut un très bon adversaire, c'est la règle *(d'habitude, le diffuseur soumettait toutefois une liste de boxeurs dans laquelle on pouvait faire un choix)*. Cela dit, Robinson ne cogne pas assez dur pour mettre en danger Arturo. Le gars ne serait même pas capable de briser un œuf.»

Là-dessus, Lynch avait visé dans le mille. En 20 rounds et deux combats, l'auteur de seulement 10 K.-O. en carrière (fiche de 25-2) n'était pas arrivé à briser l'œuf qu'avait représenté la tête d'Arturo. Mais il avait tapé dessus exactement 840 fois, soit 400 à la première occasion et 40 de plus à la suivante! Dans son livre *Ringside, a Treasury of Boxing Reportage*, le grand journaliste Budd Schulberg s'était d'ailleurs demandé pendant encore combien de temps «ce glouton de coups» pourrait pouvoir s'installer à table. Pour lui, les performances d'Arturo lors de ces deux combats avaient représenté «l'art viril de l'absence de défensive *(the manly art of no defense)*» et cela l'avait incité à lui prodiguer un petit conseil. «Prends bien soin de ton argent, Arturo. En tant qu'actuel et futur champion de *l'art viril de l'absence de défensive*, tu vas avoir besoin de chacun de tes dollars. Les prix des chirurgies plastiques sont élevés. Et, à l'approche du XXIe siècle, tu es toujours privé du système de pension pour boxeurs que l'on tente de faire accepter depuis la première moitié du siècle.» Un peu plus loin dans le même texte, Ivan Robinson l'avait cru capable de rebondir, mais il avait aussi ajouté: «En toute honnêteté, je ne pense pas qu'Arturo puisse durer une autre année en continuant de prendre des coups comme ça.»

Cela dit, ces deux chocs Gatti-Robinson avaient été extraordinairement divertissants, épiques, sauvages. Même victime de tous ces châtiments, Arturo avait fait sa part, au point que Lou DiBella lui avait donné un vote de confiance à l'issue des deux combats. «Il reviendra à l'antenne de HBO», avait-il confirmé en dépit de ces deux nouvelles défaites. «Tu ne peux tout simplement pas partir à la retraite quand tes deux derniers combats sont candidats au titre de Combat de l'année.»

Le premier Gatti-Robinson avait fait plus qu'être en nomination, il avait été désigné «Combat de l'année 1998». Arturo avait beau avoir torchonné sa préparation et abordé ce combat de retour dans les pires dispositions, il avait trouvé le moyen d'être plus spectaculaire que jamais, courageux sans bon sens, et même brillant par moments (seulement à l'offensive!). Dès la première minute du 1er round, son œil gauche avec lequel il était en délicatesse depuis si longtemps avait commencé à enfler et il avait encore terminé le combat avec deux coupures. Même chose pour ses lèvres, elles étaient devenues si gonflées au fil des rounds qu'on aurait dit qu'il recevait des injections de Botox à chaque minute de repos! Pour le troisième combat d'affilée, il avait d'ailleurs été forfait à la conférence de presse d'après-combat (ce serait quatre de suite à l'issue de la revanche), prenant rapidement le chemin de l'Atlantic City Medical Center, là où on ne devait même plus se donner la peine de ranger son dossier à la fin de ses visites.

Le pire, c'est qu'il avait malgré tout failli gagner ce premier combat. Il ne s'était incliné que par décision partagée des juges, même si à notre avis la victoire de Robinson ne faisait pas autant de doute. Arturo avait cependant aidé sa cause en réalisant le seul knock-down du combat – au 4e – et il en aurait réalisé bien d'autres si Robinson n'avait pas été aussi héroïque. À l'issue du verdict, Arturo l'avait d'ailleurs louangé et il n'avait pas remis en question la justesse de la décision. « Ivan a livré un grand combat », avait-il affirmé à l'agence Associated Press. « Je pensais être capable de lui passer le K.-O, et j'ai presque réussi. Je sais que je prends trop de coups, mais c'est ainsi que je me bats. » Un peu plus tard, il avait toutefois mentionné au *KO Magazine* qu'il avait eu l'impression de gagner, ajoutant que si cela avait été le cas, la revanche aurait donné lieu à un résultat forcément différent. C'était habile de sa part, il venait en un tournemain de se trouver un alibi pour chaque défaite, s'évitant une autre fois de réfléchir à la manière dont il avait préparé les deux combats. Mais d'une façon ou d'une autre, peu importe l'identité du vainqueur, il y avait une clause de revanche prévue au contrat et les deux boxeurs avaient tenu à la respecter immédiatement. Dans le cas d'Arturo, il n'avait guère eu le choix puisque si Lou DiBella l'avait assuré de son retour à HBO, il avait précisé qu'il devait le faire contre Robinson. Pour ce dernier, les choses avaient été un peu plus compliquées car sa victoire lui donnait le droit d'affronter le champion WBC des légers, Cesar Bazan. Seulement, pour à peu près tous les boxeurs de la catégorie, l'attrait de se mesurer à Arturo l'emportait sur tout, y compris sur la chance de devenir champion du monde. Robinson avait donc préféré accepter l'offre de HBO, d'autant plus qu'elle était bien plus lucrative que celle pour le titre. Payé 75 000 $ pour le premier combat, Robinson avait touché 400 000 $ pour la revanche, soit la même bourse qu'Arturo… qu'il venait pourtant de battre !

Dans l'ensemble, le deuxième combat disputé le 12 décembre au Trump's Taj Mahal d'Atlantic City avait été une répétition du premier, c'est dire à quel point il avait lui aussi atteint des sommets de brutalité. Arturo et Ivan avaient d'ailleurs donné un tel spectacle qu'à la fin, DiBella avait cette fois dit : « Ces deux gars-là ne devraient jamais plus se battre contre quelqu'un d'autre ! » Ils avaient échangé des coups de la première à la dernière cloche, Ivan toujours bien plus généreux qu'Arturo et bien plus sportif aussi. Au 8e round, Arturo avait ainsi frappé sous la ceinture comme il le faisait systématiquement à chaque combat et l'arbitre Benjy Esteves lui avait retiré un point. Aussi incroyable que cela puisse paraître, en dépit de tous les coups encaissés par Arturo, c'est ce point déduit qui l'avait empêché de s'en tirer avec un nul! À la fin du combat, les trois juges avaient en effet rendu des bulletins favorables à Robinson, mais deux l'avaient fait par la plus ténue des marges, 95-94. Avec un point de plus pour Arturo, ils auraient donc voté pour le nul, ce qui aurait suffi à le sauver de la défaite (deux résultats nuls sur trois occasionnent automatiquement un match nul).

Mais cela ne s'était pas produit et à l'issue du combat, la grande question était déjà de savoir si on allait un jour le revoir sur un ring. Il y avait vraiment lieu d'en douter si, comme Mike Skowronski, on était tombé sur un partisan de Robinson en marchant vers le vestiaire et qu'il nous avait glissé à l'oreille: « Ton gars a vraiment eu une bonne carrière. Mais tous les boxeurs vieillissent. C'est fini. »

En y pensant bien, Arturo venait de perdre ses trois derniers combats, celui-là du 12 décembre pour clore une année 1998 épouvantable sur toute la ligne. Trois défaites, des combats à moitié préparés, un millier de coups reçus, à première vue il n'y avait effectivement que du négatif.

À première vue seulement.

Comme le *Ring Magazine* de novembre 2009 l'avait rappelé, l'année 1998 de ce diable d'Arturo avait été au contraire si positive qu'elle avait servi à sauver toute la boxe! Rien de moins. « 1998 avait été à tous les points de vue une année dégueulasse pour la boxe. Le titre des poids lourds était partagé entre Evander Holyfield et Lennox Lewis, et au lieu de s'affronter comme le public le réclamait, nous avions eu droit à Lewis contre Shannon Briggs et Zeljko Mavrovic, ainsi que Holyfield contre Vaughn. Pendant ce temps, la plus grande attraction chez les poids lourds restait Mike Tyson, mais il ne s'était pas battu de l'année en raison d'une suspension pour avoir mordu Holyfield. La plus grande vedette des autres catégories, De La Hoya, n'avait livré que deux combats, un inégal contre son aspirant obligatoire Patrick Charpentier, l'autre inutile contre un Julio Cesar Chavez sur le déclin. Et celui que tous voulaient voir affronter De La Hoya, Felix Trinidad, ne s'était battu qu'une fois contre Mahenge Zulu. (...) Donc, qui était celui qui avait empêché les amateurs de déserter ? Arturo Gatti, qui s'était battu trois fois, produisant un Combat de l'année contre Ivan Robinson et deux autres solides candidats à cette distinction. Qu'il n'en ait gagné aucun importait peu, en tout cas pas quand on regardait les choses dans leur ensemble. L'important, c'était plutôt qu'il nous avait rappelé à trois différentes occasions pourquoi nous regardions la boxe en priorité. »

Vu sous cet angle, il n'y avait aucune raison de tirer sa révérence, n'en déplaise aux partisans de Robinson. À regarder la tangente de la carrière des deux boxeurs par la suite, on en viendrait d'ailleurs presque à croire que c'est Arturo qui avait gagné les deux combats. Il se rebattrait encore sur HBO, encore dans les plus grands amphithéâtres, et encore pour des bourses opulentes, alors que Robinson poursuivrait sa carrière dans un anonymat relatif. Quand il lui viendrait plus tard l'idée de s'en désoler, on lui rappellerait l'un des plus vieux adages de la boxe : ce n'est pas parce que tu bats l'homme que tu deviens l'homme.

Arturo était unique.

Chapitre sept
La Gatti-Mania

Vers la fin des années 1990, Ivano Scarpa avait été l'homme de confiance d'Arturo à Montréal. Il lui servait de chauffeur, de compagnon de sortie, l'hébergeait dans son condo et allait même jusqu'à s'occuper de son argent. Quelques fois par semaine, Patrick Lynch envoyait une traite bancaire de 5 000 $ à son nom qu'il récupérait chez Western Union pour la remettre ensuite à Arturo, parti du New Jersey sans pièces d'identité. C'est donc en toute connaissance de cause qu'il nous avait fait un jour la confidence suivante: «Honnêtement, je ne sais pas comment Arturo a pu être capable de revenir de ses trois échecs de 1998. Avec la vie qu'il menait à cette époque, c'est pratiquement un miracle...»

Ivano n'avait pas tort, ce qu'avait alors réussi à accomplir Arturo en continuant de vivre à tombeau ouvert était exceptionnel. Sauf qu'il ne l'avait pas fait sans aide. Pour arriver à ses fins, il avait reçu un bon coup de main de certains membres de l'industrie, notamment de Lou DiBella. À HBO, DiBella savait que s'il y avait une renaissance possible pour Arturo, elle passait par un plan assez simple: une série de petits combats vite gagnés qui allaient lui permettre de récupérer des guerres de 1998 et de se refaire un palmarès. Contrairement à ce que Patrick Lynch avait déjà dit à Mario Costa, ce n'était pas vrai qu'il fallait toujours donner de bons adversaires à Arturo sous prétexte qu'il se produisait à HBO et son combat de retour, son seul de l'année 1999, en avait fourni une preuve éloquente.

Il avait eu lieu le 14 août, au Resort Casino de Foxwoods, en préliminaire du championnat mondial WBC des légers opposant Angel Manfredy à Stevie Johnston. Pour remettre sa légende télévisuelle sur la voie du succès, Lou DiBella n'avait ménagé aucun effort et s'était mis à la recherche d'un boxeur possédant une fiche en trompe-l'œil mais ne constituant pas une véritable menace. La perle rare qu'il avait trouvée s'appelait Reyes Munoz et représentait la quintessence du boxeur-journalier. Il ne s'était pas battu depuis plusieurs mois, mais ce n'était pas bien grave parce qu'il n'attendait pas après la boxe pour vivre. Il travaillait à 12 $ l'heure dans une usine de ciment d'Erie, en Pennsylvanie, un salaire en concordance avec la plus grosse bourse qu'il avait alors touchée dans sa carrière : 800 $! Le soir, il tentait de garder la forme en s'arrêtant de temps à autre au gymnase et en ne rêvant certainement plus d'une offre comme celle que lui avait déposée DiBella : 35 000 $ pour affronter Arturo Gatti, en direct sur HBO !

Sur papier, le combat n'apparaissait pas si déséquilibré et c'était exactement le but recherché par le *matchmaker* de HBO. Munoz avait un palmarès plus que respectable, 21-3, et en discourant sur lui on pouvait même glisser dans la conversation qu'il avait déjà affronté King Solomon, le célèbre premier vainqueur d'Arturo Gatti contre lequel il s'était aussi incliné par décision partagée. Mais c'était bien tout ce qu'il avait en commun avec Arturo, comme il n'avait pas tardé à l'apprendre. À la toute fin du 1er round, Arturo l'avait expédié au tapis d'une droite à la tempe et son conte de fées avait alors failli tourner au drame, sous les yeux de sa mère et de sa femme. Avec le courage des humbles travailleurs, il s'était relevé avant la fin du compte, mais il était encore si ébranlé qu'il s'était mis à tanguer d'un bord à l'autre du ring. D'abord assis sur son tabouret, il avait ensuite été couché sur le ring et évacué plus tard sur un brancard parce que sa condition inquiétait trop les médecins. En route vers l'hôpital, elle avait continué de se détériorer et il était venu près de perdre conscience dans l'ambulance. Ce n'est qu'au cours de la nuit qu'il avait enfin repris du mieux, suffisamment pour obtenir son congé deux jours plus tard. Congé d'hôpital mais aussi congé de boxe pour toujours. La batterie de tests neurologiques qu'il avait passés au Backus Hospital de Norwich avait révélé l'existence d'un traumatisme crânien, antérieur au combat contre Arturo, et son permis de boxeur avait alors été révoqué à vie.

Avant sa sortie de l'hôpital, sa condition avait beaucoup inquiété Arturo. Cela s'était tout de suite remarqué sur le ring, dans l'entrevue accordée au réseau HBO. En même temps qu'il s'adressait à Larry Merchant, Arturo voyait Munoz transporté au vestiaire sur une civière et il n'arrivait pas à trouver une once de joie pour son retour réussi. À son retour au vestiaire, il avait demandé qu'on lui trouve une limousine et, comme l'avait fait Gabe Ruelas pour Jimmy Garcia, il s'était rendu à l'hôpital pour s'enquérir de l'état de son adversaire. Il n'en était sorti qu'une fois rassuré par les médecins, mais cela n'avait pas suffi à lui redonner le cœur à la fête.

Ce soir-là, Arturo n'avait évidemment pas été le seul à être aussi affecté par les événements. L'architecte de cette inégale confrontation, Lou DiBella, avait lui aussi très mal vécu les événements, d'autant plus qu'il s'était rapidement retrouvé sur la sellette. Il avait été l'objet d'un flot de critiques, dont une à peine voilée par son propre descripteur Jim Lampley qui, voyant Munoz s'écrouler à la fin du 1er round, avait dit: «Ouais, *good matchmaking*...» Sa décision de donner un coup de main à Arturo s'était retournée contre lui et il avait tenté tant bien que mal de s'expliquer devant la presse. «Avec le recul, est-ce que le garçon avait une chance contre Arturo? À l'évidence non, mais on ne pouvait pas le savoir en consultant son palmarès», avait-il notamment déclaré à Tim Smith du *New York Times*. Dix ans plus tard, il avait toutefois battu sa coulpe en nous disant que de tous les combats qu'il avait organisés pour Arturo, il en regrettait un seul, celui contre Reyes Munoz.

Dans les jours suivants, «l'affaire Munoz» avait continué de faire jaser, mais elle avait été rejetée dans l'ombre par une deuxième controverse impliquant encore Arturo. Cette fois, elle avait concerné le fil qu'il traînait à la patte depuis plusieurs années, en l'occurrence ses sempiternels problèmes de poids. Apparemment pesé à 139 livres la veille du combat, Arturo s'était présenté sur le ring à 160 livres, selon une mesure effectuée par le réseau HBO juste avant qu'il quitte son vestiaire. Dès lors, cette invraisemblable disparité entre les deux mesures avait éveillé des soupçons et des rumeurs avaient fait état d'un arrangement entre la Commission athlétique de Foxwoods et le clan

Gatti pour camoufler son excès de poids à la pesée. Cela n'était pas sans fondement parce qu'encore une fois, Arturo avait eu toutes les misères du monde à se débarrasser de sa brioche au cours de son camp d'entraînement à Vero Beach.

En dépit de sa réputation d'être toujours trop lourd à l'approche des pesées, c'était cependant la première fois qu'Arturo était visé par de telles allégations et, en temps normal, l'histoire aurait bien pu mourir là et être enterrée à tout jamais. Or, à la place, elle avait été ramenée en pleine lumière par son combat suivant, livré à un minuscule jeune homme du nom de Joey Gamache. En fait, c'était comme si tout ce qui s'était produit relativement à ce combat contre Munoz - la pesée controversée, le suspicieux gain de poids, le knock-out éclair, la condition alarmante du boxeur, les critiques - n'avait été qu'une triste répétition pour un spectacle de plus grande envergure présenté sur la grande scène du Madison Square Garden de New York.

Le seul élément que l'on avait oublié de répéter, c'était le procès qui avait découlé du combat Gatti-Gamache.

***

Il était probablement difficile de trouver un homme plus heureux du retour à la boxe d'Arturo que Joey Gamache. Comme à peu près tout le monde dans l'industrie, Joey était un fan fini du spectaculaire boxeur et il se régalait à toutes les fois qu'il le voyait en action. Pour lui, Arturo Gatti avait absolument tout ce qu'un boxeur pouvait désirer avoir et il était impossible de ne pas l'aimer, voire de ne pas l'envier si on pratiquait le même métier. Mais plus encore que Joey Gamache l'amateur de boxe, c'est Joey Gamache le boxeur qui avait salué ce retour avec énormément d'enthousiasme. D'aussi loin qu'il fût capable de se rappeler, Joey avait toujours souhaité affronter Arturo. Bien sûr, c'était avant tout pour des considérations sportives parce qu'avec son style très technique, il était persuadé de pouvoir contrer l'exceptionnelle puissance d'Arturo. Mais on pouvait aussi raisonnablement penser que Joey rêvait de se retrouver dans le même ring qu'Arturo pour être partie prenante, au moins une fois dans sa carrière, de l'un de ces spectacles fabuleux dont Thunder avait le secret. Joey s'imaginait en pleine lumière devant une foule en transe, impliqué, presque associé avec Arturo dans un combat mémorable et probablement sanguinolent puisqu'ils saignaient tous les deux facilement. Il était d'ailleurs sûr qu'il n'était pas le seul à se voir dans une telle situation puisqu'il y avait déjà bien longtemps qu'on discutait d'un affrontement entre lui et Arturo. Il avait même été question de le tenir à Montréal, là où on disait que ses racines francophones allaient aider à la vente des billets. Il y comptait aussi plusieurs amis puisque au temps des amateurs, il avait participé à quelques échanges pugilistiques avec les membres du Club Olympique.

À la fin de 1999, toute cette époque n'était toutefois qu'un lointain souvenir et la carrière de Joey tirait à sa fin. Il aimait toujours son sport mais à 33 ans et après 58 combats professionnels, il était fatigué mentalement. Surtout, il n'en pouvait plus de se mettre au régime sec et de souffrir pour descendre à des poids aussi ridicules que 135 ou 140 livres quand il se trouvait en pleine santé à 160 livres. Aussi avait-il beaucoup réfléchi à l'issue de l'une de ses plus récentes victoires, obtenue en Caroline du Sud. En revenant vers New York, il s'était dit qu'il pouvait encore arriver à trouver la motivation à se sacrifier, mais qu'il lui fallait pour ce faire son combat contre Arturo. Il pensait même avoir encore plus de chances de le battre maintenant parce que ses trois défaites de 1998 lui avaient fait croire qu'il était sur le déclin. Arturo avait beau avoir six ans de moins que lui, il savait qu'avec tous les coups encaissés et ses excès en dehors du ring, il était en réalité le plus âgé des deux.

Pour tenter de concrétiser l'affrontement, Joey s'était donc rendu au bureau de Lou DiBella, une des personnes les plus influentes de la boxe, et lui avait dit: «Lou, il faut que tu boucles quelque chose entre Gatti et moi. C'est un combat que les gens demandent parce qu'ils savent à quel point il pourrait être excitant. Ils veulent voir des boxeurs qui se font couper, qui saignent, et tu sais que nous sommes deux champions là-dedans. Rends-moi ce service-là et je t'assure que tes téléspectateurs ne seront pas déçus.» L'idée d'un affrontement Gatti-Gamache avait tout de suite plu au responsable de la programmation de HBO, même si ce n'était pas pour les mêmes raisons que Joey. Alors que ce dernier anticipait un combat équilibré qu'il parviendrait à gagner, DiBella le voyait plutôt comme une autre occasion de donner une victoire aisée à Arturo.

À cause de l'intérêt réciproque de Main Events mais surtout de celui de Joey, les négociations n'avaient pas traîné. Parce qu'il avait tant réclamé ce combat et qu'on lui donnait presque l'impression de lui faire une faveur, Joey n'avait à peu près aucun pouvoir de négociation. Il avait soumis trois propositions à la firme du New Jersey et elles avaient toutes été rejetées. Deux qui n'auraient aucune incidence sur le résultat final : il avait demandé plus que les 75 000 $ offerts (Arturo allait toucher 300 000 $) et le droit d'utiliser des gants de marque Everlast plutôt que Reyes. Mais sa troisième proposition avait été importante parce qu'elle était en relation directe avec les événements qui mèneraient à l'un des pires fiascos, voire scandales, de l'histoire moderne de la boxe. Par la voix de son gérant Johnny Bos, Joey avait demandé que le combat se fasse à 147 livres, sinon à 145. Main Events lui avait répliqué qu'il allait se faire à 141 livres et que c'était à prendre ou à laisser. Du fait que Joey avait livré ses derniers combats à des poids supérieurs à ceux d'Arturo, les gens de Main Events croyaient qu'il était à leur avantage de le contraindre à maigrir le plus possible pour tenter de l'affaiblir. Ce qui aurait été une excellente décision si leur boxeur avait été n'importe qui d'autre qu'Arturo Gatti ! Or, avec les problèmes de poids qu'Arturo avait connus dans sa carrière, on ne pouvait faire autrement que se dire que Main Events avait été bien téméraire et qu'elle avait beaucoup joué avec le feu. Résolu à se battre coûte que coûte contre Arturo, Joey avait malgré tout agréé aux termes de Main Events. Au début de décembre 1999, excité comme à ses premières années, il avait signé le contrat stipulant qu'il serait l'adversaire d'Arturo Gatti le 26 février 2000, en demi-finale du combat entre Oscar De La Hoya et Derrell Coley. Une date qu'il n'oublierait jamais, même en dépit des pertes de mémoire qu'il développerait à l'issue de ce combat.

***

La tonitruante victoire d'Arturo contre Reyes Munoz avait mis fin à sa série de défaites, mais aussi à sa courte relation avec l'entraîneur Ronnie Shields. Engagé juste avant la revanche contre Robinson, l'ex-boxeur avait toujours eu de bons mots pour Arturo, mais dans les faits leur association professionnelle ne semblait pas avoir été un grand succès. Ainsi, quand les pourparlers pour le combat de Gamache avaient commencé à s'intensifier, Arturo s'était rendu visiter Shields pour faire le point sur leur situation et voir s'il était possible de faire un autre bout de chemin ensemble. Honnête, Shields avait dit à Arturo qu'il ne croyait pas être l'entraîneur approprié pour lui et il lui avait conseillé de retourner auprès de Hector Roca. Arturo l'avait écouté et, peu de temps après leur rencontre, il avait lui-même passé un coup de fil à Roca pour lui demander de reprendre du service à ses côtés. En ne s'impliquant pas *émotivement* avec ses boxeurs, Roca se gardait aussi d'être amer à leur égard et il avait donc accepté l'offre d'Arturo. Sauf qu'il avait tenu à lui faire comprendre qu'il n'y avait plus de place pour l'indiscipline. Pas parce qu'il ne pourrait plus la supporter, mais simplement parce qu'il jugeait qu'Arturo ne pouvait plus se la permettre. À ses yeux, ses deux performances contre Robinson avaient été si atroces qu'il n'en avait regardé que le début, incapable de souffrir un tel spectacle plus longtemps. « Tu me dis que tu te bats contre Gamache ? Alors ne te trompe pas, Arturo : ce combat-là est vraiment celui de la dernière chance. Si tu veux le battre, il te faut connaître le meilleur camp d'entraînement de toute ta carrière. »

De l'avis de Roca, c'est exactement ce qu'Arturo avait réussi à faire. Pour chasser les mauvais souvenirs de Vero et Virginia Beach, ils s'étaient rendus préparer le combat au Fernwood Resort, dans les Pocono's, un des sites d'entraînement les plus populaires parmi l'élite de la boxe de la côte Est. Pendant deux mois au cours desquels il avait croisé les gants avec Fathi Missaoui et Leonard Dorin du groupe Inter-Box, Arturo avait été sérieux et appliqué. Beaucoup à cause de la mise en garde de Roca, mais aussi pour une autre raison. Avec le retour de son entraîneur, Arturo avait aussi célébré celui de son frère Joe, qu'il avait maintenant décidé d'inclure dans son groupe de seconds. Joe était heureux, de même que Roca qui estimait positive son influence sur son jeune frère. À l'opposé, Lynch ne voyait évidemment pas le retour du grand frère d'un aussi bon œil. Comme nous l'avait confié le préparateur physique Matt Howard, il tenait à avoir le contrôle total de la carrière d'Arturo et cela lui était plus difficile avec Joe dans le portrait. À la première occasion, il manigancerait donc pour le faire disparaître. Subtilement encore, sans éclat de voix. Il dirait simplement à Joe que, c'était bien dommage, mais Lou Duva tenait à revenir travailler dans le coin d'Arturo. Sans savoir que Duva confierait ensuite à Joe qu'il n'y avait rien de plus faux, que c'était Lynch qui l'avait appelé pour qu'il revienne !

Avant de céder sa place, Joe avait toutefois eu le temps de faire beaucoup de bien à Arturo. Et spécifiquement au cours du camp d'entraînement dans les Pocono's. Tous les vendredis, au retour du boulot, il quittait avec sa femme pour aller passer le week-end au Fernwood Resort et veiller sur son frère. Parce qu'à ses yeux Gamache représentait un réel danger, ce combat-là le rendait extrêmement nerveux et il tenait à ce qu'Arturo le prépare dans les meilleures conditions. Ce qui voulait notamment dire sans drogue. Joe et sa femme savaient qu'il arrivait parfois à Lynch d'approvisionner Arturo dans les camps d'entraînement et, par leur présence, ils s'étaient cette fois jurés d'éviter cette situation. Quand Arturo s'entraînait au bout du monde, ils ne pouvaient exercer aucun contrôle, mais la chose était différente dans les Pocono's, situés à environ 90 minutes de leur domicile du New Jersey. « Je me rappelle entre autres d'un vendredi après-midi, racontait Vikky, où Arturo nous avait téléphoné pour nous dire de ne pas venir, de prendre une pause pour le week-end car Pat et Mickey Red (Skowronski) allaient venir le visiter. Joe et moi savions trop bien ce que ça voulait dire, alors j'avais fait croire à Arturo que nous étions déjà en route. Pour une fois qu'il était sérieux, il n'était pas question de laisser son gérant gâcher tout le travail. »

Dans l'autre camp, ce n'était certes pas le genre de préoccupation qu'avait Joey Gamache. Son gérant, Johnny Bos, était bien un ancien alcoolique mais il avait cessé de boire depuis 1986. « De la manière dont je buvais, avait-il déjà raconté à l'auteur Thomas Hauser, je me dirigeais tout droit vers la mort. À la place, j'ai choisi de vivre... » Et la vie de Johnny Bos, ce n'avait jamais été autre chose que la boxe. Tout ce qu'il était possible de faire dans la *douce science des coups*, il l'avait fait et généralement avec brio. Dès l'âge de 15 ans, il avait par exemple été journaliste pour *Flash*, un feuillet extrêmement populaire auprès des amateurs de boxe américains. Puis, il avait été aussi gérant, *matchmaker* (avec Main Events, à leur époque glorieuse), agent, des fonctions un peu semblables qu'il résumait en une seule phrase: «Je *manage* les managers»! En raison de son expérience, Bos avait donc des contacts partout dans le monde, des espions dans tous les gymnases qui pouvaient lui refiler un tas d'informations et, bien entendu, le Fernwood Resort ne faisait pas exception à la règle. Là-bas, l'espion de Bos chargé de surveiller Arturo Gatti était un boxeur du nom d'Aaron Davis et il avait pour seule mission de se tenir informé de son poids. Ce qu'il avait réussi à faire. À trois semaines du combat, il avait dit à Bos qu'Arturo s'entraînait fort, mais qu'il pesait encore 168 livres! Quand il avait appris cela, Bos avait été si décontenancé qu'il avait communiqué avec Bob Duffy, de la Commission athlétique de l'État de New York. Duffy, un ancien détective de la police de New York, avait peut-être procédé à 3 000 pesées dans sa carrière et il devait être aussi d'office pour celle du combat Gatti-Gamache, présenté au Madison Square Garden. Les deux hommes avaient discuté, Bos avait fait part de ses doutes sur la capacité de Gatti à descendre à 141 livres, mais il y avait alors peu de choses que Duffy pouvait faire, sinon attendre et voir à quel poids Arturo allait se présenter à la pesée.

De son côté, Joey se trouvait dans une situation totalement opposée à celle d'Arturo. Il avait réussi à abaisser son poids à 141 livres près de deux semaines avant le combat et Main Events avait perdu son pari parce qu'il l'avait fait avec une relative facilité. Avec les informations qui émanaient du camp d'Arturo, Joey avait donc déjà l'impression d'avoir gagné le premier round et de détenir un avantage psychologique qu'il lui tardait d'exploiter. Il avait prévu le faire à la pesée, mais il n'avait pas eu à attendre aussi longtemps, l'occasion s'était présentée de le faire avant.

Quelque temps avant le combat, les deux boxeurs avaient ainsi été convoqués à une conférence de presse dans un restaurant de Manhattan. Joey s'était présenté le premier, puis Arturo l'avait suivi, accompagné de Mickey Skowronski. Cela n'avait pas pris deux secondes à Joey pour s'apercevoir que l'informateur de son gérant avait dit vrai: Arturo était terriblement gros! En fait, Arturo était si gros que Joey s'était dit que c'était presque criminel de ne pas en profiter. Arturo n'avait pas voulu se battre à 147 livres? Eh bien, voici ce qu'il allait lui faire endurer. Il avait intentionnellement commandé une salade César au poulet et, fier de son effet, il avait nettoyé son assiette en jetant de temps à autre un coup d'œil à Arturo. Avait-il assez souffert, lui qui devait se priver de manger? Joey croyait que oui, mais Bos n'était pas du même avis. Lorsque la serveuse était revenue nettoyer la table, Johnny lui avait dit: «Joey, commande-toi un sandwich à la crème glacée!» Joey l'avait écouté, la serveuse lui avait apporté son sandwich et c'est là qu'il avait pensé qu'avant de partir, il restait un dernier clou à enfoncer dans le cercueil d'Arturo. Il l'avait regardé, espiègle, et lui avait demandé en soulevant son dessert: «Arturo, est-ce que tu en veux une bouchée?»

***

Ils n'avaient pensé qu'à ça toute la journée. Séparés dans la ville de New York, mais réunis à chaque seconde par la même obsession. Deux anorexiques qui n'avaient qu'une seule idée en tête. Leur poids. D'une certaine façon, cela les aidait. En étant constamment préoccupés par cette question, en étant obnubilés par le chiffre 141, ils en oubliaient le combat de demain et s'évitaient du stress additionnel. Ils ne pensaient même plus à leur adversaire, ni à leur stratégie. Ils étaient totalement dans le moment présent, centrés sur eux-mêmes comme leur condition le leur imposait. Le monde autour d'eux n'existait plus, seul leur corps avait de l'importance. «Pour être boxeur, il faut être égoïste», disait *Sugar* Ray Leonard. Il avait bien raison, surtout le jour d'une pesée.

Au début de l'après-midi, Joey s'était rendu dans les bureaux de la Commission athlétique de l'État de New York pour subir l'examen médical imposé à tous les boxeurs. Anxieux, il avait pu vérifier son poids pour la première fois de la journée. Seulement vêtu de son slip comme il allait l'être à la pesée, il avait fait osciller la balance à 140 livres et demie. L'esprit un peu plus léger, il avait ensuite déambulé dans Manhattan avec son gérant pour essayer de se changer les idées. Les deux hommes étaient restés là un bon moment, avant de partir pour le Madison Square Garden. À 15 heures, Joey devait sacrifier à une entrevue avec George Foreman de HBO et il croyait qu'elle avait lieu au Garden. Arrivés là, lui et Bos étaient montés au sixième étage, où on leur avait dit que Foreman les attendait plutôt en face, à l'hôtel Southgate. La méprise de Joey n'avait toutefois pas été inutile. Sur le même étage, Bos avait aperçu la bascule officielle du Madison Square Garden, celle que la commission athlétique utiliserait deux heures plus tard pour la pesée. En temps normal, les boxeurs n'avaient pas le droit d'utiliser la bascule officielle sans autorisation, mais l'occasion était bien trop invitante pour que Joey ne se rassure pas une nouvelle fois. Sa dernière pesée remontait à plus d'une heure et les effets apaisants qu'elle avait eus sur lui s'étaient déjà estompés. Encore débarrassé de ses vêtements, il était monté sur la balance, qui avait affiché… 137 livres! Incrédule, il ne lui avait pas fallu beaucoup de temps pour comprendre que l'appareil n'était pas au point. Pour y voir clair, Bos avait donc demandé à Jay Edson, de la Top Rank, qu'on vérifie la balance, lui disant qu'elle avait sûrement besoin d'un nouveau calibrage. Il avait vu juste. Quand les employés d'entretien étaient venus l'inspecter, ils avaient déposé un poids de 100 livres et la lecture avait donné 97 livres.

L'espace d'un court instant, Bos n'avait pensé à rien d'autre qu'un banal problème technique. Mais son expérience et, surtout, sa connaissance des problèmes de poids de Gatti avaient eu vite fait de lui faire changer d'idée. Dès lors, il avait commencé à croire que Joey venait peut-être, sans le savoir, de mettre au jour une grande machination. L'excès de poids présumé de Gatti combiné à la balance «défectueuse» ne pouvait être pour lui une coïncidence. «J'ai comme le pressentiment que Gatti ne fera pas le poids. Si ça arrive, veux-tu l'obliger à descendre à 141 livres ou préfères-tu avoir de l'argent en compensation?» avait-il demandé à Joey. Dans le milieu de la boxe, c'était effectivement les deux choix qui s'offraient à un boxeur dans de pareilles circonstances. Le plus souvent, il acceptait un pourcentage de la bourse – généralement 20 % – de son opposant et décidait de fermer les yeux sur l'excès de poids. Un pourcentage de la bourse de 300 000 $ d'Arturo représentait sûrement un montant intéressant, mais Joey n'avait jamais fait de ce combat une question d'argent. De plus, accepter qu'Arturo ne se conforme pas à la limite de 141 livres équivalait aussi à annuler les gains qu'il avait faits dans la guerre psychologique. Il n'avait donc rien voulu entendre de la deuxième éventualité.

Au moment même où Joey et son gérant se rendaient au studio improvisé de HBO, Arturo s'appliquait presque à donner raison au sixième sens de Bos. Il se trouvait alors avec son second Mickey Skowronski au New York Sports Club, un club de conditionnement physique de la rue Broadway. Le corps enduit d'Abilene – une lotion favorisant la sudation – et prisonnier d'une combinaison de plastique, il tentait de faire fondre son excédent de poids avant la pesée. Skowronski raconterait plus tard qu'Arturo était trop lourd d'une livre et demie à leur arrivée et qu'il n'était parti qu'au bout de 90 minutes d'efforts, après être certain d'être passé sous la barre des 141 livres. Toujours selon Skowronski, il s'était pesé sur deux bascules, celle du club et celle, portative, qu'il traînait toujours avec lui dans les camps d'entraînement et les chambres d'hôtel. Il avait fait trois séances de 20 minutes sur des machines d'entraînement, puis avait passé la dernière demi-heure dans un bain de vapeur. Quand il s'était présenté à la pesée quelques minutes plus tard, il avait dû avoir l'impression d'y être encore tant ça avait chauffé.

***

Au début des années 2000, peu de commissions athlétiques avaient aussi mauvaise réputation sur le territoire américain que celle de l'État de New York (NYSAC). À l'été 2001, elle avait notamment vécu l'une des pires crises de son histoire après que des enquêtes du *Daily News* et du *New York Post* eurent révélé à quel point elle était gangrenée. Reconnue pour être le château-fort des amis du Parti républicain, elle avait été visée par des accusations de patronage, d'incompétence, de conflits d'intérêts et, surtout, de manquements graves à la santé et à la sécurité des boxeurs. En juin de cette même année, elle avait d'ailleurs reçu une tonne de critiques pour sa responsabilité dans la mort du mi-lourd Beethoven Scottland, tué au cours d'un combat disputé dans Manhattan.

À peu de choses près, c'est cette même administration qui avait été impliquée dans la pesée du combat Gatti-Gamache, au cours de laquelle deux membres de la commission avaient affiché leur incompétence, voire leur malhonnêteté. Le problème, c'est qu'il s'agissait des deux membres les plus importants de la commission, soit le président Melville Southard et le directeur général Anthony Russo.

Melville Southard était entré à la Commission athlétique de New York en 1996, à peu près sans aucune expérience de la boxe. Il était avocat et arrivait plutôt avec des connaissances sportives générales, ayant notamment travaillé pour les Yankees de New York. Il était sûrement doué, mais on laissait aussi entendre que les généreuses contributions de sa firme à la caisse du Parti républicain n'avaient pas été étrangères à son embauche. Pour sa part, Tony Russo avait été engagé un mois après lui, malgré l'existence d'un casier judiciaire qu'il avait caché dans sa déclaration de candidature. À la différence de Southard, il avait toutefois une plus grande expérience pugilistique puisqu'il était un grand ami de Floyd Patterson et qu'il avait servi d'entraîneur dans ses écoles de boxe. Pour autant, il semblait avoir été incapable d'utiliser ce bagage à son poste à la commission et les intervenants du milieu de la boxe lui accordaient peu de crédibilité.

En règle générale, l'incompétence de Southard et de Russo arrivait toutefois à passer assez inaperçue car ils avaient la chance de compter sur un subalterne du nom de Bob Duffy qui se payait à peu près tout le boulot et qui le faisait avec distinction. Entre 1995 et 2000, l'ex-flic avait ainsi procédé à peu près à toutes les pesées sur le territoire de l'État de New York, ce qui en faisait en pratique le véritable numéro un à la commission.

Le 25 février 2000 était censé être une journée normale dans la vie de Bob Duffy. Comme d'habitude, il devait se rendre au Madison Square Garden, procéder efficacement aux pesées des combats De La Hoya-Coley et Gatti-Gamache et sauver une fois de plus la peau de son organisation par la qualité de son travail. Au milieu de l'après-midi, Johnny Bos l'avait appelé pour l'informer du problème de la balance et il l'avait assuré qu'il s'en occuperait à son arrivée au Garden. Après cet appel, la journée de Duffy avait cependant commencé à ne plus ressembler à toutes les autres. Retenu plus longtemps aux bureaux de la commission par la paperasse du gala, il n'avait d'abord pu se diriger au Garden aussi tôt qu'il l'aurait souhaité. Toujours moins occupé que lui, c'est donc Russo qui s'était rendu le premier et qui s'était chargé des préparatifs.

Arturo et Joey avaient été convoqués pour 16 heures 30 au sixième étage du prestigieux aréna. La salle était bondée de curieux, de seconds de boxeurs, mais surtout de membres des médias comme à chaque fois que De La Hoya se battait quelque part. Arrivé avec un léger retard, Duffy s'attendait encore à ce que sa journée ne soit pas si différente. Il ne lui avait jamais effleuré l'esprit, avait-il dit par la suite, qu'il ne procéderait pas à la quelque 3 000e pesée de sa carrière. Surtout pour un événement d'une telle envergure. Et pourtant, c'était bien ce qui s'était produit, il avait été tassé. Cinq minutes après avoir posé le pied dans la salle, son supérieur immédiat Tony Russo était venu le voir pour lui dire qu'il allait être celui qui procéderait aux pesées. Vexé, il avait refusé d'aller l'aider et avait demandé à Southard de le faire.

Tony Russo avait à son actif une expérience de quatre ou cinq pesées. Sa plus récente remontait à tout juste un mois et on ne pouvait pas dire qu'elle avait beaucoup aidé à sa crédibilité. Chargé de peser les mi-lourds Roy Jones et David Telesco qui se battaient en championnat du monde, il avait dû demander à Duffy si les boxeurs pouvaient excéder la limite de 175 livres, ce qui n'était évidemment pas le cas. À elle seule, cette question aurait dû suffire à le tenir loin des bascules, mais il s'était entêté et avait repris du service avec l'événement du MSG.

La première pesée qu'il avait effectuée avait été celle de De La Hoya-Coley et, comme celle de Gatti-Gamache, elle avait été elle aussi controversée. Coley et ses seconds avaient prétexté que De La Hoya était descendu de la bascule trop vite, avant même que le curseur de la balance se soit stabilisé et qu'ils aient pu donner leur approbation à Russo (généralement, un boxeur se pèse devant les membres du clan adverse qui doivent approuver le poids en levant le pouce). Est-ce que Russo était de mèche avec le clan De La Hoya? Est-ce qu'il avait conclu une entente sous la couverture pour camoufler le véritable poids du Golden Boy? Avait-il seulement été incompétent? La pesée suivante n'allait pas permettre de répondre aux questions, seulement de les reposer.

Dans l'ordre, Arturo était le premier à avoir droit à la bascule et lorsque Russo lui avait fait signe de monter, il était plus que temps parce qu'il était vraiment à l'agonie. La polémique de la pesée précédente l'avait obligé à patienter plus longtemps et il avait les traits encore plus tirés, les yeux encore plus cavés qu'à son arrivée. Il n'avait cessé de se plaindre du temps que ça prenait et Johnny Bos en avait profité pour continuer à ses dépens la guerre psychologique amorcée par Joey. Il l'enquiquinait avec un paquet de petites vacheries, voyant à quel point il souffrait, à quel point il avait hâte de se mettre quelque chose dans le corps. Puis le moment était enfin arrivé. Il était grimpé sur la balance devant une foule de regardeurs qui avaient à peu près tous vu la même chose et dont certains viendraient même en témoigner devant la cour. Cela s'était passé très vite, une affaire de moins de deux minutes. Arturo avait déposé les deux pieds sur la plateforme et le curseur avait explosé vers le nord pour aller se fracasser sur la tige métallique, indiquant clairement qu'il était en excès de poids. Russo ayant ajusté la bascule à 141 livres, le curseur serait resté en équilibre au milieu si Arturo avait été à ce poids ou aurait pointé vers le bas s'il avait été plus léger. Voyant cela, Russo lui avait demandé de lever les bras comme ont l'habitude de le faire les boxeurs une fois que leur poids a été confirmé et annoncé. Au souvenir de tout le monde, c'était la première fois qu'un commissaire, censé être neutre, demandait une telle chose à un boxeur. Comme la levée des bras a pour effet de redistribuer le poids du corps, le curseur avait un peu quitté le plafond sans toutefois jamais venir près de se stabiliser au milieu. Qu'à cela ne tienne, Russo n'avait pas hésité une seconde, il avait annoncé à la cantonade «Arturo Gatti, 141 livres» et il lui avait dit de débarquer de la bascule! Immédiatement, une clameur de protestations s'était élevée autour de Russo. Jimmy Glenn, l'entraîneur de Joey et de l'avis de tous l'un des hommes les plus gentlemen et tranquilles du monde de la boxe, s'était mis à hurler: «Le curseur n'a jamais balancé, le curseur n'a jamais balancé». Johnny Bos était quant à lui entré dans une fureur noire, criant à Russo: «Il n'a jamais fait le poids, il n'a jamais fait le poids». Russo lui avait répondu de manière délicate. «Arrête de brasser d'la marde, crisse d'alcoolique!»

La crise ne faisait alors que commencer. Car, deux secondes après avoir quitté la balance, Arturo avait accrédité la thèse du complot en saisissant une boisson reconstituante qu'il avait descendue d'une traite, rendant à peu près impossible l'idée de le repeser. Glenn et Bos continuaient pourtant à argumenter et à harceler Russo, lui disant de remettre Arturo sur la balance avant qu'il vide les lieux. «Voyons donc, je ne peux pas le repeser, il a déjà bu», se défendait Russo.

– Je m'en fiche, nous allons lui donner deux livres. Il pèsera 143 livres s'il le faut, mais remets-le sur la balance, je veux voir combien il pèse, tempêtait Jimmy Glenn.

Attendant son tour derrière Arturo, Joey avait assisté à toute la scène. Il n'avait pas vu le curseur partir vers le haut parce qu'il ne le regardait jamais par superstition, mais il avait vu tout le reste. Avec ses yeux de boxeur. «À l'instant où j'avais aperçu Arturo commencer à boire en me regardant, je n'avais pas besoin d'avoir vu le curseur, j'étais convaincu qu'il n'avait pas fait le poids», avait-il expliqué plus tard. Pourquoi? «Parce qu'aucun autre boxeur n'aurait agi comme il l'a fait dans ce contexte si controversé, avec la possibilité d'être renvoyé sur la balance. Alors, pour moi c'était clair qu'il n'avait pas respecté le contrat et que nous ne nous étions pas battus à armes égales.»

Clair, ce l'était vraiment pour beaucoup de monde. Au procès tenu plus tard pour faire la lumière sur cette affaire, Jimmy Glenn jurerait sur la tête de son père décédé qu'Arturo n'avait pas réussi à faire le poids. Johnny Bos ne serait pas moins formel, il le jurerait pour sa part sur la tête de sa fille. Sans aller jusque-là, d'autres n'auraient aucune réticence à engager leur crédibilité pour appuyer les dires des deux hommes. Des témoins neutres comme Peter Pharoah, photographe de presse, et Eric Gelfand, responsable des relations publiques du MSG. Posté juste en face de la balance, avec une vue parfaitement dégagée, Pharoah raconterait par exemple à quel point il avait trouvé louche qu'Arturo lève ses bras en signe de triomphe alors qu'il était clairement trop lourd. Fort de quelque 300 pesées d'expérience, il ajouterait aussi que celle d'Arturo était de loin la plus courte qu'il ait jamais vue. Gelfand, parfaitement positionné lui aussi, assurerait le juge que le curseur avait bondi jusqu'à son sommet quand Arturo avait pris place sur la balance et qu'il n'était toujours pas stabilisé au moment où Russo lui avait dit de se tirer de là.

Chacun des membres du clan Gatti avait pourtant prétendu le contraire. À commencer par Arturo lui-même. Si, la veille, il avait confié aux journalistes être encore à 145 livres, il avait dit qu'il fallait être stupide pour croire qu'il n'était pas arrivé à se conformer à la limite. «J'ai réussi à faire le poids toute ma vie, cette fois-là comme les autres.» Au *New York Times*, Patrick Lynch avait quant à lui affirmé: «En tant que professionnel, je ne permettrais jamais à un boxeur de se présenter à une pesée avec 7, 8, ou même 3 livres de trop. Si Arturo avait été à ce point trop lourd, je ne l'aurais même pas emmené à la pesée. Et son entraîneur Hector Roca ne l'aurait pas fait non plus.» Interrogé sur la question, Roca nous avait répété sensiblement la même chose. «Quand Arturo a quitté son hôtel en direction du Madison Square Garden, il était parfaitement au poids. De plus, à partir du moment où Russo avait confirmé et annoncé son poids, il n'avait aucune raison de rester plus longtemps sur la balance. Et il était totalement justifié de boire ce qu'il voulait.» Pourtant, encore aujourd'hui, Johnny Bos n'en démord toujours pas: il est persuadé qu'il y a eu ce jour-là tricherie. En mettant bout à bout ses indices, les problèmes de poids d'Arturo au camp, la balance qu'il découvre par hasard avec trois livres en moins, Russo qui tasse Duffy à la dernière minute, Russo qui dit à Arturo de lever les bras et qui annonce son poids trop vite, Arturo qui ingurgite dans la seconde une boisson tendue par un second, Russo qui refuse de le repeser, tout ça lui fait croire au scénario du coup monté.

***

Pour diminuer les cas de déshydratation chez les boxeurs, la Commission athlétique du Nevada avait décidé au milieu des années 1980 d'apporter un grand changement et de les peser la veille du combat plutôt que la journée même. C'était *a priori* une excellente idée, mais avec les années elle avait engendré un effet pervers important : dans la trentaine d'heures entre la pesée et le combat, certains boxeurs se réhydrataient avec tellement de succès qu'ils montaient sur le ring plus lourds que leur adversaire d'une dizaine ou d'une quinzaine de livres ! Parmi tous les cas ayant amené les dirigeants de la boxe à réfléchir à cette question, celui d'Arturo Gatti était probablement le plus probant. En son temps, Arturo était certainement le champion du gain de poids entre la pesée et le combat. « Entre nous, la manière qu'Arturo engraissait après la pesée était même devenue un gag récurrent », avait déjà expliqué Mickey Skowronski. « À chaque repas, il grossissait à vue d'œil et retournait se peser pour vérifier de combien de livres il venait cette fois d'engraisser. » Généralement, Arturo s'offrait cinq repas entre la pesée et le combat et il avait coutume de reprendre entre 12 et 15 livres. Était-ce tout ce qu'il s'envoyait dans le corps ? S'injectait-il des fluides par intraveineuse comme certains autres boxeurs ? Le mystère restait entier.

Et puis, il y avait la fameuse question des stéroïdes. Arturo en utilisait-il ? S'il fallait en croire les rumeurs qui couraient à son sujet, la réponse était oui. À regarder son physique de culturiste, ses muscles saillants, la grosseur de son cou, ses veines proéminentes, certains étaient convaincus qu'il s'injectait des substances et que cela l'aidait à se régénérer la journée du combat. Au procès provoqué par les événements de la pesée, un ancien médecin de la NYSAC, Frank Folk, avait notamment affirmé que le genre de muscles qu'il affichait au cours de son combat contre Joey était généralement obtenu par l'utilisation de stéroïdes. À ce sujet, la seule chose dont nous soyons sûrs, c'est qu'Arturo en avait utilisé après sa carrière. Une fois revenu à Montréal, il avait recommencé à fréquenter un club d'entraînement de Laval et avait demandé à son ami Phi-Lan Doan de lui trouver des stéroïdes. Celui-ci l'avait mis en relation avec un fournisseur de Repentigny qui lui en avait vendu. Mais sa femme, Amanda Rodrigues, les avait trouvés dans la maison et les avait foutus dans la toilette. Tant et si bien qu'Arturo avait dû rappeler Phi-Lan pour qu'il le remette en contact avec le dealer. «Mais je suis gêné de lui dire que ma femme les a jetés, alors on va lui faire croire que je les ai vendus à un ami, d'accord?» avait-il dit à Phi-Lan.

Fruit ou non des stéroïdes, la dimension d'Arturo avait pris le relais sur la controverse de la pesée officielle et avait constitué le sujet principal du jour du combat. Pour le deuxième combat d'affilée, le réseau HBO avait en effet annoncé avoir pesé Arturo à 160 livres dans son vestiaire. Un jeune caméraman du réseau avait même dit à Johnny Bos, pendant qu'il marchait vers le ring avec Joey, que c'était en réalité 161. Si tel était le cas, cela conférait à Arturo un avantage de 16 livres sur Joey, pesé quant à lui à 145 livres. À ce moment précis, il n'était donc plus question d'une bataille de super-légers comme il l'avait été spécifié dans le contrat, mais d'un affrontement entre un mi-moyen et un moyen. Cela garantissait-il pour autant une victoire d'Arturo? Absolument pas. Certaines fois, un gain trop important de poids desservait les boxeurs et les rendait plus léthargiques, moins alertes, moins allumés. C'était d'ailleurs la crainte qu'avait eue Arturo à son combat précédent contre Munoz, mais il avait eu la chance de tomber sur un adversaire si déqualifié que le problème ne s'était pas posé. Mais Joey Gamache, ancien double champion du monde, n'était pas exactement de la même trempe que le brave Reyes. Dans son vestiaire, il était encore aussi persuadé de gagner que le jour où il était entré dans le bureau de Lou DiBella pour réclamer ce combat.

Sa conviction, comme celle de nombreuses autres personnes à l'intérieur du Garden, avait toutefois commencé à changer une fois sur le ring, quand il avait vu une masse blanche émerger d'un couloir et s'avancer vers lui en semblant augmenter de proportion à chaque nouveau pas. Depuis la veille, tout son entourage avait bien pris soin d'éviter le sujet de la pesée avec lui, mais c'était maintenant impossible de ne pas y repenser en voyant ce bloc de béton carré, dissimulé dans un peignoir blanc, se présenter sur le ring. Combien ce type avait-il pesé la veille, combien pesait-il à ce moment? Joey l'ignorait mais il se disait qu'il n'appartenait certainement pas à la même catégorie que lui. En fait, il se disait qu'il ne s'agissait peut-être même pas de son adversaire tellement il était imposant. «Es-tu bien sûr que c'est Arturo, que ce n'est pas plutôt Joe Gatti?» avait-il demandé à Johnny Bos après que le bloc de béton eut retiré sa robe. Et l'impression était généralisée. Hector Roca nous avait ainsi confié que la disparité de gabarits entre Joey et Arturo était telle qu'on aurait dit un géant s'apprêtant à se battre contre un nain. «En les voyant tous les deux côte à côte au centre du ring, je m'étais dit que le premier coup de poing d'Arturo allait assommer Joey.»

Probable que c'était aussi ce qu'aurait pensé Joey s'il avait été dans les souliers de Roca. Le seul problème, c'est qu'il était sur le ring et que c'est lui que le contrat désignait pour affronter la masse. En même temps qu'il composait avec la nervosité de sa première présence au mythique Garden, il s'efforçait donc de bloquer le plus de mauvaises pensées possibles, mais sans plus de succès qu'il en aurait bientôt à bloquer les coups de la masse. Si difficile que ce l'était de rester positif, jamais n'était-il toutefois venu près d'imaginer le cauchemar de trois minutes et demie qui allait presque lui coûter la vie et remettre la NYSAC sur la sellette.

Le rêve de Joey d'affronter Arturo Gatti en pleine lumière, de partager une grande scène avec lui, avait duré deux minutes, les deux premières du 1er round. Joey avait appliqué la stratégie concoctée avec son entraîneur Jimmy Glenn, soit de tourner autour du ring pour ne pas rester dans l'axe des coups de son adversaire. À 161 livres, Arturo n'avait évidemment pas la même grâce qu'au temps où il se battait chez les super-plumes, mais il paraissait résolu à célébrer le retour de

Hector Roca avec une boxe plus technique. Mais ce qui était visible pour tout le monde l'était évidemment aussi pour lui. Comme il l'avait dit après le combat, il s'était rendu compte tout de suite qu'il était trop puissant pour le pauvre Joey et son premier véritable coup lancé l'avait démontré. À l'aide d'un long direct du droit, il avait presque soulevé de terre Joey qui était allé choir dans les cordes avant de rouler sur le tapis du ring. Joey avait expliqué ensuite avoir tout de suite compris à ce premier véritable impact qu'Arturo était bien trop fort pour lui. Peut-être aurait-il pu alors rester au sol, puisqu'il se disait convaincu qu'Arturo n'avait pas fait le poids à la pesée et qu'il ne luttait plus à forces égales avec lui. Mais Joey Gamache était un guerrier et les guerriers ne se démettaient devant aucun adversaire, même quand ils savaient leur vie en péril. C'était une règle. Fortement commotionné, il s'était donc relevé, avec bien assez de secondes à écouler au 1er round pour subir de nouveaux châtiments. Après l'avoir compté, l'arbitre Benjy Esteves l'avait renvoyé à la parodie de combat sans même le regarder et Arturo, qui avait une fois de plus quitté le coin neutre bien avant le temps, s'était jeté sur lui. Brave et fier, Joey l'avait cependant accueilli avec une salve de coups, mais il y avait une telle disparité dans leurs mensurations que cela n'avait pas suffi à faire reculer Arturo. La masse était repassée à l'attaque et, dix secondes plus tard, le spectacle avait vraiment commencé à être difficile à supporter. Sur une remarquable combinaison de crochets du gauche au corps et à la tête, Joey avait failli se faire dévisser la tête et était retourné au sol. Pour les mêmes raisons d'honneur, il s'était encore remis debout, remettant son sort entre les mains de celui dont le jugement n'était altéré par aucune commotion. Mais, comme l'avait dit plus tard Johnny Bos, Benjy Esteves avait alors considéré que Joey n'avait pas assez souffert et l'avait redonné aux poings d'Arturo pour la moitié de minute qu'il restait. Le même scénario s'était alors répété. Bien que dans le brouillard, Joey avait surpris Arturo avec une série de crochets percutants à la tête, mais n'avait pas réussi à le refouler et avait dû essuyer sa réplique. Décidé à l'achever, Arturo bûchait littéralement sur lui. C'étaient, déjà avant le drame, des images cruelles parce que Joey avait l'air d'une bête traquée, d'une antilope blessée devant un tigre vigoureux et fort. Le seul espoir qu'il lui restait et qui lui permettait de croire qu'il n'était pas dans la vraie jungle sans protection, c'était la cloche. Un espoir vain, dès lors que cela concernait la santé et la sécurité des boxeurs et que l'on se trouvait sur le territoire de la Commission athlétique de l'État de New York. Une bonne seconde après le son de la cloche, Joey avait donc encaissé un autre terrible crochet du gauche qui l'avait ébranlé pour la troisième fois du round. Esteves avait averti Arturo, mais les dommages étaient faits: Joey s'était dirigé, bringuebalant, dans le mauvais coin, avant qu'Esteves le reconduise vers ses seconds comme on aide un vieux à traverser la rue.

Dans son coin, il y avait toutefois une absence, celle de Johnny Bos. Rendu furieux par le coup illégal d'Arturo, Bos avait piqué un cent mètres jusqu'à Tony Russo pour réclamer de la commission les cinq minutes de repos additionnelles auquel Joey avait droit dans pareilles circonstances. Continuant d'exposer son incompétence ou sa malhonnêteté, le directeur général lui avait répondu que Joey n'y avait pas droit puisqu'il n'avait pas croulé au sol… ce qui était totalement faux. Pour récupérer, Joey avait donc bénéficié d'une cinquantaine de secondes puisqu'il en avait mis une dizaine à rejoindre son coin. À son arrivée, Jimmy Glenn s'était enquis de son état en lui demandant d'une voix enveloppante: «Comment te sens-tu, *champ*?» L'air hagard, Joey avait répondu qu'il allait bien et Glenn s'était risqué pour une autre question, le ton toujours aussi doucereux: «Sais-tu à quel endroit tu te trouves?»

– Au Garden.

Puis il avait reçu la visite du médecin de la commission, Barry Jordan, qui avait cherché lui aussi à savoir s'il était orienté.

– Où te trouves-tu?

– Je suis au Garden.

– Qu'est-ce que tu y fais?

– Je me bats contre Gatti!

Le médecin avait eu de la veine parce que, comme nous l'avait raconté Joey, «c'étaient probablement les deux seules questions auxquelles j'étais alors en mesure de répondre!» Pour cette raison, Johnny Bos voulait justement arrêter le combat, mais au moment où il revenait dans le coin, la cloche annonçant le 2e et dernier round de la carrière de Joey avait sonné. «La minute la plus rapide de ma vie», avait dit le manager.

Pendant les 30 dernières secondes de sa carrière, Joey avait au moins pu donner un aperçu de qui il était et de quoi aurait pu avoir l'air le combat dans des conditions normales. Encore sonné mais boxant par instinct, il s'était déplacé, avait cherché à imposer son jab et avait eu le temps de lancer sa première et seule combinaison 1-2. Et puis, en l'espace de deux secondes, le rideau était tombé sur toute cette vie, laissant place à une autre faite de consultations médicales et d'hospitalisations, de migraines insoutenables, de pertes de mémoire, de prise de médicaments, de regrets, d'amertume et aussi de pensées suicidaires. Deux secondes et quatre coups qui avaient provoqué l'un des knock-out les plus brutaux de l'histoire moderne de la boxe. Arturo avait d'abord ébranlé Joey pour au moins la quatrième fois avec un autre crochet du gauche. Joey avait chancelé, Arturo s'était approché, avait fait une feinte pour voir quelle partie de la tête Joey allait protéger, puis il avait frappé là où c'était à découvert. Au menton avec un uppercut, à la mâchoire avec un crochet du gauche et à la tempe avec un crochet du droit. Trois coups à glacer le sang, parfaitement exécutés, pris de plein fouet, avec des impacts hallucinants. La tête de Joey avait ressemblé à celle d'un pantin désarticulé, à celle d'un homme que l'on aurait frappé avec une violence inouïe dans son sommeil. Arturo l'avait d'abord relevée avec l'uppercut et il l'aurait probablement arrachée à son socle avec le crochet du gauche si le droit ne l'avait pas redirigée vers le centre. Inerte, elle avait ensuite heurté lourdement le tapis quand Joey avait atterri au sol. «On ne m'a jamais fait plus mal au cours de ma vie», avait confié Joey.

Immédiatement, l'arbitre Benjy Esteves avait signifié la fin du combat sans même le compter, se portant cette fois à son secours pour lui retirer son protecteur buccal. Toute la scène suintait encore la disparité, comme pour illustrer ce que n'avait jamais cessé d'être ce combat: Joey était étendu sur le canevas pendant qu'Arturo subissait l'assaut de Patrick Lynch et de son frère, complètement hystériques.

Toujours allongé au tapis et maintenant entouré d'un important effectif médical, Joey savait quant à lui déjà que sa carrière était terminée et qu'il n'avait pas subi un knock-out ordinaire. Il cherchait à reprendre ses esprits, complètement perdu et hagard, la bouche molle, les yeux vides. À tout bout de champ, il tentait de se relever par lui-même, mais les médecins le remettaient à l'horizontale. Finalement, sa ténacité avait rapporté et trois bonnes minutes après sa chute, les médecins avaient consenti à l'asseoir sur son tabouret. Ils lui avaient ensuite posé une série de questions auxquelles il avait répondu correctement, mais sa condition continuait d'inquiéter, comme celle de Reyes Munoz avait inquiété à Foxwoods. Et, comme dans le cas de Munoz, les médecins avaient décidé de l'évacuer sur une civière. Mais pour le dernier combat de sa carrière, pour sa dernière sortie de ring au Madison Square Garden de New York, Joey leur avait demandé une faveur: «S'il vous plaît, laissez-moi marcher jusqu'à mon vestiaire.» Ils avaient accepté et c'est ainsi que Joey, à petits pas précautionneux, avait eu l'impression de sauver une partie de son honneur.

À son vestiaire, il semblait être suffisamment revenu à lui pour que Johnny Bos le croie hors de danger. Arturo était passé le voir, s'était excusé et Joey avait montré quel bon gars il était: «Voyons, tu n'as pas à t'excuser. Tu as fait ton travail et tu l'as fait de grande façon.» Malgré l'amélioration de son état, les médecins avaient insisté pour qu'il soit conduit au St. Vincent's Hospital de Manhattan et ils avaient eu bien raison. Admis peu après minuit, Joey était venu bien près de mourir. Les effets de ses dommages cérébraux et de son traumatisme crânien avaient commencé à se manifester sous la forme de vomissures et de sévères maux de tête. Cela avait duré quelques jours, puis il avait enfin repris assez de mieux pour aller retrouver sa femme Sissy et ses deux garçons à la maison. Une nouvelle vie l'attendait, une vie où il dirait ne plus arriver à être normal et heureux tellement ses douleurs étaient immenses.

Elles ne l'empêcheraient pourtant pas d'entreprendre un dernier combat, celui-là contre la Commission athlétique de l'État de New York.

***

Par un concours de circonstances comme on en voit seulement dans les mauvais feuilletons, le procès de Joey Gamache contre la Commission athlétique de l'État de New York s'était finalement ouvert le 13 juillet 2009, deux jours après le décès d'Arturo. Cela avait été un procès passionnant, du moins autant que pouvait l'être un procès né d'une tragédie. Pendant une semaine à la cour fédérale du district de Manhattan, dix témoins avaient défilé devant le juge Melvin Schweitzer pour révéler tous les tenants et aboutissants des journées du 25 et du 26 février 2000.

Quand ils avaient quitté la salle d'audience dans l'après-midi du vendredi 17 juillet 2009, tous les intervenants s'attendaient à un verdict rapide. Mais le juge Schweitzer avait mis exactement neuf mois avant de rendre son verdict, un délai qui s'ajoutait à tous ceux que Joey avait connus depuis 10 ans. Comme si le feuilleton n'avait pu se priver de s'enrichir d'un dernier épisode. Finalement, la décision du juge était tombée le 1er avril 2010, sous la forme d'un document de 47 pages. Sitôt, comme l'avait rapporté le site *The Sweet Science*, le téléphone avait sonné au gymnase où Joey travaillait. «Joey, le verdict est tombé», lui avait dit son avocat. Joey avait pris une grande respiration. «C'est une décision partagée… Le juge a reconnu que la commission avait été négligente, que ce qui s'est passé à la pesée ressemblait à une passe vite faite et que Gatti a obtenu une faveur. Il a aussi conclu que les membres de la commission avaient fait preuve de laxisme dans l'accomplissement de leurs tâches… Mais il a décidé de ne pas t'accorder de compensation financière.»

Dans l'immédiat, Joey avait su le plus important, soit qu'il avait réussi à l'issue d'une bataille de dix ans à prouver la négligence de la Commission athlétique de l'État de New York. Verdict partagé ou non, il l'avait accueilli comme une victoire et les médias l'avaient aussi interprété de cette façon. «Gamache gagne sa poursuite contre la NYSAC», «Une rédemption réussie: Joey Gamache gagne son dernier combat», avait-on ainsi pu lire à droite et à gauche à la tombée du verdict. L'argent? «Cette poursuite *(de 5,5 millions)* n'avait jamais été une question d'argent, avait-il expliqué plus tard à TSS, et c'est pourquoi je suis si heureux du dénouement.» On pouvait croire Joey parce que, neuf ans plus tôt, il avait reçu un dédommagement de 2 millions d'une banque de Lewinston qui avait fait avorter son projet d'ouvrir un restaurant. «Cette réaction est celle d'un homme intègre et elle illustre ce que cette cause voulait dire pour lui», avait pour sa part commenté son avocat. «Il n'en a jamais fait une question d'argent. Et croyez-moi, dans 99,9 % des cas, c'est d'abord une question d'argent. Joey ne m'a même jamais permis de discuter d'un règlement avec l'État.» En résumé, le juge n'avait pas consenti à lui accorder d'argent parce qu'à son avis, il n'était pas clair que cet excès de poids et la négligence de la commission avaient été des facteurs déterminants dans le déroulement du combat et ses blessures subséquentes.

«J'ai l'impression que je vais enfin pouvoir mettre derrière moi le combat contre Gatti», avait conclu Joey. Et dire qu'il avait tant souhaité qu'on le lui mette devant lui.

***

À compter du milieu des années 1990, c'est-à-dire au moment où il avait commencé à connaître du succès, une constante était apparue dans la carrière d'Arturo: pratiquement à chaque combat qu'il disputait, on pouvait lire ou entendre qu'il était envisagé de le tenir à Montréal. Populaire partout dans le monde, Arturo avait bien sûr aussi une grande valeur à Montréal et, au fil des ans, à peu près tous les promoteurs avaient fait des démarches pour le ramener à la maison. Chacun leur tour, Henri Spitzer, Roger Martel, Gaby Mancini et même Régis Lévesque étaient allés à la pêche en revenant chaque fois bredouilles. Mais plus encore que ces promoteurs-là, celui qui était allé à la pêche le plus souvent, qui avait tenté d'appâter Arturo avec le plus d'opiniâtreté, avait sûrement été Yvon Michel. Au cours de ses années passées avec le groupe InterBox, il s'était en effet livré à un incessant lobby auprès du spectaculaire boxeur et il avait fini par lui faire une promesse : « Arturo, un jour tu te battras à Montréal, devant les tiens... »

L'opportunité de remplir sa promesse, Michel l'avait enfin vue se présenter sur un plateau d'argent à l'été de l'an 2000. À cette époque, il travaillait à organiser un super-gala prévu pour le 8 septembre au Centre Molson, où les super-moyens Éric Lucas et Davey Hilton devaient s'affronter en grande finale. Au début du mois d'août, Lucas avait cependant aggravé une vieille blessure, mettant le gala en péril. Planchant à une solution de rechange, Michel avait alors contacté Patrick Lynch, avec l'idée de rétrograder Hilton en demi-finale et de concocter une nouvelle finale impliquant Arturo. Conscient de la valeur de son boxeur dans un tel contexte, Lynch avait négocié de manière extrêmement coriace, mais une dizaine de jours après le début des pourparlers, il avait néanmoins communiqué la grande nouvelle à Michel : il acceptait qu'Arturo vienne enfin se battre dans sa ville natale.

À première vue, le contexte ne promettait pourtant pas d'être très rigolo. Quelques jours après l'entente conclue avec Arturo, la présence de Davey Hilton avait en effet été confirmée avec l'annonce de son troisième combat contre Stéphane Ouellet. Deux ans après les révélations d'agressions sexuelles à l'endroit de ses filles, Hilton continuait encore de faire beaucoup jaser parce que son procès approchait à grands pas. Son histoire était en fait tellement dans l'actualité que le soir du gala, les huissiers s'étaient rendus à son hôtel pour l'aviser que sa femme Anna Maria Gatti avait obtenu la saisie de sa bourse ! Ce soir-là comme tout au cours des préparatifs du gala, il y avait donc eu des chances réelles d'assister à une foire d'empoigne entre les deux beaux-frères, mais c'était une possibilité à laquelle Yvon Michel s'était déjà préparé. Afin de rassurer tout le monde dans le New Jersey, il avait procédé à l'embauche de gardes du corps chargés d'assurer la protection d'Arturo tout au cours de son séjour à Montréal. L'idée était excellente, mais Arturo ne l'avait pas vue du même œil. Pas trop effrayé de tomber nez à nez avec Hilton, souhaitant même peut-être encore que cela se produise, il avait passé le gros de son temps à semer ses couvreurs. Les pauvres avaient toutefois eu de quoi se consoler parce qu'ils n'avaient vraiment pas été les seuls à perdre sa trace dans la métropole.

Le coup de maître d'Yvon Michel avait été intitulé la Gatti-Mania et, pour une fois, le slogan n'avait pas juste représenté un truc publicitaire, il avait vraiment servi à traduire une réalité. Le séjour d'Arturo à Montréal avait été une expérience un peu surréaliste, tant pour l'intérêt que sa présence avait soulevé que pour les excès qu'il avait commis. De sa descente d'avion jusqu'à son départ, huit jours plus tard, Arturo avait été entraîné dans un tourbillon infernal, un cirque fou qui avait rendu son combat très secondaire. Cet affrontement contre Joe Hutchinson avait été l'un de ses plus éprouvants en carrière et pourtant, on en venait à se demander s'il ne l'avait pas été moins que tout ce qui l'avait entouré. Encore une fois, qu'Arturo ait pu survivre à ce combat après tout ce qu'il s'était permis durant la semaine et toute la pression qu'il avait subie représentait un petit miracle. Il lui avait fallu une dose exceptionnelle de courage pour rester debout jusqu'à la fin des dix rounds avec la préparation qu'il avait eue et l'homme le mieux placé pour le savoir avait été Hector Roca. Comme il l'avait fait en d'autres occasions, l'entraîneur panaméen avait qualifié ce combat de « cauchemar » mais, du même coup, il avait néanmoins rendu hommage à son boxeur. « Ce combat-là, Arturo ne l'a gagné qu'au cœur. »

Le cauchemar en question avait commencé à New York, au Gleason's Gym. En raison du court délai occasionné par les événements, Arturo avait dû se préparer à la six-quatre-deux et restait bien loin du niveau qu'il avait atteint lors de l'entraînement pour Joey Gamache. Hutchinson étant gaucher, il avait bien mis les gants avec quelques fausses gardes, mais Roca disait qu'ils n'avaient jamais véritablement pu élaborer une stratégie. « Nous n'avons jamais eu le temps de nous asseoir pour le faire. » S'ils ne l'avaient pas eu à New York, ils l'avaient eu encore bien moins à Montréal. Dans l'avion qui les amenait à Montréal, les deux hommes avaient d'ailleurs anticipé la folie qui attendait Arturo et ils avaient parlé de la nécessité de « rester concentré sur le combat». Malheureusement, la déferlante avait été trop puissante pour les bonnes intentions d'Arturo avec le résultat que Roca, Lynch et Lou Duva avaient dû s'avouer vaincus. Roca nous avait dit: «Dès qu'il a mis le pied dehors à l'aéroport, nous avons perdu sa trace pour le reste du séjour.»

D'abord attendu le 27 août, Arturo était arrivé à l'aéroport de Dorval le vendredi 1er septembre, une semaine pile avant le combat. Lorsque Yvon Michel lui avait présenté son contrat, il avait facilement deviné dans quelle galère il s'embarquait et il l'avait averti: «Je vais dire oui à toutes les demandes, mais trouvez-vous toujours un plan B parce que je ne suis pas fiable.» L'une des raisons qui l'incitaient à parler ainsi s'expliquait probablement par la présence à ses côtés de la première de ses deux amoureuses brésiliennes, Vivian Penha. Arturo l'avait connue trois mois plus tôt dans un bar du New Jersey et l'amour les consumait encore. Fan finie d'Arturo avant même de le rencontrer – elle allait le voir boxer à Atlantic City –, au courant de tout y compris de ses origines, Vivian n'avait pas dû être surprise par l'ampleur de l'accueil réservé à Arturo à l'aéroport. À l'initiative du groupe InterBox, Arturo avait été l'objet d'une réception monstre de la part de dizaines de parents, amis, amateurs et représentants des médias. «Je suis encore plus nerveux que quand je monte sur un ring», avait-il notamment confié à Martin Dion de RDS. C'était une réception tout à fait méritée parce que son beau-frère Rocco Crispo nous avait confié que ce combat-là, Arturo l'avait accepté pour une seule raison: sa famille et ses amis. «Pour qu'ils le voient boxer au moins une fois chez lui. Chose certaine, il ne l'avait pas fait pour l'argent car il avait reçu quelque chose comme 600 000 $ *(ce qui était tout de même une fichue de bonne bourse pour un combat sans enjeu et présenté «seulement» à ESPN)*...» De tout le groupe présent à l'aéroport, les deux plus enthousiastes, les deux plus heureux de la décision d'Arturo étaient sa mère Ida et son jeune frère Fabrizio. Pour Ida notamment, la venue d'Arturo équivalait au retour de l'enfant prodigue et marquait surtout le coup d'envoi d'une huitaine complètement foldingue. Plus tard dans la semaine, les appels à la maison pour des demandes de billets avaient été si nombreux qu'elle avait été dans l'obligation d'imiter ce que son fils faisait à tout bout de champ, soit changer de numéro de téléphone. Pourtant, c'était une situation qu'elle avait elle-même un peu provoquée.

Peu après qu'Arturo lui eut appris la grande nouvelle, Ida avait en effet eu l'idée d'initier un grand mouvement de soutien de la part de la communauté italienne de Montréal. Elle souhaitait que les élites organisent pour son fils une fête digne de son statut, digne de l'ambassadeur qu'il était pour tous les Italiens de Montréal. Pour concrétiser son idée, Ida avait alors communiqué avec le responsable de l'association des anciens de San Pietro Infine à Montréal, Tony Fuoco. Si Tony était capable de remplir des arénas avec les anciens d'un village minuscule, Ida se disait qu'il était sûrement capable de réunir une centaine de personnes dans un lieu donné pour rendre hommage à Arturo. Elle ne s'était pas trompée. Le téléphone à peine raccroché, Fuoco avait pris le dossier en main et organisé une méga-fête devant se tenir le jour de l'arrivée d'Arturo, à 18 heures 30, dans un parc de la Petite Italie. Tout avait été planifié pour que l'événement soit un énorme succès, bien sûr, mais surtout pour qu'il reste à jamais gravé dans la mémoire d'Arturo. Fort de ses nombreux contacts, Fuoco s'était assuré de la présence de politiciens, de dignitaires, de représentants de San Pietro Infine, de gens d'affaires, de sportifs tel Donato Paduano, bref, d'un éventail assez complet de la communauté italienne.

En quittant l'aéroport ce vendredi matin-là à bord de la limousine fournie par InterBox, Arturo avait fait un premier arrêt dans les studios de RDS et un deuxième chez sa mère. C'est après que les choses s'étaient gâtées. Il s'était ensuite évanoui dans la nature et à l'heure prévue pour la réception, il brillait toujours par son absence. Il faisait froid et il pleuvassait sur le parc de la Petite Italie, coin Saint-Zotique et Saint-Laurent, et à 19 heures les responsables avaient lancé le premier d'une longue série d'avis de recherche. Incapables de savoir par ses seconds à quel endroit il se trouvait, ils avaient notamment demandé à Donato Paduano de le chercher dans les bars voisins du boulevard Saint-Laurent, mais *l'Ange du ring* était revenu bredouille. Les organisateurs avaient alors regretté de ne pas avoir planifié de plan B, de ne pas avoir engagé de doublure, de sosie pour venir cueillir les hommages à sa place, et ils avaient été contraints d'attendre. Enfin, certains d'entre eux. Quand Arturo s'était finalement pointé sur place, avec 90 bonnes minutes de retard, il était sorti de la limousine avec l'air de dire *je suis une rock star et ne me posez pas de questions*, avait noté Bernard Barré d'InterBox. Cela tombait bien parce qu'il restait assez peu de gens pour lui en poser. L'endroit était pratiquement désert et seules les banderoles le louangeant permettaient encore de donner un certain cachet à sa visite. Restait une poignée d'irréductibles – dont Tony Fuoco – avec lesquels Arturo avait passé un peu de temps, posant et signant des autographes avant de retourner se réfugier avec Vivian dans la limousine et disparaître une nouvelle fois. «J'étais évidemment déçu de la situation, avait dit Barré, mais je l'étais surtout pour les organisateurs, ses parents et ses amis qui s'étaient donné la peine de se déplacer.»

Le lendemain soir, la même chose s'était produite, il avait confirmé sa présence à un souper, mais ne s'y était jamais présenté. Il n'était peut-être pas fiable, mais il avait le mérite de le savoir et de l'avoir dit. Bien honnêtement, il n'était toutefois qu'à demi-coupable. À sa décharge, il avait été sollicité bien au-delà du raisonnable au cours de cette semaine de la Gatti-Mania, un peu tout le monde cherchant à se l'approprier. Il était le sujet de conversation en ville, sa photo était partout y compris en format géant sur la devanture du Centre Molson, et l'attention dont il était l'objet était proprement sidérante. Déjà, avec toute la famille, les amis d'enfance, les connaissances à revoir, Arturo avait pleinement eu de quoi s'occuper et s'il avait fallu qu'il se montre partout où il avait été invité, c'était sûr, il ne se rendait pas au combat! «Pour dire la vérité, Arturo avait passé toute la semaine *sur la go*», nous avait ainsi confié Sergio Gennarelli, l'un des nombreux amis d'enfance à avoir alors renoué avec lui. «Et c'est vrai, il prenait plaisir à semer les gardes du corps engagés par InterBox.» Ce petit jeu, Bernard Barré l'avait remarqué dès le début de la semaine et il avait dû lui rappeler certains souvenirs du temps qu'il oeuvrait à la Fédération québécoise de boxe olympique. «Dans la matinée, je m'étais arrêté à son hôtel *(Arturo avait passé les premières nuits chez sa mère, les autres dans un hôtel du centre-ville)* pour vérifier si tout se passait rondement. Les gardes du corps y étaient, donc Arturo était censé y être aussi... J'avais demandé à l'un d'eux comment ça allait avec Arturo. Il m'avait regardé un peu penaud: *Écoute, pour dire la vérité ça va pas trop bien. Hier soir, il a sauté dans un taxi et on l'a perdu de vue, on n'a jamais été capables de le retracer!* Comme pour l'histoire de la fête ratée, j'avais trouvé ça un peu plate parce qu'on avait engagé ces types pour lui rendre service, pour le protéger de Hilton, mais bon... »

Pour le bénéfice des gardes du corps, voici ce qui s'était passé ce soir-là. À quatre jours du combat et à trois de la pesée, Arturo avait à son tour joué les organisateurs et préparé une méga-soirée-nuit-matinée à l'intention d'une dizaine de ses vieux *chums* de Montréal-Nord. Dont, bien sûr, Sergio Gennarelli. «Dans un premier temps, Arturo nous avait donné rendez-vous au bar Thiffany's, à deux pas de la maison de sa mère *(le bar est aujourd'hui fermé, mais ce n'est certes pas la faute d'Arturo qui y a aussi englouti une fortune).* De là, nous étions partis en limousine au centre-ville, avec tout ce qu'on avait besoin à l'intérieur pour être heureux. C'était une soirée exclusivement masculine parce que, même si Vivian tenait à venir, Arturo n'avait pas voulu. Il lui avait dit qu'il n'en était pas question, qu'elle devait rester à la maison avec sa mère parce que cette soirée-là était consacrée uniquement à ses *chums*. Et effectivement, ça avait été une vraie soirée de gars. Nous l'avions commencée rue Crescent, au Thursday's, et dans un autre bar aujourd'hui fermé, puis nous étions ensuite allés au Super Sexe et Chez Parée. Personne ne payait rien, Arturo s'occupait de tout. Et la facture avait dû être salée partout parce que lorsque nous étions en gang, nous ne buvions pas au verre, mais directement à la bouteille! Ce soir-là, à chaque fois que nous débarquions quelque part, c'était tellement la folie autour d'Arturo que nous avions dû mettre au point un petit stratagème pour le protéger. On sortait de la limousine par ordre de grandeur, mais du plus grand au plus petit. La porte de la limousine s'ouvrait devant un bar, les curieux observaient pour voir quelle célébrité allait en sortir, mais ce n'était qu'une file d'inconnus. Rendu au cinquième ou sixième inconnu, les gens se tannaient, regardaient ailleurs, puis Arturo sortait presque incognito. Nous avions donc passé une soirée inoubliable et à 5 heures du matin, la limousine, évidemment payée par Arturo, était revenue nous chercher pour nous ramener à la maison.»

Pour Sergio, Christian, Amadeo, Angelo et compagnie, ce n'était pas cette seule soirée qui avait été inoubliable, c'était toute la semaine. Bien sûr, il y avait longtemps qu'ils étaient tous atteints de la Gatti-Mania, mais ils n'avaient pas de si nombreuses occasions de le démontrer à Arturo, et certainement pas dans un contexte comme celui-là, avec la ville à ses pieds à l'approche de son premier combat chez lui. Or, c'était cette fois comme s'ils avaient modulé toutes leurs activités de la semaine au rythme du programme d'Arturo. Il y avait eu son arrivée du vendredi et la virée du lundi ; il y avait eu bien sûr la pesée du jeudi et le combat du lendemain, mais il y avait aussi eu entre tout ça un entraînement public, tenu à l'Hippodrome de Montréal. Un événement monstrueux qui avait attiré 2 300 amateurs et qui avait permis aux nombreux malchanceux ayant raté la soirée au centre-ville de passer saluer Arturo, lui faire un brin de jasette, se faire photographier avec lui. Pendant près de deux heures, il avait été d'une générosité exceptionnelle, se reprenant pour toutes les autres occasions de la semaine où il avait failli à ses engagements.

Cet entraînement public avait par ailleurs aussi fait l'affaire des seconds d'Arturo. En temps normal, l'entourage d'un boxeur n'est pas très friand de sacrifier ainsi au marketing, mais là c'était tout le contraire, l'événement avait pratiquement procuré à l'équipe d'Arturo sa seule chance de renouer avec lui et de remettre le combat contre Hutchinson à l'avant-plan ! Bien sûr, avec 2 300 amateurs et des dizaines d'amis à contenter, l'entraînement « public » avait eu préséance sur « l'entraînement » comme tel, mais dans les circonstances c'était mieux que rien. L'espace de quelques heures, l'événement avait peut-être permis de redonner le sourire à Patrick Lynch. Au dire de Sergio Gennarelli qui avait notamment mangé en sa compagnie, le gérant affichait une gueule de bois depuis son arrivée à Montréal et se montrait particulièrement froid à l'égard des amis d'Arturo, ce qui s'expliquait toutefois facilement. Lynch voyait bien que tout ce monde était sur la même page qu'Arturo et que personne ne semblait avoir la tête au combat de vendredi. On aurait dit que dans l'esprit des amis d'Arturo, il venait livrer à Montréal une simple exhibition et, d'une certaine manière, ils avaient peut-être raison de le croire parce qu'il leur disait qu'il allait « tuer Hutchinson » ! Pour ceux qui avaient cependant assisté à son apparition publique suivante, il y avait eu lieu d'en douter fortement.

En principe, Lynch était censé retrouver Arturo à la pesée officielle du jeudi 7 septembre, fixée à 16 heures au Casino de Montréal. À l'heure prévue, lui et le reste du clan Gatti avaient toutefois commencé à se demander s'il ne fallait pas inclure la pesée dans la catégorie des événements auxquels il fallait prévoir un plan B. Comme c'était arrivé tant d'autres fois au cours de son séjour, Arturo manquait à l'appel et, honnêtement, il était temps que la semaine finisse parce qu'ils étaient de moins en moins nombreux à le trouver drôle. Manquer de sérieux et de ponctualité à une fête en plein air, c'était une chose, mais en manquer à une pesée officielle, ça commençait à dépasser les bornes. À cause de lui, tous faisaient maintenant le pied de grue au Casino. La petite salle du salon Baccara était bondée d'un mélange disparate d'officiels de la Commission athlétique de Montréal, de boxeurs et de leurs seconds, d'amis d'Arturo, d'amateurs de boxe, de représentants des médias, mais ils formaient néanmoins un tout homogène parce qu'ils étaient tous en attente de la même chose : la venue du messie. Pour un peu, on aurait d'ailleurs dit qu'après toutes les histoires vécues lors des pesées précédentes, Arturo avait jugé que la plus sûre façon d'éviter la controverse était de ne pas s'y présenter. Où était-il ? À l'intérieur du petit salon, c'était devenu la grande question. Celui qui avait à y répondre le plus souvent, c'était bien entendu Patrick Lynch. En sa qualité de « père spirituel », de « frère », de manager d'Arturo, c'était bien la moindre des choses qu'il soit au courant des allées et venues de son boxeur dans une pareille circonstance. En tout cas, c'était là l'opinion de Lou Duva, en ville pour donner un coup de main à Hector Roca. L'auguste entraîneur avait toujours pensé qu'Arturo manquait de discipline et il était certain d'en avoir un autre exemple sous les yeux. En fait, lui qui croyait avoir tout vu en 60 ans passés dans la boxe, il était en train de se demander s'il ne rêvait pas. Était-ce une farce où c'était bien vrai que le boxeur-vedette n'était pas à la pesée et que son gérant n'avait aucune idée d'où il se trouvait ?

Tout ça ne faisait pas très sérieux, mais puisqu'on était à Montréal, que c'était la Gatti-Mania, qu'il y aurait foule le lendemain dans le Centre Molson, la commission athlétique avait été clémente : par l'entremise de son président Mario Latraverse, elle avait décidé de repousser la pesée à 16 heures 45. La décision de la commission n'avait pas pour autant soulagé Lynch. Pendant 45 minutes, on avait continué de lui infliger la question, de le torturer avec la grande interrogation : « Où est Arturo ? » En réalité, la torture avait même été plus longue que 45 minutes parce qu'à 16 heures 45, Arturo brillait toujours par son absence. En vieux renard, Lou Duva avait alors cessé de questionner Lynch pour se coller aux gens de la commission et tenter de gagner du temps en leur racontant toutes sortes d'histoires, d'anecdotes tirées de son illustre carrière. Il était passionnant à écouter et la belle affaire, c'est qu'il ne le serait pas moins la prochaine fois avec ce qu'Arturo était en train d'ajouter à son bagage.

Arturo s'était finalement pointé au salon Baccara avec une bonne heure de retard et ils avaient alors été quelques-uns à remarquer qu'il avait changé son approche envers les pesées. Dans le but, encore là, d'éviter une controverse comme lors du combat contre Gamache, il avait décidé d'ingurgiter ses boissons reconstituantes AVANT la pesée ! Selon Roca et Duva, il exhalait en effet l'alcool à son entrée au Casino et avait plus l'air d'un gars qui arrivait d'une taverne que d'un centre commercial, là où Lynch disait qu'il s'était arrêté ! Étonnamment, sa nouvelle approche l'avait cependant bien servi – du moins pour la pesée – parce que pour la première fois à ses quatre derniers combats, il avait fait le poids plutôt facilement. Obligé de ne pas excéder la limite des welters – 147 livres –, il avait été pesé à 146, ce qui lui conférait un avantage important de cinq livres sur Hutchinson.

A priori, le boxeur aux cheveux nattés d'Indianapolis n'appartenait pas à la même ligue qu'Arturo, mais il était néanmoins confiant de gagner et cela se comprenait. En 20 combats, il était toujours invaincu (18 victoires et deux nuls) et il avait été favorablement recommandé au *matchmaker* d'ESPN, Russell Peltz. À l'origine, le patron de Peltz avait exprimé des réserves sur la réelle valeur de Hutchinson, mais le *matchmaker* avait fait son enquête et l'un de ses contacts à Indianapolis l'avait assuré qu'il faisait un bon choix. En outre, Hutchinson avait la qualité de ne pas être intimidable et cela allait lui être très utile au moment de se présenter au Centre Molson parce que, vraiment, l'atmosphère suffirait à le passer K.-O.

Selon Bernard Barré, la Gatti-Mania avait représenté le succès le plus considérable de toute l'histoire du groupe InterBox. « Ce show-là, avait-il dit, nous avait sans aucun doute sauvé les culottes. » À l'annonce du combat, Main Events avait dit s'attendre à une foule de 10 000 personnes et c'était effectivement ce que suggérait la vente des billets... avant l'arrivée d'Arturo à Montréal. Une semaine plus tard, la fièvre de la Gatti-Mania avait été à ce point contagieuse que 8 000 autres billets s'étaient envolés pour une assistance totale de 18 150 spectateurs. Bien sûr, la demi-finale du gala entre Hilton et Ouellet avait aussi soulevé un intérêt énorme et elle avait permis à la foule de se chauffer à blanc, de trouver exactement l'état de surexcitation qu'il convenait d'afficher pour le retour d'Arturo. Ouellet avait corrigé Hilton comme l'espérait à peu près tout le monde et sa victoire avait été saluée par une clameur irrésistible. Mais elle avait surtout fait plaisir à un homme qui ne prenait pas place dans les gradins. Installé dans son vestiaire et rivé à son écran de télévision, ayant encore si peu Joe Hutchinson en tête, Arturo avait joui de voir la correction prise par son beau-frère. Depuis l'annonce de sa venue, il était déjà heureux de lui avoir chipé sa place de finaliste et de l'avoir expédié à un rang inférieur, mais avec cette volée et la saisie de sa bourse, c'était vraiment le comble.

La fin du combat Hilton-Ouellet avait toutefois tiré la sonnette d'alarme et représenté la fin de cette récréation qui durait depuis une semaine. Comme pour continuer sur l'élan de générosité de l'entraînement public, Arturo avait ouvert son vestiaire à quantité d'amis pour leur faire goûter le moment, mais il était maintenant temps de quitter tout ce monde et d'aller livrer cette exhibition qui en avait de plus en plus les traits. C'était tellement une exhibition dans la tête de tout le monde qu'un peu plus et Arturo la disputait sans protecteur buccal! Ses seconds, qui avaient eu bien peu d'occasions de penser au combat avec la semaine qu'Arturo leur avait donnée, avaient oublié le précieux objet à l'hôtel et il était bien trop tard pour retourner le chercher. Résultat, alors qu'Arturo se préparait à marcher vers le ring, son frère Joe courait comme un fou dans les coulisses du Centre Molson pour tenter de lui trouver un protecteur buccal neuf et de l'eau bouillante pour qu'il puisse le mouler à sa bouche ! Non vraiment, comme l'avait dit Lou Duva à la pesée, tout ça ne faisait pas très sérieux et justifiait l'emploi du terme «cauchemar» par Hector Roca pour décrire ce combat. Et pourtant, le pire était peut-être encore à venir.

Toujours généreux, Arturo avait encore cherché à impliquer le plus de gens possible dans son trajet entre le vestiaire et le ring. Dans l'après-midi, Ivano Scarpa et Mike Moffa avaient acheté des drapeaux de l'Italie et du Québec et ils avaient maintenant le mandat de les agiter à l'avant de ce long cortège d'amis qui agissait comme un brise-glace et qui fendait la foule pour lui. À défaut d'être originale, l'idée paraissait tout à fait appropriée jusqu'à ce que le présentateur de la réunion, Christian Gauthier, jette un froid dans la salle en présentant «Arturo Gatti de… Jersey City, New Jersey !» Bien sûr, le combat était présenté à la télé américaine, bien sûr c'était une copromotion avec la firme du New Jersey Main Events, mais ce soir-là les 18 150 personnes venues assister au retour d'Arturo auraient néanmoins mérité mieux. En fait, elles auraient mérité mieux à partir de ce moment jusqu'à la toute fin du combat. De son propre aveu, Arturo avait livré son plus mauvais combat en carrière et il ne fallait pas être un grand expert pour le croire sur parole. Sa performance avait été héroïque en raison des circonstances (en plus des excès commis durant la semaine, il avait encore subi une horrible coupure à l'œil gauche), mais elle avait été un désastre technique, une affaire qui avait dû arracher des larmes à tous ses ex-coéquipiers du Club Olympique l'ayant vu si raffiné à une autre époque. Jamais n'avait-il moins ressemblé à un «mini Davey Hilton» que ce soir-là et qui sait, peut-être qu'inconsciemment c'est ce qu'il souhaitait dans ce contexte très particulier. Plus tard, en revenant sur les événements avec une vue de recul, il avait plutôt mis cette performance sur le compte de sa nervosité excessive et de sa trop grande volonté à bien faire. Il y avait un peu de vrai là-dedans, mais s'il avait eu l'air d'un banal boxeur d'ESPN plutôt que d'une vedette de HBO, c'était avant tout parce qu'il avait encore brûlé la chandelle par les deux bouts. Pour résister à la Gatti-Mania dont il avait été l'objet, il lui aurait fallu une exceptionnelle discipline qu'il n'avait tout simplement pas et qu'il ne souhaitait probablement pas avoir non plus. Cela dit, il avait pu au moins se dire qu'il n'avait pas été le seul à connaître une pénible soirée parce que l'arbitre Mike Griffin et le docteur Pierre Meunier en avaient aussi beaucoup arraché. Ce qui faisait presque de Joe Hutchinson le seul protagoniste à être sorti grandi de ce combat.

Dans les faits, Hutchinson aurait même dû être crédité ce soir-là de sa 19e victoire en carrière, le résultat qu'il aurait obtenu dans n'importe quelle autre ville à travers le monde. Au deuxième round, Arturo avait été victime de la même entaille subie au cours de son combat contre Angel Manfredy, finalement arrêté au 8e round mais que tous voulaient stopper dès le 2e. Les ralentis de la télévision laissaient voir que l'entaille avait peut-être été causée par un choc de têtes, nombreux au cours du combat, mais l'arbitre Griffin avait déterminé qu'elle résultait d'un coup de poing. C'était une si vilaine coupure – elle avait nécessité cinq points de cicatrisation dans le vestiaire et 15 autres au retour au New Jersey – qu'elle aurait justifié dès cet instant l'arrêt du combat, procurant la victoire à Hutchinson comme cela avait été le cas pour Manfredy. Mais, de la même manière qu'Arturo avait obtenu une faveur à la pesée de la veille, il avait alors bénéficié de l'aide d'un peu tout le monde concerné par la situation. D'abord, Griffin avait bien stoppé l'action pour faire examiner la tranchée sanguinolente par le docteur Meunier, mais avant que celui-ci le fasse, il avait permis à Lou Duva d'en prendre soin, ce qui était interdit. Cela avait eu peu d'effet tant la blessure était sérieuse, mais ce n'était pas grave parce que Duva avait fait l'essentiel pour aider Arturo quelques secondes auparavant. Juste avant de monter sur le côté du ring, il avait encore mis à profit sa vaste expérience et avait dit au docteur Meunier: «Doc, ne sois pas stupide et n'arrête pas ce combat. Si tu fais ça, je te garantis que tu vas provoquer une émeute dans la place et que les chaises vont nous voler autour des oreilles.» Intimidé comme un enfant victime de taxage, Meunier était donc monté «examiner» l'horreur et avait consenti à laisser continuer Arturo, au grand soulagement de Russell Peltz qui priait en ce sens. Griffin avait par la suite sollicité l'opinion du docteur Meunier à quelques autres reprises durant le combat, mais son verdict avait été chaque fois le même en dépit du fait que la coupure était toujours plus grave : « Il peut continuer. » Après le combat, Arturo l'avait d'ailleurs remercié publiquement, disant à quel point il avait eu peur de le voir interrompre le combat. Meunier aussi avait eu peur, et ce jour-là il avait pris une décision compréhensible, celle d'être un fan plutôt qu'un docteur. Après le combat, il l'avait d'ailleurs implicitement reconnu dans une conversation avec Mike Moffa, dans laquelle l'influence de Duva avait été perceptible : « Mets-toi à ma place, Mike. Que voulais-tu que je fasse d'autre ? J'étais dans une situation complètement impossible. Avec 20 000 personnes sur place, je ne pouvais juste pas arrêter le combat au 2e round, c'était impensable. » Malgré tout, si compréhensible qu'ait été sa décision, elle avait eu pour effet, combinée à tout le reste, de mettre Arturo en grave danger.

Au cours de ce combat, Arturo avait souffert sans bon sens. On imagine d'abord facilement la douleur induite par huit rounds de coups de poing sur une plaie immense, démesurément large et profonde. Mais en même temps, Arturo avait aussi beaucoup souffert de sa mauvaise préparation. Au point, avait-il confié à sa copine Vivian et à son frère Joe, que CHACUN des coups de Hutchinson lui faisait terriblement mal. Pourtant, il n'y avait pas plus ordinaire puncheur que l'Américain d'Indianapolis. On s'en rendait compte à son palmarès – seulement 8 K.-O. en 20 combats –, mais surtout en le voyant frapper et n'utiliser essentiellement que les avant-bras, ce qui le privait de beaucoup de puissance. Par comparaison, les impacts qu'il avait pour sa part encaissés à la suite des coups d'Arturo étaient bien plus terribles. Il en avait d'ailleurs encaissé partout parce que, comme Arturo tendait à le devenir de plus en plus, il s'était souvent montré vicieux et avait frappé autant sous la ceinture qu'après la cloche (Griffin l'avait pénalisé d'un point, mais après avoir lui aussi régulièrement fermé les yeux). Malgré tout, Hutchinson avait tout pris sans broncher, même s'il s'était retrouvé au tapis au 6e round sur ce qui avait toutes les apparences d'une glissade. À l'opposé, Arturo disait avoir enduré un tel martyre qu'il était absolument certain que les gants de Hutchinson avaient été trafiqués et que de la bourre en avait été retirée ! Il avait jusque-là dans sa carrière enduré des châtiments exceptionnels, il en endurerait encore des pires par la suite, pourtant il continuerait d'affirmer à ses proches que personne ne lui avait fait plus mal que Joe Hutchinson (aux journalistes, il donnerait plutôt des noms plus réputés et moins gênants comme ceux de Ruelas ou de Ward).

Regarder le combat en étant au courant de ces faits était une expérience pénible, un peu cruelle. En portant attention, on voyait bien sa souffrance, ses rictus de douleur qu'il tentait tant bien que mal de cacher à Hutchinson, à l'inverse frais comme une rose. Plus le combat avançait, plus il avait toutefois du mal à les masquer et, au 10e round, ça faisait pitié de le voir. Couplé à son manque de forme, le mal faisait qu'il n'était tout simplement plus capable d'en prendre. Il avait passé une bonne partie du round à s'accrocher tantôt à Hutchinson, tantôt aux cordes comme à une bouée. Quand la cloche était venue le délivrer, c'est sûr, il devait alors avoir le même mot à la bouche que Roca et se dire que son cauchemar était enfin terminé. Du moins sur le ring parce qu'il allait se poursuivre ailleurs. Héroïquement, il avait réussi à tenir la distance avec un œil en capilotade et l'autre coupé ; avec le cœur qui voulait lui sortir du corps depuis peut-être le 4e round, et juste pour cela il valait sûrement la peine qu'on lui accorde la victoire. Sur les cartes des juges, elle avait été large comme sa coupure (100-92, 98-93 et 99-92), large comme une exhibition. Généreux jusqu'à la fin, Arturo avait fait monter sur le ring sa mère Ida, ses deux frères Joe et Fabrizio, ainsi que sa copine Vivian, projetée en pleine lumière pour la première fois. La foule, préoccupée comme toutes les foules par le seul résultat, était en liesse et, en partie à cause de Lou Duva, elle n'avait pas causé d'émeute.

La réalité et le sérieux de la condition d'Arturo avaient toutefois frappé tout le monde à son retour au vestiaire. À sa descente du ring, c'était comme si tout ce qu'il avait caché durant le combat avait exsudé de son corps en même temps et l'avait révélé sous son vrai jour, celui d'un type haché menu comme chair à pâté. Un peu *maso*, ou pressentant ce qui s'en venait, Arturo avait demandé à Vivian de sortir son caméscope pour qu'elle le filme dans cet état. Vivian a d'ailleurs encore le ruban chez elle et, un temps, elle avait dû penser que ce serait peut-être les dernières images où l'on verrait Arturo vivant.

Quand la docteure d'InterBox Danièle Daoust était passée le voir quelques minutes plus tard, il n'allait pas encore si mal. Son vestiaire s'était vidé de la horde de supporteurs et cela lui avait permis de souffler quelque peu. À froid, elle avait posé des points de suture temporaires à son œil et, pour mieux endurer la douleur, Arturo avait serré très fort la main de Lou Duva. Puis, elle était partie et c'est après que les choses avaient commencé à mal tourner. Arturo était sur le point de perdre connaissance quand Hector Roca et son frère Joe étaient entrés dans le petit réduit où il avait reçu ses points. Roca lui avait lâché un cri tonitruant pour capter son attention et le garder éveillé, puis il s'était emparé d'une chaudière de glace qu'il lui avait versée sur la tête. À deux, ils l'avaient ensuite transporté sous la douche où, rebelote, ils l'avaient encore noyé d'eau glacée. «Mon frère était vraiment en train de sombrer», avait confié Joe. Complètement transi, Arturo était revenu à lui et, après avoir pris un moment pour retrouver ses esprits, il avait pu quitter le Centre Molson dans un état relativement satisfaisant. Il avait refusé de se rendre à l'hôpital, mais c'est quand même là qu'il avait fini par aboutir. Rendu à son hôtel, sa condition avait à ce point empiré qu'elle avait foutu la frousse à Vivian. Elle avait communiqué avec Hector Roca qui lui avait évidemment dit de le faire conduire immédiatement à l'hôpital.

Jusque-là, Vivian croyait connaître la boxe et la carrière d'Arturo Gatti, mais son baptême dans les coulisses de l'un et l'autre lui avait fait découvrir une réalité qu'elle n'avait pas soupçonnée. Il avait pourtant bien fallu qu'elle s'y habitue parce qu'elle avait aussi vécu les affres de l'une des plus violentes trilogies de l'histoire de la boxe, celle qui avait opposé son amoureux à Micky Ward. «Et c'est bien le pire, avait-elle dit. Malgré la brutalité des combats contre Ward, je n'ai quand même jamais revu Arturo plus mal en point qu'après sa victoire sur Hutchinson.»

Susceptible de revenir au Centre Molson en décembre pour affronter le champion du monde WBC Kostya Tszyu, Arturo avait évidemment dû y renoncer. Ainsi, la Gatti-Mania avait représenté sa seule apparition à Montréal et, franchement, cela avait probablement été une bonne affaire pour tout le monde.

Chapitre huit

Une des grandes trilogies de l'histoire

Ils s'y étaient retrouvés à la fin de leur premier combat et, 13 mois plus tard, ils y sont encore. Du Backus Memorial Hospital de Norwich, ils sont cette fois passés à l'Atlantic City Medical Center. L'hôpital n'est pas le même, mais pour le reste rien n'a vraiment changé. Ils reposent côte à côte, couchés sur des brancards qu'on vient tout juste de sortir des ambulances. Pour l'instant, un rideau pâle les sépare encore, seul arbitre de cette salle lugubre. Mais entre eux, tout est maintenant fini et ils n'en ont plus besoin. N'en ont en fait jamais véritablement eu besoin tant leur fair-play fut exemplaire au cours de ces trois mémorables combats.

Un médecin vient donc de tirer le rideau, comme s'il avait jugé que le temps était enfin venu de leur permettre d'échanger autre chose que des coups. Arturo s'est informé le premier: «Hé Mick, comment te portes-tu? Tu es correct?» Micky a répondu en blaguant sur sa condition. Les deux ressemblent à des survivants d'un écrasement d'avion. Leur visage est couvert de boursouflures, d'hématomes et de coupures. De temps à autre, un semblant de sourire arrive quand même à s'y glisser. Leurs voix sont blanches comme la salle, ce n'est pas pour se conformer au protocole des lieux, c'est qu'ils n'ont plus la force de parler plus fort. Arturo dit à Micky qu'ils auraient dû exiger d'être payés davantage pour avoir produit ce soir ce qui deviendra le Combat de l'année 2003 et pour avoir créé l'une des plus formidables trilogies de l'histoire. Ils ont reçu respectivement 1,4 million et 1 million pour ce troisième combat, c'est beaucoup d'argent pour deux boxeurs plutôt limités, mais c'est peut-être moins que ce qu'ont pu encaisser certaines personnes impliquées dans l'événement. Pourtant, ils regardent autour d'eux et, à part leurs fiancées, ils sont bien seuls, en tout cas seuls à être étendus sur une civière.

Mais c'est pour cette raison que Micky s'en va à la retraite. Il l'avait annoncé à tout le monde avant le combat: quand bien même on lui offrirait 1, 2, 5 ou 10 millions pour se rebattre, ce sera non. Il est fatigué mentalement, fatigué du business de la boxe, de ceux qui, comme il le dit, «mettent une main sur ton épaule en même temps qu'ils placent l'autre dans tes poches»; fatigué de se retrouver systématiquement à l'hôpital après chaque apparition sur le ring. Déjà, après le deuxième combat au cours duquel Arturo lui avait administré une correction, l'état de sa santé l'avait beaucoup fait réfléchir. Au 3e round, Arturo lui avait perforé le tympan avec une droite tellement percutante qu'il s'en était fracturé la main! Puis, quelques secondes plus tard, alors qu'il était toujours groggy, il avait encaissé un autre coup si puissant que son cerveau avait pivoté à l'intérieur de sa boîte crânienne. Au cours des trois mois suivants, il avait éprouvé des problèmes de vision, d'équilibre, et ses proches l'avaient exhorté à se soumettre à des examens cérébraux. Heureusement, ils n'avaient alors pas révélé de plus graves dommages et les médecins l'avaient déclaré apte à boxer. C'est à ce moment qu'il avait décidé de livrer un seul autre combat pour conclure sa carrière en même temps que sa trilogie avec Arturo. Maintenant, sa présence à l'hôpital ne faisait que lui confirmer qu'il avait pris la meilleure décision. «Je ne veux pas finir comme un légume, avait-il souvent répété ces derniers temps, je sais que dans la boxe, un seul coup peut suffire à faire tourner toute une vie.»

À ses côtés, sanglé dans sa civière, Arturo le sait aussi. Cette éventualité-là le guette comme les autres boxeurs et c'est pourquoi certains de ses amis auraient souhaité qu'il imite Micky et se retire lui aussi en pleine gloire, après ces trois éprouvants affrontements. Mais Arturo est plus jeune, il a gagné les deux derniers combats et il est aussi moins… sage que Micky. Il connaît les risques de son métier mieux que quiconque, il est peut-être le boxeur ayant le plus épais dossier médical dans le milieu. Il ne lui est jamais possible de les oublier et ce n'est pas de sitôt qu'il va pouvoir le faire. Dans trois mois, il va recevoir un appel de Leipzig, en Allemagne, pour lui apprendre que le combat de championnat IBF que son frère Joe disputait à Sven Ottke a mal tourné. Joe a été victime d'une fracture du crâne et repose dans une condition sérieuse à l'hôpital.

La nouvelle va l'anéantir, il va beaucoup pleurer même s'ils sont encore en froid, mais on va heureusement le rappeler pour lui dire de cesser de s'inquiéter, que Joe est hors de danger. Malgré tout, même cet accident ne l'incitera pas à imiter Micky. C'est simple, il n'a presque pas le choix de poursuivre sa carrière. Il n'a pas la même structure sociale que Micky, pas de boulot permanent comme lui pour le tenir occupé. Il va donc continuer à se battre et, honnêtement, s'il continue de le faire comme lors des deux derniers combats, il va connaître de grands succès. Mais parce qu'il est Arturo Gatti, il devrait néanmoins finir ses soirées à l'hôpital comme Micky s'y retrouvait aussi parce qu'il était un incurable baroudeur.

«Était». Dans un certain sens, même avec la victoire de ce soir, Arturo envie Micky de pouvoir maintenant penser qu'il «était» un boxeur. Micky va pouvoir mener une vie normale, manger et boire ce qu'il veut, se coucher à l'heure qui lui convient. Le chanceux, il va pouvoir enfin se débarrasser de cette turpitude mentale que représente la boxe, «un sport qui accapare ton esprit 24 heures sur 24, disait Micky, même quand tu es au repos…» Il est un ex-boxeur maintenant et Arturo se demande si cela n'en fait pas le véritable gagnant de leur combat.

L'heure a tourné au Atlantic City Medical Center et il est près de 3 heures de la nuit. Arturo et Micky regardent encore autour d'eux et ils sont toujours aussi seuls. Micky est tellement le vrai gagnant de la soirée qu'il est le premier à recevoir son congé. Les médecins l'ont traité pour sa déshydratation et lui ont passé d'autres examens pour s'assurer qu'il n'avait pas de dommages cérébraux. Sa condition les inquiétait autant qu'elle avait pu l'inquiéter au cours des derniers mois. Vraiment, il est plus que temps de quitter ce business.

Cela va peut-être toutefois devoir attendre. Quelqu'un lui a volé ses chaussures. Il demande à Arturo, qui semble en porter des identiques pour s'agencer à son survêtement bleu et blanc: «Tu chausses quelle pointure?

– Des 10.

– *Fuck*, ce n'est donc pas toi! Pas grave, je me sauve quand même, même en chaussettes!

Il s'approche d'Arturo comme il avait tenté de le faire si souvent durant le combat et l'étreint, recréant la scène qui avait tant ému sur le ring à la fin du 30e et dernier round de cette trilogie qui les unit désormais à jamais. «Je t'aime», lui dit-il. «On se revoit bientôt… sur un terrain de golf cette fois!

– Je t'aime aussi, Mick. Oui, on se revoit bientôt, mais pas trop tôt, veux-tu?

Ils ont ri tous les deux, comme pour graver dans leur tête une image plus souriante de leur douloureuse trilogie. «Sois prudent à l'extérieur, Mick, c'est un monde dangereux. Et demande au chauffeur de ma limousine de te reconduire à ton hôtel.»

Les promoteurs avaient intitulé ce troisième volet *The Final Chapter* et, en tout cas pour Micky, c'était tout indiqué.

***

Nommé Combat de l'année 2002 et officieusement fait candidat pour celui du siècle, le premier affrontement entre Arturo et Micky avait été si époustouflant (et controversé) que l'on avait commencé à parler d'une suite avant même que les boxeurs soient de retour au vestiaire. Au micro de HBO, l'analyste Larry Merchant avait prêché pour sa paroisse et leur avait demandé s'ils accepteraient de se rencontrer de nouveau. La réponse d'Arturo, fournie après avoir pourtant souffert mille morts, avait laissé pantois: «J'adorerais le faire encore!» Plus prudent et surtout moins enthousiaste, Micky n'avait pas pour autant fermé la porte et il en avait rediscuté avec Arturo quand ils s'étaient retrouvés à l'hôpital. Pas encore les deux meilleurs amis du monde, ils n'étaient alors que deux adversaires qui se vouaient un grand respect et qui étaient conscients qu'on les réclamerait sous peu pour se violenter encore une fois devant les masses. Cela n'avait évidemment pas manqué. Les médias, notamment, avaient contribué largement à promouvoir l'idée de la revanche, mais il était intéressant de constater de quelle manière ils s'y étaient pris. Émus, touchés par le don de soi affiché par les deux boxeurs au cours du combat, ils étaient montés au créneau à leur place pour avertir les promoteurs que cette revanche-là devait avoir lieu à une seule condition : que les boxeurs reçoivent des bourses supérieures à un million de dollars. Dans un sens, la cabale n'avait servi que la cause de Micky puisque Arturo avait été payé un million pour le premier combat et avait déjà touché d'autres bourses aussi considérables dans sa carrière. Pour sa part, Micky avait reçu 435 000 $, ce qui constituait de loin sa plus grosse bourse en carrière, mais était encore trop peu au goût des représentants de la presse, bien décidés à lui donner un coup de main. Les choses auguraient d'ailleurs bien pour Micky parce qu'il semblait qu'après une dure carrière de 15 ans où il n'avait fait que vivoter, tout se mettait maintenant en place pour qu'il puisse être enfin récompensé de ses efforts.

Pour l'aider à faire fructifier ses dernières années, il pouvait en effet aussi compter sur les services de Lou DiBella, l'ex-responsable de la boxe à HBO. Au milieu de l'an 2000, DiBella avait quitté le puissant réseau pour fonder sa propre société, DiBella Entertainment. Conscients de son expérience et de son influence dans le monde de la boxe, les gérants de Micky l'avaient alors engagé comme démarcheur pour l'aider à obtenir quelques bourses intéressantes avant qu'il raccroche. DiBella avait été si confiant d'y parvenir qu'il avait promis à Micky d'en faire, comme dans le film d'Eastwood, un boxeur d'un million de dollars ! Et le diable d'homme avait réussi à tenir parole, même s'il fallait convenir que c'est Micky qui avait fait le gros du travail en remportant le premier combat contre Arturo.

Fort de l'appui des médias et de DiBella, mis en confiance par sa victoire, Micky l'avait donc claironné haut et fort avant même le début des négociations : « Je n'accorderai pas de revanche à Gatti pour moins de 1 million. Pour moi, c'est une question de respect. » À son tour, il ne faisait que mettre de la pression sur Main Events qui avait aussi acquis les droits du deuxième combat. Tout ce qui restait alors à décider à

Kathy Duva, chef de direction de la firme du New Jersey, c'était l'endroit où elle allait le présenter. Avec le résultat controversé du premier combat, elle souhaitait préférablement le faire à Atlantic City pour donner l'avantage du terrain à Arturo, mais elle recherchait aussi la meilleure proposition financière pour satisfaire les demandes salariales des deux clans. Après être venue près de s'attendre avec le Casino de Foxwoods, elle avait finalement annoncé que sa compagnie assumerait elle-même le risque financier et elle s'était associée au Bally's d'Atlantic City – qui aurait versé autour de 900 000 $! – pour présenter le combat au Boardwalk Hall. En théorie, Atlantic City était reconnue comme le fief d'Arturo (en fait, ce le deviendrait surtout à partir de ce moment parce qu'il ne se battrait plus jamais ailleurs), mais à ce jour, Micky s'y était produit plus souvent que lui (20 fois contre 14). L'Irlandais y était donc aussi très populaire et cela avait fait le miel de Main Events puisque la configuration du Boardwalk Hall avait dû être changée deux fois pour répondre à la demande des billets. Le soir du combat, c'est finalement 12 238 spectateurs qui avaient pris place dans l'amphithéâtre récemment rénové, le double du premier affrontement à Uncasville mais surtout un nouveau record d'assistance pour un combat n'impliquant pas de poids lourds (le combat Tyson-Spinks avait attiré 21 785 amateurs). Cette recette anticipée avait donc permis à Main Events de se plier au souhait de tout le monde et de verser 1,25 million à chaque boxeur. «Je n'aurais jamais cru la chose possible quand je suis revenu à la boxe», avait alors confié Micky.

En raison de la volonté de toutes les parties impliquées à présenter ce combat «naturel», les négociations n'avaient pas été si longues. Au début du mois de septembre, trois mois après le premier combat, Main Events avait annoncé la présentation de la revanche, fixée au 23 novembre 2002, cette fois sous le thème *«Once in a lifetime… Again» («Une fois dans une vie… Encore»)*. Atteint dans son orgueil par sa défaite à Uncasville, Arturo avait accueilli la nouvelle avec bonheur, même si cette date l'avait contraint à repousser son mariage avec Vivian, prévu pour septembre (le couple le repousserait une seconde fois un peu plus tard). Cette fois, il avait pris l'engagement ferme de se soumettre à un rigoureux camp d'entraînement de trois mois à Vero Beach et de placer la boxe au sommet de toutes ses priorités. Avec un entraînement de spartiate et quelques ajustements, il était convaincu de pouvoir dominer Micky pendant 10 rounds comme il l'avait fait pendant trois au cours du premier duel. Trop blessé par le résultat, il avait mis du temps à revoir le film de sa défaite, mais quand il l'avait fait, il avait relevé plusieurs erreurs que la fatigue lui avait fait commettre. Il avait notamment affirmé avoir maudit cette séquence clé du 9e round où il était resté un moment trop longtemps devant Ward, lui donnant la chance de le piquer au foie.

Dans l'ensemble, c'était aussi de cette façon que son entraîneur Buddy McGirt avait perçu les choses. Sitôt la victoire de Ward confirmée, il savait que cette revanche aurait lieu même s'il n'y avait pas de clause au contrat et que, cette fois, le résultat serait complètement différent. D'abord, il n'avait jamais considéré cette décision majoritaire autrement que comme un cadeau d'adieu qu'on avait fait à Ward, pour la fin de sa carrière. Dans son esprit, Arturo avait bel et bien gagné, mais il ne semblait pas particulièrement peiné que les juges aient voulu donner un coup de pouce à l'Irlandais. Mais mis à part le résultat, le plus important était que Buddy avait vu ce premier combat comme une sorte de préparation, de répétition générale pour le suivant. Avant de se mesurer à Ward, il y avait en effet longtemps qu'Arturo n'avait pas boxé pendant 10 rounds et, plus encore, il ne l'avait fait qu'une seule fois en trois ans et demi, soit à Montréal. Son corps avait donc besoin de se réhabituer à la distance et les combats d'entraînement permettaient difficilement de le faire parce qu'aucun autre boxeur n'appliquait une pression aussi forte que Ward. D'autre part, Buddy était aussi persuadé que, malgré la raclée encaissée par Arturo au 9e round, le combat en entier avait réclamé un plus lourd tribut à Ward, le plus âgé des deux boxeurs. Pour ces raisons, il avait donc toujours eu confiance que si Arturo s'entraînait efficacement à subir l'assaut de Ward pendant 10 rounds, il ne pouvait pas perdre avec la stratégie qu'il avait mise au point. Une stratégie pas si différente du premier combat, sauf pour un ajustement majeur qui avait fait des merveilles : lorsque contraint de se battre à courte distance, Arturo devait s'accroupir, fléchir les genoux pour passer sous les coups au corps de l'Irlandais, reconnus pour être dévastateurs.

La seule inquiétude que McGirt avait pu véritablement nourrir à Vero Beach concernait l'aspect mental. Le coach savait que préparer une stratégie infaillible était une chose, mais que parvenir à l'appliquer en était une autre. Et pour cette revanche, les circonstances étaient si particulières qu'Arturo avait eu besoin d'une concentration et d'une discipline exceptionnelles pour rester fidèle au plan et ne pas céder aux pressions extérieures. Les attentes pour cette revanche étaient en effet si élevées, la répétition de la violence du premier combat était si ouvertement ou tacitement réclamée qu'il avait fallu être très fort mentalement pour renoncer à offrir au public ce qu'il voulait. Et bien entendu, Arturo n'avait pas eu besoin qu'on lui fasse un dessin pour connaître ce que l'on attendait de lui. Qu'il ait donc pu rester sourd à toutes ces attentes, à toute cette propagande constituait certainement l'un de ses plus grands exploits en carrière.

En excluant le promoteur Main Events, le grand gagnant de cette propagande avait sûrement été le réseau HBO, qui mettait justement la boxe à son antenne pour satisfaire l'appétit de violence de son auditoire mâle. Ainsi, après s'être attendu à ses plus basses cotes d'écoute de la saison lors du Gatti-Ward I (finalement regardé dans deux millions de foyers), le diffuseur avait cette fois espéré que cette revanche soit le combat n'impliquant pas de poids lourds le plus regardé de toute son histoire (l'audience avait cette fois été de près de 3 millions)! En raison de son implication dans le combat, le réseau avait d'ailleurs été l'objet de certaines critiques et le vice-président aux Sports Xavier James avait alors été tenu de défendre la position de son entreprise. «Notre politique, avait-il dit, consiste à confier ces questions aux gérants et aux boxeurs qui savent mieux que quiconque ce qui est mieux pour leur carrière. Oui, certaines personnes sont outrées par le degré de violence de certains combats, mais la plupart des gens aiment bien.» Il n'empêche, son patron Kerry Davis avait été l'un des premiers à s'exprimer à l'issue du premier combat et, à chaud, son commentaire avait laissé voir que les critiques n'étaient pas si illégitimes. «Je ne sais vraiment pas, avait-il dit, si je suis assez sadique pour leur demander de recommencer.» Finalement, il semblait bien que oui parce que, loin de faire profil bas avec l'événement, de le jouer modeste, le réseau avait même accentué la promotion, et pour une raison bien légitime: il s'agissait de la 500e soirée de boxe à HBO depuis 1973 et ce jour de janvier où avait été présenté le combat entre Joe Frazier et George Foreman. Pour l'occasion, le réseau s'était ainsi offert une petite fantaisie et avait diffusé toute son ouverture d'émission en noir et blanc, ce qui avait aussi été une façon de rappeler que les combats Gatti-Ward s'inscrivaient dans la lignée de ceux présentés dans les années 1950, à une époque où la boxe était bien plus sauvage et permissive.

Tel était donc le contexte dans lequel Arturo avait dû se conditionner, non pas à se battre, mais à éviter de le faire pour se plier à la stratégie de son coach, et cela en dépit de sa nature généreuse, de sa volonté de plaire aux foules. Comme lors du premier affrontement, Micky savait d'ailleurs que c'est ce qu'Arturo tenterait de faire, mais il ne le croyait pas en mesure de mieux réussir et il avait gardé le même plan, plutôt simplet: le pourchasser, l'oppresser, l'agresser pour le porter à l'épuisement et ensuite lui voler dans les plumes pour l'achever.

Cela dit, en dépit de tout ce qui l'entourait déjà, l'événement n'aurait pas pu être complet sans un petit incident à la pesée, présence d'Arturo oblige. Pour la circonstance, les deux boxeurs avaient convenu de s'affronter à 141 livres, avec la possibilité d'en peser une de plus au besoin. Toujours professionnel jusqu'au bout des ongles, Micky avait accusé 142 livres, mais Arturo avait pour sa part été d'abord pesé à 143. Il s'était dénudé, avait remonté une seconde fois sur la bascule et cette fois il avait été au poil: 142 livres. Plutôt curieuse, la situation n'avait pas manqué de faire sourire les scribes et, à la sortie, ils avaient demandé à Buddy, goguenards: «Hé Buddy, peux-tu nous dire où on peut se procurer des sous-vêtements qui pèsent une livre?» Le coach s'était esclaffé, amusé de voir que d'autres avaient eu la même réflexion que lui. «Je ne sais pas! Pour dire franchement, moi aussi j'ai trouvé ça étrange. Mon impression est d'ailleurs que la balance n'était pas au point parce qu'Arturo et Micky avaient tous les deux vérifié leur poids à l'hôtel et ils étaient à 141 livres.» Le lendemain, comme c'était devenu son habitude, Arturo avait refusé d'être repesé par le réseau HBO.

Et puis autour de 22 heures ce 23 novembre 2002, le public avait enfin pu les retrouver et il l'avait fait avec tellement de plaisir, de chaleur, de fébrilité que c'en avait été émouvant. Six mois seulement s'étaient écoulés entre les deux combats, mais on aurait dit que c'étaient six ans tant les amateurs paraissaient s'être ennuyés d'eux. Au cours de la promotion du combat, ils avaient encore été touchés par leur exemplaire sportivité, par cette façon à nulle autre pareille qu'ils avaient de marier humanité et brutalité, de passer de l'une à l'autre dans le temps de le dire, même sur le ring. Les retrouvailles, y compris celles avec Buddy et Dickie, avaient ressemblé à celles vécues au cinéma, quand on retrouve le casting d'un petit film local qui a connu un succès si considérable qu'il a été élevé au rang de culte. Arturo, Micky, Buddy, Dickie, c'étaient tous des personnages attachants, humbles, faillibles; des personnages de série B qui divertissaient comme s'ils se produisaient dans une série A. Désormais, les gens semblaient d'ailleurs tellement les considérer comme un tout, une distribution homogène qu'ils avaient accueilli les deux clans avec à peu près le même amour, quand bien même l'un représentait le New Jersey et l'autre le Massachusetts.

Et ils avaient eu bien raison parce que c'est encore ensemble qu'ils avaient fourni un grand spectacle.

***

Est-ce que le Gatti-Ward II avait été un combat mémorable, digne du premier? Bien sûr que non. Comme la plupart des suites, autant au cinoche qu'à la boxe, celle-là avait été un cran ou deux en dessous, surtout par la faute du boxeur de Jersey City. Arturo avait fait mentir la vieille croyance voulant que, généralement, le gagnant d'un premier combat remporte aussi le second, avec souvent encore plus de facilité. Ce soir-là, sa performance avait été trop parfaite, trop sublime pour laisser la moindre chance à Micky de répéter son exploit d'Uncasville. «Le meilleur combat de ma carrière», avait-il plus tard déclaré, et pour cause. Superbement concentré, élégant, efficace, excessivement affûté, il avait dominé tout du long et les scores des juges en avaient témoigné avec éloquence. Deux l'avaient donné vainqueur 98-91, l'autre 98-90. Mais comme l'avait ensuite écrit l'analyste du réseau ESPN Max Kellerman, cette revanche entre les deux faux jumeaux avait été l'un des meilleurs combats à sens unique jamais présentés ! Et le dominé en avait été tout aussi responsable que le dominant.

En dépit de la défaite, la performance de Micky avait en effet été plus méritoire encore que celle du premier combat, au cours duquel il avait dit ne jamais avoir été ébranlé. Cette fois, cela avait tout le contraire, il y avait eu peu de moments où il ne l'avait pas été. À partir de la séquence du 3e round où Arturo lui avait perforé le tympan et fait pivoter le cerveau, il n'avait combattu que par instinct, dans des conditions épouvantables que personne d'autre que lui n'aurait pu endurer. D'abord, il n'était plus en mesure de se tenir adéquatement en équilibre, ce qui n'était pas le moindre des problèmes face à un boxeur comme Arturo Gatti. De l'avis de son médecin qui l'avait examiné quelques jours plus tard, il avait disputé les sept derniers rounds dans le même état que celui des gens à la sortie d'un grand manège. Pourtant, ce n'était même pas tout. Micky avait aussi éprouvé des problèmes de vision, et pas que des mineurs : pendant ces sept derniers rounds, il voyait parfois jusqu'à quatre ou cinq Arturo Gatti en même temps ! Durant l'une des minutes de repos, il l'avait révélé à son frère, mais s'il l'avait fait pour trouver un peu de compassion, il s'était trompé : « Frappe celui dans le milieu », que lui avait sèchement répliqué Dickie !

Malgré tous ces handicaps qui s'ajoutaient au brio d'Arturo, jamais Micky n'avait pensé abandonner pour économiser sa santé. Après le combat, le sentiment général était qu'il n'avait plus jamais été le même après ce 3e round d'enfer où il avait été si sonné qu'il était rentré tête première dans l'un des poteaux du ring. Mais en réalité, cela avait été tout le contraire. À compter de ce moment, Micky Ward avait été plus que jamais le même, c'est-à-dire un boxeur pour qui il était carrément inadmissible d'abandonner dans un ring de boxe, peu importe la nature des châtiments et des souffrances. Sa détermination à ne pas renoncer avait d'ailleurs notamment contribué à faire presque de ce 3e round l'équivalent de l'inoubliable 9e round du combat précédent, ce que personne ne croyait possible. Avec l'impression, nous avait-il dit, que toute la ville d'Atlantic City valsait dans sa tête, il avait en effet réussi non seulement à survivre à la tentative d'estocade d'Arturo, mais encore à repasser à l'attaque et à le mettre à son tour en difficulté. Son retour avait véritablement été héroïque parce qu'à un certain moment, il se faisait tant cogner qu'Arturo avait regardé l'arbitre Earl Morton, avec l'air de lui dire: «Pendant encore combien de temps vas-tu le laisser prendre des coups?» Mais Arturo était malin et sa réaction avait aussi été une subtile tentative pour influencer Morton à stopper immédiatement le combat, comme s'il avait pressenti que Micky reviendrait et qu'il l'obligerait à souffrir pendant sept autres rounds pour gagner. Malin lui aussi, Morton n'avait pas mordu au piège et, effectivement, Micky était revenu. Malgré sa condition, il avait même connu un 4e round suffisamment bon pour que Buddy s'inquiète et rappelle Arturo à l'ordre pour que ne se répète pas le scénario du premier combat où il était tombé en panne sèche au même stade. Son intervention avait porté ses fruits et Arturo avait ensuite repris le contrôle du combat pour ne plus jamais le perdre. Néanmoins, Micky n'avait jamais cessé de lui donner la réplique, arrivant à l'évidence à reconnaître souvent lequel des Arturo Gatti il devait frapper.

À ce chapitre, le plus étonnant était toutefois de savoir que la vision d'Arturo était peut-être alors juste un peu meilleure que celle de Micky. C'est que depuis longtemps, il éprouvait lui aussi des troubles visuels qui semblaient curieusement échapper aux oculistes des commissions athlétiques, mais pas à son entraîneur. Buddy nous avait en effet avoué être tellement au courant que lui et Arturo avaient même convenu d'une méthode pour en atténuer les effets. Ainsi, Buddy lui avait recommandé de faire penduler son gauche devant l'adversaire, un mouvement qui donnait l'impression d'être une tactique mais qui était en fait une manière de tâter le vide, comme s'il avait eu à marcher les yeux bandés. «La difficulté à voir d'Arturo était surtout apparente quand l'adversaire le frappait», avait expliqué Buddy. «Il arrivait mal à juger ses distances et c'est pourquoi il prenait autant de mains droites dans un combat. Quand il se pensait à l'abri, il se trouvait en réalité encore dans le rayon pour être touché.» Évidemment, les problèmes oculaires d'Arturo ne l'affectaient pas qu'en défensive. S'il était vrai qu'il tendait avec les années à devenir un boxeur de plus en plus salaud, il était aussi loisible de penser que les nombreux coups bas dont il s'était encore rendu coupable contre Micky étaient le résultat de son acuité visuelle déficiente. Ceci pour dire qu'il y avait mille et une raisons d'avoir encore trouvé les deux boxeurs chevaleresques dans cette revanche et leurs problèmes oculaires n'étaient pas les moindres. «Je ne peux croire que deux hommes puissent donner autant d'eux-mêmes», avait d'ailleurs dit George Foreman à la fin de ce spectacle, en se secouant la tête. Comme les quelque 12 000 autres personnes dans le Boardwalk Hall, il venait notamment d'être soufflé par les deux derniers rounds qui avaient finalement donné l'impression que ce combat n'était pas une suite mais la simple continuation de celui d'Uncasville. Pendant six minutes, les deux boxeurs s'étaient frappés à qui mieux mieux et même en dépit de son retard et de sa condition, Micky aurait alors bien pu gagner s'il avait affronté n'importe quel autre boxeur qu'Arturo Gatti. Il avait vraiment tout fait pour inverser le cours des choses, sauf tuer la volonté d'Arturo à remettre les pendules à l'heure.

À la fin du 10e round, Patrick Lynch s'était précipité dans le ring et, au comble du bonheur, il avait enlacé Arturo en lui faisant un compliment bien approprié aux circonstances: «*You are a fucking man!*» Pour sa part, Buddy lui avait glissé «tu le mérites», oubliant commodément qu'une part de ce mérite lui revenait pour avoir préparé une stratégie si efficace. Sur HBO, Larry Merchant avait aussi joint sa voix au concert de louanges et il avait été formel. «Je ne vois aucune utilité d'organiser un troisième affrontement tant la supériorité de Gatti fut évidente», avait-il dit avant de monter dans le ring pour réaliser ses entrevues et s'enquérir des plans d'avenir des deux boxeurs. Micky avait été le premier à se prononcer quand le vétéran analyste lui avait demandé si on venait d'assister à son dernier combat. «Si nous pouvons nous retrouver ensemble une autre fois, je vais donner un autre coup, mais sinon, je ne sais vraiment pas.» En sa qualité de vainqueur, Arturo avait toutefois droit au dernier mot et ce qu'il avait d'abord laissé entendre ne présageait pas d'un troisième combat. «J'aimerais bien que, pour mon prochain combat, le champion du monde Kostya Tszyu me choisisse pour défendre son titre.» Malgré l'opinion qu'il avait émise à l'issue du combat, Merchant n'avait cependant pu résister à l'envie d'évoquer la trilogie en demandant à Arturo si, à son avis, un troisième affrontement s'imposait entre lui et Micky. «La première chose, c'est que nous sommes tous les deux en santé», avait-il commencé par dire en ne sachant évidemment rien de la condition de Micky. «Nous avons livré un grand combat, c'est maintenant 1 à 1 entre nous deux, alors un troisième combat ne me dérangerait pas», avait-il conclu avec enthousiasme, recevant instantanément l'approbation de Dickie qui était suspendu à ses lèvres, tout à côté: «Cela fait bon à entendre.»

Assis dans le siège du conducteur, Arturo venait de dire où il voulait aller et avec qui il souhaitait y aller.

***

Il est difficile de saisir pourquoi, au fil des époques, les trilogies ont généré autant d'engouement, voire de fascination dans la boxe. À y regarder de près, c'est un phénomène qui semble avoir assez peu d'équivalent dans les autres sports, du moins dans les sports individuels. L'une des raisons qui pourraient expliquer l'intérêt séculaire pour les trilogies est certainement qu'elles ont généralement mis en vedette au moins une, mais plus souvent deux figures populaires et charismatiques. Il semble bien que ce soit là un préalable car ces séries de trois combats coûtent cher à organiser – l'appétit financier des boxeurs augmente à chaque combat en fonction de l'intérêt – et il faut donc pouvoir être sûr de vendre beaucoup de billets ou de compter sur le soutien de la télé. Sinon, le succès des trilogies repose peut-être tout simplement sur une simple question de grosse logique: il n'y aurait aucune raison de présenter trois combats entre deux adversaires qui livreraient des performances mortifères. S'il y a donc des revanches - et des belles -, c'est forcément parce que la qualité et l'action des combats précédents le justifient. Enfin, ce serait certes une erreur de ne pas aussi attribuer le phénomène des trilogies aux fréquents accès de nostalgie des amateurs de boxe. Il y a dans la boxe plus de come-back que dans tout autre sport pour la simple et bonne raison que c'est là que se trouvent les partisans les plus nostalgiques. En cela, il est donc normal que les revanches plaisent parce qu'elles ne sont au fond rien d'autre que les come-back, non pas des boxeurs, mais des combats.

Au cours de son histoire, la boxe a produit nombre de grandes trilogies. De l'avis à peu près général, la plus célèbre de toutes fut évidemment celle entre Muhammad Ali et Joe Frazier. Entre 1971 et 1975, les deux grands rivaux s'étaient affrontés à deux reprises au Madison Square Garden et une dernière fois aux Philippines, dans un combat qui les avait laissés tous deux au seuil de la mort. Dans son illustre carrière, Ali a même eu la chance d'être impliqué dans une deuxième trilogie d'importance puisqu'il s'est aussi mesuré à trois reprises à Ken Norton. Ces deux-là mises à part, voici quelques-unes des autres trilogies à avoir retenu l'attention des amateurs de boxe : Tony Zale-Rocky Graziano, Floyd Patterson-Ingemar Johansson, Emile Griffith-Benny Paret, Roberto Duran-Esteban DeJesus (Duran en a lui aussi connu une seconde avec Ray Leonard), Riddick Bowe-Evander Holyfield et, enfin, plus récemment, Marco Antonio Barrera-Erik Morales. Tous ces boxeurs ont eu la chance, comme Arturo Gatti et Micky Ward, de rencontrer sur leur route un homme qui est devenu leur « meilleur ennemi » et qui a su faire ressortir le meilleur d'eux-mêmes. Dans le cas d'Arturo et de Micky, le journaliste du *Ring* Eric Raskin a même parlé de leur rencontre comme d'un petit miracle. Il expliquait que des boxeurs aussi héroïques qu'Arturo, il n'y en avait généralement qu'un seul par génération, et même encore. Or, il était déjà exceptionnel que Ward soit le deuxième mais, en plus, il avait fallu qu'il soit à peu près du même poids et surtout à peu près du même calibre qu'Arturo pour que le réseau HBO puisse penser les opposer !

Cela dit, le triptyque entre les deux hommes n'avait pas été si simple à conclure. À la différence des deux premières fois, les négociations entre le clan Ward et Main Events ne s'étaient pas déroulées dans un climat très favorable et, par moments, Micky avait pu croire être encore devant Arturo tant il avait reçu de coups bas. Cela avait commencé dès le tout début quand Main Events, se rappelant qu'Arturo avait gagné le dernier combat mais oubliant que la série était égale, avait offert à Micky un partage des bourses de 75-25. Déjà, à ce moment, il était connu que HBO et la ville d'Atlantic City – par le biais du Bally's – avaient payé respectivement 2,2 millions et 1 million à Main Events pour présenter le combat. Micky se disait donc qu'avec une cagnotte minimum de 3,2 millions, sans compter la vente des billets, il y avait assez d'argent disponible pour contenter tout le monde et effectuer un pourcentage plus équitable des bourses. Mais ce qui lui restait particulièrement en travers de la gorge, c'est que pour le deuxième combat, alors qu'il était cette fois dans le siège du conducteur, il avait consenti à un partage des bourses parfaitement égal, à 50-50. «Pourquoi veulent-ils me faire ramper à mon dernier combat», avait-il réagi avec aigreur dans le *Boston Globe*. «Qu'est-ce qui motive des gens comme ça à tenter d'écraser les autres? À leur monter dessus? Nous sommes 1 à 1. Pourquoi pas deux bourses égales encore ou peut-être 60-40? Je vais attirer autant de gens que lui au combat.» Dans le fond, Micky savait trop bien ce qui motivait Main Events. À ce moment, la firme du New Jersey avait en effet un contentieux avec son conseiller Lou DiBella et, d'une certaine façon, c'est lui qui se trouvait à en faire les frais. À la manière dont les choses se passaient, Micky comprenait que Main Events accepterait de le payer plus cher s'il foutait DiBella à la porte mais, quitte à perdre de l'argent, il n'avait jamais voulu envisager cette possibilité. Oui, DiBella exigeait de gros cachets, mais il était d'une certaine manière responsable de sa résurrection pugilistique et financière et il n'était pas question qu'il l'oublie.

Encore une fois, les médias avaient appuyé Micky dans ses revendications et leur aide n'avait pas été vaine. Au départ, Main Events avait proposé 800 000 $ à Micky, mais avait ensuite majoré son offre à 1 075 000 $, plus un pourcentage de 25 % sur les profits nets réalisés par la vente des billets. Une fois DiBella, son manager, son soigneur et Dickie payés, il était rentré à la maison avec 725 000 $, sa deuxième plus grosse bourse en carrière. De son côté, Arturo avait reçu 1 400 000 $ (le *New York Times* avait même parlé de 1 700 000 $) mais, comme son commentaire à l'hôpital tendrait plus tard à le démontrer, il s'était lui aussi estimé floué par son promoteur.

Finalement, Main Events avait réussi à trouver un accord avec tout le monde et, à la mi-avril 2003, elle avait annoncé la tenue du *Final Chapter* pour le 7 juin, toujours au Boardwalk Hall d'Atlantic City. Ce qui voulait dire, fait très rare dans les trilogies, que les trois combats Gatti-Ward s'étaient déroulés en l'espace de 13 mois seulement, sans que ni l'un ni l'autre des deux boxeurs ne dispute d'autres combats dans cet intervalle. L'intérêt n'avait donc pas eu le temps de s'émousser, bien au contraire, et il avait encore atteint un nouveau paroxysme. Cette fois, ils avaient été 12 643 à assister à l'événement sur place et plus de 3 millions à le regarder à la maison sur HBO. Et quelques-uns, encore, à s'élever contre sa tenue et à craindre que, vraiment, cette fois, Micky et Arturo s'infligent des dommages permanents. D'ailleurs, pour certains un peu plus observateurs, ils étaient déjà apparus. Le journaliste Paul Ruby, du site *East Side Boxing*, avait ainsi noté qu'après deux combats, autant les réflexes que la précision des deux boxeurs n'étaient plus les mêmes, et nous savons maintenant évidemment pourquoi.

En raison, justement, de ses troubles oculaires, Micky était loin d'avoir connu une préparation parfaite. Les trois mois passés à souffrir de double vision et de pertes d'équilibre avaient eu pour conséquence de raccourcir son camp d'entraînement à sept semaines qui, sinon, avait toutefois été aussi rigoureux que d'habitude. Résolu à partir par la grande porte, il n'avait pas voulu répéter l'erreur de la revanche où il avait eu l'impression que sa stratégie de ne chercher qu'à épuiser Arturo avait été trop simpliste. Son idée était donc de boxer davantage, de montrer à Arturo une facette de sa personnalité de boxeur qu'il ne lui avait encore jamais montrée, mais cette transformation annoncée n'avait pas trop inquiété McGirt, qui avait dit aux journalistes: «Après 18 ans de carrière, pensez-vous vraiment que Micky Ward va se mettre à boxer comme Muhammad Ali ou Sugar Ray Robinson?»

Le facétieux entraîneur savait quand même de quoi il causait. À la fin de 2002, Buddy avait en effet été nommé «Entraîneur de l'année» par la plupart des panels crédibles de la boxe et l'excellente stratégie qu'il avait élaborée pour la revanche n'avait certes pas été étrangère à sa nomination. Il n'avait pas conservé son titre en 2003, mais son travail avec Arturo n'était certainement pas en cause parce que c'est encore un peu beaucoup grâce à lui que le boxeur de Jersey City avait gagné son seul combat de cette année-là. Car d'une certaine façon, ce n'est pas à Atlantic City qu'Arturo avait rebattu Micky, mais à Vero Beach alors qu'il se trouvait seul à seul avec son entraîneur. Entre les deux combats, au début de l'hiver, il s'était en effet soumis à une autre opération pour réparer sa main droite cassée et l'état de sa guérison avait inquiété tout au cours du camp d'entraînement. Il y avait des coups qu'il devait se garder de lancer parce qu'ils lui causaient trop de douleur et, voyant cela, Buddy avait allégé son programme de combats d'entraînement. Mais là où le coach avait vraiment posé son empreinte sur le résultat du combat, c'est en élaborant un plan A et un plan B, ce dernier devant servir dans l'éventualité où la main droite d'Arturo ne tiendrait pas le coup. Pendant des sessions complètes, Arturo devait donc utiliser exclusivement sa main gauche, tentant quand même de gagner les rounds dans cette condition. Il devait donner des dizaines et des dizaines de jabs, entrelarder à l'occasion quelques crochets pour garder l'adversaire sur le qui-vive et mettre bien sûr ses jambes à profit pour se déplacer davantage. Exactement le scénario qu'il avait eu à répéter pour une partie du combat.

***

C'est le journaliste Jeff Ryan qui avait posé la question dans le *KO Magazine* d'avril 2004 : « Allons-nous nous trouver stupides d'avoir glorifié la trilogie entre Micky Ward et Arturo Gatti si, dans quelques années, les deux hommes démontrent des signes de dommages permanents ? » La question avait flotté dans l'air à chaque seconde de ce troisième et dernier combat parce qu'il avait encore été irréel de brutalité. Les inquiétudes quant aux dommages permanents ne pouvaient pas être plus justifiées car au 3e round, toujours ce foutu 3e round, Arturo avait atteint Micky à la tempe et fait réapparaître ses troubles de vision (dont il n'est toujours pas débarrassé aujourd'hui, malgré deux interventions pour les corriger). L'espace de trois rounds, on avait d'ailleurs cru que le dernier combat de la carrière de Micky Ward allait être celui de trop qu'il avait tant à cœur de ne pas disputer. L'espace de trois rounds, il avait été un sac à frapper pour un boxeur encore une fois remarquablement préparé et ultra-déterminé. L'espace de trois rounds, son adversaire avait exécuté à la perfection le plan A de Buddy McGirt qui consistait cette fois à se déplacer et se pencher un peu moins, et à bouger davantage le haut du corps. Mais l'espace de trois rounds, son adversaire avait aussi fragilisé sa main droite et au 4e round, ce que tout le clan Gatti redoutait au vestiaire s'était produit : imprécis, Arturo avait frappé Micky à la hanche et il s'était infligé une nouvelle fracture. À partir de ce moment, ce n'était pas juste le visage grimaçant d'Arturo qui avait changé de physionomie, c'était tout le combat. À voir en double le rictus de douleur d'Arturo, Micky avait tout de suite su qu'il avait maintenant un boxeur d'une seule main devant lui et il avait alors entrepris un formidable baroud d'honneur. Résultat, le combat était redevenu ce que 12 643 amateurs attendaient qu'il soit, c'est-à-dire un spectacle à couper le souffle, un feuilleton pugilistique avec des rebondissements presque à chaque nouvelle séquence de trois minutes.

À certains moments, l'action et l'intensité dramatique débordaient même des trois minutes et se continuaient au cours des 60 secondes de repos, comme à la fin de ce 4e round. Preuve que c'était plus que jamais un feuilleton, seuls les téléspectateurs de HBO avaient d'ailleurs pu entendre le court mais prenant échange qu'Arturo avait eu avec Buddy en réintégrant son coin. « Buddy, c'est encore ma main », qu'il lui avait dit, le visage crispé. Buddy l'avait regardé dans les yeux.

– Qu'est-ce que tu veux que je fasse ? Veux-tu que j'arrête le combat ?

Arturo avait lové sa tête au creux de l'épaule de Buddy, comme s'il avait ressenti de la peine au lieu de la douleur.

– Non, laisse-moi continuer.

Une scène, quatre mots. Pour l'acteur et Hells Angels Chuck Zito, alors présent pour la première fois aux côtés de son ami, ces quatre mots symbolisaient mieux que n'importe quoi d'autre quel genre de boxeur avait été Arturo Gatti : « Non, laisse-moi continuer. » C'est du reste ce qu'avait fait Buddy, mais non sans avoir d'abord remplacé le plan A par le plan B qui permettait de survivre avec une seule main. Arturo était parvenu à le faire efficacement au 5e round en soûlant Micky de jabs et de crochets du gauche, mais à certains moments il avait triché et utilisé sa main droite en partie anesthésiée par l'engourdissement. Cela avait paru surprendre Micky qui n'avait pas eu le meilleur des échanges, même s'il avait lui aussi réussi à placer plusieurs bons coups. Au goût de Dickie, sa production avait toutefois été insuffisante et à son retour dans le coin, le feuilleton s'était encore poursuivi sur les ondes de HBO. « Tu es en train de te faire battre par un boxeur d'une seule main », lui avait méchamment dit Dickie, ce que pouvait difficilement contredire Micky tant il avait le visage cabossé et ensanglanté. Mais la pique de Dickie n'était pas tombée dans l'oreille d'un sourd. D'un aveugle, oui, un peu, mais pas d'un sourd. Micky était donc parti à l'assaut du 6e round en la gardant en mémoire et, franchement, pour la grande partie du round, c'était comme si Dickie avait parlé dans le vide. Impressionnant d'aisance et de nouveau ambidextre, Arturo avait imposé sa loi sans même souffrir. Mais, cinq secondes avant de réintégrer son coin et de recevoir peut-être une autre vacherie de Dickie, Micky avait enrichi le feuilleton avec un autre spectaculaire rebondissement : à la faveur d'une longue droite venue de nulle part, il avait atteint Arturo sur le dessus de la tête et l'avait expédié sur les fesses ! Arturo s'était relevé précipitamment en regardant Buddy pour lui faire comprendre qu'il avait recouvré ses sens, mais n'empêche, Micky venait d'un seul coup de poing de revenir dans le combat. Pendant toute la minute de repos, l'orgueil de Lowell n'avait alors eu qu'une seule idée en tête : ne pas laisser la chance à Arturo de mieux récupérer et profiter du 7e round pour l'achever. Hélas, il s'était produit à cet instant même un truc auquel il n'avait jusque-là jamais pensé : il avait été rattrapé par le poids des ans, comme ça, subitement, en l'espace de quelques secondes. « Comme boxeur, nous avait-il dit, je suis devenu vieux entre les 6e et 7e rounds de ce combat-là. À l'entame du 7e round, je voulais *finir* Arturo, mais je n'avais plus rien dans le corps. L'énergie, la fougue qui faisaient jusque-là ma force étaient disparues. Je savais alors que c'était la fin. »

Est-ce que le désormais vieux boxeur avait pour autant renoncé, abandonné ? Bien sûr que non, tant et si bien que les neuf dernières minutes avaient à elles seules comblé toutes les attentes. La foule était devenue encore plus surexcitée, on aurait dit que la réalité de la fin de la trilogie l'avait soudainement frappée et qu'elle avait interprété ces trois derniers rounds comme le rappel des deux artistes de la bagarre.

À chaque fin de round, Buddy donnait tendrement le nouveau décompte à Arturo, bien remis de sa chute au plancher. « Neuf minutes, *baby*... six minutes, *baby*... trois minutes, *baby*...» Avant le 10e et dernier round, le 30e en réalité, Buddy avait aussi ajouté ses dernières recommandations: «Maintenant, écoute-moi Arturo: utilise tes jambes, mais laisse aussi aller tes poings. Et n'oublie pas: ne fais pas de guerre avec lui. Allez, *let's go, baby*...» Pour la presque totalité du 10e round, Arturo avait écouté Buddy comme il le faisait si bien depuis le combat précédent, mais à la fin, cela avait été plus fort que lui, il n'avait pu résister à un violent échange de coups avec Micky. En fait, ce n'avait pas été nécessairement plus fort que lui, c'est plutôt que pour boucler la boucle de cette sauvage trilogie, il n'imaginait pas pouvoir le faire autrement qu'en répétant ce qui l'avait rendue célèbre. Au cours des 30 dernières secondes, Micky et Arturo s'étaient donc mis d'instinct sur la même page en se rouant de coups au centre du ring, sous les acclamations de la foule qui délirait de les voir s'exposer au *delirium tremens* juste pour son seul plaisir. Puis, la cloche avait sonné, pour la dernière fois dans le cas de Micky, et dans le temps de le dire les deux boxeurs avaient chassé la brutalité du ring pour faire place à l'humanité. Ils s'étaient longuement enlacés et ils avaient été prestement rejoints par une foultitude de personnes venues former une sorte de mêlée de rugby autour d'eux. En les voyant, pétants de santé, entourer les deux boxeurs défigurés, une formule du journaliste français Roland Passevant nous était revenue en tête: la boxe est un métier, sauf pour ceux qui la pratiquent.

Le scénario idéal, comme l'avait plus tard écrit le journaliste Thomas Hauser, aurait alors été de ne pas livrer de verdict. Par définition, un verdict servait à départager et plus personne ne souhaitait le faire avec eux. Avec respectivement 12 et 6 défaites à leur palmarès, Micky et Arturo avaient de toute façon fait la preuve depuis longtemps que, dans leur cas, les résultats importaient bien moins que la manière de les obtenir. Mais bon, peut-être pour finir de sécher les pleurs d'Arturo en regard de sa défaite à Uncasville, Michael Buffer avait annoncé sa victoire par décision unanime, avec des marges un peu moins confortables que six mois plus tôt: 96-93 pour deux juges, 97-92 pour l'autre. Comblé, Arturo avait partagé son bonheur avec Vivian, Buddy et... Micky. Les deux hommes s'étaient étreints une nouvelle fois et, comme un vieux couple, avaient bu à la même bouteille d'eau au cours de leur entrevue avec Larry

Merchant. « Ce qui s'est développé entre ces deux hommes est l'une des plus belles choses que j'ai vues dans ma vie », nous avait confié Vivian, le regard encore humide longtemps après les événements. Cette entrevue à HBO avait par ailleurs été un vrai régal. Merchant était intarissable, donnant l'impression de vouloir poser des questions jusqu'à pas d'heure, comme s'il était incapable d'accepter que ce soit la fin et qu'il cherchait à garder les deux hommes au centre d'un ring le plus longtemps possible.

Tout de suite après, cela n'avait pas tardé, Micky avait été placé sur un brancard pour être conduit d'urgence à l'hôpital. Son départ avait toutefois été retardé de quelques secondes, encore par un membre de HBO. Prenant la relève de son confrère Merchant qui avait tout fait pour retarder les adieux de Micky à la boxe, Jim Lampley avait intercepté la civière le temps d'un instant pour lui rendre un dernier témoignage. Les yeux embués par l'émotion, le descripteur des combats lui avait dit *« Thank you Micky »* et avait demandé à la vingtaine de personnes autour de lui de lui servir une dernière ovation. « À part la guerre, avait-il expliqué plus tard, je ne vois pas dans quelle autre activité de la vie il est possible d'afficher autant de courage que ces deux hommes en ont montré au cours de ces 30 rounds. »

Quant à lui, Arturo avait brièvement rencontré la presse, cette fois avec la main droite maquillée de noir et de bleu. La dernière question avant de le laisser lui aussi se rendre à l'hôpital avait porté sur son avenir à court terme. Un journaliste lui avait demandé qui il souhaitait affronter à son prochain combat. Avec un sourire qui mettait en évidence ses lèvres enflées, il avait répondu : « Je ne sais pas, mais pas Micky Ward s'il vous plaît. »

***

Cette fois, c'est sept mois d'arrêt que sa fracture à la main droite avait exigé. Une autre longue absence qui avait fait stagner sa carrière et freiné ses aspirations ? C'était tout le contraire. Au cours de sa convalescence, Main Events avait poursuivi sur l'élan des deux victoires sur Ward et réussi, avec l'aide de la WBC, à lui trouver un combat de championnat du monde.

Depuis longtemps, Arturo souhaitait un affrontement avec l'Australien Kostya Tszyu pour avoir la chance de redevenir champion mondial, mais elle lui avait finalement été offerte sans même que Tszyu réponde à sa demande. Champion incontesté des super-légers, Tszyu s'était effectivement fait dépouiller de son titre WBC pour ne pas l'avoir défendu depuis 2001 ! Pour combler cette vacance, la WBC avait alors décrété un affrontement entre les deux premiers aspirants au titre, soit Arturo que ses récentes victoires avaient propulsé au deuxième rang, et l'Italien Gianluca Branco. C'était une décision qui avait sûrement réjoui Arturo mais qui, pour deux raisons, avait été loin de faire l'unanimité dans l'industrie. La première, c'était qu'au nom d'un principe que s'appliquait à défendre bec et ongles le *Ring Magazine*, il était totalement absurde qu'un aspirant puisse s'emparer d'un titre sans battre le champion au seul endroit où cela comptait, sur le ring. Ce n'était rien de personnel contre Arturo que tous étaient heureux de revoir à l'avant-scène, c'était juste qu'on considérait que la façon de faire de la WBC desservait les intérêts de la boxe. La deuxième raison avait pour sa part à voir avec le statut de premier aspirant de Branco. Bien sûr, tous savaient que l'établissement des classements mondiaux était plus politique que sportif (et même parfois économique comme l'avait exposé le scandale de la IBF), mais le cas de Branco en fournissait une preuve si flagrante que c'en était ridicule. Certes, l'Italien était invaincu (32-0-1), mais il était aussi inactif depuis le 5 novembre 2002 (donc avant le deuxième combat Gatti-Ward !), alors qu'il avait disputé un combat de… 6 rounds contre un adversaire au dossier de 5-8-1 qu'il n'avait battu qu'aux points ! De ses 33 combats, Branco n'en avait d'ailleurs livré que huit de plus de 6 rounds, la distance admise en Italie pour tous les combats sans titre. Et comme il n'avait boxé qu'à une seule reprise à l'extérieur de la péninsule – en France, où il était devenu champion européen –, sa légitimité de premier aspirant avait de quoi être remise en question.

Cela dit, même si cette deuxième opportunité mondiale n'avait pas la même valeur que celle obtenue contre Patterson en 1995, il s'agissait néanmoins d'une nouvelle importante. Le combat avait été fixé au 24 janvier 2004 et pour l'annoncer aux médias, Main Events avait organisé au début novembre une conférence de presse au restaurant

Il Cortile de New York, situé dans la Petite Italie. Pour l'occasion, un grand nombre de journalistes s'étaient déplacés parce qu'Arturo avait changé de statut après la trilogie et était devenu encore plus populaire. On disait de lui qu'il avait permis à la boxe de survivre avec ses combats contre Micky et on avait encore parlé dans la même veine à propos de ce combat contre Branco. «Le retour de Gatti est le remède que le docteur a prescrit pour la boxe», avait ainsi imagé Xavier James de HBO.

La conférence de presse avait commencé comme toutes les autres, avec les petits discours de circonstance des représentants de Main Events, particulièrement fiers de redonner cette opportunité à leur chef de file. La grande nouvelle était évidemment qu'Arturo retournait en championnat du monde, mais pour eux c'était aussi une agréable coïncidence qu'il puisse le faire contre un authentique Italien. Cela voulait dire que la parenté de sa mère et de son père encore présente dans les environs de San Pietro Infine allait pouvoir avoir accès au combat bien plus facilement. En principe, il n'y avait donc que du positif dans l'air et les gens de Main Events avaient cédé le micro à Arturo avec empressement, impatients de connaître ses sentiments face à ce contexte particulier.

Mais ils n'en avaient jamais eu le temps. La présence d'Arturo au micro avait duré à peine quelques secondes et rendu cette conférence de presse différente de toutes les autres. Tout ce qu'il avait été capable de faire, c'est d'adresser trois remerciements: à Main Events, à Buddy McGirt et à Branco pour avoir accepté le combat. Son quatrième remerciement, il n'avait jamais pu le compléter parce que la vraie nouvelle qu'il y avait maintenant dans sa vie, celle de sa rupture avec Vivian, était revenue le hanter. Ce jour-là, rien d'autre n'avait de l'importance et la seule raison qui lui donnait envie d'être à la conférence de presse, c'est qu'elle lui fournissait une occasion de dire publiquement à Vivian qu'il l'aimait encore et qu'il était reconnaissant pour tout ce qu'elle lui avait apporté. Devant tous les convives, il avait donc commencé à lui rendre hommage, mais sitôt sa voix s'était cassée et il avait éclaté en sanglots. Comme il le faisait dans le ring, il avait tenté d'endurer cette douleur et de continuer, mais c'était au-dessus de ses forces. Il avait dû se rasseoir un instant, avant que Patrick Lynch et sa femme viennent le chercher pour le conduire à l'écart, dans la salle de bains. Il y était resté un bon moment le temps de se refaire une contenance, puis il était ressorti pour venir affronter la presse. Bien sûr, puisque ce n'était plus une conférence de presse comme les autres, la première question n'avait pas porté sur Branco et le combat de championnat du monde, mais sur Vivian. Délicatement, le chroniqueur de boxe Tim Smith du *Daily News* avait sondé son intérêt à parler de la rupture et cela avait aussitôt ramené les larmes dans ses yeux. Arturo avait d'abord hoché de la tête pour indiquer que la douleur était trop forte pour en discuter, avant de toutefois ajouter: «Mon cœur est trop grand. Dans la vie, ça a toujours été mon plus gros problème.»

Mais même en ne parlant plus de Vivian, l'événement n'avait rien eu à voir avec la conférence de presse anticipée par Main Events. Arturo était à fleur de peau, dépressif, terriblement émotif. Quand il avait entendu Branco s'exprimer dans un italien évidemment parfait, il s'était ainsi souvenu de son père et avait pensé au bonheur qu'il aurait eu de le voir devenir champion du monde pour la seconde fois contre un authentique fils de son pays d'origine. Ce qu'il aurait été fier Giovanni, ce qu'il en aurait taquiné des Italiens à San Pietro Infine! En continuant d'écouter Branco, Arturo avait alors pensé se rendre les taquiner à sa place. «Après avoir gagné ce combat, avait-il confié à Smith, je vais aller visiter mon père en Italie.»

Et puis, il y avait aussi eu la présence de Xavier James, de HBO, qui n'avait rien fait pour diminuer son cafard. Pour la première fois depuis le début de sa carrière, Arturo venait de décrocher un contrat de quelques combats avec le réseau américain, mais il était insatisfait des conditions financières et continuait de se croire exploité. Comme pour trouver un exutoire à la douleur de sa rupture avec Vivian, il avait alors déchargé son fiel contre HBO, finissant de faire regretter à Main Events d'avoir organisé cette conférence de presse. «La vérité, c'est que je devrais vivre dans un château, avait-il encore affirmé à Smith. Je n'ai pas fait autant d'argent que j'aurais dû, que j'aurais pu, que j'aurais mérité de faire.» Ce qui le blessait le plus, avait-il expliqué, c'est quand il s'installait devant son téléviseur et qu'il voyait tous ces boxeurs en donner moins que lui sur le ring, récolter des cotes d'écoute inférieures et toucher pourtant plus d'argent.

Pendant quelques minutes, sa diatribe lui avait fait oublier Vivian, mais la réalité de leur rupture l'avait refrappé dès la fin de la conférence de presse. À sa sortie du restaurant, il s'était engouffré dans une limousine avec Buddy et avait recommencé à pleurer. Il partageait sa vie avec Vivian depuis presque quatre ans et même si leur relation avait été aussi conflictuelle que toutes ses autres, c'était fou comme il tenait encore à elle. Il pensait à leurs deux mariages avortés, à la fausse couche de Vivian qui lui aurait donné son premier enfant, à l'influence qu'elle avait eue sur lui, mais aussi à toutes ces fois où il l'avait déçue avec ses problèmes d'intoxication. Il avait fait des progrès, il avait changé pour la peine, mais ce n'était pas encore assez et voilà qu'elle le quittait pour un autre. Incapable de vivre une seconde de plus avec un boxeur, incapable de vivre une seconde de plus avec Arturo Gatti, malgré ce cœur immense qu'elle lui reconnaissait. Il y avait vraiment de quoi pleurer tout son saoul. «C'était une période où Arturo était extrêmement fragile, avait dit Buddy. Ce jour-là en particulier, il avait un incroyable torrent d'émotions à l'intérieur de lui. Il pleurait à cause de sa séparation avec Vivian, bien sûr, mais il repensait aussi à toute sa carrière, au chemin parcouru depuis le tout début et c'était comme si tout cela le rendait mélancolique, lui donnait le vague à l'âme. J'avais tenté de le consoler du mieux que je pouvais, je lui avais parlé de toutes ses réalisations, mais il reste que ce n'était vraiment pas une période facile.»

Dans des circonstances comme celles-là, le rôle de Buddy était en effet beaucoup plus limité que dans un gymnase de boxe. Ses deux années d'association avec Arturo lui avaient appris qu'il ne pouvait guère discuter avec lui de sa vie amoureuse tant il devenait paranoïaque quand on abordait ces questions-là. Par exemple, Buddy ne pouvait pas lui dire, comme il le pensait vraiment, que sa rupture était une bonne chose parce que Vivian n'était pas une bonne fille pour lui. «Parce que si je lui avais dit ça, Arturo aurait pu penser que j'avais un intérêt pour Vivian et que je cherchais à l'en séparer à cause de ça. Alors, sur le sujet des conjointes, je me mêlais de mes affaires.»

À Vero Beach, Buddy les avait vus souvent ensemble et il n'avait jamais été très sûr de la sincérité de l'amour de Vivian à l'égard d'Arturo. «Pour moi, la plus grande preuve qu'elle ne l'a d'ailleurs pas vraiment aimé, c'est qu'elle n'a même pas daigné assister à ses funérailles. Peu importent ses raisons, il n'y en avait aucune d'assez forte pour l'empêcher de se rendre à Montréal, se placer dans la dernière rangée de l'église et le pleurer en secret.» À l'inverse, après avoir vu Arturo sangloter à la conférence de presse et dans la limousine, Buddy était sûrement d'accord pour se ranger derrière ceux qui affirmaient que Vivian était la fille qu'Arturo avait le plus aimée dans sa vie. Il était difficile d'expliquer précisément pourquoi, mais peut-être y avait-il dans cet amour une forme de reconnaissance. À plusieurs reprises au cours de leur relation (et même après), Arturo avait publiquement crédité Vivian pour avoir à la fois sauvé sa vie et sa carrière. Tant bien que mal, elle l'avait extirpé de la spirale autodestructrice dans laquelle il était engagé et avait aussi procédé à un grand ménage dans ses amitiés. Pendant quelques années, des amis jugés trop fêtards comme Joey Perrenod n'avaient ainsi à peu près plus eu aucun lien avec Arturo. «Mais il faut dire que je n'avais pas aidé ma cause, nous avait raconté Joey. Un jour, j'avais laissé un message sur le répondeur d'Arturo pour lui dire de venir me rejoindre dans un bar de danseuses, mais c'était malheureusement Vivian qui l'avait écouté.»

C'était d'ailleurs à se demander si les plus grands perdants de la présence de Vivian aux côtés d'Arturo n'avaient pas été les propriétaires de clubs de strip-tease plutôt que ses amis. Avec cette nouvelle relation, Arturo n'avait peut-être pas cessé complètement de visiter ces établissements, mais il avait à tout le moins cessé d'y vivre à longueur de journée. Pendant longtemps, le couple avait habité dans le condo d'Arturo à Weehawken, puis avait ensuite acquis une résidence dans le nord du New Jersey, à Mahwah. C'était une belle maison située dans un décor champêtre où des chevreuils venaient gambader dans la cour arrière et émouvoir Arturo. En ce temps-là, la vie était belle parce qu'au fond de lui, Arturo avait toujours rêvé d'une chaumière et d'un cœur, et il avait alors le bonheur d'avoir les deux. Intéressée ou pas par son argent, Vivian s'occupait de lui, s'entraînait avec lui, courait avec lui, prenant son rôle de conjointe d'athlète au sérieux. «Pendant les camps d'entraînement à Vero Beach, je restais la plupart du temps au New Jersey et je m'occupais des choses courantes pour qu'Arturo puisse s'entraîner l'esprit en paix», disait-elle. Dans l'ensemble, il était toutefois assez rare que Vivian reste dans l'ombre. Sans conteste, elle avait été la plus médiatique des conjointes d'Arturo – enfin, la plus médiatique à ne pas avoir été soupçonnée de meurtre –, celle la plus souvent sous le feu des projecteurs. En conséquence, c'était donc presque normal qu'Arturo ait choisi une conférence de presse majeure pour lui rendre hommage, du moins tenter de le faire.

Ce jour-là, il est probable que si les sanglots ne l'avaient pas étouffé, il lui aurait dit par le truchement des médias qu'elle avait eu encore raison. Au soir du premier combat contre Micky, elle lui avait promis que s'il restait fort et n'abandonnait pas, il naîtrait de fort belles choses de cette défaite. Il avait eu du mal à la croire, mais il avait fini par se laisser convaincre et le résultat parlait aujourd'hui de lui-même : il avait pris deux fois sa revanche sur Micky et se retrouvait une nouvelle fois en championnat du monde. Sauf qu'à la fin, avant de prendre congé des convives et des journalistes, il l'aurait probablement laissée sur une question : pourquoi ne pas lui avoir aussi dit que toutes ces belles choses, il en viendrait à s'en contrefoutre parce qu'elle ne serait plus à ses côtés ?

***

Le couple s'était reformé peu de temps avant le combat et la nouvelle avait fait un tapage extraordinaire. Médiatiques et populaires comme ils l'étaient les deux, cela n'avait pas pu faire autrement. La radio, la télé, les journaux, les sites internet, ils en avaient parlé partout, généralement pour dire à quel point il faisait bon de les revoir ensemble, quelques mois après leur séparation. 2004 ne faisait que commencer mais pour les médias américains, cette histoire-là était déjà digne d'être une des plus belles de toute l'année.

Bien sûr, c'était Arturo qui avait fait les premiers pas. Après leur dernière rencontre, il avait voulu laisser passer un peu de temps pour oublier, pour penser à quelqu'un d'autre, mais ils avaient vécu tellement de choses ensemble et avaient été si unis qu'il s'était très vite ennuyé. Sans trop réfléchir, comme ça, impulsivement, il lui avait donc téléphoné pour lui faire une grande proposition: «Dis Mick, tu accepterais désormais de faire partie de mon clan, d'être dans mon vestiaire avant les combats, de marcher avec moi vers le ring? Ce serait pour moi une grande source d'inspiration.» Pour la première fois en quatre combats, Arturo se préparait à avoir devant lui un autre adversaire que Micky Ward et c'était comme si, ayant peur de ne plus savoir comment réagir, il avait voulu compter à ses côtés sur la présence rassurante de l'Irlandais. Honoré plus qu'autre chose par la demande d'Arturo, Micky avait accepté et le 24 janvier il s'était retrouvé dans le vestiaire de son ex-adversaire, avec un survêtement portant l'inscription «Team Gatti» sur le dos! Quelqu'un pouvait-il encore douter que ces deux-là avaient un incomparable sens du spectacle?

En plus d'inviter Micky, Arturo avait aussi ouvert son clan au pilote de NASCAR Dale Earnhardt Jr, avec lequel il avait développé une amitié *people*. Grand amateur de boxe, Earnhardt avait même obtenu la chance d'être dans son coin, comme l'avait obtenue le basketteur Jayson Williams six ans plus tôt. Naturellement, en sa qualité de nouveau garde du corps d'Arturo, Chuck Zito s'était aussi retrouvé au vestiaire, ce qui voulait dire que pour son retour en championnat du monde, Arturo s'était entouré d'un trio de personnalités vraiment pas piqué des hannetons. Ses agissements étaient peut-être inconscients, mais c'était comme si la perte de Vivian avait créé un tel vide autour de lui qu'il avait eu besoin de toutes ces personnes pour le combler. Trois mois après leur rupture, sa blessure était toujours aussi vive, il avait toujours sa belle Brésilienne en tête et c'est peu de dire qu'il n'avait pas beaucoup le cœur à se battre. Ce soir-là, il s'était retrouvé au Boardwalk Hall d'Atlantic City strictement par obligation et il n'avait pas éprouvé une once de plaisir à être impliqué dans ce nouveau combat de championnat mondial. Cela avait d'ailleurs été particulièrement flagrant au cours de sa marche vers le ring où il était apparu extrêmement préoccupé, sinon carrément malheureux. Sûr qu'à ce moment, et même depuis plus longtemps encore, Buddy avait dû être inquiet de son état mental. Et c'est drôle parce qu'à quelques reprises au cours du combat, il l'avait exhorté à ne pas se soucier de la réaction de la foule, mais en réalité ce n'étaient pas 11 237 personnes qui l'avaient perturbé, mais une seule, et elle n'était même pas sur place.

Pour faire face à Branco, Buddy n'avait pas tellement modifié la stratégie utilisée pour les combats contre Micky. Il voulait qu'Arturo livre une performance technique et esthétique, avec beaucoup de déplacements, de mouvements défensifs, de combinaisons de coups, surtout au corps dans la première moitié du combat. À première vue, c'était une drôle de stratégie parce que Branco était loin d'être le même type d'adversaire que Micky. Avec seulement 15 K.-O. en 33 combats, il était considéré comme un modeste puncheur et la logique inclinait à croire qu'en l'entraînant dans un concours de puissance, Arturo allait le détruire. Mais visiblement, Buddy avait vu des choses qui avaient échappé à plusieurs et son œil ne l'avait pas trompé. Presque à toutes les fois que les deux boxeurs s'étaient frappés en corps à corps, c'est en effet l'Italien qui, étonnamment, avait eu le meilleur. D'ailleurs, au crédit de Branco, il fallait bien l'avouer : il avait fait la preuve au cours de ce combat que si les gens avaient eu raison de douter de la légitimité de son statut, ils avaient eu tort de mésestimer son talent. Sa bonne performance avait montré qu'il était venu en Amérique pour devenir champion du monde et pas seulement pour faire acte de présence devant un adversaire légendaire.

Au cours des neuf premières reprises, il avait même pu penser être capable de concrétiser son rêve de repartir vers l'Italie avec la ceinture verte du WBC, parfaite pour se marier à sa belle tenue tricolore. Jusqu'à ce stade, il avait très bien tenu son bout, même s'il était permis de croire que son style typiquement européen l'aurait désavantagé dans l'éventualité d'une décision serrée. Il n'avait en effet jamais appliqué de pression, choisissant plutôt d'attendre les actions d'Arturo et de travailler en contre. Du fait qu'Arturo se conditionnait à écouter Buddy, cela avait donné lieu à un match de boxe intéressant mais peu spectaculaire. À HBO, il y avait même eu un moment où le trio de commentateurs s'était demandé si la volonté de McGirt de refaire d'Arturo un boxeur n'était pas en train de tuer ce qui avait jusque-là fait sa force. Sa conversion plaisait à ceux qui étaient heureux de le voir utiliser tout son potentiel, mais faisait à l'évidence de moins en moins l'unanimité. Mais ce que les gens ignoraient, c'est qu'au-delà des considérations stratégiques, il y avait une raison bien plus profonde pour laquelle McGirt demandait à Arturo d'user de sa science de boxe. C'est que plus que n'importe qui d'autre, Buddy savait à quel point Arturo n'était désormais plus le même individu. Ses trois combats contre Micky avaient exigé de lui un prix énorme, l'avaient terriblement émoussé. Tout son corps était plus faible, plus fragile, et il n'avait tout simplement plus la même capacité à se bagarrer qu'autrefois. Car non seulement n'était-il plus un aussi bon encaisseur, mais il ne pouvait même plus frapper comme avant. La condition de ses mains faisait qu'il devait choisir ses coups, être plus futé, et ce combat n'avait suffi qu'à le confirmer. Au 5e round, «juste au moment où je commençais à me sentir enfin à l'aise», avait-il dit, il s'était en effet encore fait mal à la main droite. Toujours malvoyant, il avait frappé Branco à la hanche et, à défaut de se recasser la main, il s'était cette fois tordu un ligament. Malheureusement pour les spectateurs, c'est à peu près de la seule manière que le combat avait ressemblé à ceux contre Micky.

La plupart des rounds avaient été assez serrés. Confirmant les propos de McGirt sur les troubles oculaires d'Arturo, Branco avait placé son direct du droit presque à volonté, mais son manque de puissance l'avait empêché d'en tirer suffisamment avantage pour mettre Arturo en danger. Tout ce qu'il avait réussi à faire, et ce n'était pas vraiment un exploit, c'était de lui couper et de lui fermer l'œil gauche (l'exploit, c'est Arturo qui l'avait réalisé: il l'avait lui aussi coupé à l'œil gauche avec sa main blessée!) Mais dans l'ensemble, Arturo avait semblé trouver le moyen d'en faire un peu plus à chaque round pour obtenir la faveur des juges. Ses jabs avaient été plus nombreux et plus efficaces, il avait mieux utilisé le ring comme Buddy le lui avait demandé, travaillé aussi un peu plus fort et surtout réussi le seul knock-down du combat. Au 10e round, à un moment charnière où Branco pouvait encore croire à ses chances, Arturo l'avait expédié au tapis avec, pour une nouvelle fois dans sa carrière, un autre splendide crochet du gauche. Branco s'était relevé plutôt rapidement et, en raison de l'état de sa main droite, Arturo n'avait pu le mettre knock-out. Du moins pas officiellement. Officieusement, il y était quand même parvenu parce que Branco avait ensuite raconté qu'à partir de cet instant, il avait perdu tout espoir de gagner. À son grand mérite, il ne l'avait toutefois pas laissé paraître parce qu'il avait gagné le 11e round et peut-être même aussi le 12e.

Mais, comme le veut le cliché, c'était trop peu trop tard. En raison de l'avance qu'Arturo s'était forgée avant sa blessure et du knockdown, il avait réussi à s'imposer assez facilement par décision unanime. Comme il l'avait fait en 1995 après le combat contre Patterson, Michael Buffer avait annoncé son couronnement en donnant d'abord les scores des juges, 116-111 deux fois et 115-112, puis il avait dit: *«All for the winner and now WBC super lightweight champion of the world, from Jersey City, New Jersey, now a two times, world champion, Arturo Thun-derrrrrrrr Gatti!»*

C'est à peu près le seul moment qui avait ressemblé à celui du Madison Square Garden. Il n'y avait pas eu de cri de délivrance, tout juste une joie contenue et un sourire presque timide, le sourire d'une victoire «normale». Entre le sourire d'Arturo et celui, étincelant, que sa mère Ida était venue afficher sur le ring, il y avait d'ailleurs un monde, mais il faut dire qu'il y avait aussi un monde entre leur situation personnelle. Pendant qu'Arturo n'avait plus personne à embrasser autour de lui, Ida était pour sa part montée sur le ring avec son nouveau conjoint, Gerardo di Francesco.

Arturo avait ensuite reçu les félicitations du clan Branco, puis il s'était mis à discuter avec Buddy, alternant les moues de dépit et de douleur. C'était criant d'évidence, sa main droite le faisait encore souffrir comme une bête. Toutes ces blessures, ces coupures à répétition commençaient d'ailleurs sérieusement à lui peser sur le moral et, en conférence de presse, il avouerait ensuite son découragement avec cette question sous-entendue: était-ce trop demander, dans la vie, de ne pas souffrir moralement et physiquement en même temps? Champion du monde ou pas, il confierait aussi être insatisfait de sa performance, «certainement pas à la hauteur de la qualité de mon entraînement», avait-il dit, et c'était bien la preuve des ravages psychologiques que les blessures lui avaient causés. Il était si souvent blessé, boxait si souvent avec une seule main qu'il en venait à ne même plus en tenir compte dans l'évaluation de ses performances! Bref, pour les grandes célébrations, les grandes effusions de joie liées à la conquête d'un championnat du monde, il avait fallu repasser. «La situation avait quelque chose de triste, nous avait confié Buddy, parce que ce soir-là, Arturo n'avait absolument pas le cœur à la fête. Il était malheureux et avait pratiquement plus l'air d'un gars qui venait de perdre que d'un gars qui venait de mettre la main sur un nouveau titre mondial.»

Plus tard dans la soirée, il avait malgré tout mis sa neurasthénie de côté et s'était rendu à la réception d'après-combat, au Bally's Ballroom du casino du même nom. Il avait l'air de quoi? Il avait l'air d'une vedette, plus beau que jamais, aurait-on dit, mais la vedette avait l'œil gauche presque fermé et une compresse à la main droite. Cela ne l'avait pas empêché de se promener pendant une partie de la soirée avec une fille à chaque bras, comme s'il avait voulu donner un autre exemple que ça prenait décidément beaucoup de monde pour remplacer Vivian. Désormais célibataire, il avait d'ailleurs dérogé à ses habitudes et passé une semaine complète à Atlantic City. De toute façon, rien ne pressait réellement de retourner à la maison pour la simple et bonne raison qu'il n'en avait plus de maison! Depuis la séparation, il vivait dans un hôtel de Secaucus, près de l'agence de billets de Patrick Lynch. Seule bonne nouvelle, il avait au moins pu recommencer à se tenir avec Joey Perrenod qui, chaque jour, allait le cueillir à l'hôtel pour qu'il vaque à ses activités.

À l'hôtel! Non, mais fallait-il que ça aille mal, qu'il ait pris une sacrée plonge!

Soudainement, on comprenait pourquoi il avait eu envie de dire à Tim Smith qu'il devrait vivre dans un château.

***

Il y avait au moins ceci de positif, Arturo n'était pas resté longtemps à l'hôtel. Dans les semaines suivant le combat contre Branco, il n'avait peut-être pas déménagé dans le château qu'il croyait mériter, mais il avait néanmoins acheté un condo de 950 000 $ à Hoboken, tout à côté de Jersey City. Dans l'immédiat, cela n'avait toutefois pas suffi à lui redonner le moral, loin s'en fallait. C'est en effet au cours de cette période qu'il s'était rendu au Ringside Lounge pour procéder devant Mario Costa à une sorte de testament verbal, prévoyant alors en finir avec la vie. Il était encore brisé par le départ de Vivian et complètement dégoûté de la boxe et de l'exploitation généralisée dont il se disait victime. «Avec ma mort, je veux jeter une malédiction sur le monde de la boxe», lui avait-il dit.

Ironiquement, c'est une nouvelle de boxe qui était alors venue ensoleiller un peu son quotidien. À la fin avril, il avait reçu la confirmation que sa première défense de titre, fixée au 24 juillet à Atlantic City, l'opposerait au Montréalais d'origine roumaine, Leonard Dorin. Depuis longtemps, ce combat était espéré de tous, à commencer par les dirigeants de HBO qui, au moment de le mettre sous contrat, lui avaient dit: «Le jour où tu te décideras à affronter Dorin, n'appelle même pas pour avoir notre approbation, nous embarquons les yeux fermés.» Cet intérêt se comprenait, Leonard Dorin était perçu comme une véritable machine à lancer des coups et il saignait lui aussi facilement, deux raisons qui poussaient HBO à croire que son style était compatible avec celui de leur vedette. D'ailleurs, déjà à l'époque du deuxième combat contre Ward, on avait annoncé qu'une entente de principe était intervenue pour que les deux boxeurs s'affrontent à Montréal, possiblement même au stade Olympique. Dieu merci, le projet ne s'était pas concrétisé et Arturo avait pu s'éviter une deuxième Gatti-Mania, celle-là encore plus folle que la première.

Pour Arturo, le bonheur de livrer ce combat n'avait cependant rien à voir avec Dorin, qui le laissait un peu indifférent et qu'il était convaincu de pouvoir battre. Non, dans son cas, s'il se réjouissait autant, c'est que l'affrontement allait surtout lui permettre de renouer avec les deux entraîneurs du «Lion», Stéphan Larouche et Pierre Bouchard. Au temps de la boxe amateur, Arturo avait beaucoup côtoyé Bouchard au sein des équipes provinciale et nationale, et Larouche l'avait entraîné à l'occasion de plusieurs compétitions, dont les championnats mondiaux juniors du

Pérou. Il avait gardé des deux beaux-frères un excellent souvenir, tant sur le plan personnel que sportif, et un fait l'illustrait particulièrement bien: c'est Larouche, aidé de Bouchard, qu'Arturo avait choisi comme entraîneur pour le retour qu'il avait décidé d'entreprendre en 2010. Fier de son choix, il l'avait d'ailleurs confirmé à son beau-frère Rocco Crispo. «Oui c'est vrai, Arturo serait bel et bien revenu à la boxe en 2010, nous avait dit Crispo. Tout était fixé, il devait être impliqué dans un combat significatif et Larouche devait être dans son coin.»

À Atlantic City, les retrouvailles entre les trois hommes avaient été à ce point chaleureuses qu'on aurait presque dit qu'ils faisaient déjà équipe ensemble. La veille du combat, Arturo avait rencontré le duo d'entraîneurs dans un des couloirs du Bally's et sa réaction avait témoigné de la considération qu'il leur portait. «Arturo avait été très gentil avec nous, très familier», avait confié Bouchard, fortement impressionné par le comportement de son ex-coéquipier. «Il avait pris des nouvelles de nous, fait des blagues, taquiné Stéphan en posant son poing sous son menton, bref, il avait vraiment agi comme l'Arturo Gatti que nous avions connu chez les amateurs. Même chose en conférence de presse, il n'avait eu que de bons mots à l'égard de Stéphan, de tout le monde d'InterBox. On aurait pu s'attendre, dans le contexte compétitif d'un combat, à le retrouver plus distant, plus froid, mais il s'était montré audessus de tout ça.»

Sa compétitivité, Arturo l'avait en réalité gardée uniquement pour Leonard Dorin et, le lendemain, il l'avait atomisé en moins de deux rounds. Pour les dirigeants de HBO, le résultat avait constitué une énorme surprise puisque avec cet affrontement, ils étaient pratiquement convaincus d'avoir mis sur pied l'éventuel «Combat de l'année 2004». Pour les deux entraîneurs du «Lion», l'étonnement avait toutefois été pas mal moins grand. À ce moment, il y avait déjà bien longtemps que leur boxeur n'était plus le même et ils ne le savaient que trop bien. Ses problèmes avaient commencé le 31 mai 2002, en Roumanie, lors d'une défense de son titre WBA des légers contre l'Argentin Raul Balbi. Soumis à une pression infernale par le peuple roumain qui le considérait comme un héros national, il avait ce soir-là réussi à gagner, mais avait dû payer un prix énorme: au terme du combat, ses nerfs avaient lâché, il était entré en convulsion et il avait dû être hospitalisé. Une année et demie plus tard, toujours devant les siens, il lui était arrivé encore bien pire. La veille d'un affrontement avec le premier aspirant à son titre, le Panaméen Miguel Callist, il avait fait une épouvantable crise de panique et avait renoncé à disputer le combat! En plein drame national, il avait alors annoncé sa retraite, mais il était finalement revenu sur sa décision pour affronter Arturo, essentiellement pour des motifs financiers. Pour lui d'abord, puisque ce combat lui avait rapporté quelque 500 000 $. Pour son promoteur ensuite – InterBox –, puisque son forfait avait occasionné des pertes de 2 millions à l'entreprise et qu'il ne voulait pas la voir acculée à la faillite. Mais il savait néanmoins ne plus être dans le coup, comme il l'avait plus tard affirmé à *La Presse:* «Je ne suis plus amoureux de la boxe et je le savais avant d'affronter Arturo Gatti. C'était déjà clair dans ma tête.» Larouche et Bouchard le savaient donc aussi et ils en avaient eu une dernière preuve à quelques minutes du combat contre Arturo, au vestiaire. Au moment où HBO montrait des images de lui et d'Arturo ensanglantés, Leonard leur avait en effet scié les jambes en disant: «Les gars, vous ne me laisserez pas souffrir trop longtemps, n'est-ce pas? Si vous voyez que ça ne va pas bien, vous allez me tirer de là rapidement, d'accord?» Les pauvres, ils n'avaient même pas pu le faire, Arturo ne leur en avait jamais donné la chance.

Avec 20 secondes à faire au 2ème round, il avait lancé une combinaison de quatre coups comme il s'y était exercé des centaines de fois à Vero Beach. Les trois premiers à la tête – jab-direct-crochet, un classique de la boxe – avaient été bloqués par Leonard, ce qu'il souhaitait. Le quatrième, bien évidemment un crochet du gauche, avait trouvé refuge dans la béance laissée par les trois autres et était allé mourir directement sur le foie du petit boxeur. «J'ai mis toute ma puissance dans ce crochet», avait-il dit ensuite et le résultat avait été à l'avenant. Deux bonnes secondes après l'avoir reçu, comme s'il avait d'abord voulu être certain qu'il ne rêvait pas et qu'une telle douleur était possible, Leonard avait plié les genoux en grimaçant, avant de tomber au tapis. Prostré, des gouttelettes de sang s'échappant de son nez, il y était resté pour les dix secondes du compte.

Dans les heures suivantes, le «Lion» avait confirmé sa retraite à des proches, même s'il ne l'avait officialisée à la presse que trois mois plus tard. «Il y avait longtemps que Léo se cherchait une bonne raison de prendre sa retraite», avait dit son promoteur Yvon Michel et Arturo venait de lui donner la meilleure de toutes. Sa fin de carrière difficile n'avait pas pour autant nui à son statut de héros national et il était retourné vivre parmi les siens, acceptant le poste de coordonnateur technique à la fédération roumaine.

Quant à Arturo, il avait lui aussi parlé après le combat de retourner parmi les siens, mais dans son cas pour y vivre l'un des grands moments de sa carrière. Il rêvait en effet de se battre à l'été 2005 au stade Olympique pour commémorer les 25 ans du mythique combat Leonard-Duran du 20 juin 1980. Chose certaine, sa victoire lui avait ouvert un tas de perspectives intéressantes et l'une de celles-là concernait un possible méga-affrontement avec le phénoménal boxeur américain Floyd Mayweather. Alors champion WBC des légers, le «Pretty Boy» voulait lui aussi faire le saut chez les super-légers et il s'amusait à défier publiquement Arturo, comme l'avait fait jadis Angel Manfredy. Avant de quitter le ring ce soir-là, Arturo lui avait donc répondu par le biais de son entrevue avec Larry Merchant: «Ne t'inquiète pas, Mayweather, je te veux autant que tu me veux. Je ne suis pas un *chicken*...» En conférence de presse, Buddy en avait ensuite rajouté en déclarant que si les deux hommes en venaient à s'affronter, Arturo allait gagner «et d'une façon plus facile que ce que les gens croyaient».

Invaincu en 32 combats, Mayweather était pourtant considéré à ce moment comme le troisième meilleur boxeur au monde, toutes catégories confondues.

Chapitre neuf

« Ils vont finir par tuer mon frère »

Floyd Mayweather Junior était un enfant de la balle comme on en voyait si souvent dans la boxe. Beaucoup de boxeurs commençaient par dire qu'ils ne voulaient pas voir leur fils suivre leurs traces mais, dès qu'il en venait un au monde, ils semblaient changer d'idée pour se mettre à vivre par procuration, comme s'ils y voyaient là une certaine forme d'extension à leur carrière. Pour cette raison, ils lui donnaient souvent le nom de «Junior», ce qui était bien le plus sûr et le moins subtil moyen de lui faire réaliser que son existence ne serait pas tout à fait la sienne. Le meilleur exemple de ce modèle, c'était d'ailleurs Arturo. À quelques reprises au cours de sa carrière, il avait affirmé que le métier de boxeur était trop dur pour le souhaiter à son fils, mais une année après la naissance de… Arturo Junior, il cherchait déjà à ouvrir un gymnase à Montréal pour qu'il puisse y donner ses premiers coups. Il avait même demandé à son ami Phi-Lan Doan d'y devenir entraîneur, en lui disant que c'était avant tout pour son fils qu'il prenait cette décision. «Je veux que dès l'âge d'un an ou deux, Arturo Junior puisse passer de longues heures à s'amuser dans le gymnase parce qu'à ce stade-là, un enfant assimile déjà beaucoup de choses et peut devenir champion plus facilement.»

Ce raisonnement-là, Floyd Mayweather Senior le partageait sûrement lui aussi. Bon mi-moyen dans les années 1970, ancien adversaire de Sugar Ray Leonard, la légende voulait qu'il ait appris à Floyd Junior à boxer avant même de marcher. «Je n'ai pas choisi la boxe, c'est mon père qui me l'a imposée», avait révélé Floyd Junior dans une entrevue accordée au réseau HBO, juste avant son combat contre Arturo. «Et ce que j'ai le plus détesté de cette époque, c'est que peu importe ce que je faisais, ce n'était jamais assez. Mon père était toujours sur mon dos, jamais satisfait.» La boxe avait malgré tout été salvatrice à Floyd Junior parce que la vie à la maison n'avait rien de bien jojo. Sa mère Deborah était toxicomane et son père, en dehors de la boxe, ne donnait pas l'impression de beaucoup tenir à lui. L'histoire est d'ailleurs connue, à l'âge d'un an il l'avait utilisé comme bouclier pour se protéger du frère de sa femme venu le tirer devant son domicile!

Sous le joug de son père évidemment devenu son entraîneur, Floyd avait connu une brillante carrière amateur, compilant un dossier de 84-6 et méritant quelques titres nationaux. À l'âge de 16 ans, alors qu'il continuait son ascension vers les Jeux olympiques de 1996, un événement était cependant venu perturber sa vie: son père avait été arrêté pour trafic de cocaïne et envoyé en prison pour cinq ans. En dehors de la boxe, puisqu'il ne pouvait pas non plus compter sur sa mère, c'est à ce moment sa grand-mère Bernice qui en avait pris soin. Pour la boxe, son oncle Roger Mayweather qui menait lui aussi une bonne carrière professionnelle, avait pris le relais même si Floyd Senior continuait d'exercer sur lui une grande influence. Au terme des Jeux olympiques, Floyd Junior avait ainsi avoué n'avoir rien écouté de ce que les entraîneurs nationaux lui disaient, s'en remettant plutôt aux consignes de son père qu'il appelait entre les combats.

Privé de ce mentor avec lequel il entretenait déjà une relation d'amour-haine, Floyd avait malgré tout connu un intéressant tournoi olympique. Battu en demi-finale – à ce jour la dernière défaite de sa vie –, il avait «reçu» la médaille de bronze et il insistait pour que cela soit bien clair: il l'avait reçue, pas gagnée. «On ne gagne pas une médaille de bronze puisqu'elle est obtenue après une défaite.»

Passé pro après les Jeux avec la Top Rank du promoteur Bob Arum, Floyd n'avait pas tardé à s'affirmer, du moins sur le ring. En octobre 1998, à son 18e combat seulement, il était ainsi devenu le premier olympien de sa génération à mettre la main sur un titre mondial, celui des super-plumes de la WBC. Toujours entraîné pour les deux premières années de sa carrière par son oncle, il avait retrouvé son père en 1998, mais pas pour très longtemps. En 2000, comme s'il avait voulu faire comprendre que la sortie de prison de Floyd Senior signifiait son retour à l'incarcération psychologique, il l'avait congédié de son clan et même évincé de la maison qu'il lui avait achetée. Il avait alors gardé son oncle comme entraîneur, ce qui avait eu pour effet de provoquer deux conflits pour le prix d'un, un premier père-fils et un deuxième frère-frère !

Sur le ring, le départ de son père n'avait pas semblé avoir d'incidence et il avait continué de connaître les mêmes succès. En avril 2002, après huit défenses victorieuses de son titre des super-plumes, il avait ainsi mis la main sur la couronne des légers de la WBC en vertu d'une victoire (contestable) sur Jose Luis Castillo. Quatre nouvelles défenses victorieuses plus tard, il l'avait abandonnée dans le but de monter en super-légers et d'y retrouver Arturo.

Malgré toutes ces réalisations, sa renommée n'avait guère dépassé les cercles de la boxe. Son pouvoir attractif était étonnamment faible et cela même quand il se produisait devant les siens, à Grand Rapids. Pour l'expliquer, il y avait deux raisons. La première était que le public jugeait, à tort selon nous, ses combats insuffisamment excitants. Certes, il inscrivait beaucoup de K.-O., mais il était si doué, si rapide qu'il les obtenait souvent sur des actions isolées et en étant assez peu actif. De plus, il était un fabuleux boxeur défensif, doté d'un coup d'œil et d'un sens des distances remarquables, de sorte qu'à peu près personne n'arrivait à le toucher, ce qui encore là ne contribuait pas à produire de grands spectacles.

Mais par-dessus tout, ce qui nuisait le plus à sa popularité, c'était sa personnalité rébarbative qui donnait davantage le goût de l'éviter que de payer pour l'avoir sous les yeux. Floyd Mayweather Junior était une petite frappe insupportable, ostentatoire, hautaine, irrespectueuse, surtout à l'égard de ses adversaires. Comme Ali en son temps, il aimait lui aussi à morguer ses opposants, mais la candeur et l'humour du *Greatest* lui faisaient souvent défaut et ses armes étaient plus le venin et le mépris. Pourtant, comme l'affirmaient plusieurs chroniqueurs de boxe américains, il avait absolument tout à son passage chez les pros pour devenir ce qu'il aurait ironiquement souhaité être, le prochain Sugar Ray Leonard, voire justement le prochain Ali de la boxe. Il avait un sourire ravageur, peut-être même encore plus enjôleur que celui d'Arturo, un charisme indéniable et, bien entendu, un talent de boxeur à nul autre pareil. Seulement, tout ce qu'il faisait d'extraordinairement bien sur le ring, tout le capital de sympathie qu'il y accumulait, il semblait vouloir le perdre par son comportement à l'extérieur.

Entre 2002 et 2005, son nom était ainsi apparu à quelques reprises dans la chronique judiciaire et s'il lui était arrivé de ne rien faire pour le mériter – la mère de ses quatre enfants avait entre autres admis l'avoir faussement accusé de violence domestique –, il reste qu'il avait vraiment le chic pour se foutre dans le pétrin. De manière prévisible, il était donc resté bien moins populaire que ce à quoi son talent le destinait mais, dans la plus pure tradition des petites frappes, il avait refusé de s'interroger sur sa conduite et avait plutôt blâmé son promoteur Bob Arum pour ne pas avoir su le mettre en valeur.

À l'été 2004, c'est donc avec en toile de fond ce grave problème d'image et de popularité que le clan Mayweather avait commencé à pousser de plus en plus fort pour concrétiser un affrontement Gatti-Mayweather. Par-delà les considérations sportives, l'idée du clan Mayweather était de profiter de l'exceptionnelle popularité d'Arturo, de son statut d'attraction numéro un de la boxe pour se mettre en valeur à ses dépens et lui chiper une partie de cette popularité. Une affaire de rien, jugeait Mayweather, parce qu'il s'imaginait que les gens allaient se mettre à l'aimer encore plus qu'Arturo dès qu'il leur montrerait sa supériorité. Mais tout au long de sa carrière, cela avait toujours été son gros problème : il oubliait que pour être vraiment populaire, il ne suffisait pas d'être bon ou même le meilleur, il fallait aussi et surtout communier avec le public.

Si, pour Mayweather, il n'y avait que de bonnes raisons de disputer ce combat – il allait en plus toucher autour de 4 millions de dollars –, l'inverse était toutefois loin d'être le cas. Dans les faits, Arturo avait à peu près autant de motifs de ne pas vouloir disputer cet affrontement que Mayweather en avait de vouloir le faire. Sur la seule foi du talent d'abord, il n'y avait évidemment aucune comparaison possible entre les deux boxeurs, et cela en dépit de l'optimisme affiché par Buddy lors des premiers pourparlers. Pour 95 % des experts «neutres», Gatti et Mayweather n'avaient pas d'affaire dans le même ring, et surtout pas au stade où le premier en était dans sa carrière. En dépit de ses récentes victoires, il était indéniable qu'Arturo n'était plus le même boxeur qu'au milieu des années 1990, alors que Mayweather était au contraire au sommet de son art. À 28 ans, *Pretty Boy* était de cinq ans le cadet d'Arturo et avait pris moins de coups dans toute sa carrière qu'Arturo dans sa seule trilogie avec Micky. En fait, pour bien résumer le sentiment général qui prévalait quand il était question de ce possible affrontement, il n'y avait probablement pas mieux que le commentaire de Lou DiBella. «Ce n'est pas zéro chance qu'Arturo avait de battre Mayweather, c'est moins que zéro», nous avait dit l'ancien roi du réseau HBO.

Pour sa santé, Arturo pouvait donc avoir tout intérêt à éviter le surdoué de Grand Rapids et il ne gagnait certainement rien non plus sur le plan de la popularité. Fois après fois, il continuait d'emplir le Boardwalk Hall et de récolter de bonnes cotes d'écoute à HBO, de sorte que le statut de meilleur boxeur au monde de Mayweather lui apportait peu de choses. L'argent? Encore là, c'était discutable. Certes, un méga-affrontement de cette magnitude lui permettait de viser aussi sa plus importante bourse en carrière (autour de 3,5 millions). Mais d'un autre côté, il avait quand même fait 3,7 millions à ses deux derniers combats (1,7 contre Dorin et 2 contre Jesse James Leija) sans courir de véritable risque, si bien qu'il pouvait facilement décider d'éviter Mayweather sans que sa situation financière en souffre pour la peine. La seule bonne raison qu'il avait donc de consentir à se battre contre lui, c'était comme il l'avait dit au moment de se frotter à De La Hoya: par volonté de se mesurer aux plus grands pour être enfin perçu comme tel lui aussi. À l'entame des pourparlers, c'est d'ailleurs un peu de cette manière que la présidente de Main Events Kathy Duva lui avait présenté le scénario: «Tu peux continuer de remplir le Boardwalk Hall contre n'importe qui, ou tu peux faire l'Histoire en battant

Mayweather», lui avait-elle dit. Trop courageux pour ses propres capacités comme on l'avait souvent dit de lui, Arturo avait choisi la deuxième option en donnant ainsi sa réponse à Carl Moretti, le bras droit de Duva: «Je veux botter le cul de ce sale nègre.»

Fort de la réponse d'Arturo, Main Events avait donc été de l'avant avec l'organisation du plus gros et lucratif combat de sa carrière. À l'automne 2004, Mayweather avait paraphé l'entente de principe stipulant qu'il serait bientôt l'adversaire d'Arturo Gatti dans un duel en 12 rounds pour le titre des super-légers de la WBC. Le combat était prévu pour l'été 2005, mais Main Events avait toutefois posé une condition à sa matérialisation: il fallait, entre-temps, que Mayweather règle l'une des deux causes criminelles dans lesquelles il était alors impliqué. Le processus avait été très long et ce n'est que le 10 mars 2005 que Kathy Duva avait finalement officialisé le combat qu'elle avait toutefois dû reporter au 25 juin pour, avait-elle dit, accorder une période d'entraînement suffisamment longue à Arturo.

Avant de le laisser partir pour Vero Beach, Main Events lui avait cependant fixé un premier rendez-vous avec Mayweather en organisant une conférence de presse, le 23 mars à New York. Mais la firme du New Jersey n'était vraiment pas veinarde avec ses événements promotionnels. C'est que pour rendre la monnaie de sa pièce à Mayweather qui avait omis de se présenter à un précédent engagement, Arturo lui avait à son tour posé un lapin, justifiant son absence par des douleurs à l'estomac. Ce faisant, il avait satisfait son ego, mais aussi laissé le champ libre à Mayweather pour gagner du terrain dans la guerre psychologique qu'il prenait plaisir à livrer à ses adversaires. Ne demandant pas mieux que d'avoir tous les micros pour lui, Mayweather s'était ce jour-là livré à un grand numéro de démolissage verbal qui avait produit un considérable effet parce qu'à peu près tous les auditeurs savaient que, cette fois, il ne s'adonnait pas à du *trash-talking*, mais livrait plutôt le fond de sa pensée. Il croyait vraiment que ce combat-là allait être «du travail facile»; «de l'argent ramassé par terre»; qu'Arturo était un *bum*, un boxeur de niveau C opposé à d'autres boxeurs de niveau C; que ses six derniers adversaires, il aurait pu tous les battre le même soir; et il était probablement sincère aussi quand il disait qu'au gymnase de Las Vegas où il s'entraînait, il y avait un sac de sable identifié au nom de Gatti.

Le lendemain, «guéri» de son malaise à l'estomac, Arturo avait à son tour tenu sa conférence de presse et, bien sûr, il avait surtout été questionné sur les harangues de son adversaire. Après avoir d'abord parlé de l'homme pour dire qu'il n'avait aucune classe pour parler ainsi d'un adversaire, Arturo avait ensuite donné son avis sur le boxeur, mais parce qu'il s'agissait d'un surdoué, il avait dû faire de grands efforts pour lui trouver un ou deux défauts. «La seule chose qui le distingue, c'est sa rapidité. Pour le reste, il n'a rien de vraiment exceptionnel. Et son menton est faible», avait-il dit. Sauf qu'en garçon brillant et lucide, Arturo savait bien au fond de lui qu'il y avait malheureusement une grande part de vérité dans les propos de Mayweather. Le simple fait qu'il n'ait pas voulu être à ses côtés à la conférence de presse et qu'il ait à ce moment décidé de ne plus se trouver en sa présence pour aucun autre événement promotionnel à venir (y compris la pesée), lui indiquait d'ailleurs que Mayweather avait réussi à le soumettre. La bonne nouvelle, c'était toutefois qu'il restait trois mois avant le combat pour apporter un changement d'esprit et Arturo espérait y parvenir à Vero Beach avec Buddy qui semblait, lui, le voir tellement sûr de gagner. Une semaine après sa conférence de presse, Arturo s'était donc envolé pour la Floride, non sans avoir auparavant partagé une dernière soirée avec les membres de son clan et les strip-teaseuses du AJ's de Secaucus.

***

C'était bien la preuve de sa faiblesse, de sa soumission. Maintenant que Mayweather ne pouvait plus être physiquement à ses côtés, ne pouvait plus le dominer par son assurance et sa confiance, il ne voulait plus s'en séparer. Dans la maison qu'il louait à Vero Beach (6 000 $ par mois !), il avait planté la photo de Pretty Boy partout. Dans sa chambre à coucher, sur le mur en face de la toilette, sur le miroir de la salle de bains, au salon comme une photo de famille, Pretty Boy était omniprésent. Le seul temps où il le chassait de son esprit, c'est quand il pensait à Pretty… Girl! Quelques semaines avant de partir pour la Floride, Arturo avait en effet trouvé un succédané à Vivian en commençant une nouvelle relation avec celle qui lui donnerait son premier enfant, Erika Rivera. Les deux avaient appris à se connaître lorsque Erika travaillait au Score's, mais il était difficile de savoir pendant combien de temps elle y était restée après le début de leur relation. Chuck Zito laissait entendre qu'elle s'y trouvait toujours lorsqu'elle était tombée enceinte et puisque Sofia Bella Gatti était née le 31 mars 2006, cela voulait dire qu'elle avait été conçue vers la fin juin 2005… tout juste après le combat contre Mayweather! En revanche, les faits permettaient de croire qu'elle avait vraiment mené des études en parallèle à son métier de strip-teaseuse et fini par décrocher un emploi d'ingénieure chimiste dans l'Armée américaine.

Comme la nature de son précédent travail au Score's pouvait le suggérer, Erika Rivera était une bien jolie fille, avec de longs cheveux noirs et «des formes avantageuses», nous avait dit Joey Perrenod. Sur le plan personnel, son portrait était plus nuancé et les avis à son sujet variaient considérablement. Certains – comme Vivian et Chuck Zito – la dépeignaient comme une arnaqueuse, une menteuse, une croqueuse d'hommes invétérée, alors que d'autres tel Rocco Crispo en parlaient comme d'une fille brillante, avec de belles valeurs et de la classe. Même pour Arturo, cela avait un peu été les extrêmes parce qu'à la fin de leur union, elle n'était plus pour lui Erika Rivera mais «la fille de Satan venue dans ma vie pour tenter de me détruire». Pourtant, leur relation d'une douzaine de mois avait commencé sous de bien plus favorables et romantiques auspices. Peu de temps après l'avoir invitée à emménager dans son condo de Hoboken, Arturo l'avait demandée en mariage et, comme on pouvait s'y attendre de la part d'un garçon qui avait donné son premier baiser sous l'eau, il l'avait fait d'une façon pour le moins originale. Il s'était d'abord installé avec elle devant la grande fenêtre panoramique de son condo, ils avaient regardé ensemble en direction de l'Empire State Building juste en face et là, Arturo n'avait même pas eu besoin d'ouvrir la bouche parce qu'au même moment était apparu dans le ciel un avion muni d'un long ruban blanc qui disait: *Erika, veux-tu devenir ma femme?* Puisque les deux semblaient avoir brûlé les étapes dans chaque aspect de leur relation, elle avait dit oui sur-le-champ et le couple s'était ensuite fiancé.

Au départ, Erika avait caché à ses parents sa relation avec Arturo, se contentant de leur dire qu'elle avait rencontré un boxeur. Quand elle leur avait finalement révélé son identité, c'était peu de temps avant la conférence de presse d'Arturo du 24 mars à New York. Bien sûr, comme à peu près tout le monde vivant au New Jersey, les Rivera connaissaient Arturo. Bon amateur de boxe, John Rivera était devenu un de ses fans depuis les combats contre Micky, mais il avait vraiment compris la réelle dimension de sa célébrité à son premier contact avec lui à cette conférence de presse. Ce jour-là, John avait été si soufflé par l'intérêt soulevé par Arturo et son combat contre Mayweather qu'à la sortie il s'était tourné vers sa femme et lui avait dit : « Ouais, je pense que notre fille vient de s'embarquer dans quelque chose de très, très gros. » Les boxeurs en général et Arturo en particulier n'ayant pas toujours bonne réputation, John avait au début surtout eu peur que sa fille s'embarque dans une aventure dangereuse et dans l'une des premières discussions qu'il avait eues avec Arturo, il l'avait mis en garde : « Peu importe ce qui va survenir entre vous deux, je t'avertis de ne jamais lever la main sur elle. » Arturo s'en était toujours souvenu et quand il était forcé de rappeler Erika au domicile familial après une dispute, c'est souvent la première phrase qu'il disait à John : « Je ne l'ai pas touchée ! » Et effectivement, Erika allait finir par lui reprocher bien des choses, mais jamais de l'avoir battue.

Sans devenir aussi intime avec Arturo qu'il l'aurait souhaité, John avait certainement acquis rapidement son respect car c'est à lui que le champion avait révélé son mal-être, quelques semaines avant le combat contre Mayweather. De Vero Beach, Arturo l'avait appelé en pleine détresse psychologique, pleurant et disant qu'il voulait renoncer au combat, dans un épisode qui ressemblait étrangement à ceux vécus par Leonard Dorin en Roumanie et à Atlantic City. Heureusement, celui vécu par Arturo s'était produit plus longtemps avant le combat et avait donné la chance à John Rivera d'intervenir. Puisqu'il avait tenté sans succès de sensibiliser Patrick Lynch à la condition d'Arturo, il s'était rendu lui-même en Floride pour lui remonter le moral et lui changer les idées. Elles étaient alors plus embrouillées que jamais parce qu'en plus d'être préoccupé par la perspective d'affronter Mayweather, d'être rendu à bout de nerfs par son combat contre la balance, de s'ennuyer de sa «Pretty Girl», Arturo pensait encore aussi à Vivian qui s'était ramenée dans le portrait au même moment. La façon dont elle l'avait fait était d'ailleurs presque aussi originale que la demande en mariage d'Arturo à Erika. Pour faire savoir à Arturo qu'elle l'aimait toujours et qu'elle tenait encore à lui, elle avait envoyé des messages textes sur le téléphone portable... d'une journaliste du *Star-Ledger* présente à Vero Beach pour réaliser une série d'articles sur le combat! Déjà à ce moment, la journaliste trouvait qu'il régnait à Vero Beach une bien drôle d'atmosphère et qu'on semblait vouloir lui cacher des choses. Arturo était rarement au gymnase, ses seconds avaient toujours un prétexte pour lui refuser un rendez-vous avec lui, mais recevoir des messages textes d'une fille qui n'était pas censée savoir qu'elle se trouvait à Vero Beach, et encore moins avoir son numéro de portable, avait représenté le clou de son séjour.

Oui, cela avait été un bien drôle de camp d'entraînement, y compris pour l'entraîneur. De l'avis de Buddy, Arturo n'était pas dans un si mauvais état d'esprit à son arrivée à Vero Beach, mais les choses avaient changé en cours de route. La grande raison? Pour Buddy, c'était Mayweather bien avant tout le reste. «Sans conteste, Mayweather avait gagné la bataille psychologique et les conséquences s'étaient fait sentir jusqu'à Vero Beach. Au fur et à mesure que le combat approchait, Arturo paraissait plus affecté par les commentaires et j'avais clairement vu sa confiance décliner. Pour moi, le combat s'est d'abord joué à ce niveau.» Cela était sûrement vrai parce que, dans un sens, c'est à un véritable feu nourri qu'Arturo avait dû faire face et Mayweather n'avait même pas été le seul à tirer. C'était effectivement ce qu'il y avait eu de plus cruel pour lui, quand Mayweather se taisait enfin, on aurait dit que tous les intervenants de la boxe prenaient alors le relais pour lui faire savoir à leur tour qu'il n'avait aucune chance de gagner. C'était toujours le même message, mais répété chaque fois par des gens différents et c'était particulier parce que, involontairement, tous ceux qui souhaitaient voir la petite frappe perdre se trouvaient en quelque sorte à l'assister dans son travail de destruction mentale. Ils prédisaient la même chose que lui, sauf qu'ils le faisaient de façon plus respectueuse et avec de mots plus gentils. En fait, la vague était tellement puissante qu'elle emportait même certains des meilleurs amis d'Arturo. Un type comme Mike Moffa, par exemple, entraîneur de son état et grand connaisseur de boxe, ne s'était pas contenté de prédire la défaite d'Arturo, il avait dit – tout en souhaitant l'inverse – que Mayweather allait le ridiculiser, s'amuser avec lui. Le problème, c'est que son commentaire était parvenu aux oreilles d'Arturo à Vero Beach et qu'il l'avait passablement affecté. Quand Arturo avait ainsi confié à *La Presse* après le combat qu'il lui avait été difficile de composer avec tant de prédictions défaitistes, c'est précisément celle-là qu'il avait en tête et ce n'était pas innocent qu'il en fasse mention à un journal de Montréal. Il voulait être bien sûr que Moffa le saurait, même s'il le lui avait dit de vive voix après le combat, donnant naissance à un conflit de plusieurs années.

En dépit de son état d'esprit, Buddy disait qu'Arturo avait tout de même besogné fort. Mais la condition de son corps faisait alors que sa capacité d'entraînement n'était plus la même et qu'elle n'avait surtout rien à voir avec celle de son adversaire. En comparant la préparation des deux boxeurs, il était d'ailleurs à se demander si leur plus important *mismatch* n'avait pas eu lieu à l'entraînement. Arrivé gras comme une caille à Vero Beach, Arturo avait dû débuter lentement et selon l'horaire fixé par Buddy pour ménager ses mains, ses yeux et tout le reste, il s'était rarement entraîné plus de trois fois par semaine. Rien d'étonnant, donc, à ce que la journaliste du *Star-Ledger* l'ait tant cherché !

Par comparaison, Mayweather avait quant à lui commencé sa préparation à 145 livres et le premier jour, celui qui avait donné le ton, il avait croisé les gants pendant… 13 rounds ! Des rounds de cinq minutes par-dessus le marché, ce qui était toujours le minimum dans son cas. Floyd Mayweather était un surdoué, certes, mais ce que beaucoup de gens ignoraient, c'est qu'il était un surdoué qui travaillait comme un forçat. Totalement atypique, il lui arrivait fréquemment d'abandonner ses potes au cinéma, au restaurant, dans un parking, et de partir jogger… en jeans et en chaussures de tennis, parfois sous la pluie ! Ce qui le distinguait toutefois le plus, c'étaient les heures auxquelles il s'entraînait. Floyd Mayweather était réputé pour ses entraînements nocturnes et son préparateur physique-ami-conseiller Leonard Ellerbe devait toujours être disponible. À n'importe quelle heure de la nuit, Floyd était susceptible de lui téléphoner et de lui dire : « Allez, c'est le temps, je suis prêt. » Mayweather cherchait à s'approprier tous les avantages psychologiques et il considérait que s'entraîner en pleine nuit en était un car pendant que lui suait, ses adversaires dormaient (quoique avec Arturo, il eût pu avoir des surprises). Reste que de tous les avantages psychologiques, c'est celui procuré par sa grande gueule qu'il préférait parce qu'il lui venait tout naturellement, sans même avoir à suer. Et malheureusement pour Arturo, il lui restait encore une occasion pour le constater à son retour de Floride.

***

À trois jours du combat, les deux boxeurs avaient été conviés à une dernière conférence de presse au club Copacabana de New York. Réputé pour sa musique latine, l'endroit était très apprécié d'Arturo qui s'y rendait parfois pour y faire la fête. Ce jour-là, il en avait cependant rapporté un bien mauvais souvenir, un peu par sa faute, beaucoup par celle de Mayweather. Pour répondre à son souhait de ne pas être en présence de Pretty Boy, les points de presse avaient été fixés à des heures différentes, le sien à 11 heures, celui de Mayweather à 13 heures 30. Faisant une très bonne imitation de son séjour à Montréal, Arturo s'était toutefois présenté avec 75 minutes de retard, ce qui avait rendu tout son entourage bien nerveux. Voyant le temps passer et le rendez-vous de Mayweather approcher, Patrick Lynch et les gens de Main Events s'étaient mis à craindre que le fantasque boxeur se présente plus tôt et vienne encore jouer les empêcheurs de tourner en rond. Voilà maintenant presque un an qu'ils faisaient affaire avec lui en vue de ce combat et il faut croire qu'ils avaient appris à bien le connaître parce que c'est exactement ce qui s'était produit. Probablement averti par un membre de son imposante cour du retard d'Arturo et de l'opportunité qui s'offrait à lui de consolider son ascendant psychologique, Mayweather s'était présenté peu après midi trente. Au moment où la conférence de presse d'Arturo débutait à peine, il avait fait irruption dans la pièce avec sa douzaine d'acolytes, accaparant en une fraction de seconde l'attention de tout le monde.

Comme c'était toujours le cas sur le ring, son synchronisme avait été parfait : avant de céder la parole à Arturo, les premiers discoureurs en étaient alors à tracer des parallèles avec les combats Ali-Frazier et Floyd était justement venu rappeler à tout le monde que la comparaison ne tenait qu'à cause de lui. Insolent et extraordinairement confiant comme pouvait l'être Ali, il s'était mis à fanfaronner dans la salle en électron libre. Il avait d'abord commencé par parler de lui, bien sûr, claironnant à la cantonade *«I'm number one, I'm number one»* tout en le montrant aussi avec son index. Puis, sans jamais le regarder, comme si ça avait été lui qui était incapable de le voir, il s'était adressé à Arturo. «Tu n'es qu'un *bum* ! Allez, sors d'ici que je prenne le pouvoir !» Assis tout près du podium, Arturo était en apparence resté calme, réduit comme tous les autres au rang de témoin du spectacle de son adversaire. Il avait gardé ses verres fumés pour qu'on ne remarque pas ses traits creusés par la perte de poids et c'était une chance, cela lui permettait de masquer aussi son embarras. Il y avait de quoi, sa conférence n'avait à peu près pas débuté qu'elle n'était déjà plus la sienne.

Après avoir diverti la foule au parterre, Mayweather était ensuite monté sur l'estrade pour obtenir encore plus de visibilité. Si c'était déjà sa conférence de presse, il fallait que cela se sache et il avait placé l'affichette portant son nom bien en évidence sur le lutrin. Il jouissait littéralement, on aurait dit qu'il avait attendu toute sa carrière pour être autant sous les feux de la rampe et que sa délivrance était enfin arrivée. Debout aux côtés de son promoteur que personne ne regardait et n'écoutait, à cinq pieds d'Arturo qui ruminait en silence, il en avait donc ajouté une autre couche. Il avait soulevé sa camisole pour exhiber ses abdominaux, montrer ses biscoteaux et, comme si d'afficher ainsi sa forme parfaite lui avait donné de l'inspiration pour une dernière vacherie, il était allé se placer dans la file pour le buffet et avait annoncé : «Je vais me servir à manger ! J'ai réellement faim. Aucun problème, je fais le poids depuis trois semaines. » Tout ce qui s'était produit avant n'avait pas suffi à ébranler le stoïcisme d'Arturo, mais là Mayweather avait touché une corde sensible. Véritable crève-la-faim depuis trois mois, ne sachant même pas encore s'il allait être capable de descendre à 140 livres deux jours plus tard, Arturo ne l'avait pas supporté. Assis aux côtés de Kathy Duva, celle-là même qui lui avait parlé de faire l'Histoire en affrontant Mayweather, il lui avait dit, un brin amer : « Comment avez-vous pu permettre qu'une telle chose m'arrive ? » Répondant un peu à la place de Duva, Lynch lui avait murmuré de ne pas se laisser prendre au jeu de Mayweather et Buddy lui avait demandé, sachant mieux que quiconque à quel point un tel manège jouait sur sa confiance : « Que veux-tu que je fasse, *champ* ? »

– Je veux dire mon mot et sacrer mon camp !

Arturo avait repris le contrôle de sa conférence de presse pour quelques minutes seulement. Pendant que Mayweather continuait de s'amuser en face de lui comme un enfant laissé sans surveillance, il s'était présenté au micro, encore étonnamment calme et néanmoins souriant. Il avait eu des bons mots pour à peu près tout le monde, sa famille, Lynch, Buddy, puis il avait prononcé le fameux nom et toute l'assistance s'était tue pour bien noter ce qu'il allait dire. « Et quant à toi Mayweather, avait-il commencé en l'interpellant directement, je vais te *crisser* une volée samedi soir. » Sitôt, il avait remis les guides de la conférence de presse à Mayweather et avait quitté la salle avec ses seconds, s'excusant au passage à une dame pour son langage.

Une fois assis dans la limousine qui l'attendait à la porte, les oreilles avaient dû lui siffler parce que Mayweather avait continué de s'en donner à cœur joie sur son compte. En fait, elles n'avaient pas dû arrêter de lui siffler jusqu'au début du combat parce que Mayweather avait été inextinguible dans toutes ses interviews, on aurait dit qu'il avait préparé des attaques verbales depuis les premiers pourparlers du combat, en 2004, et qu'il lui fallait écouler sa marchandise pour ne pas rester pris avec après le combat.

***

La location des sièges avait commencé le 8 avril à 11 heures. Six heures plus tard, les 12 675 billets disponibles avaient trouvé preneurs, surpassant les précédentes marques d'assistance établies lors des combats Gatti-Ward. S'il y avait d'ailleurs un domaine où le clan Gatti avait pu opposer une (timide) réplique verbale à Mayweather, c'était bien sur celui de la popularité. Ça, c'était le créneau, la chasse gardée d'Arturo et il s'était fait un plaisir de le rappeler lorsque Mayweather avait fauté à se présenter à l'événement promotionnel du combat contre Leija. «Ça ne fait aucune différence qu'il soit ici ou non, avait-il dit, parce que ce n'est pas lui qui va faire vendre les billets de toute façon.» Pour être en phase avec son boxeur, Buddy avait quant à lui déclaré que Mayweather attirait tellement peu de spectateurs à ses combats qu'il devait chaque fois avoir l'impression de disputer une séance d'entraînement en gymnase. Ces commentaires étaient intéressants parce qu'ils montraient que l'on avait eu raison de présenter le combat comme étant celui du boxeur numéro un contre l'attraction numéro un, et que les deux clans l'avaient aussi perçu de cette façon. Arturo savait qu'il était le plus populaire, Mayweather savait qu'il était le meilleur et l'un comme l'autre avaient affiché une grande confiance à le dire. L'ennui avec ce casting, c'est qu'une fois sur le ring, cela ne laissait place qu'à un seul homme et Mayweather s'en pourléchait évidemment les babines: «Lorsque la cloche va sonner, la foule ne pourra pas monter dans l'arène pour se battre à sa place. Il n'y aura que lui et moi.»

Au moins jusqu'à ce moment, Arturo pouvait compter sur un indéfectible appui, notamment de la part de ses partisans montréalais. Ce samedi 25 juin, ils avaient été des dizaines de parents et amis à effectuer le déplacement à Atlantic City, conscients eux aussi qu'Arturo allait être impliqué dans l'affrontement le plus significatif de sa carrière. Parmi cette délégation, il y avait Mike Moffa et Ivano Scarpa. En ce lendemain de fête de la Saint-Jean, les deux compères avaient quitté Montréal dès potron-minet et étaient arrivés à Atlantic City en début d'après-midi. Vers 14 heures, ils s'étaient rendus au Caesars Palace, là où logeait Arturo depuis la fin de la conférence de presse à New York. Ils avaient l'intention de lui dire seulement un petit mot d'encouragement, puis de s'éclipser en vitesse pour le laisser se concentrer.

Évidemment, Moffa ignorait alors qu'Arturo connaissait sa prédiction pour le combat et il allait d'ailleurs l'ignorer encore pour quelques heures car Arturo n'en ferait aucunement mention durant leur brève visite. Il avait à ce moment déjà assez de ressentiment envers Mayweather sans en ajouter à quelques heures du combat. Il s'était donc montré très accueillant comme à son ordinaire, mais il avait surtout paru remarquablement focalisé, au point même de faire douter Moffa et Scarpa de l'issue du combat. « Arturo avait vraiment l'air d'un boxeur en mission et la première chose que l'on s'était dite en refermant la porte de sa chambre, c'est à quel point il paraissait prêt. Tout à coup, on s'était mis à croire davantage en ses chances », avait confié Scarpa. Avant de quitter la suite 803 du Caesars, Scarpa avait toutefois contribué à mettre Arturo dans des dispositions encore plus favorables en le plaçant en communication téléphonique avec son frère Joe. Comme tant d'autres fois au cours des récentes années, les deux frères étaient à couteaux tirés et Joe avait ainsi pu souhaiter bonne chance à Arturo. Pour lui, ce bout de conversation représentait beaucoup parce qu'il était de ceux – pas si rares – qui voyaient ce combat comme une forme de « meurtre prémédité » et il craignait réellement que quelque chose de fâcheux arrive à Arturo. En mars, lorsque le combat avait été officialisé, Joe avait d'ailleurs communiqué avec son ancien mentor Mario Costa pour lui dire, inquiet : « Je te le jure Mario, ils vont finir par tuer mon frère. » « Ils », c'étaient bien sûr tous les membres du clan Gatti que Joe vilipendait pour continuer d'envoyer Arturo à l'abattoir même s'ils le savaient diminué physiquement.

En raison du carnage qu'il anticipait, la première intention de Joe avait donc été de vouloir s'épargner des souffrances et de ne pas assister au combat, du moins pas en personne. Quand son ex-manager Scarpa lui avait téléphoné de la chambre d'Arturo, il lui avait toutefois demandé de venir le rejoindre à Atlantic City, insistant sur le fait que, peu importent les motifs, il ne devait pas rater le plus important rendez-vous de la carrière de son frère. Joe avait fini par se laisser convaincre et, en début de soirée, il était parti pour Atlantic City, située à un peu moins de deux heures de son domicile de Wyckoff. Arrivé au Boardwalk Hall peu de temps avant le combat, sans billet ni laissez-passer, il avait cependant eu la mauvaise surprise d'être bloqué par la sécurité. L'agent le connaissait, il était surpris qu'il ne fasse pas partie de la liste des invités, mais il devait obéir aux ordres et lui interdire l'accès.

Passablement humilié, l'air d'un mendiant de faveurs à la porte d'entrée, Joe avait alors communiqué avec Scarpa pour lui dire de ne pas l'attendre, qu'il n'était pas le bienvenu. Pas trop inquiet, Scarpa lui avait répondu ne pas bouger, le temps qu'il communique avec Patrick Lynch, *M. Tickets* lui-même. Par deux fois, Scarpa avait effectivement parlé avec Lynch, sans jamais, hélas, arriver à régler la situation de Joe. La première fois, Lynch s'était presque montré magnanime en disant qu'il allait voir ce qu'il pouvait faire. Mais quand Scarpa, sans nouvelle, l'avait rappelé un peu plus tard, Lynch avait cette fois fermé la porte à double tour: il n'était pas question que Joe entre dans le Boardwalk Hall, en tout cas pas par son concours.

Au moment où Joe avait appris la nouvelle, les deux boxeurs s'apprêtaient à quitter leur vestiaire et il ne lui restait pas suffisamment de temps pour se mettre à la recherche d'un endroit où voir le combat. Ce qu'il avait alors fait pour le suivre du mieux qu'il le pouvait? Il avait communiqué avec sa femme à Wyckoff qui, installée au salon avec des amis, le lui avait narré au téléphone en pleurant. Parce que bien sûr, il y avait eu à pleurer.

***

Contrairement à Moffa et Scarpa, Buddy n'avait pas trouvé son boxeur si concentré. Vers la fin de l'après-midi, il lui avait passé un coup de fil pour s'enquérir de son humeur et il en avait été quitte pour une drôle de surprise: Arturo était en pleine séance de magasinage! «Mais pas du magasinage sur le *boardwalk* pour tuer le temps et se changer les idées, du magasinage à une heure de route d'Atlantic City!» avait raconté Buddy. «Je me serais attendu à ce qu'à quelques heures du plus important combat de sa carrière, Arturo repose ses jambes à l'hôtel, mais non.»

Les deux hommes s'étaient retrouvés autour de 21 heures 45, à l'arrivée d'Arturo dans son vestiaire. En pénétrant dans son antre, Arturo avait étreint Buddy et c'était à se demander si, à ce contact, Buddy avait déjà pu sentir que son boxeur était trop lourd. Dès le début du combat, c'est en effet l'un des premiers détails qu'il remarquerait, à quel point Arturo paraissait emprunté après avoir repris trop de poids depuis la pesée. En face d'un boxeur aussi véloce, aussi félin que Mayweather – qui trouvait d'avance Arturo lent –, cela ne pardonnerait évidemment pas.

Ils avaient passé une heure ensemble avant de quitter le vestiaire et, épisodiquement, Buddy lui avait rappelé les bases de la stratégie. Volontairement, il avait toutefois gardé un rappel pour la fin. Il savait les dommages psychologiques que Mayweather avait causés jusqu'à maintenant et, à cinq minutes de voir Arturo se diriger vers le ring, il avait tenu à le préparer de nouveau au pire: «Peu importe ce qu'il va faire, je veux que tu restes calme. Compris, *baby*?»

Mais dans l'autre vestiaire, Mayweather était déjà passé à autre chose. Il avait tracé une ligne bien distincte entre la guerre psychologique des conférences de presse et le combat en tant que tel, et il n'était pas question qu'il se méconduise dans le ring. À ses yeux, le temps était maintenant venu de parler avec ses poings. Il était dans un état d'esprit complètement différent, du moins à l'égard d'Arturo parce qu'il avait même prié pour qu'il s'en sorte sans trop de séquelles et puisse se battre de nouveau. Certains seraient portés à dire qu'il avait affiché beaucoup moins de compassion une fois sur le ring mais, en dépit des apparences, ce n'était pas le cas. Dans une entrevue accordée au *USA Today* juste avant son combat contre De La Hoya, Floyd avait révélé s'être même retenu pour ne pas tuer Arturo. «Je ne voulais pas voir quelqu'un mourir sur le ring.»

À quelques minutes du combat, la situation était en fait tellement ironique que Floyd Mayweather était peut-être la personne la plus zen de tout le Boardwalk Hall. Il régnait en effet à l'intérieur de l'enceinte un climat de grande hostilité, la presque totalité des 12 675 spectateurs rêvant de voir Arturo se payer le scalp de Mayweather sous leurs yeux. En assistant à la sortie de vestiaire de l'aspirant, on avait même pu penser que la foule était à ce point pressée d'assister à son exécution qu'elle avait décidé de s'en occuper elle-même, sans attendre Arturo. «Les gens étaient si vindicatifs à l'égard de Mayweather que c'en était presque dangereux», avait raconté Rich Hansen, présent au parterre pour soutenir son ami Arturo. «De manière évidente, la sécurité avait été complice de la foule et s'était montrée beaucoup plus permissive qu'à l'habitude, comme pour aider Arturo le plus possible.» Par chance, Mayweather avait eu la bonne idée de faire son entrée sur un trône porté par quatre soldats romains et jusqu'à ce que ceux-ci le déposent par terre, cela lui avait permis d'échapper à une partie de la fureur publique.

Sitôt Mayweather rendu sur le ring, la foule avait toutefois montré son autre face et transformé sa haine en amour pour accueillir son champion. La marche d'Arturo avait été celle d'un mythe, les gens scandaient son nom, cherchaient à lui toucher, pleuraient dans certains cas. Déjà. Ces instants avaient été les derniers d'Arturo sur son territoire à lui, celui de la popularité, de l'affection du public et ils avaient été bien brefs. Dès qu'il avait mis le pied sur le ring, il était entré sur le territoire de Mayweather et pour bien plus longtemps qu'une marche de deux minutes: six rounds.

«Le plus grand *mismatch* en *PPV* depuis Tyson-Lewis», tel que décrit *avant* le combat par l'analyste de HBO Max Kellerman, n'avait pas immédiatement ressemblé à cela. Durant le 1er round, il y avait eu deux minutes et demie pendant lesquelles les deux boxeurs avaient presque paru appartenir à la même planète. À l'entame, Arturo s'était montré plutôt précautionneux, annonçant déjà qu'il avait l'intention d'attaquer Mayweather par la ruse plutôt que par la castagne grossière et peu subtile. À certains instants, il n'aurait pas été fier de la comparaison, mais il faisait même penser à son adversaire par sa façon de protéger son menton derrière son épaule gauche. Là s'arrêtait toutefois la ressemblance parce que la différence de vitesse entre les deux était déjà patente, même avec peu de coups lancés de chaque côté. Lesté par toutes ces livres en trop, Arturo n'avait vraiment pas bonne mine et on s'était mis rapidement à regretter ce boxeur preste qui se battait jadis sur le bout des orteils. De son côté, le surdoué de Grand Rapids n'avait pas eu un début de combat génial, paraissant légèrement confondu par la prudence affichée par Arturo. Lui qui ne regardait jamais ses adversaires en vidéo, il semblait être à l'étude et c'est peut-être bien au cours de ces deux premières minutes et demie qu'il avait radiographié Arturo.

Son étude plus ou moins complétée, Floyd était passé à l'action dans les 30 dernières secondes du round, avec le malheureux concours de l'arbitre Earl Morton. Au cours d'un corps à corps, Arturo s'était penché pour être plus difficile à toucher et Floyd lui avait posé le poing gauche sur la tête, pour l'empêcher de se relever. Voyant la faute, Morton avait crié *«stop punching!»*, sans toutefois s'interposer pour séparer les deux boxeurs comme il aurait dû le faire. Arturo avait néanmoins obtempéré à sa directive et fait un pas de recul. Floyd, que son père traitait d'enfant désobéissant, n'avait pas écouté et avait frappé Arturo avec une combinaison de deux coups à la tête. C'était clairement une faute et, à ce titre, Arturo avait regardé Morton, l'air de dire: «Tu n'avais pourtant pas dit de cesser de frapper?» Sûr, un boxeur-gentleman comme Micky Ward n'aurait à ce moment précis pas refrappé pendant que son adversaire ne le regardait pas et il lui aurait laissé régler son contentieux avec l'arbitre. Floyd, disons-le comme ça, avait été un peu moins noble: il avait bondi pour combler la distance entre lui et Arturo et lui avait asséné un crochet du gauche qu'il n'avait évidemment pas vu venir. Le coup avait presque fait pirouetter Arturo et il lui avait fait poser un genou au sol tout en le projetant dans les cordes. Morton, qui avait fort mal négocié la situation, était alors enfin intervenu et avait commencé à compter Arturo, furax et frustré comme il était en droit de l'être. «C'était une faute intentionnelle», qu'il avait crié à Morton en le bousculant même un peu pendant qu'il le comptait. Morton n'avait pas réagi et l'avait renvoyé au combat pour les quelques secondes qui restaient. Le round s'était terminé sans qu'Arturo encaisse d'autres coups mais, pour plusieurs, dont malheureusement Buddy, le mal était déjà fait. «Le knock-down du 1er round a été le tournant du combat», avait-il dit après aux journalistes. «À partir de ce moment, Arturo a perdu sa concentration et toute notre stratégie s'est envolée en fumée. Quand il est revenu dans le coin, Arturo m'a tout de suite demandé si c'était un round de 10-8 *(ce l'était, sauf pour le juge Stewart qui l'avait noté 10-9)* et on aurait dit que pendant tout le reste du combat, il avait boxé en cherchant à effacer ces deux points plutôt qu'en s'en tenant au plan. »

Loin de combler son retard, Arturo n'avait fait que l'accentuer. Dès le 2e round, le spectacle de la domination de Mayweather avait commencé à être pénible à supporter et des amateurs en larmes avaient voulu s'y soustraire en quittant immédiatement le Boardwalk Hall. Ceux qui étaient restés avaient eu besoin de courage et on avait vu leur visage changer et devenir horrifié. Comme l'avait écrit David Mayo dans le *Ring*, il y avait deux boxeurs, l'un qui était incapable de toucher, l'autre qui était incapable de rater. Au cours de ce 2e round, on avait même vu Arturo frapper le vide avec un coup au corps ! Cela s'était d'ailleurs reproduit à plusieurs reprises au cours du combat et Arturo devait avoir regretté de ne pas porter les gros oreillers Everlast qu'il utilisait à l'entraînement pour protéger ses mains. Aussi en délicatesse avec ses mains, Mayweather portait des gants de marque Winning justement considérés comme des oreillers, mais on ne peut pas dire que ça paraissait sur le visage d'Arturo. À voir les grosseurs et les rougeurs s'accumuler, on aurait plutôt dit que Mayweather le battait avec un madrier. « Tu restes trop droit, tu n'attaques pas en angle, tu restes trop devant lui, tu n'appliques pas le plan », lui avait dit Buddy après le 2e et il aurait pu continuer pendant encore longtemps la liste des choses qui n'allaient pas si la cloche du 3e round n'avait pas sonné. Pour l'essentiel, il avait été une répétition du précédent en dépit des « Gatti... Gatti... Gatti » entendus dans la foule et quand Arturo était revenu se rasseoir dans le coin trois minutes plus tard, Buddy lui avait cette fois dit : « Je veux qu'au prochain round, tu commences enfin à te battre comme je t'en sais capable. *C'mon baby*, tu peux y arriver. »

Arturo avait bien essayé et c'était même touchant de voir à quel point il tentait malgré tout d'arriver à des résultats avec sa confiance en lambeau et son bien plus modeste talent. Mais il n'était même pas venu proche de réussir et le 4e round avait été un véritable cauchemar.

Vif, précis, alerte, Mayweather avait atteint Arturo de toutes les façons et les «Gatti...Gatti...Gatti» du 3e round avaient fait place à un concert de «oh! ah! oh! ah!» à chaque fois qu'Arturo encaissait un coup de puissance. Assis à trois rangées de la boucherie, Rich Hansen avait fait comme bien d'autres et versé des larmes. En sa qualité de coach de l'équipe de football du collège Saint-Peters de Jersey City, lui-même ancien boxeur, il était pourtant habitué à une certaine violence, mais ce qu'il avait sous les yeux était au-dessus de tout. «C'était bien pire à regarder que les combats contre Ward, nous avait-il dit, parce qu'Arturo n'avait cette fois aucune chance. Contre Ward, c'était en effet très violent, mais au moins les deux boxeurs étaient à peu près du même calibre. Ce qui n'était évidemment pas le cas contre Mayweather. Sur toutes les actions, autant offensives que défensives, Arturo était pris de vitesse et ne pouvait rien faire.» Vraiment, c'était un *mismatch* sur toute la ligne et nul ne l'avait mieux illustré que le légendaire Bernard Hopkins quand il avait dit: «Ce combat, c'était comme d'opposer une Ferrari à une Volks sur une autoroute.»

La Volks en question avait néanmoins connu son meilleur round du combat au 5e, ce qui était une façon gentille de dire qu'il avait été son moins pire. Durant la première minute et demie, Arturo avait réussi quelques intéressants mouvements défensifs et pour l'ensemble du round, Mayweather avait semblé se reposer... de frapper! Avec le recul, on pouvait même penser que c'est à ces trois minutes qu'il faisait référence lorsqu'il avait dit s'être retenu pour ne pas tuer Arturo. Son commentaire pouvait paraître exagéré, mais il était loin d'être le seul à avoir craint pour la vie d'Arturo. Il y avait eu bien sûr Joe et tous ceux qui avaient parlé de «meurtre prémédité», mais l'ancien de HBO Lou DiBella avait aussi été du nombre. «Une volée comme celle subie par Arturo aux mains de Mayweather pouvait facilement tuer un homme», nous avait-il dit. Chose certaine, tous ceux qui n'avaient pas encore pensé à cette éventualité n'avaient pas eu le choix de le faire au 6e et heureusement dernier round.

Pour donner une bonne idée de ce à quoi il avait ressemblé, les trois juges l'avaient noté 10-8 même s'il n'y avait pas eu de knock-down. Plus que jamais ce sac de sable avec des pieds dont avait parlé Mayweather, Arturo avait tant encaissé qu'un journaliste avait écrit : même Rocky n'a pas pris autant de coups que lui ! En le voyant se faire ainsi commotionner à répétition, il y avait vraiment lieu de se demander s'il y avait un prix pour une telle raclée, si tout ça valait une bourse de 3,5 millions. Après son troisième combat contre Arturo, au moment où des offres lucratives étaient tombées sur sa table, c'est la question que s'était justement posée Micky : à quoi bon servent tous les millions du monde si tu n'es plus capable de les compter ?

Depuis deux rounds, c'était peut-être aussi à cette question que pensait Buddy. Déjà à la fin du 4e, il avait dit à Arturo qu'il n'aimait pas ce qu'il voyait et qu'il allait arrêter le combat. Arturo, qui avait passé une bonne partie des conférences de presse à dire qu'il était prêt à mourir dans le ring pour gagner, lui avait demandé de le laisser poursuivre pour au moins un autre round. Buddy avait accepté et probablement parce que le 5e n'avait pas été si éprouvant – du moins selon les standards des quatre premiers –, il lui avait aussi permis de disputer le 6e. Il était encore sûrement à le regretter quand, vers la fin du round, le commissaire de la NJSAC, Larry Hazzard, était venu le voir au bas de l'arène. Concerné lui aussi par la condition d'Arturo et ne souhaitant pas avoir une mort sur la conscience, l'ex-arbitre lui avait dit : « Buddy, je pense vraiment que ton boxeur en a maintenant assez. Ou c'est toi qui arrêtes le combat, ou c'est moi qui le fais à ta place. » « L'idée était simplement de m'assurer que Buddy était sur la même page que moi », nous avait dit Hazzard.

Il l'était.

Quand Arturo, bringuebalant, était revenu de son enfer, Buddy l'avait d'abord laissé s'asseoir, puis il lui avait dit en l'enserrant dans ses bras : « J'arrête le combat, *baby.* » Arturo avait eu un autre sursaut d'orgueil. « *Please* coach, donne-moi un autre round. *One more.* »

– Non, *no more baby*. Tes yeux sont tout enflés, complètement fermés. Je t'aime trop pour te laisser continuer.

En tenant toujours la tête d'Arturo entre ses bras, Buddy s'était ensuite adressé tant au médecin qui regardait Arturo qu'à l'arbitre Morton: «Nous arrêtons ça maintenant. Je veux que le combat soit stoppé immédiatement.» Arturo avait collé sa tête contre la poitrine de Buddy, qui l'avait embrassé dans les cheveux. «D'accord coach, avait-il dit. Je te fais confiance.»

Lorsque Earl Morton avait confirmé la reddition d'Arturo, Roger Mayweather était à rappeler la «stratégie» du prochain round à son neveu: «Ne le frappe plus du tout au corps. Vise maintenant seulement la tête, il est trop facile à atteindre.» À cet instant, Floyd Mayweather Junior avait eu l'air de tout sauf d'un boxeur qui avait vraiment pensé que ce combat serait du «travail facile» et de «l'argent ramassé par terre». Il s'était agenouillé au tapis et avait commencé à sangloter comme un enfant. Il n'était pas le seul à le faire dans le Boardwalk Hall, mais ses raisons à lui étaient différentes. «Dieu est grand, Dieu est bon», répétait-il au travers de ses sanglots. Agenouillé à ses côtés, cherchant ironiquement à le consoler de sa joie, son fidèle lieutenant Leonard Ellerbe lui faisait écho: «Oui, tu as raison, Dieu est bon.» Puis, n'ayant plus de raisons de le fuir, Arturo s'était présenté à lui et il s'était relevé, toujours en pleurs. Le boxeur numéro un et l'attraction numéro un s'étaient d'abord étreints, avant de discuter un instant. Comme d'habitude, c'était Pretty Boy qui parlait le plus, même en continuant de pleurer. Pour la première fois depuis 1996, Arturo entendait le nouveau champion dire des belles choses à son sujet et cela avait continué au cours de son entretien avec Larry Merchant. «Non, il ne m'a pas fait mal, mais écoutez, ce type, c'est quand même Arturo Thunder Gatti! Il est fort, dur, et il vient toujours pour se battre avec abandon. Je le respecte, je le remercie de m'avoir donné une chance pour le titre et je crois qu'il peut redevenir champion du monde.» Pendant qu'il discutait avec Merchant, Mayweather tenait son fils dans ses bras et Arturo lui avait fait un *guili-guili* en attendant son tour au micro. «Il était tout simplement trop rapide pour moi», avait-il pour sa part commencé à dire, étonnamment éloquent pour quelqu'un qui venait d'être autant frappé. «Buddy m'avait mis en garde contre la vitesse de ses mains, mais il est aussi très rapide avec ses pieds. À cause de ça, il était beaucoup plus dur à toucher que je le pensais. »

À ce sujet, les statistiques avaient été pour le moins parlantes. Durant le combat, Arturo avait réussi à atteindre la cible 41 fois alors que Mayweather y était arrivé 168 fois ! Mais la donnée la plus hallucinante et qui décrivait le mieux la nature du châtiment, c'était celle des coups dits « de puissance ». Arturo en avait porté 10 et reçu... 115 ! Frapper sans être frappé, telle était la devise de Mayweather et jamais il ne l'avait mieux appliquée qu'au cours de ce combat. Honnêtement, il avait rendu le visage d'Arturo à peine reconnaissable et même s'il avait prié pour qu'il puisse se rebattre, il était permis de se demander s'il allait être en mesure d'y parvenir.

La bonne nouvelle, c'était qu'à la différence de son visage, sa popularité était intacte et que son public allait être encore au rendez-vous s'il remontait sur le ring. Il en avait d'ailleurs eu la plus réconfortante des preuves dès sa sortie du Boardwalk Hall. Choisissant ce soir-là de rentrer à son hôtel à pied plutôt qu'en limousine, il avait rapidement été escorté par une masse de fans qui avaient un peu recréé la scène de sa marche vers le ring, mêlant les *« we love you, champ »* aux « Gatti... Gatti... Gatti ».

C'est peu de temps après cette démonstration de loyauté que Mike Moffa, Ivano Scarpa et Joe Gatti avaient aussi voulu se rendre le réconforter et, au vu de la tournure des événements, ce n'avait pas été une très bonne idée. Entouré de parents et amis dans sa suite du Caesars Palace, Arturo avait toujours sur le cœur la prédiction de Moffa, et peut-être encore plus parce qu'elle s'était révélée si juste. Quand Moffa s'était donc présenté à sa porte, il avait déclenché une explosion qui avait aussi soufflé les deux autres individus, coupables par association aux yeux d'Arturo. « Toi, tu débarrasses immédiatement d'ici », lui avait hurlé Arturo. « Va-t-en dans la chambre de Mayweather, ta place est là ! Des amis comme toi et tes deux *chums*, je n'en ai pas besoin. Vous n'êtes que des *phoneys*, des hypocrites qui font semblant d'être déçus de ma défaite mais qui sont dans le fond bien contents. Allez, dehors. »

Un peu sur le choc d'apprendre qu'Arturo savait, Moffa aurait alors voulu lui faire comprendre qu'il y avait une différence entre prédire un truc et souhaiter qu'il n'arrive pas, mais quelque chose lui disait que ce n'était pas le bon moment. Quant à Joe, qui réalisait en voyant le visage d'Arturo pourquoi sa femme lui avait décrit le combat en pleurant, il était ressorti du Caesars en se disant qu'il aurait mieux fait de rester à la maison comme prévu. Non seulement n'avait-il pas vu le combat, mais voilà qu'il était lui aussi accusé d'avoir souhaité la défaite de son frère, avec lequel il pensait pourtant s'être rapproché dans l'après-midi. Dans l'entourage d'Arturo, on dirait d'ailleurs ensuite qu'il ne s'était présenté à Atlantic City que pour voir son frère humilié, une affirmation ridicule quand on savait que c'était Scarpa qui l'avait convaincu de s'y rendre, à la dernière minute.

Après ces trois expulsions, la chambre d'Arturo avait retrouvé son calme et tous avaient continué de le réconforter en l'enveloppant à peu près toujours de la même parole : « Il n'y a aucune honte à perdre contre le meilleur boxeur au monde. »

***

Contrairement à ce qui s'était produit lorsque Hector Roca avait stoppé le combat contre De La Hoya, la décision prise par Buddy n'avait pas mené à une rupture. Peut-être à cause de la tendresse dont il avait fait preuve au moment de la prendre, elle avait même paru le rapprocher encore plus d'Arturo. Ainsi, deux semaines seulement après le combat contre Mayweather, les deux hommes avaient passé une soirée ensemble, ce qui était loin d'être fréquent dans de pareilles circonstances. D'ordinaire, lorsqu'un boxeur subissait une défaite aussi humiliante et médiatisée, il n'avait qu'une envie, celle de couper avec son sport et tous les gens qui le lui rappelaient. Arturo, lui, avait fait tout le contraire. Il s'était rendu à Vero Beach et avait invité Buddy à souper, probablement à son bar-restaurant préféré, le Riverside Cafe. Le but ? Lui témoigner sa grande reconnaissance pour ce qu'il faisait pour lui. « Je voulais seulement que tu saches, Buddy, à quel point j'apprécie ton appui, lui avait-il dit ce soir-là. Je suis sûr que ce ne sont pas tous les boxeurs qui peuvent en dire autant de leur entraîneur et je te remercie vraiment beaucoup. » Cela avait été une bien belle soirée, agrémentée par des tours de chant d'Arturo qui, au karaoké, avait interprété quelques tubes d'Engelbert Humperdinck. « Je le jure, avait ensuite fait remarquer Buddy, ce gars-là aurait pu participer à l'émission *American Idol* tant il chantait bien. »

Chose certaine, l'allusion de Buddy à *American Idol* n'était pas inappropriée ou exagérée parce qu'en plus de sa voix juste, Arturo avait plus que jamais continué à mener une vie de vedette rock. Sa relation avec Erika l'avait à peine tranquillisé, il continuait de s'intoxiquer toujours autant avec le résultat que, presque trois mois jour pour jour après le combat contre Mayweather, il avait été admis au Christ Hospital de Jersey City pour une surdose. Naturellement, l'affaire avait été étouffée et avait eu bien peu de suites. Il n'y avait jamais de conséquence aux déportements d'Arturo et cette période-là en avait fourni une bonne preuve : une semaine plus tard, un nouveau combat était annoncé ! C'est d'ailleurs pour cette raison que John Rivera disait qu'Arturo ne s'était jamais pris en main. « Parce que l'on a toujours étouffé ses frasques, qu'il n'a jamais été privé de rien, il n'a jamais eu l'impression de toucher le fond du baril et n'a donc jamais vu de véritables raisons de changer. »

Étonnamment, la personne qui était peut-être venue le plus près de précipiter Arturo au fond du baril et de le faire réagir avait été… son fournisseur de drogue de Jersey City. Le type, prénommé Steve et domicilié au coin des rues Bleeker et Terance, s'était un jour fâché avec Arturo et avait commencé à lui faire du chantage, menaçant de tout révéler de sa vie de drogué. Comment ? Il pouvait être accusé de bien des choses, mais pas de manquer d'esprit : en publiant un livre ! Minutieux, il avait tout consigné, les noms des drogues utilisées par Arturo, les circonstances, les dates, les noms des médecins qui nuisaient à ses propres ventes en le bourrant de drogues médicamenteuses. Il avait tant de détails que son manuscrit faisait… dix chapitres ! Au départ, personne ne l'avait trop pris au sérieux et Arturo était évidemment resté sourd à ses demandes financières. À un certain moment, le gars avait toutefois fini par se lasser et pour bien faire comprendre à Arturo qu'il ne blaguait pas, il avait montré son manuscrit à son grand ami Mickey Skowronski. L'histoire ne disait pas si celui-ci y avait vu un futur best-seller, mais il l'avait certainement trouvé assez crédible pour s'alarmer. En quittant l'«écrivain», il avait de suite communiqué avec Patrick Lynch et lui avait conseillé de commencer à s'intéresser au dossier s'il ne voulait pas être invité bientôt à un lancement de livre! Lynch l'avait fait et il avait pensé avoir éteint le feu en versant au type un certain montant. Mais il avait probablement dû se montrer moins généreux qu'avec le mafieux de Miami parce que le gars était revenu à la charge, mécontent du règlement. Là, c'est Arturo qui avait commencé à se lasser et il s'était mis à négocier lui-même avec son biographe. Il lui avait payé au moins deux visites, la deuxième avec Joey Perrenod au cours de laquelle il l'avait à son tour menacé, mais seulement de l'extérieur de la maison parce que le gars n'avait pas voulu lui répondre. Quoi qu'il en soit, les sommes échangées avaient dû satisfaire tout le monde parce que le livre n'a jamais vu le jour. Tous les personnages secondaires avaient donc pu recommencer à respirer un peu mieux et le personnage principal à s'intoxiquer… avec l'aide d'un autre fournisseur.

Après sa surdose, Arturo n'avait guère eu le temps de chômer et encore moins d'entrer en thérapie. À peine huit jours plus tard, il avait effectivement dû se présenter à Montréal pour annoncer son implication dans un important projet immobilier de l'arrondissement Saint-Léonard. Sauf erreur, il s'était agi de sa première apparition publique à Montréal depuis son combat de septembre 2000 et si elle n'avait pas déclenché une autre *Gatti-Mania*, elle avait néanmoins donné lieu à une petite frénésie. Ne donnant pas l'impression de sortir d'hôpital, plutôt guilleret pour la circonstance, Arturo avait renoué avec de nombreux amateurs et bien sûr rencontré les membres de la presse sportive, accompagnés ce jour-là par leurs confrères des sections «Habitation». Par respect pour l'objet premier de la conférence de presse, Arturo s'était d'abord adressé à ceux-ci pour expliquer la genèse du projet et en donner les grandes lignes.

Un an plus tôt, son ami d'enfance Tony Rizzo, constructeur immobilier de son métier, lui avait fait part de son intention de bâtir un complexe de condos de luxe, rue Jarry. Il s'était montré ouvert à une participation financière et en août, au moment de démarrer le projet, Rizzo l'avait rappelé pour lui demander s'il était toujours intéressé. «J'ai dit oui sur-le-champ», avait-il confié au représentant du *Journal de Montréal.* «Tony m'a présenté les plans et nous avons décidé de devenir des associés.»

Ensemble, ils avaient fondé le groupe Gatti-Rizzo et déterminé les rôles de chacun: Tony président et Arturo vice-président! Rien de moins. Au total, le projet représentait un investissement de 22 millions de dollars, mais la somme déboursée par Arturo n'avait pas été dévoilée. Ce que l'on sait, c'est que seulement pour gâter les siens, cela lui avait coûté passablement cher. Lui qui avait déjà acheté une maison à sa mère quelques années plus tôt, il avait cette fois offert deux condos d'une valeur de quelque 350 000 $ à son jeune frère Fabrizio et à sa sœur Giuseppina. Pour sa part, il s'était réservé l'un des quatre *penthouses* des deux tours jumelles, un spacieux appartement de 2 000 pieds carrés qu'il était venu habiter avec Amanda Rodrigues à son retour à Montréal, en 2007.

Après avoir renseigné les chroniqueurs de l'immobilier, le vice-président du groupe Gatti-Rizzo avait pris congé et fait place à *Thunder* pour s'entretenir avec les journalistes sportifs. Le souvenir de la dégelée contre Mayweather étant encore frais à la mémoire de tout le monde, c'était évidemment le premier sujet sur lequel on l'avait questionné et ses propos avaient montré qu'il était celui à s'en souvenir le plus. «Quand je rentre à la maison et que je me retrouve seul, je repense au combat et ça me fait encore mal», avait-il notamment admis à *La Presse.* «Je n'ai gardé aucune séquelle physique, c'est surtout mon ego qui en a mangé un coup. Et comme j'en ai un gros, ça a frappé fort!»

Ces précisions faites, Arturo avait ensuite pris les dispositions pour qu'on cesse de lui parler de Mayweather: il avait dévoilé en primeur aux scribes montréalais qu'il allait sous peu revenir dans le ring. «Il y a quelques heures, j'ai paraphé un contrat stipulant que j'affronterai le Danois Thomas Damgaard, le 28 janvier. Je ferai alors le saut dans la division des mi-moyens (147 livres). Mon objectif est de conquérir un titre mondial dans une troisième division de poids. Je n'ai jamais pensé abandonner la boxe à la suite de cette frustrante défaite. Je n'ai que 33 ans.»

Le cirque allait donc continuer et ce n'était pas tout le monde qui allait s'en réjouir.

***

Dans les minutes suivant le combat contre Mayweather, Carl Moretti avait été surpris lui aussi à pleurer. Homme sensible et considéré comme l'employé de Main Events le plus proche d'Arturo, il ne lui était pourtant pas venu à l'esprit de lui recommander de raccrocher. Dans ses plans, il n'y avait jamais eu de doute qu'il allait ramener Arturo entre les cordes après ce combat, peu importe son résultat ou son déroulement. «L'une des raisons pour lesquelles nous avions accepté ce combat, nous avait-il dit, c'est que nous savions qu'une défaite d'Arturo ne nuirait pas à sa popularité et ne l'empêcherait pas de revenir se battre à Atlantic City devant une salle comble.»

Parmi ceux qui considéraient la carrière d'Arturo sous un angle moins mercantile, il y en avait cependant plusieurs qui n'estimaient pas très sage de le remettre dans un ring, à Atlantic City ou n'importe où ailleurs. Au terme du combat, Arturo avait déclaré pour banaliser son état: «Ce n'est pas la première volée que je ramasse». Mais justement, ces gens trouvaient qu'il était maintenant temps que ce soit la dernière. Ils le disaient à regret, ils le disaient en lui réservant un chapelet de louanges, mais ils le disaient surtout avec beaucoup d'à-propos comme l'avait fait le chroniqueur Jeff Ryan dans le *Ring* de mars 2006. «Le problème d'Arturo est qu'il n'a jamais été capable d'élever son niveau au rang des meilleurs. Il a battu des gars comme Ward et Tracy Patterson, il a détruit des Gabe Ruelas et Leonard Dorin ici et là, mais il a été liquéfié quand il a fait face aux deux meilleurs adversaires de sa carrière: Oscar De La Hoya et Floyd Mayweather. En avril, il aura un très vieux 34 ans, il revient d'une défaite au cours de laquelle il a été totalement déclassé, et il a encaissé un nombre effrayant de coups au cerveau durant sa carrière de 15 ans. Pour autant, on ne peut pas dire qu'il n'a plus rien à prouver parce que ce n'est pas le cas: il a à prouver qu'il peut battre un grand boxeur. Mais il ne sera jamais capable d'y arriver et, dans ce cas, l'idée de le revoir échanger des coups avec n'importe qui semble rien de moins que cruelle.»

Évidemment, de la même manière qu'Arturo avait tout su de ce qu'on disait de lui avant le combat, ces échos-là étaient aussi venus à ses oreilles et l'avaient porté à réfléchir. À Montréal, il avait raconté n'avoir jamais songé à prendre sa retraite et si c'était peut-être vrai, cela ne voulait pas dire qu'il en avait fait un sujet tabou autour de lui. Dans au moins un cas, avec son ami Rich Hansen, c'était même lui qui en avait parlé le premier. Quelque temps après le combat, les deux hommes avaient partagé un repas et, tout bonnement, Arturo avait demandé à Hansen ce qu'il ferait s'il était dans ses pompes. Très à l'aise et, surtout, totalement désintéressé contrairement aux membres de l'entourage d'Arturo, Hansen le lui avait dit sans faux-fuyant: «Si j'étais toi, je me retirerais tout de suite. Tu as assez donné à la boxe. Avec ta dernière bourse, ton avenir financier est assuré et tu n'as plus aucune raison de continuer à aller exposer ta santé sur le ring. Pars avant d'être blessé sérieusement.» Bien sûr, Hansen ne l'avait pas dit à Arturo, mais son opinion était en partie fondée par le fait qu'il avait déjà commencé à remarquer chez lui des signes de ralentissement cognitif et il savait que le pire était encore à venir. Mais la décision d'Arturo était bel et bien prise de s'accrocher et il avait même été assez honnête pour en donner la raison quand Hansen lui avait demandé pourquoi il tenait à continuer. «Tu veux vraiment le savoir? Parce que je veux plus d'argent encore.» À partir de là, Hansen avait compris qu'il était inutile d'insister et que les larmes versées au combat contre Mayweather ne seraient probablement pas ses dernières.

À l'annonce de son intention de rempiler, il n'était toutefois pas encore sûr qu'Arturo allait pouvoir le faire. Ainsi en décembre 2005, le commissaire du New Jersey Larry Hazzard avait exigé qu'il se soumette à des examens neurologiques supplémentaires avant d'être autorisé à remonter dans le ring. Bien sûr, Hazzard se trouvait aux premières loges lors de la volée contre Mayweather, mais il avait aussi, cette fois-là, une raison additionnelle pour s'inquiéter de son état. C'est que dès l'annonce du combat contre Damgaard, Mario Costa avait communiqué avec lui pour le mettre au courant de la surdose d'Arturo et lui faire comprendre que ça n'avait aucun sens de le remettre si vite dans un ring, sans qu'il ait pu suivre une thérapie ou à tout le moins bénéficier d'une aide professionnelle. Craignant qu'Arturo puisse et veuille même trépasser dans le ring puisqu'il lui avait dit vouloir jeter une malédiction sur la boxe, Costa avait décliné une autre identité – il avait prétendu s'appeler John O'Brien –, modifié sa voix et lui avait dit: «Ne croyez absolument rien de ce que je m'apprête à vous dire, M. Hazzard, et faites plutôt votre propre enquête pour découvrir la vérité. Mais voici quand même la situation: ce gars-là, pas plus tard qu'il y a une semaine, a été retrouvé inanimé chez lui à la suite d'une overdose et s'est retrouvé à l'hôpital. Je peux même vous donner le nom: Christ Hospital de Jersey City. Vous n'avez qu'à téléphoner pour vérifier. Vous voulez aussi la date? C'était le 26 septembre. Ce n'était pas sa première overdose, mais cette fois il y a même du personnel de l'hôpital qui a cru qu'il n'y avait pas survécu. Sa condition est très sérieuse et je vous le dis, si vous n'empêchez pas ce combat ou ne le remettez pas à plus tard, vous risquez de vous retrouver avec un mort sur le ring.»

Avant son appel, Costa avait pris conseil auprès de son ami Mike Tyson et celui-ci l'avait encouragé dans sa démarche, lui expliquant de ne pas compter sur les seconds d'Arturo pour en prendre soin. «Par expérience, je peux te confirmer que ce sont souvent les derniers à se préoccuper du boxeur», lui avait-il dit. Quelques semaines plus tard, Costa avait lu dans les journaux la nouvelle des tests additionnels imposés à Arturo et il s'était dit que sa démarche n'avait pas été vaine. Hélas, elle n'avait pas suffi à empêcher le cirque de se remettre en marche puisqu'une dizaine de jours avant le combat, Hazzard avait reçu le rapport final des médecins d'Arturo: il était apte à continuer à boxer. La grande question, c'était toutefois de savoir s'il fallait vraiment être surpris que «les médecins d'Arturo» l'aient alors jugé en condition de boxer. Fallait-il s'attendre à d'autres conclusions? Dans un monde idéal, ces tests auraient été conduits par des médecins indépendants et auraient possiblement mené à des conclusions différentes. Cette façon de faire n'étant pas en vigueur, Hazzard n'avait guère eu le choix: «À partir du moment où des spécialistes se prononcent et déclarent les boxeurs aptes à monter dans le ring, nous n'avons pas l'expertise pour nous substituer à eux et remettre en doute leurs conclusions», nous avait-il dit.

En dépit des conseils des journalistes et des amis, mais fort de l'aval de ses médecins – la boxe allait vraiment à contresens de tout –, Arturo avait donc effectué sa rentrée le 28 janvier contre Thomas Damgaard et comme l'avait prévu Carl Moretti, il avait encore fait recette. Et cette fois, le beau côté de l'histoire, c'est que la foule de 11 568 spectateurs avait pu retourner à la maison avec le sourire aux lèvres plutôt qu'avec les larmes aux yeux. Face à un adversaire invaincu en 37 combats mais qui ne s'était jamais battu à l'extérieur du Danemark, Arturo l'avait emporté par arrêt de l'arbitre à la 11e reprise. Il était à ce moment largement en avance, mais le gaucher de 34 ans lui avait malgré tout opposé une bonne résistance et le combat avait été plutôt ardu.

Cette victoire en apparence banale avait été importante à plus d'un titre. D'abord, comme Arturo en avait fait la surprenante confidence après le combat, elle lui avait permis de repousser ses plans de retraite, ce qui avait dû décevoir ceux qui l'espéraient tant. «Je ne l'avais dit à personne dans mon entourage pour qu'on ne pense pas que j'allais être dérangé mentalement, mais j'avais décidé de mettre un terme à ma carrière en cas de défaite», avait-il déclaré aux journalistes. Ensuite, comme si écarter la retraite ne suffisait pas et qu'il fallait aussi offrir un débouché intéressant, elle lui avait permis de se qualifier officieusement pour un autre combat de championnat du monde, cette fois chez les poids welters. Et dans ce cas-ci, il s'agissait d'un formidable revirement de situation, d'une sorte de petit miracle qui, un mois plus tôt, semblait encore impossible.

Avant le combat contre Damgaard, Carl Moretti était en effet plutôt préoccupé par le sort d'Arturo. En tant qu'attraction, il savait qu'il pouvait continuer à compter sur lui pour remplir le Boardwalk Hall et les coffres de la compagnie, mais son problème avait plus à voir avec le boxeur. Sachant quand même quel était maintenant son véritable niveau, il se demandait vraiment à qui l'opposer à 147 livres sans remettre sa santé en péril comme lors du combat contre Mayweather. En cas de victoire sur Damgaard, on parlait ainsi d'affrontements possibles contre l'Anglais Ricky Hatton ou le Portoricain Miguel Cotto, mais Moretti les considérait visiblement comme trop dangereux pour Arturo. Il y avait bien aussi ce combat pour un troisième titre mondial qu'Arturo avait lui-même évoqué, mais encore là, il valait mieux ne pas y penser. Le champion incontesté des welters était alors l'Américain Zab Judah, un boxeur presque aussi rapide que Mayweather, et Moretti ne semblait pas vraiment croire aux chances d'Arturo de le battre. Bref, jusqu'au 7 janvier 2006, l'horizon professionnel d'Arturo semblait plutôt flou. Puis, ce jour-là était survenu le petit miracle en question : défendant ses titres mondiaux contre l'obscur challenger argentin Carlos Baldomir, déjà battu neuf fois dans sa carrière et négligé à 16 contre 1 avant le combat, Zab Judah avait été détrôné par décision unanime ! C'était tellement un petit miracle qu'à Vero Beach, là où il poursuivait sa préparation pour Damgaard, Arturo avait été inondé d'appels d'amis qui lui avaient tous dit la même chose : «*Arty*, voilà ta chance de mettre la main sur un troisième titre mondial. Ce gars-là est taillé sur mesure pour toi. Ne perds surtout pas ta concentration pour ton combat, mais il faut absolument que tu sois le premier aspirant contre lequel il va défendre son titre parce qu'il ne le gardera pas longtemps.» Sans même avoir vu le combat et s'en remettant au jugement de ses amis, Arturo avait donc communiqué avec Moretti au New Jersey et lui avait dit : «Je veux ce type coûte que coûte. Ça coûtera le prix que ça voudra, vous me donnerez un peu moins d'argent s'il le faut pour augmenter sa bourse, mais je ne veux pas rater cette opportunité. Occupe-toi de réserver ma place pour sa première défense et moi je m'occupe de battre Damgaard avant.»

D'accord avec les amis d'Arturo pour prétendre qu'il avait toutes les chances de battre Baldomir, extrêmement heureux de savoir enfin où aller avec sa carrière, Moretti avait fait comme lui et rempli sa mission.

***

En dehors du ring, la situation était nettement moins encourageante. Dans sa vie de couple notamment, Arturo vivait un véritable calvaire. Moins d'un an après l'avoir invitée à habiter avec lui, Arturo s'entre-déchirait sans discontinuer avec Erika, à un point tel qu'ils avaient rompu leurs fiançailles. De manière constante, Arturo l'accusait en effet de le tromper, ce qui n'était évidemment rien de nouveau dans son cas, sauf qu'il semblait plus jaloux, plus possessif, peut-être même plus paranoïaque encore qu'avant. Il disait ne pas avoir conservé de séquelles physiques du combat contre Mayweather, mais cela était pratiquement impossible et il était permis de croire que l'aggravation de sa paranoïa y était en partie attribuable. D'un autre côté, il fallait aussi dire qu'Erika ne l'aidait peut-être pas à se calmer. Elle connaissait sa nature, son problème, mais selon Joey Perrenod elle agissait parfois plus comme quelqu'un qui cherchait à exacerber sa paranoïa plutôt qu'à l'atténuer.

Si tel était son objectif, cela avait marché et peut-être même un peu trop bien à son goût. À un certain moment, Arturo s'était ainsi mis à croire – à tort ou à raison – qu'elle le trompait avec l'un de ses bons amis, prénommé Dave. Il était alors entré dans une longue période de rage mais, heureusement pour Erika, il avait surtout cherché à la déverser sur son ex-ami. Il s'était mis à le harceler, se rendant notamment le menacer à son domicile de Lyndhurst, à une quinzaine de minutes de Jersey City. Son manège avait duré jusqu'à ce que le gars, apeuré, n'en puisse plus et demande à la police d'intervenir. La situation devait être sérieuse parce que c'est le FBI qui avait pris le dossier en main! Des agents s'étaient alors rendus au bureau de Patrick Lynch à Secaucus et lui avaient dit: «À partir de tout de suite, tu dis à Gatti que les États-Unis ne sont pas le Canada et qu'on ne veut plus jamais le revoir se présenter chez ce type. Sinon, ses folies, il va retourner les faire dans son pays.»

Au travers de tout ceci, comme pour évacuer un peu de son mal-être, Arturo avait recommencé à voir Vivian, reformant ainsi l'espèce de ménage à trois qui l'avait un peu dérangé à Vero Beach, avant Mayweather. Avec Joey, il s'arrêtait de temps à autre la voir à son boulot sur la rue Washington et, en dépit des douleurs passées, leurs rapports étaient de nouveau si harmonieux qu'ils parlaient même de revenir ensemble. Cela, jusqu'à ce qu'une bombe tombe sur leurs deux vies et, selon Vivian, en modifie à jamais la trajectoire.

La bombe était d'abord tombée dans la vie d'Arturo, puis quelques jours plus tard dans celle de Vivian, sous la forme d'un coup de téléphone. Elle s'en souvient comme si c'était hier, et pour une bonne raison: c'était le jour de son anniversaire. Arturo avait téléphoné de Las Vegas. Elle croyait que c'était pour lui souhaiter un bon anniversaire. C'était un peu le cas, mais il avait aussi une mauvaise nouvelle à lui apprendre, mauvaise pour lui comme pour elle: «Je vais être père», lui avait-il dit, comme s'il avait choisi exprès cette journée pour faire un lien entre les deux naissances. Son ton était triste; c'était le ton résigné de quelqu'un qui savait devoir dire adieu aux espoirs de retourner vivre avec elle. Vivian n'avait jamais cru aux familles reconstituées et elle ne voulait rien entendre de partager la vie d'un homme ayant déjà des enfants, fût-il Arturo Gatti. Elle avait éclaté en sanglots, peut-être au souvenir de cet enfant de lui qu'elle avait perdu. «Comment as-tu pu me faire ça, Arturo? Comment as-tu pu *nous* faire ça, sachant que l'on allait reprendre bientôt? Est-ce que tu te rends compte que tu vas avoir un enfant avec une fille que tu dis ne pas aimer, que tu étais sur le point de laisser?» Déjà à ce moment, il existait une grande inimitié entre Vivian et Erika, et bien sûr les choses n'avaient fait qu'empirer à partir de là.

Pour Arturo, le choc avait été brutal. Du jour au lendemain, il s'était retrouvé éloigné de Vivian et pas beaucoup plus près d'Erika parce que la nouvelle de la grossesse n'avait en rien contribué à les rapprocher. N'eussent été ses valeurs italiennes selon lesquelles les parents d'un enfant devaient rester ensemble pour le meilleur et pour le pire, il est même probable qu'il se serait séparé d'Erika bien avant l'accouchement.

La vie leur avait finalement donné une splendide petite fille. Sofia Bella Gatti était donc née le 31 mars 2006 à l'hôpital d'Hoboken et, s'il fallait en croire la mère, le père l'avait accueillie avec des sentiments partagés. «Il était déçu que ce soit une fille», avait confié Erika dans une entrevue à *MyBoxingFans*. «Il a toujours voulu avoir un petit garçon.» Erika disait peut-être vrai, mais ce n'est pas ce qu'avait remarqué Carrie Kauffman, bonne amie d'Arturo à Atlantic City. «Arturo était complètement gaga de cette enfant-là. Quand elle est née, il n'avait que son nom à la bouche. Il nous parlait et tout ce qu'on l'entendait dire, c'était *Sofia ci, Sofia ça, Sofia ci, Sofia ça…*» Même que de l'avoir toujours à la bouche n'avait pas suffi, il avait aussi voulu l'avoir sur le bras gauche: après son méchant *«warrior»* qu'il avait fait inscrire sur son abdomen, il avait fait tatouer un tendre *«Sofia»* juste au-dessus de sa croix ornée du mot *«faith»* («foi»).

La période dans laquelle la petite était née n'avait peut-être pas été la bonne pour avoir des parents unis et heureux mais, pour continuer à faire parler d'elle, elle était arrivée dans le meilleur des temps. La promotion pour le combat Gatti-Baldomir avait commencé peu de temps après sa naissance et à presque chaque rencontre de presse, elle avait fait partie des sujets du jour. La chose était d'ailleurs récurrente dans le cas des boxeurs indisciplinés, dès que les journalistes apprenaient qu'ils étaient devenus pères, ils liaient l'heureux événement à leur carrière, cherchant à savoir dans quelle mesure il allait les changer. Arturo n'avait donc pas fait exception à la règle et il s'était notamment confié à Dan Rafael, de *ESPN.com*. «Elle me rend tellement heureux. Elle me fait monter les larmes aux yeux. C'est vraiment une grande sensation que de l'avoir à mes côtés. Je déteste me servir d'elle, mais pour être honnête, elle va beaucoup aider ma vie en me forçant à devenir une meilleure personne à l'extérieur du ring. Maintenant, au lieu de sortir et de perdre la tête, je préfère rentrer à la maison pour être avec elle.» Bien sûr, Arturo n'était pas seul dans les conférences de presse et Sofia meublait même les discussions avec les membres de l'entourage de son père. Pour un, Carl Moretti, homme de famille s'il en était un, avait pour sa part affirmé avoir rapidement noté un changement chez Arturo. «Il sait qu'il lui faut maintenant devenir plus mature. Et pour lui, c'est une motivation supplémentaire. Il se bat maintenant pour autre chose que juste son compte en banque. Il a une fille à faire vivre et il prend cette responsabilité au sérieux. Il adore son rôle de père», avait-il aussi raconté à Dan Rafael.

Moretti était sûrement sincère, d'autant plus qu'il avait fait ses commentaires deux semaines seulement après la naissance de Sofia. À la lumière des propos d'Erika, il semblait toutefois qu'avec le temps, Arturo avait déchanté assez vite de son rôle. «Ce serait bien que je puisse dire qu'il était un bon père, mais ce n'était malheureusement pas le cas, avait-elle affirmé à *MyBoxingFans*. Dans la vie, un enfant a besoin de plus que des vêtements dispendieux.»

Dans ses rencontres de presse, Arturo était vraiment placé dans une position embarrassante. À chaque fois, il recevait des félicitations pour son premier enfant, répondait à des questions à son sujet et, inévitablement, les conversations finissaient par dévier sur la mère, avec laquelle il vivait une relation épouvantablement acrimonieuse. Il devait donc mentir, ravaler ce qu'il avait vraiment envie de dire et, à partir d'un certain moment, il avait même dû taire qu'ils n'étaient plus ensemble! C'était une situation totalement absurde parce que devant les scribes, sa vie paraissait plutôt idyllique alors que dans la coulisse elle était en fait terriblement triste.

Erika estimait donc qu'Arturo ne valait pas mieux comme conjoint que comme père et elle l'avait laissé quelques mois seulement après la naissance de Sofia. Ses motifs? Elle les avait expliqués au cours de son interview et, évidemment, ils n'avaient rien à voir avec ceux évoqués par Chuck Zito et compagnie. «Je l'ai quitté parce qu'il était trop parano et qu'il passait son temps à m'accuser d'infidélité. Il était *punchy* à force d'avoir été frappé à la tête et nous avions même un peu pitié de lui parce qu'il était toujours dépressif et confus *(quand elle disait «nous», elle faisait sûrement référence à son père qui nous avait dit la même chose)*. Je suis partie parce que nous ne pouvions plus être ensemble. C'est difficile de s'accorder avec une personne qui ne s'accorde pas avec elle-même.»

Pour sûr, Arturo avait mal vécu la séparation, mais pas parce qu'il avait eu mal d'amour comme lorsque Vivian l'avait largué. Cette fois, il s'était plutôt fait du mauvais sang avec les qu'en-dira-t-on, surtout ceux de la diaspora italienne de Montréal. Les Italiens le disent ouvertement, l'image est pour eux très importante et Arturo considérait alors que la sienne n'avait rien de trop reluisant : plus de conjointe et un bébé presque naissant qu'il donnait l'impression d'avoir abandonné.

Le plus déplorable, c'est que la séparation d'Erika et d'Arturo n'avait même pas permis de pacifier leurs relations. Au cours des mois suivants, ils avaient continué à se chercher querelle, essentiellement au sujet de leur petite puce. Avec pour triste résultat, comme l'avait encore raconté Erika, qu'ils s'étaient tous deux retrouvés à la cour ! « À ce moment, Arturo ne s'impliquait plus dans la vie de Sofia. Il avait la permission de la voir aussi souvent qu'il le désirait, mais avait choisi de ne pas le faire. Je l'ai traîné en cour quand Sofia a eu six mois parce qu'il refusait de m'aider. Il ne la voyait pas et manquait à ses obligations financières. Il menaçait de partir avec elle au Canada en me disant que je ne la reverrais plus jamais. La cour l'a donc forcé à payer. »

En fait, non seulement la cour l'avait-elle contraint à payer, mais elle l'avait aussi assujetti à une terrible et humiliante condition : devoir maintenant rencontrer Sofia seulement en présence d'un médiateur ! « Et ça, Arturo ne le méritait vraiment pas », avait commenté son ami Chuck Zito. « Comme il le faisait avec tout le monde, il avait payé pour cette fille et pour Sofia bien plus que ce à quoi il était tenu et ce jugement était ridicule. Cette fille était accro au fric et elle était juste pas capable de se satisfaire des grosses sommes que lui donnait déjà Arturo. » Des propos que l'avocat d'Arturo John Lynch (le frère de Patrick) avait d'une certaine façon corroborés dans une entrevue au magazine américain *Maxim:* « La mère voulait beaucoup d'argent. À ce moment, Arturo valait vraiment très cher et cela a débouché sur un litige très acrimonieux. Toute l'affaire lui a laissé un goût amer. Il ne l'a pas dit ouvertement, mais je pense qu'il a alors cru que tout le monde le voyait comme une mine d'or. »

À sa sortie du tribunal, Arturo n'était pourtant pas au bout de ses peines. Son pire jugement était encore à venir et il n'allait pas être rendu par la cour, mais par sa propre femme. Environ un an plus tard, Arturo s'était en effet marié avec Amanda Rodrigues, qui, selon plusieurs sources, lui avait à son tour imposé une infamante condition: ne plus voir du tout sa fille, invalidant donc le jugement de la cour à sa manière! «Des amis d'Arturo m'ont dit que c'était comme si elle lui avait demandé de choisir entre sa fille et son garçon. S'il voulait continuer à être avec son garçon, il devait renoncer à sa fille», avait expliqué Erika.

Dans toute cette histoire, Arturo avait toutefois encaissé sa part de blâme pour ne pas s'être tenu debout et avoir accepté qu'une femme le prive de voir sa fille. Mieux que tout, cela illustrait d'ailleurs l'espèce de bipolarité de sa personnalité, cet écart qu'il y avait parfois entre sa force de caractère sur le ring et sa faiblesse à l'extérieur. Cela dit, on admettra aisément que sa situation de père était pour le moins cruelle: d'un côté de la clôture on lui imposait de voir sa fille sous supervision seulement, alors que de l'autre on le lui interdisait carrément! Vraiment, c'était à pleurer et cela même avant qu'il apprenne que tout ce à quoi il n'avait plus droit, son frère Joe pouvait continuer d'en bénéficier.

Comme si la situation n'était déjà pas encore assez tordue, Arturo avait en effet dû se résigner à voir la famille de Joe, avec lequel il était toujours plus ou moins en brouille, avoir accès à sa petite autant qu'elle le voulait, Joe assumant même en quelque sorte le rôle de père que lui ne voulait ou ne pouvait pas tenir! C'est Erika qui avait raconté, pour faire suite aux manquements d'Arturo: «Heureusement, Joe et sa femme Vikky ont beaucoup aidé au cours des dernières années et ont comblé le vide du côté de la famille des Gatti. Les deux filles de Joe, Versace et Gianni, jouent avec Sofia comme si elles étaient des sœurs et Joe a une influence positive sur ma fille. Il lui raconte toutes sortes d'histoires pour lui apprendre à quel point son père était un enfant et un frère formidables lorsqu'ils grandissaient ensemble.»

En fin de compte, tous ces événements avaient contribué à provoquer une bien triste situation: au fil du temps, Arturo était presque devenu un étranger aux yeux de sa fille et cette réalité lui avait éclaté en plein visage le jour de son troisième anniversaire. De Montréal, il lui avait passé un coup de fil et lui avait dit: «Papa va venir te voir bientôt». Il avait bien fait de lui rappeler qui il était parce qu'elle ne s'était jamais souvenue de lui. Cela lui avait tant brisé le cœur qu'en raccrochant, il s'était rendu au lave-auto de son ami Phi-Lan Doan pour trouver une épaule consolante et une oreille attentive: «Imagine, ma propre fille ne me reconnaît même plus, ne sait même plus qui je suis.»

À ce moment, elle lui avait encore fait monter les larmes aux yeux, mais pas pour les mêmes raisons que trois ans plus tôt.

***

La victoire de Carlos Baldomir sur Zab Judah avait été à ce point miraculeuse qu'elle lui avait valu d'être nommé le nouveau *Cinderella Man* de la boxe. Au moment de lancer la promotion du combat Gatti-Baldomir, les organisateurs avaient d'ailleurs annoncé qu'il allait opposer deux *Cinderella Man* mais, dans les faits, Baldomir était de loin celui qui répondait le plus au profil. Certes, la carrière d'Arturo était aussi digne d'un conte de fées et ce qu'il avait accompli avec ses atouts était renversant, mais à la base il avait bien plus de talent que l'Argentin. Il n'était pas du niveau qu'il aurait souhaité être – celui des grands comme De La Hoya et Mayweather –, mais c'était néanmoins un boxeur très valable, assez complet quand il s'en donnait la peine, en plus d'être évidemment un remarquable cogneur.

Dans le cas de Carlos Baldomir, on était dans un monde complètement différent. Au cours des six premières années de sa carrière entreprise en 1993, le boxeur de Santa Fe – aussi la ville natale du grand Carlos Monzon – avait ainsi trouvé le moyen de s'incliner à neuf reprises (et d'annuler quatre autres fois!), tout en ne boxant à peu près jamais hors de son pays! Très limité techniquement, un peu fruste, il était de plus un si faible puncheur que même en se battant principalement à la maison, il avait dû attendre à son 17e combat pour enregistrer son premier K.-O., une sorte d'exploit quand on sait que les débuts de carrière servent souvent à étendre le plus de tocards possible. Bref, jusqu'en 1999, alors que Carlos se pavanait avec un dossier de 24-9-4, l'Argentine n'avait certainement jamais pensé tenir un autre champion du monde et s'il avait alors fallu évaluer ses chances de le devenir, on aurait pu les comparer à celles d'Arturo de battre Mayweather : moins que zéro. À l'aube de l'an 2000, son conte de fées avait cependant commencé à prendre forme et, Dieu sait comment, il avait réussi à rester invaincu au cours d'une séquence de 20 combats (18 victoires et 2 autres nuls !), ce qui l'avait aidé à grimper dans les classements et à obtenir cette chance inespérée contre Judah. À l'âge de 35 ans !

Mais là où sa carrière avait le moins ressemblé à celle d'Arturo, c'était au niveau de ce qu'elle lui avait rapporté financièrement. Pendant longtemps, il avait si peu fait d'argent qu'il avait dû faire comme son père et vendre des plumeaux de porte en porte pour joindre les deux bouts. Plus tard, sa série de succès lui avait permis de se consacrer à la boxe, mais certainement pas de devenir riche. La preuve, pour pouvoir se mesurer à Judah et avoir la chance de devenir champion du monde, il avait dû se contenter d'une bourse de 100 000 $. Par comparaison, Arturo avait touché à peu près cette somme pour son premier championnat du monde contre Patterson… 12 ans plus tôt !

À l'issue du combat contre Judah, les intentions de Baldomir étaient donc claires : il voulait rester champion, mais il tenait surtout à monnayer rapidement son titre pour se refaire financièrement. Or, dans cette optique, la victoire d'Arturo contre Damgaard avait été providentielle et avait constitué une sorte de petit miracle pour lui aussi. De tous les aspirants qu'il était alors susceptible d'affronter – on parlait de Ricky Hatton, Antonio Margarito, Shane Mosley et même Mayweather monté aussi chez les welters –, un seul lui permettait en effet de faire sauter la banque : Arturo Gatti, bien évidemment en raison des recettes qu'il générait à Atlantic City et du soutien financier dont il bénéficiait avec HBO. Par un heureux hasard, il était aussi le plus vulnérable de cette brochette de boxeurs, ce qui en faisait vraiment un choix incontournable.

Pour ces raisons, les négociations entre Main Events et le clan Baldomir avaient presque été une formalité et on pouvait présumer que le nouveau champion avait sauté de joie quand Carl Moretti avait appelé la première fois: «Affronter Gatti? Avec tout ce fric disponible? N'importe quand!» Selon au moins deux sources, l'ex-vendeur de plumeaux avait finalement accepté de le faire pour un million de dollars (quoiqu'une autre ait plutôt parlé de 600 000 $), renforçant encore davantage son statut de *Cinderella Man*.

Le combat avait été fixé au 22 juillet 2006, en partie pour permettre à Arturo de récupérer d'une nouvelle opération à la main droite. Arturo était parti pour Vero Beach le 25 avril, presque un mois après la naissance de Sofia, et s'il avait alors pensé pouvoir y faire le vide et chasser ses idées noires, il s'était trompé. De son propre aveu, son camp d'entraînement avait été un cauchemar, certainement le pire de tous les pires qu'il avait vécus jusque-là. Pendant la majeure partie du camp, le cauchemar n'avait été attribuable qu'à sa relation avec Erika, avec laquelle il avait continué de se quereller quotidiennement. Carlos Baldomir était alors très loin dans son esprit et, au New Jersey, les membres de son clan étaient inquiets. «Les rapports que l'on recevait de Buddy étaient alors très négatifs», avait confié Carl Moretti. «Il nous disait qu'Arturo était dérangé par sa situation conjugale, qu'il n'était pas concentré sur le combat, que son esprit était continuellement ailleurs.» Puis, à trois semaines du combat, le cauchemar avait atteint son paroxysme quand la paranoïa d'Arturo avait fait une nouvelle victime: Buddy lui-même! Une victime totalement inattendue si on se fiait aux propos d'Arturo publiés à peine un mois plus tôt dans le quotidien *Press of Atlantic City*. «Buddy est comme mon grand frère. Je peux tout lui dire. Entre nous, le respect est mutuel. Il prend soin de moi et je suis bon pour lui.» Que s'était-il passé pour que tout bascule, pour que cette touchante et solide amitié qu'ils avaient tissée depuis 2001 soit mise à mal? Toujours par le biais des médias, Arturo avait accepté d'en donner une vague idée après le combat. «Je ne veux pas entrer dans les détails, avait-il dit au même journal, mais Buddy m'a trahi. Et quand quelqu'un me trahit, je m'en sépare. J'ai été bon pour tous ceux qui ont travaillé avec moi, mais j'ai eu en cours de route à mettre plusieurs personnes à la porte. J'ai fait pas mal d'argent dans ma carrière et il y a un paquet de sangsues qui sont apparues pour tenter de vivre du fruit de ma sueur. Cela n'arrivera plus jamais.»

Les fameux détails que n'avait pas voulu dévoiler Arturo pour éviter de mettre en évidence sa paranoïa étaient les suivants. Un matin du début juillet, Arturo s'était présenté au McGirt Boxing Gym autour de 8 heures 30, comme il le faisait pour toutes les séances. La plupart du temps, avant même qu'il débarque de sa voiture, Buddy disait savoir dans quel état d'humeur il allait le retrouver. Si la vitre de la voiture était ouverte et qu'Arturo avait le bras à l'extérieur, l'expérience avait appris à Buddy qu'il filait un mauvais coton. Si la vitre était au contraire fermée, cela lui indiquait qu'Arturo était de belle humeur. Ce matin-là, Arturo devait être arrivé avec la vitre ouverte et le bras à l'extérieur. À peine débarqué de sa voiture, il avait posé à Buddy la question qui le turlupinait depuis la veille et elle n'avait pas concerné Carlos Baldomir : « Qu'as-tu fait hier soir ? »

– Rien de particulier, je suis resté à la maison avec Gina *(sa femme)*.

– Cette nuit, tu étais où ?

– Dans la même maison mais pas dans la même pièce. J'étais couché. Pourquoi me demandes-tu ça ?

– Juste pour voir à quel point tu peux être menteur. Cette nuit, tu n'étais pas chez vous avec ta femme, tu étais ailleurs avec ma blonde en train de te faire sucer. Je le sais, à 2 heures de la nuit vous vous êtes donné rendez-vous quelque part.

Buddy savait qu'il avait la réputation dans le milieu de beaucoup aimer les femmes, mais si quelqu'un lui avait dit un jour qu'elle lui vaudrait de telles accusations d'un de ses boxeurs, il ne l'aurait pas cru. En même temps, il savait à quel parano il avait affaire, de sorte qu'il n'était qu'à demi surpris.

– Attends un instant, toi là. Tu es en train de me dire qu'à 2 heures cette nuit je me suis levé, habillé ; que j'ai répondu à ma femme « je vais acheter du pain » quand elle m'a demandé où j'allais comme ça ; et que j'ai ensuite sauté dans mon char pour aller retrouver Erika et me faire sucer ? C'est ça que tu es en train de me dire ?

– C'est ça qui est arrivé.

– Eh bien mon gars, tu es vraiment rendu complètement cinglé. Et toute cette *bullshit*, à partir de maintenant, je ne veux plus la supporter. Notre association prend fin immédiatement et tu termineras ta préparation avec un autre entraîneur!

Arturo n'avait jamais cru Buddy capable de le quitter. Dans le monde où il vivait, dans celui où il croyait être une vache à lait pour tout le monde, il était impensable qu'on veuille le quitter, et il avait amplement d'exemples sous les yeux pour s'en convaincre. Dans son monde, il avait appris que les seules personnes à vouloir le quitter étaient des filles, et encore, il fallait qu'elles aient beaucoup reçu auparavant. «Quand je lui avais annoncé que c'était terminé, avait confié Buddy, sa réaction avait été celle d'un gars qui disait: *Pardon, tu parles de laisser Arturo Gatti?* Même chose pour ses amis. Quelques-uns m'avaient téléphoné dans les heures suivantes pour me faire sentir que ça ne se faisait pas de le quitter tellement il était *big*, que jamais personne ne l'avait fait avant. Je leur avais dit: *Ah oui? Eh bien, regardez-moi bien aller!* Mais avant que je fasse quoi que ce soit, Arturo était revenu s'excuser au gymnase et les choses s'étaient un peu replacées. Les trois dernières semaines d'entraînement avaient malgré tout été correctes.»

N'empêche, ce lien de «confiance totale» qui les unissait et qu'ils avaient encore évoqué après le combat contre Damgaard s'était ce jour-là brisé et il n'avait plus jamais été possible de le rafistoler.

À leur arrivée dans le New Jersey, Arturo et Buddy avaient malgré tout réussi à sauver les apparences et à ne pas ressembler à un duo en instance de divorce. Arturo avait continué de faire brillamment illusion, de faire semblant que tout était au beau fixe dans sa vie, dans sa carrière, et qu'il avait encore envie d'affronter Baldomir.

Jusqu'après le combat, personne n'avait su qu'il avait souhaité déclarer forfait et qu'il avait évité de le faire pour ne pas mettre Main Events, HBO, Lynch et *tutti quanti* dans le pétrin.

Qu'en sortant du vestiaire, il s'était dit qu'il allait connaître une soirée horrible.

Que même une fois sur le ring, il avait encore voulu le quitter mais que les circonstances l'avaient empêché de le faire.

Tout ce que les amateurs avaient su, c'était ce qu'ils avaient entendu dire au cours de la promotion: qu'il avait lui-même réclamé ce combat pour pouvoir devenir champion du monde dans une troisième catégorie et assurer sa place au Temple de la renommée. Ils s'étaient donc encore rangés derrière lui, au point même de surpasser le chiffre de l'assistance du combat contre Mayweather. Il s'était trouvé des experts pour dire avant le combat qu'Arturo ne devait cette opportunité qu'à sa popularité, et la foule de 12 765 spectateurs leur avait donné entièrement raison.

Cette fois, Joe avait réussi à trouver une niche parmi eux. Du fait que sur papier Baldomir paraissait un adversaire à la mesure de son frère, il avait moins craint pour sa santé et avait voulu être sur place pour vivre avec lui cet exploit peu banal d'être trois fois champion du monde. Arturo y avait été sensible et après l'avoir mis à la porte de sa chambre d'hôtel un an plus tôt, il lui avait cette fois ouvert celle de son vestiaire.

Même si c'était son frère, Joe n'avait rien remarqué de ce qui le minait à l'intérieur et il n'avait non plus rien ressenti des mauvaises vibrations avec Buddy. En revanche, il avait été stupéfait de réaliser à quel point son extérieur avait changé. En voyant Arturo torse nu au vestiaire, Joe avait eu la même réaction que Joey Gamache et s'était demandé s'il n'était pas en train de se voir dans un miroir. Pour ce combat en poids welters, il s'attendait certes à retrouver Arturo plus corpulent, mais pas au point de ne plus pouvoir l'appeler son petit frère. «Qu'est-ce qui t'arrive, lui avait-il dit, tu es même rendu plus gros que moi?» Arturo lui avait répondu qu'il s'était forgé ce physique à force de faire de la gonflette, mais Joe n'y avait jamais cru. «Je suis convaincu qu'il s'était dopé pour ce combat, probablement parce que l'on disait que

Baldomir était très fort physiquement, nous avait-il raconté. Ça n'avait juste pas de sens qu'il soit aussi *bodybuildé*, il n'était plus le même. »

On pouvait par ailleurs en dire autant de son visage. Depuis le combat contre Damgaard, Arturo paraissait avoir changé, ne plus avoir les mêmes traits. En blague, des gens avaient dit après le combat contre Mayweather que ce dernier lui avait offert une chirurgie plastique mais, à le regarder, il y avait lieu de se demander s'il n'en avait pas vraiment subi une des mains d'un authentique plasticien. Plutôt que de s'étirer en longueur comme avant, son visage se déclinait maintenant en largeur, comme s'il avait été compressé par les deux extrémités. Il était aussi bien plus lippu (tellement qu'à son combat suivant, il subirait une anormale et épouvantable coupure à la lèvre supérieure) et son nez paraissait également avoir été modifié. Bref, il semblait avoir changé d'identité et, étonnamment, sa nouvelle le faisait maintenant beaucoup ressembler à son ex-beau-frère Alex Hilton.

Et puis il y avait sa voix. Elle aussi n'était plus la même, mais dans ce cas c'était plus triste, elle n'avait pas changé sous l'effet des opérations mais bien des coups à la tête. Ce n'était encore rien de majeur et c'était même surprenant que ce ne soit pas pire, mais Arturo commençait à afficher des troubles d'élocution. Au point parfois d'être incapable de se faire comprendre de ses propres amis, comme nous l'avait raconté Jeremy Filosa. « Environ deux semaines avant le combat, Arturo m'avait téléphoné pour régler certains détails de mon séjour à Atlantic City. Il était prévu que j'assiste au combat mais, vu son importance, j'avais aussi décidé de le couvrir pour ma station de radio (il était journaliste). Comme j'étais absent, Arturo avait laissé un message sur le répondeur, mais je n'avais à peu près rien pigé de ce qu'il disait, tout comme ma femme d'ailleurs. Il avait le débit pâteux des boxeurs trop frappés, articulait avec beaucoup de difficulté. Pour moi, c'était alors évident, il commençait à être affligé du syndrome du *punch drunk*. » Jeremy ne fabulait certainement pas parce que dans les jours suivant le combat, un journaliste du *Chicago Sun-Times* inclurait Arturo dans sa liste de boxeurs ayant à jeter l'éponge en écrivant : « Son élocution semble déjà affectée. Trop de guerres. Trop de dommages. »

Et pourtant, en dépit de tout ce qu'il affichait de différent, le combat contre Carlos Baldomir avait surtout servi à révéler ce qui chez lui n'avait jamais changé : sa détermination, son refus de l'abandon à chaque fois qu'il enjambait les câbles. Avec tous les problèmes qui l'accablaient ce soir-là, les pensées négatives qu'il avait en tête, l'envie de boxer qui n'était plus là depuis longtemps, il lui aurait été très facile de capituler rapidement. Il avait une foule de bonnes raisons de le faire alors qu'il en faut parfois une seule à un boxeur pour renoncer dans le cours d'un combat. Certains boxeurs le disent, à l'occasion il n'y a même pas de raison et il leur faut en chercher pour se permettre de tomber et rentrer en vitesse à la maison. Mais Arturo n'était pas de cette trempe. Lui, beau temps mauvais temps, il se cherchait des raisons pour durer, pour rester sur le ring le plus longtemps possible. Il l'avait donc encore fait contre Baldomir et juste pour cela, il méritait des éloges. Quant au reste, disons que cela avait été beaucoup moins glorieux.

Pour son retour en championnat du monde, Arturo avait été largement dominé et battu par arrêt de l'arbitre à la 9e reprise. Dans les circonstances, tout autre résultat aurait constitué une énorme surprise. Cela dit, en revoyant la bande vidéo on arrivait malgré tout à se dire qu'il n'avait pas été si mauvais, ou du moins pas aussi pathétique que certains l'avaient prétendu. Il avait en fait livré le même genre de performance que bien d'autres fois dans sa carrière où il avait gagné, prenant et donnant beaucoup de coups, sauf que cette fois Carlos Baldomir avait tout encaissé. Le *Cinderella Man* était un très gros poids welter et il s'était ri de la puissance d'Arturo qui avait fait tant de ravages dans les catégories inférieures. D'ailleurs, si Baldomir avait impressionné au cours de ce combat, ce n'est que par sa solidité, son opiniâtreté. Pour le reste, il avait eu l'air de ce que Moretti et les amis d'Arturo avaient vu, c'est-à-dire d'un boxeur médiocre parfaitement prenable. Il avait gagné plutôt aisément, certes, mais moins parce qu'il était bon que parce qu'Arturo ne l'était plus assez.

Avec le niveau qui était désormais le sien, Arturo avait peut-être gagné deux rounds, le 1er et le 8e. Entre ça, il avait connu nombre de moments éprouvants et c'est là qu'il avait été grand, en mordant dans son protecteur buccal et en se défendant avec le peu de ressources qu'il lui restait. Vraiment, Micky qui se trouvait encore à ses côtés avait dû être fier de lui. Au 3e, il avait chancelé une première fois sur ses jambes après une cure de directs du droit et contre un boxeur qui n'avait inscrit que 12 K.-O. en 57 combats, cela n'était pas très bon signe. Deux rounds plus tard, il avait connu pire encore et pour un instant on s'était revu un an plus tôt au combat contre Mayweather, avec les mêmes mines d'effroi au parterre.

Pendant une bonne partie du combat, Buddy avait travaillé de l'extérieur des câbles pour laisser Joe Souza soigner sa coupure sous l'œil droit. C'est la seule manière dont il avait paru être moins près de lui. Géographiquement. Autrement, les deux n'avaient rien laissé voir de leur conflit et s'étaient montrés extrêmement professionnels. À la fin du 3e round, quand Buddy l'avait exhorté à ne pas laisser la foule le sortir de son plan de match, à boxer plutôt qu'à se bagarrer, il y avait à peine un peu moins de chaleur dans le ton et on aurait dit qu'ils étaient encore les deux meilleurs amis du monde. Pareil pour Arturo. Quand il avait confié à son coach être nerveux avant le combat – «ce qu'il ne m'avait jamais dit auparavant», avait confié Buddy –, c'était comme au temps de leurs jours les plus heureux, lorsqu'il le considérait comme un grand frère et qu'il avait l'impression de pouvoir tout lui dire.

Au moment où Arturo s'était levé de son tabouret pour répondre à l'appel de la 9e reprise, il ne le savait pas encore mais il venait d'entendre les consignes de Buddy pour la dernière fois. Les «allez *champ*, tu peux le faire» ou «tu boxes brillamment, *baby*» répétés avec affection à ses oreilles depuis presque cinq ans, c'était terminé. Carlos Baldomir ne lui donnerait pas la chance de revenir pour le round suivant et de les entendre à nouveau.

Au cours des 30 dernières secondes du 9e round, le faible puncheur argentin l'avait en effet expédié deux fois au sol au moyen de barrages de coups impitoyables. La première fois, il avait pratiquement croulé face contre terre, un peu comme Roberto Duran l'avait fait sous les coups de Thomas Hearns, en 1984. La deuxième fois, il avait pris l'autre direction et avait chuté à la renverse, convainquant l'arbitre Wayne Hedgpath de l'arrêter avant même de le compter. Il n'était pourtant pas ébranlé et ses yeux étaient clairs, mais c'était comme s'il était tombé de fatigue, épuisé par cette vie à se faire taper dessus. Depuis ses débuts dans la boxe professionnelle, c'était la première fois qu'un combat était stoppé pendant qu'il était étendu au sol et cela illustrait bien où il était rendu. Au bout du bout du rouleau. Et plus que jamais, il était temps qu'il le comprenne parce qu'à faire durer le cirque, il commençait à jouer avec le feu et à mettre en danger sa cote d'amour. Les journalistes, qui l'avaient toujours eu en adoration et qui avaient fermé les yeux sur beaucoup de ses frasques, étaient notamment en train de virer leur veste. Ce soir-là, comme l'avait raconté Jeremy Filosa, ils n'avaient d'ailleurs même pas attendu d'écrire leurs articles pour lui réserver une volée de bois vert. «Dès l'arrêt du combat, pendant qu'Arturo gisait encore au sol, des journalistes – pas des spectateurs, des journalistes! – s'étaient levés à mes côtés pour l'injurier, lui crier des trucs comme: *Tu es fini* ou *Tu voles le monde*. C'était pour le moins bizarre et, pour dire la vérité, leur comportement m'avait passablement déçu.»

Dans ce contexte, la question de sa retraite était évidemment revenue sur les lèvres d'un peu tout le monde, comme une vieille ritournelle usée. Le premier à lui en parler avait évidemment été Larry Merchant, dans son entrevue d'après-combat à HBO. À la toute fin, il lui avait demandé si le temps était maintenant venu de raccrocher et sa réponse avait été plutôt suggestive: «Probablement. Je ne suis pas sûr encore, mais avec ce qui s'est passé ce soir, je vais y penser...» Puis, il s'était rendu à la conférence de presse pour 30 longues... secondes, le temps d'informer les journalistes: «Après une telle performance, je pourrais, oui, ne plus jamais me rebattre.»

À sa sortie du Boardwalk Hall, il avait pu enfin trouver un certain répit et parler d'autre chose. Plus ou moins célibataire, il avait passé une partie de la nuit avec son amie Carrie Kauffman, qu'il avait connue lorsqu'elle travaillait comme barmaid au populaire club Déjà Vu. Fidèle à ce qu'il faisait déjà chez les amateurs, il avait été capable de mettre le résultat du combat de côté et se payer un peu de bon temps. Il avait bu, mangé et rigolé comme s'il était devenu triple champion du monde. Mais même avec Carrie, il n'avait pu éviter LE sujet et, avant de la quitter, il avait tenu à la rassurer. « Cette fois c'est définitif, j'arrête », lui avait-il dit. Elle devait quand même le connaître assez bien parce qu'elle ne l'avait pas cru et elle s'était mise à le taquiner : « Tu veux parier que tu vas changer d'idée ? »

Si jamais Carrie avait raison et qu'il remontait sur le ring, il était toutefois déjà sûr d'une chose : cela allait être sans Buddy. Les deux avaient accepté de mettre de l'eau dans leur vin pour ne pas nuire davantage au combat contre Baldomir mais, depuis ce matin de juillet, ils savaient ne plus vouloir être ensemble au-delà de ce terme.

Leur dernière étreinte, ils l'avaient partagée tard dans la nuit, au bar du Bally's. Buddy s'apprêtait à se rendre à l'aéroport pour attraper le premier vol en direction de la Floride et il lui importait de saluer Arturo une dernière fois. Buddy non plus ne le savait pas encore, mais c'était la dernière fois de sa vie qu'il lui parlait. Les *Buddy, tu as relancé ma carrière* ou *Buddy, je te remercie de ton support*, c'était bien terminé.

En quittant le casino, Buddy attendait une seule autre nouvelle en provenance d'Arturo : son chèque de paie, une affaire de quelque 100 000 $.

Il a cessé de l'attendre le jour de sa mort.

Meurtri et moins professionnel que durant le combat, Arturo n'avait jamais voulu le payer pour les trois mois cauchemardesques de camp d'entraînement à Vero Beach. Pas plus que Patrick Lynch. Sachant qu'il était le grand argentier de la carrière d'Arturo, Buddy lui avait téléphoné pour réclamer son dû, mais Lynch lui avait expliqué ne rien pouvoir faire. « Le boss, c'est Arturo », lui avait-il dit. Quelques amis peu recommandables de Buddy s'étaient alors proposés pour rendre visite au boss et le faire revenir à de meilleurs sentiments, mais Buddy leur avait finalement dit de laisser tomber.

Chapitre dix
Le roman noir d'Arturo et Amanda

Après le combat contre Baldomir, Arturo avait pansé ses plaies en s'octroyant de longues vacances au Brésil et en Argentine. Les circonstances de sa défaite pouvaient porter à croire qu'il en avait profité pour faire le point sur sa carrière et réfléchir à la retraite, mais ce n'avait pas été le cas. Avant même de partir, sa décision était déjà prise: il allait revenir dans le ring en dépit de toutes les oppositions. Au fond, tout ce qu'il avait raconté ce soir-là aux journalistes et à Carrie, ce n'avait été que du bluff pour éviter de paraître trop cinglé en affirmant qu'il voulait continuer. La vérité, comme il l'avait révélé en mai 2007 au *Sun* de Lowell, c'est qu'il n'avait jamais pensé se retirer. «Je remonte dans le ring, avait-il alors dit, pour la simple et bonne raison que je me sens encore très bien…» Évidemment, il était alors à des années-lumière de bien se sentir et la seule raison pour laquelle il voulait remonter au moins une autre fois sur le ring, il l'avait donnée à Rich Hansen: pour s'enrichir un peu plus. À ce moment, son entente avec HBO était en effet valide pour un autre combat et il n'était pas question qu'il y renonce, surtout pas au prix qu'on devait le payer: 1,7 million $! Il avait attendu tellement longtemps pour obtenir ce contrat à long terme, il s'était senti si lésé de ne pas y avoir eu droit avant qu'il n'allait certainement pas permettre au diffuseur américain de garder ce qu'il croyait être son dû.

Sa décision, on s'en doute bien, avait aussi fait le bonheur de son promoteur et de son gérant. Dans le cas de Main Events plus particulièrement, s'il y avait une période où la compagnie avait plus que jamais besoin de lui, c'était bien celle-là. En 2006, elle avait vécu l'une des pires années de sa glorieuse histoire et l'annonce de sa retraite n'aurait fait qu'ajouter à un bilan déjà désastreux. Du côté de Patrick Lynch, ses affaires allaient beaucoup mieux, mais il adorait bien trop le veau d'or pour lever le nez sur un autre cachet mirobolant. Comme Arturo, il ne pouvait toutefois pas le dire et lorsqu'il avait eu à s'exprimer sur ce retour, il avait dû tenter de faire croire qu'il était motivé par de bien plus nobles raisons que l'argent. «Après le combat contre Baldomir, notre première idée avait été la retraite», avait-il confié en février 2007 au journal *Press* d'Atlantic City. «Mais les choses ont changé parce qu'Arturo ne voulait pas quitter sur une aussi mauvaise note, spécialement pour son public d'Atlantic City. Et je peux le comprendre, avec les grandes sensations qu'il leur a procurées au fil des ans...» Tout en ayant sûrement un fond de vérité, les propos de Lynch n'avaient cependant pas réussi à duper les journalistes, comme avait tenu à le rappeler John Rowe dans le *Record* du 16 juillet 2007: «Oubliez toutes ces histoires à propos de combat d'adieu ou du désir de Gatti de quitter par la grande porte. Dans les faits, sa décision n'était motivée que par l'argent, la machine qui mène le monde du sport. Avec encore un combat à l'entente avec HBO, Gatti et ses conseillers ont vu une autre occasion de faire 1 million $ et plus. Mais à quel prix?» Au soir du dernier combat de la carrière d'Arturo, cela allait effectivement être une fichue de bonne question.

Son retour sur les rings, Arturo avait attendu environ trois mois avant de le rendre public. Il l'avait finalement fait au début novembre, par l'entremise du catalogue de son équipementier Everlast où il apparaissait en couverture sous le titre *Je ne me retire pas.* D'une certaine manière, sa déclaration était un petit pied de nez à l'industrie, une façon un peu bon enfant de lui dire, en lui tirant la langue, qu'il allait continuer de l'embarrasser encore un peu après avoir été exploité pendant tant d'années. Dans les pages intérieures, il avait donc expliqué avoir parlé de retraite sous le coup de l'émotion et il avait aussi confié être en mesure, attention les yeux, de remporter un autre titre mondial. «J'aimerais affronter Miguel Cotto, je peux lui faire mal», avait-il même ajouté, comme pour mettre l'industrie encore plus sur les dents. Champion WBO des super-légers, Miguel Cotto était à ce moment invaincu en 27 combats et il en avait abrégé... 22 avant la limite!

Dans cette entrevue publiée sur deux pages, Arturo n'avait toutefois pas tout révélé. Ne se sentant visiblement pas encore prêt à s'exprimer sur le sujet, il n'avait ainsi rien dit de sa rupture avec Buddy et il avait fallu attendre le mois de mars pour apprendre que les deux hommes ne faisaient plus route ensemble. Les préparatifs de son combat de retour allaient alors bon train et, sous peine d'avoir l'air ridicule, il devenait impossible de taire l'information plus longtemps. Un communiqué avait donc été émis, mais bien sûr il n'avait pas fait mention des raisons qui avaient mené à la séparation.

Au départ, les deux hommes avaient refusé de commenter la nouvelle et cela avait évidemment mis la puce à l'oreille des journalistes. Très vite, ils s'étaient mis à se douter que la rupture n'avait rien à voir avec la boxe et ils avaient cherché à en savoir davantage. C'est là qu'Arturo, encore amer plusieurs mois plus tard, avait affirmé avoir été trahi par son coach et l'avoir viré pour cette raison. De son côté, Buddy avait notamment été invité par le *Ring* à donner sa version des faits, mais l'histoire était bien trop délicate pour qu'il accepte de la raconter et il avait préféré se montrer gentil: «Je lui souhaite la meilleure des chances et je suis reconnaissant de l'opportunité qu'il m'a donnée...»

Au milieu de toute cette controverse, Patrick Lynch s'était aussi retrouvé dans une position inconfortable et, pour éviter de révéler le sujet de la dispute, il avait dû faire de bien belles pirouettes. Sa meilleure, il l'avait probablement réservée au *Ring* quand le journaliste Joe Santoliquito avait à son tour tenté de lui tirer les vers du nez: «Vraiment, je ne sais pas ce qui s'est passé entre les deux. Arturo n'a jamais vraiment partagé ça avec moi. C'était un problème personnel, mais je n'en connais pas la source. C'est arrivé après le combat contre Baldomir et nous avons immédiatement commencé à discuter pour trouver un nouvel entraîneur.»

Au départ, deux noms étaient ressortis des discussions entre Lynch et Arturo, ceux de Hector Roca et de Pernell Whitaker. Mais leur candidature n'avait pas été retenue et Arturo s'était ainsi retrouvé à la mi-avril sans entraîneur, avec le temps qui commençait à filer drôlement vite. Son combat de retour avait été fixé au 14 juillet et pour s'offrir un camp d'entraînement d'au moins deux mois, il lui fallait quitter pour la Floride – Pompano Beach au lieu de Vero – à la fin avril. Le 17, Arturo s'était donc retrouvé dans le bureau de son manager à Secaucus pour y voir plus clair et c'est là que Patrick Lynch avait sorti l'as qu'il gardait dans sa manche. Un as du nom de… Micky Ward. Depuis la fin de la trilogie, l'Irlandais s'était tenu passablement occupé, mais la boxe était venue à lui manquer et c'est pourquoi il avait commencé à entraîner quelques boxeurs amateurs et de jeunes pros au West End Gym de Lowell. Lynch avait donc innocemment glissé l'information dans sa conversation avec Arturo, seulement pour voir sa réaction. Elle avait été immédiate et enthousiaste : « Pat, réfléchis deux secondes à ce scénario, qu'il lui avait dit : Micky Ward qui m'entraînerait ! Peux-tu imaginer à quel point je serais motivé de faire ma course avec lui le matin ? Écoute, je sais me battre, j'ai juste besoin qu'on me donne quelques directives ici et là. Ça n'a pas d'importance qu'il ait peu d'expérience. Il faut l'appeler tout de suite… » Quelques instants plus tard, Lynch avait eu Micky au bout du fil et, sans tarder, il avait accepté de devenir l'entraîneur d'Arturo. Sans y penser, les deux ex-rivaux venaient ainsi d'emprunter à la fiction et au film *Rocky III* dans lequel « l'Étalon italien » se faisait entraîner par son ancien adversaire Apollo Creed.

Pour les journalistes, la nouvelle avait évidemment représenté un véritable nanan. Ils étaient nombreux à être réfractaires à ce retour et à écrire un peu à reculons sur le sujet, mais l'association Ward-Gatti leur donnait au moins une belle histoire humaine à raconter avant que l'inhumanité reprenne ses droits le 14 juillet suivant. La nouvelle était aussi providentielle pour Arturo car elle rejetait sa séparation avec Buddy dans l'ombre et plaçait l'attention ailleurs que sur son combat.

Les deux hommes avaient donc quitté le 29 avril pour Pompano Beach et ils avaient dû se croire encore dans une fiction de Stallone en arrivant au club de boxe puisqu'il s'appelait le « Rambo Boxing Gym » ! En tout, ils y étaient restés neuf semaines et cela n'avait pas été de trop parce qu'Arturo s'y était présenté autour de 180 livres, 33 au-dessus de la limite des welters. Selon Micky, Arturo avait cessé de fumer dès le début du camp et renoncé à la bière une semaine ou deux après leur arrivée, «quand l'entraînement était devenu vraiment sérieux». En dehors des heures d'entraînement, les deux amis ne s'étaient pas fréquentés si souvent, comme pour établir une certaine distance dans leur nouvelle relation boxeur-entraîneur. Ils avaient bien joué au golf quelques fois, ils étaient sortis souper pendant quelques jours avec l'acteur Mark Walhberg qui se préparait à incarner Micky dans le film sur sa vie, mais c'était à peu près tout.

En acceptant le job, Micky n'avait jamais été inquiet de la discipline d'Arturo. Bien sûr, il était au courant de la plupart de ses dépendances, mais il savait aussi qu'il avait la réputation de se livrer à fond dès qu'il posait le pied dans une salle de boxe et cela le rassurait. En revanche, il s'interrogeait vraiment sur sa capacité à pouvoir encore boxer sans mettre sa santé davantage en péril. Au même titre que tout le monde, il n'avait pas aimé ce qu'il avait vu lors de ses derniers combats et, en arrivant en Floride, il s'était dit que si Arturo lui faisait la preuve qu'il était complètement fini, il allait se montrer honnête et lui demander d'arrêter immédiatement. Il n'avait pas eu besoin de le faire. Pendant les deux mois passés à Pompano, Micky disait qu'Arturo avait réussi à chasser tous ses doutes. Il avait trouvé ses réflexes encore bien aiguisés, ses jambes très fortes, son équilibre correct, bref il n'avait vu aucun signe lui permettant de croire qu'il commettait une erreur en remontant dans le ring. «Avec ce qu'Arturo m'avait montré, je n'étais pas sûr qu'il pouvait encore se frotter aux meilleurs au monde, mais je le croyais parfaitement capable de battre un gars comme Alfonso Gomez…»

Le Alfonso Gomez en question choisi pour affronter Arturo n'était effectivement pas considéré comme un grand boxeur. À certains égards, il rappelait même un peu Carlos Baldomir. C'était un garçon solide, acharné, mais qui n'était pas très doué techniquement et qui frappait lui aussi avec bien peu de puissance. La preuve, en 21 combats (16 victoires pour 3 défaites et 2 nuls), il n'avait inscrit que 7 K.-O. Porté vers la bagarre, il était cependant bien plus excitant que le «Cinderella Man» argentin et surtout beaucoup plus charismatique (en 2005, il avait été élu «boxeur le plus aimé» de la télé-réalité de

NBC, *The Contender*). Sa sélection n'avait toutefois pas été simple et avait causé bien des soucis à Main Events. Les retours d'Arturo, l'argent qu'il faisait entrer dans les poches de tout le monde, c'était bien beau, mais de combat en combat, c'était le même problème qui se posait, celui de réussir à dénicher un adversaire à la fois valable et pas trop dangereux. Cette fois, Main Events avait donc mis trois mois pour compléter sa recherche et elle avait dû écarter 15 autres boxeurs avant de retenir le Mexicain.

À partir du moment où Gomez avait été choisi, on s'était beaucoup demandé si Arturo s'apprêtait vraiment à livrer son combat d'adieu. Ne sachant trop à quoi s'attendre de son boxeur, Kathy Duva avait dit que ce n'était pas le cas et qu'on en parlait de cette façon uniquement parce qu'il s'agissait de la fin de l'entente avec HBO. Chose certaine, le soir du combat, 3 000 amateurs de boxe avaient fait entendre un son de cloche différent: pour eux, le combat d'adieu d'Arturo n'était pas à venir, il avait déjà eu lieu un an plus tôt contre Baldomir. Pour sa neuvième présence consécutive à Atlantic City, Arturo avait en effet vu le chiffre de l'assistance chuter de 12 765 à 9 648 et on pouvait croire que les quelque 3 000 personnes à être restées à la maison avaient voulu lui faire comprendre qu'il aurait eu intérêt à en faire de même. Quant aux autres, ceux qui se *shootaient* à la drogue Gatti depuis si longtemps, ils avaient été incapables de renoncer à une dernière dose et à tout le rituel qui entourait leur consommation. Au soir du combat contre Gomez, ils avaient donc une nouvelle fois convergé vers Atlantic City et tout fait comme d'habitude. De la sortie du vestiaire de leur héros jusqu'à la conclusion de l'affrontement, ils n'avaient pas cessé de se conduire comme les ultras des stades de soccer en le supportant avec un amour aveugle. Ils avaient brandi des affiches à sa gloire, ils l'avaient acclamé bien plus que ses récentes performances le justifiaient, ils avaient applaudi à ses bons coups et, bien sûr, entonné régulièrement les traditionnels «Gatti…Gatti…Gatti». Et puis comme ils avaient commencé à le faire au combat contre Mayweather, ils avaient aussi beaucoup pleuré parce que si eux étaient restés les mêmes, ce n'était malheureusement pas le cas de leur héros.

Déjà métamorphosé contre Baldomir, Arturo avait pris un vrai coup de vieux au cours de la dernière année et cela avait été apparent dès sa sortie du vestiaire. Drapé dans un peignoir blanc orné de parements d'orfroi, les cheveux bien trop longs pour la circonstance, il s'était présenté totalement éteint, sans aucune inspiration, marchant vers le ring non plus comme le boxeur énergique qu'il était autrefois, mais comme le triste mercenaire qu'il était devenu. Pourtant, Micky soutenait qu'il ne ressemblait pas à ça à Pompano Beach, pas plus qu'au vestiaire juste avant de faire son entrée sous les projecteurs. Il était complètement d'accord pour dire qu'Arturo avait pris un coup de vieux, mais pour lui, cela ne s'était pas produit en l'espace de douze mois, mais plutôt de cinq minutes, entre le vestiaire et le ring! «Dans la chambre, Arturo était allumé, il paraissait motivé, mais il est devenu vieux d'un seul coup, pendant sa marche vers le ring. En boxe, ce phénomène-là arrive comme ça, sans avertissement, un boxeur perd tout ce qu'il avait en un claquement de doigts.»

Une fois sur le ring, Arturo n'avait pas été différent, il avait eu l'air d'un dinosaure de 35 ans usé à la corde, sans envie, presque indifférent aux coups qu'il prenait. En le regardant encaisser encore tous les directs du droit de Gomez sans se donner la peine d'écouter Micky et de mieux se protéger, on en venait d'ailleurs vraiment à se demander si, tellement désabusé d'avoir été autant frappé dans sa vie, il ne souhaitait pas en crever une fois pour toutes. C'était comme s'il s'était dit que ce combat-là était sa dernière occasion de jeter sa malédiction sur la boxe et qu'il voulait tout faire pour ne pas la rater.

Cette fois, le massacre avait duré sept rounds et, dans un sens, on pouvait regretter que Main Events n'ait pas choisi un plus dur puncheur parce que cela aurait eu l'avantage de mettre fin plus tôt, sinon aux souffrances d'Arturo, du moins à celles de tous ceux qui l'aimaient. Dès le début du combat, le résultat n'avait évidemment pas fait de doute, mais il s'était surtout dessiné après le 3e round. À compter de ce moment, la bataille était véritablement devenue à sens unique et aurait pratiquement pu être arrêtée à n'importe quel instant. Tous ceux qui n'avaient pas encore réalisé – ou accepté – l'implacable déclin d'Arturo n'avaient alors pas eu d'autre choix que d'admettre l'évidence. Cela avait été un peu le cas du commissaire du New Jersey Larry Hazzard qui, à partir du 4e round, s'était mis à le surveiller très étroitement en se demandant jusqu'où il valait la peine de le laisser continuer. En fait, pendant les quatre derniers rounds, tout le monde à l'intérieur du Boardwalk Hall s'était posé la même question, mais personne n'avait réagi, pour différentes raisons.

Pour l'arbitre Randy Neumann, d'ordinaire compétent et même blâmé pour ses arrêts prématurés, c'était parce qu'il avait été incapable de se résoudre à stopper un garçon ayant réalisé tellement de retours miraculeux dans sa carrière.

Pour Micky, c'était parce qu'il ne s'était pas suffisamment distancé de sa carrière active et que ce soir-là, dans le coin, il ne réfléchissait pas comme Micky Ward l'entraîneur, mais comme Micky Ward le boxeur. «Si ça avait été moi qui me serais battu, je n'aurais pas voulu qu'on m'arrête, donc je le laissais poursuivre», avait-il raconté au *Ring* après le combat. «À chaque fois que j'étais sur le point de lancer la serviette, il donnait un coup et je me disais qu'il lui restait encore la chance du cogneur.»

Pour Chuck Zito, c'était tout simplement parce qu'il n'en avait pas le pouvoir. De sa position, il hurlait à Micky de mettre un terme à l'affrontement, mais c'était tout ce qu'il pouvait faire.

Pour Patrick Lynch, ce devait être autre chose parce qu'il avait été lui aussi un spectateur trop passif au goût de certains journalistes, comme David Weinberg qui l'avait relevé deux fois dans le *Press of Atlantic City*: «L'aspect le plus frustrant du combat est qu'il ait duré si longtemps. Au milieu du 7e round, dans lequel Gomez a atteint la cible avec 44 de ses 60 coups de puissance, Gatti était virtuellement sans défense. Il lançait à l'occasion une faible droite, mais il était aussitôt enseveli sous l'avalanche de coups de Gomez. Pourtant, personne dans son coin – Ward, son manager Pat Lynch ou n'importe qui d'autre – n'a fait quoi que ce soit pour arrêter le combat.»

Pour Alfonso Gomez, c'était parce qu'il n'avait pas le choix, c'est lui qu'on avait retenu pour se bagarrer avec Arturo et soulever la foule du Boardwalk Hall. Il aurait pourtant souhaité lui aussi que quelqu'un vienne l'empêcher de frapper autant sur son idole à qui il avait réclamé un autographe durant la promotion. «Il prenait vraiment beaucoup de coups, avait-il commenté au micro de HBO. C'était comme si l'arbitre l'aimait trop et ne voulait pas mettre fin au combat. Je regardais aussi du coin de l'œil dans son coin pour voir si Micky allait intervenir, monter dans le ring. C'est son ami, il l'aime et je suis sûr qu'il ne voulait pas le voir se faire blesser. Mais comme il ne l'arrêtait pas, il fallait que je continue à frapper…»

Avec le résultat que les derniers moments de la carrière du grand Arturo «Thunder» Gatti, du reste comme ceux de centaines d'autres boxeurs, avaient été bien cruels. Avec un peu moins d'une minute à faire dans le 7e round, Alfonso Gomez avait lancé un foudroyant direct du droit qui avait atteint Arturo en pleine face. À l'impact, sa lèvre supérieure avait éclaté, ses yeux s'étaient révulsés et il s'était effondré comme ces bâtiments qu'on dynamite, un peu par étapes. Alors qu'il gisait face contre terre dans un lac de sang, Randy Neumann avait commencé à le compter et c'est à ce moment que Larry Hazzard en avait eu assez. Apeuré par la perspective de voir Neumann renvoyer Arturo dans l'action, il était grimpé sur le ring pour lui ordonner, enfin, de mettre un frein au cirque. Arturo avait eu son million et quelque, Main Events et Lynch avaient empoché, le Boardwalk Hall était presque plein, tous les hôtels et restaurants d'Atlantic City affichaient complet, la commission de boxe du New Jersey avait renfloué les coffres de l'État en prélevant ses taxes sur les billets, de sorte que la machine à billets verts pouvait être retournée à la maison.

Saluée par la plupart, la décision de Hazzard n'avait pourtant pas plu à tout le monde. Le *Ring*, notamment, avait comparé son entrée dans l'arène à celle d'un super-héros en mal de publicité et lui avait surtout reproché d'avoir privé Arturo d'une fin plus digne, en l'occurrence de finir debout sur ses jambes en subissant le compte d'un arbitre. Hazzard avait exprimé son désaccord. «Contrairement à ce que pensent certaines personnes, je ne suis pas là à attendre les occasions de stopper un combat, avait-il expliqué au *Press*. Je donne toujours la chance à l'arbitre d'avoir le plein contrôle du combat. Cependant, si j'ai l'impression que sa décision tarde trop, je dois intervenir parce qu'ultimement, la responsabilité commence avec moi. Au moment où j'ai arrêté le combat, tout le monde savait que c'était la fin de l'ère Gatti. Dans un sens, c'est bien que ça se termine ainsi parce que ça met vraiment un point final. Si Arturo avait gagné ou perdu un combat serré, il aurait pu être retenté de boxer et son prochain adversaire aurait vraiment pu le blesser gravement.»

Effectivement, Arturo n'avait cette fois pas eu le choix d'annoncer ce que tous attendaient depuis longtemps. Détruit comme il l'avait été dans trois de ses quatre derniers combats, il ne pouvait évidemment plus berner personne et avec son contrat télé échu, il n'avait de toute façon plus besoin de le faire. Juste avant que Chuck Zito le conduise une dernière fois au Atlantic City Medical Center pour faire refermer son hideuse estafilade à la lèvre, il avait donc choisi l'intimité de son vestiaire et la caméra du réseau HBO pour confirmer l'inévitable. «Je ne pense pas que je puisse subir ce genre de raclée plus longtemps. Ça veut donc dire une chose: *Hasta la vista, baby!* Je m'en vais à la retraite.»

À ces mots, Patrick Lynch avait passé une main attendrissante dans ses cheveux de jais et tous ses familiers présents au vestiaire lui avaient servi une touchante ovation. À ses côtés, il y avait une jeune nymphe de 21 ans que la plupart des gens voyaient pour la première fois, mais qu'ils avaient été incapables de ne pas remarquer au cours du combat. Assise aux côtés d'Ida Gatti, elle avait vociféré sans arrêt à pleins poumons, réclamant avec des mots de charretier que quelqu'un se lève pour stopper le combat et éviter qu'Arturo soit tué dans le ring.

À un moment donné, Chuck Zito en avait eu plein les oreilles et, entre deux rounds, il avait demandé à Patrick Lynch: «C'est qui cette folle?»

Lynch avait levé les yeux au ciel, esquissé une moue de dépit et dit: «C'est la nouvelle *blonde* d'Arturo.»

***

Leur histoire avait commencé l'année précédente, un peu à la même période. Pas dans un parc à chiens, non. Ça, c'était le mensonge raconté aux gens pour protéger leur réputation : « Nous nous sommes rencontrés en promenant nos chiens. » Elle, c'était un petit toutou de maison. Lui, un gros berger allemand de garde. C'eût été effectivement bien sympathique si les choses s'étaient passées ainsi, mais ce n'avait pas été le cas. En vérité, on pouvait les comprendre d'être un peu gênés parce qu'ils avaient fait connaissance dans l'un des deuxièmes domiciles d'Arturo, le Squeeze Lounge de Weehawken. C'était arrivé au retour des vacances qu'Arturo s'était offertes en Argentine et au Brésil. Il y avait bien eu un chien d'impliqué, mais pas de la façon dont ils en avaient parlé. Un après-midi, Arturo prenait une marche avec Hex lorsque l'envie lui était venue de faire un petit détour par le *Gentlemen's club* de la Willow Avenue. Pendant un instant, il s'était demandé quoi faire de son compagnon, puis il s'était dit qu'il avait bien le droit, lui aussi, de voir des gonzesses en petite tenue. Il s'était donc présenté à la porte et comme il était un peu chez lui, on l'avait laissé entrer. « En temps normal, les chiens sont interdits dans le club, mais j'avais fait une exception parce qu'Arturo était une célébrité », avait expliqué le gérant Michael Prosperi dans le numéro de mars 2010 du magazine *Maxim*. Leur entrée n'était naturellement pas passée inaperçue, mais c'est Hex qui avait retenu l'attention le premier. En le voyant, la fille qui dansait sur scène avait dit *« Regardez le chien, comme il est énorme ! »*, et c'est ainsi qu'elle avait établi son premier contact avec son maître.

Elle s'appelait Amanda Carina Barbosa Rodrigues, mais Arturo l'avait d'abord connue sous le nom de Jessica, le pseudonyme qu'elle utilisait lorsqu'elle montait sur scène. Elle travaillait au Squeeze depuis déjà quelques mois, mais Arturo ne l'avait encore jamais vue parce qu'avant son voyage, il avait passé 12 semaines à Vero Beach pour se préparer à affronter Carlos Baldomir. À première vue, elle avait vraiment beaucoup pour lui plaire. De l'avis d'un peu tout le monde – mais pas de Chuck Zito – elle était bien jolie et possédait un corps de rêve, tout en gracilité. En plus, elle était Brésilienne comme Vivian, ce qui ne gâtait rien. Dans son cas, elle avait quitté le pays et son village de Minas Gerais en 2000 en compagnie de sa mère Rosie Barbosa. Elle n'avait alors que 14 ans et, depuis ce temps, elle était toujours considérée comme une immigrante illégale aux États-Unis.

À son arrivée dans le New Jersey, elle s'était installée avec sa mère à Elizabeth, pas très loin de Jersey City. Selon ce que Rosie avait affirmé à *Maxim*, Amanda avait fréquenté le Hillside High School et le Union County College, où elle avait étudié les affaires. Elle avait ensuite intégré le marché de l'emploi et travaillé pour un concessionnaire Toyota, un magasin Nextel et une boutique de vêtements Bebe. Le Squeeze? Rosie disait aussi que sa fille n'y avait jamais mis les pieds et, dans son cas, c'était peut-être moins un mensonge qu'une ignorance.

Avec ce qu'elle avait montré au Squeeze, on pouvait pourtant presque croire qu'elle avait déjà de l'expérience. D'après Michael Prosperi, elle était en effet une très bonne strip-teaseuse «qui savait danser aux tables, au poteau et qui n'avait certainement pas l'air d'une débutante». Surtout, elle faisait chaque fois la preuve qu'elle n'avait pas étudié les affaires pour rien. «Je ne la qualifierais pas de prostituée», avait dit Prosperi qui ne pouvait évidemment pas associer son club à de la prostitution. «Mais ces filles sont là pour faire de l'argent et, à ce chapitre, elle était une des meilleures. Elle pouvait parler à un client au bar, le garder assis et lui faire dépenser 100 $ ou 200 $. Puis, elle pouvait lui dire: *Bon, il faut que j'aille faire de l'argent maintenant*, et le gars lui en donnait encore plus pour qu'elle reste avec lui.»

Avec Arturo, elle avait été beaucoup moins indépendante. On disait qu'il lui avait fallu deux semaines pour savoir qui il était et qu'après cela, elle s'était collée à lui comme une ventouse. Quand il se présentait, elle agissait comme s'il était le seul client dans la place et défendait aux autres filles de l'approcher. «Elle disait: *c'est mon chum* et lui demandait de me donner un pourboire», avait raconté à *Maxim* une ancienne collègue nommée aussi… Jessica! «Alors, il me donnait un billet de 100 dollars.» Cela avait eu l'air de bien faire l'affaire d'Arturo qu'elle le prenne pour son *chum* parce qu'en l'espace de quelques jours, ils s'étaient mis tous les deux à dire qu'ils formaient désormais un couple. Non, Arturo ne passait pas plus de temps à étudier ses petites amies que ses adversaires... Selon son frère Joe, la première intention d'Arturo était pourtant juste de coucher avec Amanda quelques fois et de continuer ensuite à butiner avec les autres filles. «Mais Mike Sciarra *(grand ami d'Arturo et propriétaire des lieux)* lui avait dit que c'était une très bonne fille et qu'elle lui ferait une bien bonne *blonde.*»

Le conseil de Sciarra avait sûrement éclairé Arturo, mais il lui avait valu de perdre son employée. Quelque temps après le début de la relation, Amanda avait en effet rangé son string et quitté le Squeeze pour entreprendre sa vraie vie de couple avec Arturo. Le seul problème, c'est qu'elle avait été la seule à le faire et qu'Arturo avait continué d'y aller, ce qui, comme l'avait raconté l'autre Jessica, avait causé quelques frictions. «Amanda était venue ici un jour et m'avait demandé si des filles avaient continué de danser pour Arturo. Je lui avais dit: *Oui, moi je l'ai fait.* Je sais que ce n'était pas bien parce que nous étions des amies, mais c'était mon travail. Elle s'était emportée contre lui, ils avaient eu une grosse dispute, et ce n'est qu'après cela qu'il a cessé de venir.» Ce jour-là, Jessica avait eu droit à un condensé de ce que serait la relation de quelque deux ans et demi entre Arturo Gatti et Amanda Rodrigues. Une relation tumultueuse, orageuse, terriblement malsaine.

Sans être idylliques, les premiers temps n'avaient toutefois pas été si chaotiques. La première année et demie de leur union, Amanda et Arturo l'avaient passée au New Jersey et cette période avait été nettement moins trouble que celle qui avait suivi à Montréal. Peu de gens avaient pu les côtoyer pendant ce temps parce que les deux s'étaient coupés du monde, mais ceux qui avaient pu le faire ne les avaient pas vus s'entre-tuer. Le bon docteur Rotella, par exemple, les avait reçus à souper deux ou trois fois et il avait eu l'impression d'un couple aimant, presque sans histoire. Pour sa part, Micky avait pu les observer pendant plus longtemps encore. Entre le camp d'entraînement et le combat contre Gomez, il avait passé une dizaine de jours dans la résidence qu'ils venaient d'acquérir à Morganville et, s'il avait été témoin de fréquentes disputes, il n'avait rien vu pour se scandaliser. Quant au photographe Tom Casino, du réseau Showtime, bon ami d'Arturo et probablement celui à l'avoir le plus côtoyé à Morganville, il avait lui aussi parlé d'un couple uni. Selon ce qu'il avait confié à Mario Costa, Amanda Rodrigues aimait Arturo et avait vraiment cherché à l'arracher à ses dépendances. C'était sûrement le cas parce qu'elle avait jeté à la toilette ses stéroïdes et lui avait aussi imposé une cure chez les Alcooliques Anonymes, en Floride. Il ne l'avait pas terminée, mais il continuait néanmoins de participer à des assemblées autour de Morganville.

Au travers de ce qu'elle accomplissait de bien pour Arturo, Amanda faisait cependant des choses qui révélaient des aspects beaucoup plus noirs de sa personnalité. Interdire à Arturo de voir sa fille Sofia Bella en était une, mais il y en avait d'autres, comme le coup qu'elle avait réservé à Carrie Kauffman. Un jour, elle lui avait envoyé un courriel en laissant croire qu'il avait été écrit par Arturo et qui disait que, malheureusement, leur amitié était terminée, qu'il allait devoir couper les ponts, ne plus jamais lui reparler. Il ne donnait pas la raison, mais le message était clair: il faisait désormais le ménage dans sa vie et éliminait tout ce qui avait trait à son passé. Lorsqu'elle avait reçu le courriel, Carrie l'avait évidemment fort mal encaissé. Elle avait fondu en larmes et, un peu enragée, elle s'était dit qu'avant de couper définitivement les ponts avec Arturo, elle allait au moins lui dire sa façon de penser. Il était peut-être en amour et c'était correct, mais cela ne lui donnait pas le droit de mettre ainsi fin, par courriel, à de longues amitiés. L'instant d'après, elle lui avait téléphoné, toujours en pleurs: «Comment peux-tu me faire ça Arturo?» Mais il n'avait rien fait du tout et elle s'en était tout de suite aperçue à son étonnement et à sa confusion: «Carrie, excuse-moi mais je n'ai aucune idée de quoi tu parles.» En écoutant l'histoire de son amie, Arturo n'avait pas trop pris de temps à se rendre compte que c'était Amanda qui avait écrit et envoyé le courriel. «Cette femme, disait Carrie, avait pris le contrôle total de sa vie et l'avait éloigné de tous ceux qu'il aimait et qui l'aimaient.»

L'opinion de Carrie Kauffman, ils étaient des dizaines à la partager. À peu près tous ceux qui avaient rencontré Amanda en compagnie d'Arturo – surtout des gens de Montréal – la décrivaient comme étant extrêmement jalouse, possessive, ultra-contrôlante, ce qui, dans ce dernier cas, n'avait pas surpris Joe. « Toutes les *blondes* de mon frère ont été contrôlantes et ça s'explique facilement, elles prenaient le contrôle de l'argent. » Pour tous ces gens, Amanda était celle qui avait lentement mais sûrement confiné Arturo à l'isolement dans les dernières années de sa vie. En partie, ce n'était pas faux, mais un peu comme cela s'était produit quand Arturo avait rencontré Vivian – qui avait agi dans le même sens –, cette possessivité avait eu du bon. Arturo avait tellement de ratés dans son entourage, tellement de sangsues comme le disait John Rivera que l'attitude d'Amanda avait au moins contribué à les faire disparaître avec l'eau du bain. Quand elle affirmait qu'Arturo avait difficilement vécu la retraite parce que ses supposés amis ne l'appelaient plus, elle avait plutôt raison, mais il fallait savoir que c'était également un peu beaucoup de sa faute. Cela dit, il convenait aussi d'ajouter qu'elle n'était pas la seule responsable et que dans certaines situations, c'est Arturo lui-même qui provoquait l'isolement. Du fait qu'il était exactement pareil à elle, c'est-à-dire maladivement jaloux et possessif, il cherchait lui aussi à la tenir loin des regards, y compris ceux de ses propres amis. Jaloux et possessif à quel point ? Au point d'utiliser l'interphone dans un Wal-Mart pour réclamer qu'elle revienne après s'être éloignée pendant qu'il discutait avec des amis !

Ces traits de caractère qu'ils avaient en commun et qu'ils affichaient même dans la meilleure période de leur relation n'avaient toutefois pas été suffisants pour leur faire croire qu'ils n'étaient pas faits pour vivre ensemble. À ce moment, leur amour devait être plus fort que tout parce que, moins d'un an après s'être rencontrés, ils avaient commencé à parler de mariage. C'était bien trop tôt au goût de tout le monde, mais c'était comme si Arturo n'avait pas voulu revivre les scénarios passés où, après s'être fiancé avec Vivian et Erika, il s'était malgré tout retrouvé le bec à l'eau… et seul.

En raison du combat contre Gomez, le mariage avait malgré tout attendu un peu. Tout le début 2007 avait été consacré aux questions de boxe et ce n'était donc qu'après le 14 juillet et son divorce d'avec les rings qu'Arturo l'avait remis à l'agenda. Mais à partir de ce moment, ceux qui croyaient que tout était trop rapide entre Arturo et Amanda n'avaient pas dû changer d'avis. Tout s'était enchaîné à la vitesse grand V.

Le 22 août, les futurs mariés s'étaient d'abord présentés au bureau de l'avocat John Lynch, à Union City, pour rédiger un contrat prénuptial. C'était une visite appréhendée par beaucoup de proches d'Arturo car ceux qui avaient été témoins de la cupidité d'Amanda au Squeeze craignaient qu'elle le saigne. Mais les termes du contrat passé en ce *22e jour d'août 2007 entre* ***L'ÉPOUX*** *Arturo Gatti, résidant au 354 Salinger Court, Morganville; et* ***L'ÉPOUSE*** *Amanda Rodrigues, résidant au 1311 Virginia Street, Elizabeth,* avaient sûrement suffi à les rassurer: Amanda avait renoncé à tous ses avoirs et, en cas de divorce, repartait avec des broutilles. Ce jour-là, Amanda avait d'ailleurs dû se douter de ce qu'on pensait d'elle parce qu'en plus de montrer son désintéressement par écrit, elle avait aussi tenu à le faire verbalement. D'après ce que Lynch avait raconté à *Maxim*, elle avait en effet donné un grand spectacle devant quelques secrétaires, disant: *Je ne veux rien de ce qu'il a, je veux juste signer. Montrez-moi où signer.*

Le lendemain, Arturo et Amanda s'étaient ensuite envolés vers Las Vegas, où ils avaient décidé de s'unir en privé, un peu comme ils vivaient maintenant. C'était ironique parce qu'Arturo avait déjà révélé dans une entrevue que le meilleur tour qu'il avait joué dans sa vie, c'était quand il avait appelé Patrick Lynch pour lui faire croire qu'il venait de se marier à Las Vegas, sans l'avoir invité. Cette fois ce n'avait pas été un tour, c'était vraiment ce qu'il avait fait.

Arturo et Amanda avaient finalement dit «oui» le dimanche 26 août et dans leur cas, cela avait été essentiellement pour le pire. Leur lune de miel de Las Vegas avait d'ailleurs un peu donné le ton à ce que serait la suite de leur relation parce qu'aussitôt unis pour la vie, ils avaient évoqué leur séparation en ramenant sur le tapis le dossier du contrat prénuptial, signé trois jours plus tôt! Vraisemblablement, les termes ne faisaient plus l'affaire d'Amanda et elle avait dû s'en plaindre à Arturo parce que, le même jour, il avait téléphoné à John Lynch pour intercéder en sa faveur. «John, qu'il lui avait dit selon *Maxim*, je ne sais pas qui a préparé ce contrat, mais celui qui l'a fait lui a même enlevé les chaussures qu'elle avait dans les pieds.»

Le mariage entre l'ex-boxeur et l'ex-strip-teaseuse avait vraiment marqué un tournant dans leur relation. Honnêtement, on aurait dit que c'était le moment qu'attendait Amanda pour redevenir elle-même, pour laisser libre cours à tous les défauts qu'elle avait jusque-là réussi à garder enfouis quelque part. En devenant Amanda Gatti, c'était vraiment comme si elle n'avait pas seulement changé de nom, mais aussi de personnalité. Elle était devenue plus colérique, capricieuse, irresponsable, méchante, grossière et, surtout, encore plus cupide. Avant de faire une fixation sur le testament d'Arturo, elle avait d'ailleurs continué d'être obsédée par la question du contrat prénuptial et, six mois après le retour de Las Vegas, elle avait cru avoir réussi à le faire disparaître. Seule la ruse de John Lynch l'en avait empêché. Un jour, l'avocat avait reçu un appel de sa secrétaire pendant qu'il se trouvait en cour. Arturo et Amanda venaient d'arriver à son bureau et voulaient une copie du contrat. Devinant sans trop de peine ce qui se cachait derrière leur demande, Lynch avait eu la présence d'esprit de dire à sa secrétaire de ne pas remettre l'original. Probablement pour mettre fin au harcèlement des six derniers mois, Arturo avait déchiré la copie du contrat devant Amanda qui, à compter de cet instant, avait pensé avoir gagné une première manche. «C'est à ce moment que toute l'affaire a vraiment commencé», avait confié Lynch à *Maxim*. Pour Amanda, c'était en effet un préalable car si elle voulait aussi faire modifier le testament d'Arturo, il lui fallait d'abord s'assurer qu'il n'y avait plus de contrat prénuptial.

Ce premier testament, Arturo l'avait signé quatre mois avant le mariage, le 26 avril 2007, tout juste avant de quitter pour son camp d'entraînement en Floride. Pour l'essentiel, il faisait de sa mère Ida sa principale héritière. Si elle lui survivait, elle recevait la somme de 500 000 $ ainsi que la grande majorité de ses biens. Dans le cas contraire, ses actifs étaient remis à sa sœur Anna Maria. Le nom de l'un de ses frères y figurait aussi mais ce n'était pas celui de Joe. Selon le document, c'est plutôt son jeune frère Fabrizio qu'il récompensait en lui léguant tous ses véhicules et ses bijoux. Enfin, sa petite fille Sofia, qu'il n'avait pas revue depuis qu'il était avec Amanda, n'avait pas pour autant été oubliée et comptait aussi parmi ses héritiers. Le hic avec ce testament, c'est toutefois qu'au moment où on allait en avoir besoin à la mort d'Arturo, plus personne ne retrouverait l'original ! Tout ce qu'il resterait alors pour attester de son existence, c'est une copie… malheureusement non signée.

Quelques semaines après leur visite au bureau de Lynch, au printemps 2008, les nouveaux mariés avaient mis les questions légales entre parenthèses pour s'offrir enfin leur voyage de noces. Dans le cadre paradisiaque de l'île d'Hawaï, c'était un intermède qui promettait d'être idyllique mais, s'il l'avait été, ce ne fut pas pour très longtemps. Sur place, les deux bombes à retardement avaient eu une énième dispute qui avait tellement dégénéré qu'Amanda avait dû appeler la police pour y mettre fin ! Les amis d'Arturo disaient qu'elle agissait ainsi souvent sans raison, qu'elle cherchait à monter un dossier contre lui et si ça avait été le cas cette fois-là, elle avait dû le regretter. En arrivant, les policiers avaient contrôlé son identité… pour découvrir qu'elle se trouvait illégalement sur leur territoire ! Sans trop de cérémonies, ils l'avaient alors invitée à quitter le pays et c'est ainsi que son aventure américaine s'était terminée. De là, elle et son citoyen canadien de mari n'avaient plus eu le choix et avaient dû venir s'installer à Montréal. Pour expliquer son retour en ville aux journalistes, Arturo avait alors concocté un autre petit mensonge et dit qu'il avait toujours envisagé de revenir vivre parmi les siens à la fin de sa carrière. Cela n'avait pas dû le forcer, on dirait que mentir pour expliquer des retours, il n'avait fait que ça ces dernières années.

***

La préférence d'Arturo aurait évidemment été de poursuivre sa vie au New Jersey, mais en revenant à Montréal, il pouvait malgré tout espérer faire contre mauvaise fortune bon cœur. Lorsqu'il avait quitté pour le New Jersey, en 1991, il avait laissé derrière lui tellement de grandes amitiés que la seule perspective de pouvoir en jouir aussi pleinement qu'avant avait de quoi atténuer sa déception. Maintenant à la retraite, il pouvait anticiper de rattraper le temps perdu avec Christian, Tony, Angelo, Amadeo, Sergio, Phi-Lan, bref tous ses copains de la première heure qu'il avait été forcé de négliger à cause de son exil. D'autre part, il n'avait pas toujours eu des relations très cordiales avec les membres de sa famille de Montréal, mais quand il pensait aux avantages de revenir, il pouvait se dire que ce nouveau départ allait aussi lui permettre de se rapprocher d'eux.

Avec son épouse fraîchement expulsée des États-Unis, Arturo était donc débarqué à son luxueux condo de la rue Jarry en mai et, malheureusement, son bel optimisme avait fait long feu. Dès les premiers temps, Amanda s'était montrée si détestable qu'elle avait réussi à s'aliéner la grande majorité de ses parents et amis, de sorte qu'il avait pu avoir l'impression d'être encore dans le New Jersey, privé d'eux! Vraiment, on aurait dit qu'elle le faisait exprès, qu'elle se montrait aussi haïssable pour éloigner le plus de monde possible de son mari. Et cela marchait si bien que, cette fois, elle n'avait même pas eu besoin de se donner le trouble d'envoyer des courriels pour couper des ponts. Juste le fait qu'elle soit avec Arturo avait suffi à ce que ses amis veuillent moins le voir! Bien sûr, sa façon de se conduire avait encore eu des effets positifs parce qu'il existait réellement des gens dans l'entourage d'Arturo qui méritaient d'en être tenus loin. À ce chapitre, Montréal n'avait rien de différent du New Jersey, et quand Amanda disait à Arturo qu'il y avait bien trop de *losers* autour de lui, elle n'était pas toujours dans le champ. Mais elle se montrait parfois si méchante à son endroit qu'il était bien difficile de croire qu'elle voulait vraiment son bien. En tout cas, à Montréal, elle lui avait fait autant de tort que tous les autres, sauf qu'elle l'avait fait différemment: avec sa bouche.

Comme le laissait deviner l'épisode d'Hawaï, leur vie avait véritablement viré au roman noir à Montréal et les amis d'Arturo avaient eu tôt fait de le réaliser. Ils lui disaient de laisser tomber cette fille parce qu'elle était encore pire que celle qu'il appelait «la fille de Satan» et, plus le temps passait, plus Arturo était conscient qu'ils avaient probablement raison. Mais voilà, les circonstances faisaient qu'il ne pouvait désormais à peu près plus reculer, et pas seulement parce qu'il l'avait mariée. Depuis janvier, une autre raison s'était en effet ajoutée, peut-être plus importante encore : Amanda était enceinte. Or, comme il était déjà séparé de Sofia Bella et de sa mère, il n'était pas question qu'il se paye un autre désastre familial en quittant aussi la mère de son deuxième enfant. À ses yeux, il était donc condamné à endurer sa situation impossible.

À Montréal, le premier à avoir été témoin du roman noir, du moins à en avoir été témoin à son paroxysme, avait probablement été Tony Rizzo, le partenaire d'affaires d'Arturo. Et à la fréquence où le couple se disputait, il n'avait pas eu à se montrer très patient, il y avait eu droit quelques jours à peine après leur arrivée à Montréal. Un matin du mois de mai, Arturo l'avait invité à son condo pour l'un de ces petits moments d'amitié qu'il se promettait de revivre en revenant à Montréal. Il avait vraiment été petit le moment, à peine le temps de se dire bonjour. Quand Tony était entré dans le condo ce matin-là, il s'était retrouvé au cœur d'une scène surréaliste qu'il n'a probablement toujours pas oubliée aujourd'hui et qui l'a tant marqué qu'il l'avait racontée à *Maxim*. À demi nue comme pour provoquer encore plus Arturo qui était déjà réticent à la livrer aux regards habillée, Amanda se tenait devant la porte et hurlait dans la pièce : « J'ai vu ton combat, tu étais pitoyable *(elle parlait de celui contre Gomez)*. La seule raison pour laquelle tu faisais de l'argent dans le ring, c'est parce que tu saignais ! Ta mère est une putain. Ton frère est un *loser (elle parlait de Fabrizio, trois étages plus bas)*. Allez, va *fourrer* tes sœurs ! » Debout sur le seuil de la porte, remarquant le ventre rebondi d'Amanda qui portait la vie, Tony était paralysé. Manifestement, il manquait d'habitude pour assister stoïquement à de telles scènes, ce qui n'était déjà plus le cas d'Arturo qui, à quelques pieds de lui, était étonnamment calme. « Tony, qu'il lui avait dit dans ce moment d'*amitié*, peux-tu croire ce qui sort de la bouche de cette fille ? » Non, Tony ne pouvait pas le croire et le pire était que ce n'était pas encore fini. Deux secondes plus tard, « la fille qu'Arturo avait rencontrée en promenant son chien » avait ramassé tous les verres de cristal qui décoraient la pièce – « le cristal le plus cher », avait dit Tony – et s'était mise à les fracasser un par un sur le plancher en criant, et c'est peut-être ce qui avait le plus bouleversé Tony : « Tu es ma vache ! Tiens, nettoie, ma vache ! » Ébranlé comme Arturo ne l'avait jamais été dans sa carrière, Tony n'était pas resté plus longtemps. Il s'était immédiatement dirigé dans un condo inoccupé du sixième étage et était allé vomir à la salle de bains. Il y avait de quoi. Ces lieux, c'est lui qui avait contribué à les faire bâtir et il n'avait jamais pensé qu'ils pourraient être un jour le théâtre de tant de fureur.

Si Rizzo avait eu l'« honneur » d'être confronté le premier au roman noir d'Arturo et Amanda, il n'avait pas été le dernier, loin s'en faut. Dans la suite, à peu près tous ceux qui les avaient rencontrés avaient eu droit à leur scène surréelle, gracieuseté d'Amanda. Ils n'y avaient pas toujours eu droit aussi rapidement et avec la même virulence que Rizzo, mais ils avaient tôt ou tard fini par l'avoir et par découvrir la véritable Amanda Rodrigues, celle qui n'avait plus besoin de se cacher depuis le mariage. Et comme pour Rizzo, certains en avaient été si marqués qu'ils n'avaient pu s'empêcher de raconter leur expérience à la presse. C'était le cas de Gisèle, une (ex-) amie d'Amanda qui, à la mort d'Arturo, s'était confiée à son ami et journaliste Jeremy Filosa. « J'avais rencontré Amanda en mai 2008, alors qu'elle venait d'arriver au pays. Elle est brésilienne et moi portugaise, donc on pouvait se parler en portugais. On s'entendait bien. On sortait souvent ensemble, Arturo venait aussi, des fois avec ses amis. On allait souvent souper tous ensemble. Elle était gentille, mais je trouvais déjà qu'elle avait une grande gueule et qu'elle disait des choses déplacées.

« Lorsque l'on sortait, elle se disputait souvent avec son mari, surtout à cause des choses qu'elle lui disait. Elle semblait prendre plaisir à le provoquer. Je n'aimais pas ça du tout, ça me rendait très inconfortable et je le lui ai dit à quelques reprises. Lors d'une dispute, je me souviens qu'elle avait fait une remarque déplacée sur le père d'Arturo qui était décédé il y a plusieurs années. J'ai trouvé ça dégoûtant. Mais lorsqu'elle était séparée de lui, elle était plus tranquille.

« Elle s'occupait beaucoup de sa personne et elle se servait d'une drogue qui faisait maigrir. Elle a même offert de m'en procurer sur le marché noir via son père qui travaillait dans un hôpital du Brésil. J'ai vérifié et cette drogue était illégale au Canada. Je lui ai dit non merci.

«Un soir, on devait aller rejoindre Arturo et ses amis à la Cage aux sports. Elle est sortie de la maison habillée comme une prostituée. J'étais gênée de me promener dans la rue avec elle. Même si je lui ai demandé de se mettre au moins un chandail, elle a refusé en disant que son mari détestait lorsqu'elle s'habillait de cette façon et qu'elle voulait voir sa réaction. Lors de notre soirée au restaurant, on parlait d'enfants et à un moment donné, elle a lancé à Arturo devant nous tous: *Toi, Arturo, ta fille à l'air d'une mongole, elle n'a vraiment pas l'air normale, elle a l'air retardée.* Arturo a perdu les pédales et ses amis ont dû le sortir du restaurant. C'était grave, elle ne voulait rien savoir de sa petite fille Sofia.» Ce soir-là, Christian Santos mangeait avec le groupe et il avait été l'un de ceux à retenir Arturo. Il nous avait déjà dit ne pas avoir su comment Arturo avait fait pour se contenir pendant ces années de violence verbale, connaissant son tempérament bouillant. «Parce que moi, cette fille, je l'aurais *swignée* en bas d'un balcon.»

«Nous sommes parties du restaurant pour revenir à la maison. Une fois rendues, elle a sorti un album pour me montrer Sofia sur des photos en me disant: *Regarde, n'a-t-elle pas l'air d'une retardée?* Je n'en croyais pas mes oreilles, elle était vraiment folle. Je lui ai demandé comment elle pouvait dire une telle chose à son mari. Elle a passé le reste de la soirée à envoyer des messages textes et des messages vocaux haineux sur son cellulaire. Puis, ma sœur est finalement venue me chercher. Juste avant de partir, elle nous a dit: *S'il pense que son ex était difficile, il va voir à quel point je peux être une bitch. Un jour je l'achèverai!* Dans ma tête, c'était terminé, je ne pouvais plus demeurer amie avec elle. Plus tard, j'ai su que Fabrizio, le frère d'Arturo, ainsi que ses amis *Chris* et Tony avaient eux aussi cessé de lui parler pour des raisons différentes. Les choses n'allaient pas bien pour elle sur le plan amical.»

Dans le même reportage, Jeremy Filosa rapportait également les propos de la femme d'entretien du couple, prénommée Piedad, qui levait le voile sur une partie de leur quotidien et permettait par la bande d'affiner davantage le portrait d'Amanda. « Lorsqu'elle se réveillait, elle allait se faire coiffer pour ensuite aller magasiner. C'est tout ce qu'elle faisait à chaque jour. Elle ne voulait rien savoir de travailler et disait que c'était Arturo qui devait la faire vivre. Je ne sais pas combien elle a acheté de vêtements neufs qu'elle n'a jamais portés. » Filosa écrivait ensuite que, selon ses informations, « Gatti donnait entre 500 $ et 1 000 $ par jour pour que sa conjointe soit satisfaite. Gatti avait d'ailleurs indiqué à ses amis qu'il croyait qu'elle cachait de l'argent car, malgré l'argent comptant qu'il lui donnait, les cartes de crédit revenaient pleines à la fin de chaque mois. » À ce sujet, Piedad lui avait donné son opinion. « Ça ne me surprendrait pas du tout. Un jour, alors que je faisais le lavage, Arturo est venu me voir pour me demander si je vérifiais les poches avant de laver ses pantalons. J'ai répondu que oui et je lui ai demandé pourquoi il me posait cette question. Il m'a dit qu'il avait laissé 1 500 $ dans ses poches, la veille, et qu'ils étaient disparus. Sans m'accuser, il m'a tout simplement demandé si j'avais pris l'argent. Je lui ai répondu que non. Le tout s'est terminé là, il ne m'en a jamais reparlé, il était vraiment correct avec moi.

« Je savais aussi qu'elle envoyait de l'argent en cachette à sa mère. Je l'ai entendue parler au téléphone. Mais lorsque Arturo arrivait dans la pièce, elle changeait de dialecte pour éviter qu'il ne la comprenne. Elle raccrochait immédiatement pour ne pas qu'il soupçonne ce qu'elle faisait. Je n'en ai jamais parlé à personne.

« Elle me parlait aussi du fait qu'elle ne connaissait pas les chiffres financiers de l'entreprise immobilière qui appartenait à son mari. Je lui ai demandé ce que ça pouvait bien changer, elle qui venait d'arriver à Montréal. Elle m'a dit qu'elle était jeune, mais très intelligente.

« Je sais qu'elle tentait par tous les moyens de le convaincre de faire changer son testament en sa faveur. Selon ce que j'ai pu comprendre, son avocat et son partenaire d'affaires le lui avaient déconseillé. Plus les jours passaient et plus je me rendais compte de quel genre de personne elle était. À la fin, j'étais convaincue qu'elle était dans ce couple uniquement pour l'argent. »

Telle était donc Amanda Rodrigues en 2008 et son portrait assez peu édifiant incitait évidemment à reposer la grande question : pourquoi diable Arturo s'était-il encore retrouvé dans les bras d'une strip-teaseuse ? Pour plusieurs de ses proches qui l'avaient vu aller à son retour à Montréal, la réponse n'avait jamais fait trop de doute : c'était tout simplement parce qu'il n'y avait que ce genre de fille pour accepter la manière dont il vivait.

Effectivement, Arturo n'avait pas été un ange lui non plus à son retour dans la métropole. En fait, il avait continué de vivre comme il le faisait partout ailleurs, depuis trop longtemps. Sans grande crainte de se tromper, on pouvait avancer qu'il était une bien meilleure personne que sa femme, que là où elle était méchante et sans-cœur, il était humain et sensible, mais pour le reste, elle devait souvent avoir raison de lui reprocher ses comportements. Contrairement à elle, le mariage ne l'avait pas changé et il était encore aux prises avec les mêmes vices, les femmes, l'alcool, la dope, le jeu même un peu, surtout pour se désennuyer. Fréquemment il entrait dans un bar et s'installait pour plusieurs heures à une machine de loterie vidéo, essentiellement pour tuer le temps. Les sorties entre amis constituaient de beaux moments, mais entre ça, il avait bien trop de temps à combler et il s'ennuyait. Le pire, pourtant, c'est qu'il ne demandait alors rien de mieux que de s'occuper. Presque un an après l'annonce de sa retraite, il en avait déjà assez de l'oisiveté et voulait se remettre au boulot. Sa femme ne voulait pas travailler et souhaitait qu'il la fasse vivre ? Il n'avait absolument rien contre, il était bien plus vaillant qu'elle. Le problème, dans son cas, c'étaient ses limites. Comme il l'avait confié à Mario Costa, il était hypothéqué physiquement et mentalement et ne pouvait penser occuper n'importe quelle sorte d'emploi. Son « poste » de vice-président du groupe Gatti-Rizzo ? Tous savaient qu'il était plus symbolique qu'autre chose et que c'est Tony qui voyait à tout. D'ailleurs, probablement qu'Amanda n'était pas la seule à ne pas connaître les chiffres de la compagnie et que c'était aussi son cas !

Pendant longtemps, Arturo avait donc cherché sa niche et ses amis, qui le voyaient plus ou moins malheureux, s'étaient mis à avoir bien hâte qu'il la trouve. C'est de cette période dont avait parlé Jeremy Filosa dans la lettre ouverte qu'il lui avait écrite à sa mort: «Après ta retraite, on te voyait plus souvent. Mais je dois dire que c'est là qu'on a commencé à s'inquiéter un peu pour toi. On voyait bien que c'était extrêmement difficile pour toi de décrocher de la boxe et on espérait que tu trouves ta route rapidement.» Hélas, cela ne s'était pas produit et, à un certain moment, Arturo s'en était tellement désespéré qu'il avait engagé un démarcheur pour lui trouver des possibilités d'emploi. Pourtant, peu de temps avant, une nouvelle parue dans le *Journal de Montréal* avait fait croire à tout le monde qu'il était enfin reconverti: «L'ex-boxeur montréalais Arturo Gatti, qui sera fort probablement admis au Panthéon de la boxe internationale dans cinq ou six ans, agira désormais comme consultant pour le groupe GYM. Gatti travaillera notamment comme conseiller pour les contrats de la télé internationale dont le groupe GYM aura besoin, ainsi que pour la mise sur pied de combats internationaux impliquant les boxeurs de l'organisation montréalaise.» Mais dans les faits, cette collaboration n'avait jamais véritablement existé et Arturo en avait gardé un peu d'amertume. Peut-être avait-il raison, peut-être que GYM n'avait jamais véritablement fait appel à ses services, mais si tel était le cas, on pouvait néanmoins difficilement les blâmer. Arturo bénéficiait certes de nombreux contacts dans l'industrie, surtout aux États-Unis et avec HBO, mais il se pochardait si souvent qu'il ne devait pas être aisé d'établir un partenariat avec lui.

À la même période, Arturo avait aussi discuté de sa reconversion avec Patrick Lynch. Même en ne se voyant plus, les deux hommes entretenaient toujours de bonnes relations et Lynch lui avait alors offert de devenir entraîneur au sein de la nouvelle société de promotion qu'il avait créée, Pound-4-Pound. Mais Arturo n'avait jamais éprouvé la moindre envie d'embrasser ce métier et il avait refusé la proposition. Dans le même temps, il avait aussi dit non à celle de Carl Moretti. L'ancien vice-président de Main Events avait un ami prêt à lui verser des cachets de plusieurs milliers de dollars en retour de certaines apparitions publiques, mais puisqu'il n'avait pas besoin d'argent, cela ne l'avait pas intéressé.

Au bout du compte, il avait fallu attendre la fin de l'été 2008 pour qu'Arturo en finisse avec l'oisiveté. Du moins à court terme. Il ne s'était pas trouvé de vrai boulot, mais il avait donné un bon coup de main à sa femme qui venait de mettre au monde son premier garçon.

***

Du temps qu'il fréquentait le préparateur physique Matt Howard, Arturo lui disait parfois, comme s'il était conscient que son comportement suggérait le contraire: «Ne t'inquiète pas, tu vas voir, je vais être un bon père.» Effectivement, Howard se montrait souvent sceptique quand venait le temps de discuter de ses aptitudes paternelles. Compagnon de sortie, il était bien placé pour voir que sa vie ne correspondait pas tellement aux exigences de la paternité, mais il doutait de ses capacités surtout pour une autre raison: la façon dont il agissait avec ses chiens! Arturo les aimait, ce n'était jamais cela le problème, sauf qu'il ne trouvait jamais le moyen de s'en occuper et de les garder. Il achetait des chiens, il en parlait avec enthousiasme aux gens, mais quand ceux-ci prenaient ensuite des nouvelles, ils se faisaient répondre: «J'ai dû m'en débarrasser!» Un peu mal à l'aise, Arturo leur expliquait qu'il n'avait pas le temps d'en prendre soin, qu'il était très sollicité, qu'il voyageait beaucoup, mais ses arguments n'étaient jamais assez bons au goût de Howard: «Tu dis que tu veux des enfants, que tu vas être un bon père, mais tu n'es même pas foutu de t'occuper de tes chiens!»

En songeant à sa première expérience paternelle, Arturo pouvait se dire qu'il avait tout fait pour confirmer les doutes que Howard entretenait à son sujet. Dans son rôle de père de Sofia Bella, il avait l'impression de ne pas avoir été à la hauteur et, après sa séparation avec Erika, il en avait nourri bien des regrets. Il savait bien sûr qu'il avait été placé dans une situation impossible par Erika et Amanda, mais n'empêche, il n'était pas très fier de la tournure des événements. Heureusement pour lui, la vie avait malgré tout été bien bonne et lui avait donné une autre chance de se reprendre, deux ans et demi plus tard.

Arturo Junior avait vu le jour le 9 septembre 2008, à l'hôpital Pierre-Le-Gardeur de Lachenaie (à 15 minutes de Montréal). S'il fallait croire les propos que sa mère avait un jour livrés à la chaîne LCN, son arrivée avait été digne d'un conte de fées. «Arturo Junior n'a pas été un enfant planifié, il a été un enfant rêvé! Il représentait tout ce qu'Arturo et moi avions rêvé. Nous voulions une grande famille, cinq enfants, il était le premier.» Malheureusement pour Arturo Junior, les propos de sa mère ne pouvaient toutefois pas être pris au sérieux. Au moment où elle les avait tenus, Arturo venait de mourir et elle était engagée dans une vaste campagne de relations publiques visant à redorer son image. Elle cherchait alors à faire croire qu'elle avait vécu en parfaite osmose avec lui, que le ciment de leur relation était un amour totalement pur, avec le résultat qu'à chaque fois qu'elle ouvrait la bouche, elle paraissait mentir comme un arracheur de dents. Ce jour-là à LCN, si elle avait réellement voulu faire connaître la vérité à propos de son fils, elle aurait dit qu'il avait été plongé dans un cauchemar bien plus que dans un conte de fées et qu'elle en était en bonne partie responsable.

Toutes les sources le confirmaient: Amanda Rodrigues avait été une mère infâme, indigne de ce nom. Pendant les neuf premiers mois de la vie de son fils, elle avait semblé en plein déni, agissant pratiquement comme s'il n'existait pas, comme si elle ne l'avait pas mis au monde. Sa vie n'avait à peu près pas changé, elle avait continué à beaucoup s'occuper d'elle-même, à voyager un peu partout dans le monde parce qu'elle n'aimait pas le froid, à sortir et, bien sûr à se disputer avec son mari parce qu'elle en avait autant le temps qu'avant. En fait, Arturo Junior était sans doute l'enfant qui avait établi le record du nombre de mères au cours de sa première année d'existence! Durant cette période, il avait été élevé par quelques nourrices – dont la dévouée Vanessa qui habitait sur le même palier –, par des tantes, des amis de la famille, sa grand-mère paternelle, bref par un peu tout le monde sauf sa propre mère. Même la femme d'entretien s'en était occupée, comme elle l'avait raconté à Jeremy Filosa: «Lorsque la gardienne n'était pas disponible, Amanda me demandait de garder le bébé pour qu'elle puisse sortir. On aurait dit qu'elle se foutait de ce bébé. Dès qu'elle avait la chance de sortir de la maison sans lui, elle le faisait.» Piedad parlait pourtant de la même femme qui, dans sa campagne de relations publiques, avait eu le culot de dire que son fils était habitué d'être toujours avec elle ! C'était en réalité tellement le contraire qu'autour d'elle les gens se posaient une question : « Sait-elle qu'elle a un bébé ? » « Juste pour montrer à quel point elle n'était pas souvent avec cet enfant », nous avait raconté un ami d'Arturo, « elle ne savait même pas encore comment lui donner le lait, huit mois après l'accouchement ! Peu de temps avant la mort d'Arturo, ma femme et moi l'avions rencontrée dans un parc de Montréal-Nord et elle avait demandé à ma femme de lui montrer comment faire ! Ma femme était sidérée. » C'était criant d'évidence, quand Amanda ne confiait pas Arturo Junior à tout un chacun, elle s'en occupait tellement mal que personne n'aurait pu penser qu'il avait été « rêvé ».

Les témoignages ne manquaient pas pour en faire foi, mais il y en avait un qui résumait particulièrement bien tous les autres, celui de son ex-amie Gisèle. « Lorsque Amanda a accouché du petit Arturo, ma sœur et moi sommes allées à l'hôpital pour les voir, avait-elle aussi confié à Filosa. Le petit lit pour le bébé incliné était juste à côté d'elle. Pour une raison ou une autre, elle a placé le bébé la tête en bas. J'ai regardé ma sœur en voulant dire : *elle n'est pas toute là, elle*. On s'est occupé de replacer le bébé la tête en haut. Un mois après, je me suis présentée chez elle. Elle se séchait les cheveux dans la salle de bains. Elle m'a demandé si je pouvais aller habiller le bébé. Je lui ai demandé où il était, elle m'a répondu qu'elle l'avait laissé dans la chambre, 15 minutes plus tôt. Quand je suis entrée dans la chambre, Arturo Junior était nu sur le lit des parents, sans protection autour de lui et l'air climatisé soufflait de l'air froid directement sur lui. Il était gelé et avait les lèvres bleues. J'ai paniqué. Je lui ai dit qu'elle était folle de laisser le bébé comme ça. Elle a répondu que j'avais raison et qu'Arturo lui avait fait la même remarque auparavant. J'ai commencé à me rendre compte à quel point elle négligeait ce bébé. »

Si Arturo Junior n'avait pas eu de mère dans les premiers mois de sa vie, il avait au moins eu un père. Il ne l'avait pas eu longtemps et c'était le plus triste de sa condition, mais avant sa mort, Arturo avait malgré tout eu le temps de se racheter pour son expérience avec Sofia. Il n'avait pas été parfait, loin de là, il s'était lui aussi montré parfois irresponsable, mais considérant tous les travers et les vices qu'il avait, il s'était bien acquitté de son rôle. Au dire d'un peu tout le monde, il l'avait d'ailleurs tellement bien fait qu'il fallait l'ajouter au nombre des mères qu'Arturo Junior avait eues. «La véritable mère de cet enfant-là, avait ainsi affirmé son ami Christian Santos, c'était Arturo. C'est toujours lui qui traînait Arturo Junior, qui le prenait dans ses bras, qui l'amusait. On voyait bien que cet enfant-là était privé d'une vraie mère, mais on ne pouvait pas le dire, c'était trop délicat.» Dans son entretien avec Jeremy Filosa, Piedad avait confirmé en tous points les propos de Santos. «Je trouvais étrange que ce soit toujours Arturo qui se lève la nuit pour nourrir le bébé. Je suis portugaise et dans mon pays, c'est plutôt la femme qui s'occupe de ce genre de choses. Le matin, c'est toujours lui qui se levait pour donner à manger au bébé pendant que sa conjointe dormait. Même lorsqu'il revenait tard le soir, c'est lui qui se levait. Il n'en avait que pour le bébé.» Arturo Junior avait dû le ressentir parce qu'Amanda disait – et là-dessus on pouvait la croire – que le premier mot prononcé par son fils avait été «papa».

Amanda avait toujours été consciente de ce qu'Arturo Junior représentait pour son père. Elle savait que, depuis longtemps, Arturo espérait un fils pour marcher dans ses traces, pour montrer qu'un père pouvait former un champion sans coup de fouet et sans injustice. Elle savait aussi qu'à cause du contexte de sa précédente relation, il allait tout faire pour ne pas être séparé de son fils et c'est pourquoi elle avait si hâte de le mettre au monde. Elle n'était pas pressée de l'aimer, elle était pressée de l'utiliser comme objet de chantage dans leurs disputes. Parce que, bien sûr, ils avaient continué à en avoir par la suite. Après le mariage qui avait fait apparaître une nouvelle Amanda, on disait d'ailleurs que la naissance d'Arturo Junior avait représenté l'autre étape dans la déchéance du couple. C'était difficile à imaginer mais, à partir du 9 septembre 2008, Arturo et Amanda avaient en effet atteint un autre sommet dans leur roman noir. Il y avait eu plus de querelles encore, plus de virulence dans les invectives. Par exemple, Amanda avait pu se permettre encore plus de tirades comme celle faite devant Tony Rizzo parce qu'elle tenait désormais Arturo par deux chaînes au lieu d'une. Dès qu'il parlait de la démarier, elle répliquait par une contre-attaque redoutable, une menace bien plus dangereuse: «Je vais retourner au Brésil et *ton* Arturo Junior, tu ne le reverras pas de sitôt.»

Dans les mois suivant l'accouchement, le ressentiment avait atteint un tel degré au domicile du couple que, pour s'y soustraire un peu, Arturo avait commencé à découcher de plus en plus souvent. À certaines reprises, il avait bien dû dormir dans des bras féminins, mais la plupart du temps il avait été raisonnable et s'était retrouvé chez sa mère. Il couchait au sous-sol, dans une chambrette qui était presque devenue son nouvel appartement. «Mon frère était millionnaire, mais les six derniers mois de sa vie, il les a passés dans une petite chambre», avait confié Fabrizio au magazine *Maxim*. «Ce n'est pas compliqué, sa femme et lui se séparaient chaque semaine.» Toujours aux premières loges du quotidien du couple, Piedad s'était aussi exprimée sur ce sujet. «À quelques reprises, Amanda l'avait empêché d'entrer à la maison alors qu'il était sous l'effet de l'alcool. Lorsque ça arrivait, il allait dormir chez sa mère. Il n'insistait même pas pour entrer, car il savait qu'une dispute suivrait. Un jour, il m'a dit qu'il avait passé la nuit chez son ami pour épargner sa mère d'une autre explication.»

À la longue, la situation entre Arturo et Amanda avait effectivement fini par beaucoup exaspérer Ida Gatti. Certes, elle comprenait son fils de se disputer avec une pareille fille parce qu'elle n'en avait pas, elle non plus, une très haute opinion. D'ailleurs, la toute première fois qu'elle l'avait vue, au combat contre Gomez, elle en avait déjà eu assez. À un moment donné, Arturo lui avait dit *c'est ma nouvelle blonde* et elle lui avait rétorqué: «Ah non, s'il vous plaît, ne dis pas ça.» Mais d'un autre côté, elle s'était elle aussi écœurée de le voir se présenter chez elle à l'heure des laitiers, toujours fortement intoxiqué. Elle le lui disait, il se défendait en répliquant qu'il était quand même un peu chez lui parce qu'il payait l'hypothèque (c'est lui qui avait acheté la maison), si bien qu'il n'était pas tellement plus avancé: il se chicanait encore, sauf qu'il le faisait avec sa mère plutôt qu'avec sa femme! C'était peut-être même pire chez sa mère parce qu'il s'y disputait en double. Quand Amanda voyait qu'il découchait, il lui arrivait en effet de rappliquer à la maison d'Ida et la guerre reprenait à cet endroit. Dans ce temps-là, Ida devenait un peu une victime collatérale, comme elle l'avait aussi raconté à *Maxim*. «Je l'entendais lui crier des choses comme *je vais te tuer*, ou *va fourrer ta mère*. Arturo lui demandait de se taire, lui disant que j'étais dans la cuisine. Mais elle lui répondait *elle ne parle même pas anglais*.» C'était vraiment devenu grave parce qu'Arturo et Amanda en étaient rendus à exporter leurs problèmes conjugaux, à pourrir aussi la vie des autres. «Cette période avait réellement été très difficile pour Mme Gatti», nous avait confié Phi-Lan Doan, alors très proche d'Arturo. «Elle était à bout de patience, complètement dépassée par les événements. Quand elle me voyait, elle me disait *Phi-Lan, aide-moi, je ne sais plus quoi faire*.»

Parmi tous les éléments qui avaient miné Ida à petit feu, Phi-Lan racontait qu'il y en avait un qui l'avait tout particulièrement perturbée: les ennuis d'Arturo avec la justice. De décembre 2008 à juin 2009, Arturo avait en effet défrayé la chronique judiciaire à cinq reprises, chaque fois à cause de ses problèmes conjugaux avec Amanda. C'était comme si, d'une fois à l'autre, il s'enfonçait toujours un peu plus dans le trou qu'il avait creusé depuis son mariage, sans que personne ne puisse arriver à l'en sortir. À l'occasion, un de ses proches y parvenait presque, mais il y retournait comme s'il était attiré par une force invisible.

Sa séquence maudite avait commencé le 7 décembre, trois mois à peine après la naissance d'Arturo Junior. Comme lors de l'épisode d'Hawaï, Amanda avait appelé la police pour mettre fin à une dispute à l'intérieur du nouveau ring d'Arturo, son condo de la rue Jarry. De l'avis de tout le monde, Arturo ne battait pas Amanda, mais ce n'était certainement pas ce que suggérait la scène ce matin-là. À l'arrivée des policiers, Amanda ressemblait au Arturo des jours glorieux: son nez était en sang et elle avait des égratignures au visage, à la poitrine et sur les bras. Selon ce qu'elle leur avait raconté, Arturo était rentré à 7 heures du matin en état d'ébriété, il avait brisé deux portes et l'avait frappée à coups de pied et de poing. En conséquence, les policiers l'avaient arrêté et accusé d'assaut. Néanmoins, il s'était trouvé plusieurs personnes dans l'entourage d'Arturo pour penser que la conclusion était heureuse parce que le couple avait alors décidé de se séparer « définitivement ». Hélas, leur joie avait été de courte durée puisque peu de temps après, Arturo et Amanda étaient retournés ensemble.

Trois mois plus tard, le 19 mars, un peu tout le monde avait eu l'impression d'assister au jour de la marmotte. Les faits avaient semblé les mêmes, toujours aussi peu édifiants : une altercation, la police, l'arrestation d'Arturo et, cette fois, des accusations de voies de fait pour l'avoir bousculée. Les circonstances, toutefois, avaient été différentes et les amis d'Arturo pensent encore aujourd'hui qu'il était ce jour-là tombé dans un piège. Selon eux, le couple était alors à nouveau séparé et Amanda avait attiré Arturo au condo en lui disant que son fils était malade et qu'il avait besoin d'être conduit à l'hôpital. Quand Arturo s'était présenté, elle s'était arrangée pour que la chicane reprenne et elle l'avait faussement accusé. C'était certainement un scénario plausible parce que, dans des circonstances analogues, la conjointe de Floyd Mayweather avait agi de cette façon avant d'avouer qu'elle avait finalement menti.

Après cet épisode du mois de mars, le couple Gatti-Rodrigues n'aurait pourtant pas dû se reformer. Cette fois-là, la cour avait en effet relâché Arturo sous promesse de comparaître le 7 avril, tout en lui ordonnant de ne pas consommer d'alcool ou de drogue, et de ne plus s'approcher de sa conjointe. Mais, selon ce que le magazine *Maxim* avait rapporté, c'est Amanda qui avait alors rétabli le contact. Elle avait continué de communiquer avec lui, sollicitant son aide dans son processus de naturalisation américaine. De peur d'être perçue comme une réfugiée économique, elle lui demandait de lui virer de l'argent pour que son compte de banque contienne une somme suffisante pour faire croire à son serment. De toute façon, les amis d'Arturo disaient qu'elle avait toujours une bonne raison pour le rappeler. Quand ce n'était pas celle-là, c'était pour lui dire qu'elle avait peur seule et qu'elle voulait qu'il revienne auprès d'elle. « Et il cédait chaque fois », disaient-ils.

Arturo était donc ensuite revenu dans l'actualité judiciaire le 7 avril, quand on avait annoncé qu'il avait fait défaut à sa promesse de comparaître. S'il avait agi ainsi pour épargner à sa mère de nouvelles images de lui au Palais de justice, il ne l'avait pas soulagée longtemps. La cour avait alors émis un mandat d'arrestation contre lui et, une semaine plus tard, dans la nuit du 15 au 16 avril, il avait été épinglé. La traque des policiers n'avait d'ailleurs pas dû être très compliquée parce qu'ils l'avaient arrêté, bien évidemment, dans un club de strip-tease. Il y célébrait son 37e anniversaire et comme il était en état d'ébriété, il s'était retrouvé en bris de condition. Plutôt que chez sa mère, il avait donc dormi en cellule et avait été remis en liberté le lendemain, sous à peu près les mêmes conditions que la fois précédente, dont celles de ne pas approcher Amanda et de revenir en cour le 5 juin suivant.

Et cette fois, Arturo s'y était présenté comme un seul homme, avec l'intention d'en terminer avec la chronique judiciaire. Ce jour-là, il était apparu plus beau que jamais, arborant une nouvelle tête avec les cheveux coupés ras comme il aurait dû les avoir lors de ses deux derniers combats. Mais c'était à peu près tout ce qu'il avait de différent. Pour le reste, sa vie n'avait pas beaucoup changé, elle était toujours aussi rythmée par ses séparations et ses réconciliations avec Amanda. Pour preuve, la cour lui avait cette fois-là accordé un assouplissement de ses conditions de mise en liberté pour qu'il puisse retourner auprès d'elle. Le jour de la marmotte, c'était pour cela aussi. «J'aime ma femme», avait-il pris la peine de dire aux journalistes à sa sortie du tribunal. «Je passerai ma vie avec elle.» Il les avait quittés en leur annonçant qu'il allait lui offrir un second voyage de noces et qu'ils allaient bientôt partir pour l'Europe.

Ainsi s'était achevée la séquence maudite d'Arturo, à laquelle il manquait toutefois une incartade. Au cours de cette période, Phi-Lan Doan racontait en effet qu'Arturo avait été emprisonné une autre fois, mais que la nouvelle n'avait heureusement pas fait les manchettes. Cela avait eu lieu en Montérégie et selon lui, Arturo avait cette fois passé trois ou quatre jours en taule. «Il m'avait téléphoné lorsque les policiers l'avaient relâché et j'avais tout de suite pensé à sa mère, je m'étais dit que c'était quand même une chance que la nouvelle n'ait pas été rendue publique, elle aurait été encore plus découragée.»

***

En renouant avec Phi-Lan à son retour à Montréal, Arturo avait retrouvé un peu plus qu'un ami. Les deux s'étaient connus à l'époque du Club Olympique et, durant leur jeunesse, Phi-Lan avait toujours eu l'impression d'être aussi une sorte de grand frère pour Arturo. Peut-être parce qu'il était le plus âgé des deux, il avait senti que, dans beaucoup de situations de la vie, Arturo s'appuyait sur lui pour connaître la bonne marche à suivre. Loin de trouver cette attitude pesante, il la prenait plutôt comme un compliment et il avait donc cherché pendant ces années à le guider du mieux qu'il le pouvait.

De tous les amis d'Arturo, Phi-Lan était l'un de ceux qui avaient le plus profité de son retour. Il le voyait peut-être même encore plus que ses grands amis de Montréal-Nord parce qu'il tenait un lave-auto situé entre le condo de la rue Jarry et la maison d'Ida Gatti rue Armand-Bombardier, dans Rivière-des-Prairies. Arturo s'arrêtait donc souvent le voir en faisant la navette entre les deux endroits et, pendant que Phi-Lan débarrassait son gros *pick-up* des poils de Hex, ils avaient le temps de discuter. Ce n'était jamais assez long au goût de Phi-Lan qui disait qu'Arturo avait toujours l'air pressé, en manque de quelque chose, mais c'était quand même bien mieux qu'au temps du New Jersey.

Leurs retrouvailles avaient été particulières. D'une certaine façon, c'était comme si la quinzaine d'années qu'Arturo avait passées dans le New Jersey n'avaient pas existé et qu'ils avaient replongé dans leur amitié avec les mêmes rôles qu'autrefois. Entre les deux périodes, Arturo était pourtant devenu une superstar mondiale, mais cela n'avait pas paru dans leurs relations et Phi-Lan avait encore senti qu'il était perçu comme un grand frère. Dans la période des démêlés judiciaires d'Arturo, il ne s'était donc pas privé de lui dire que sa mère était bien exaspérée et qu'il était peut-être temps de mettre un peu d'ordre dans sa vie.

Dans son rôle, Phi-Lan avait toutefois passé plus de temps à écouter qu'à parler. Dans cette période trouble, Arturo s'était beaucoup confié à lui et, évidemment, il avait souvent été question d'Amanda. La plupart du temps, Arturo pouvait juste passer un commentaire sur une situation précise, se plaindre rapidement de son comportement, mais il leur était arrivé une fois d'en discuter plus en profondeur. Ce jour-là, Arturo avait annoncé à Phi-Lan qu'il entendait demander le divorce et, pour l'avoir vu fréquemment retourner chez sa mère, Phi-Lan n'était évidemment pas tombé en bas de sa chaise. Mais il avait quand même été surpris qu'après toutes ces disputes, Arturo persiste à dire qu'il l'aimait toujours. Phi-Lan avait pensé qu'il voulait la quitter parce qu'il n'éprouvait plus rien pour elle ou parce qu'ils ne s'entendaient plus sexuellement, mais Arturo lui avait dit que ce n'était pas le cas. *Alors pourquoi?* lui avait-il demandé. *Simplement parce qu'elle passe son temps à chialer. Elle n'est jamais contente, peu importe ce que je fais pour elle ou ce que je lui donne.*

Personnellement, Phi-Lan n'avait pas une si mauvaise opinion d'Amanda. Il ne l'avait peut-être pas fréquentée autant que certains autres proches d'Arturo, mais il pouvait tout de même en parler en connaissance de cause car il avait été invité dans l'antre du couple, rue Jarry. Amanda aimait bien sa femme et elle les avait même déjà reçus à souper une fois ou deux. Phi-Lan n'avait rien remarqué de vraiment anormal chez elle, même pas ce côté ultra-contrôlant dont lui avait parlé sa femme et qui lui avait d'ailleurs fait dire: «Ouf, celle-là, je ne voudrais réellement pas l'avoir comme amie!» Dans son cas, la seule critique négative qu'il pouvait émettre à son endroit concernait sa façon de traiter Hex, le gros berger allemand qui l'avait tant impressionnée la première fois qu'elle l'avait vu au Squeeze. Ainsi, au cours de l'une de ses visites chez Arturo, Hex avait eu la mauvaise idée de se rendre quelques fois au salon lui lécher les mains. Arturo s'en balançait, mais pas Amanda, tellement mieux élevée. Les deux premières fois que Hex l'avait fait, Amanda lui avait tordu les nerfs du cou et l'avait fait pleurer. Chaque fois, Arturo l'avait avertie de cesser de faire mal à son chien. Mais Hex avait recommencé, et Amanda aussi. Là, Arturo avait pété les plombs et il fallait vraiment être téméraire pour le mettre sciemment dans cet état. Il s'était levé de son fauteuil, s'était approché d'elle et lui avait dit: «Hey, tabarnak, je t'ai dit de lâcher mon chien!» «De la manière dont j'ai vu Amanda agir ce jour-là, nous avait dit Phi-Lan, je suis convaincu qu'elle n'avait pas peur d'Arturo.»

Cette visite-là avait vraiment été instructive pour Phi-Lan parce qu'il avait découvert une facette de la personnalité d'Amanda qu'il ne connaissait pas. Mais en continuant de se confier à lui, Arturo lui avait aussi permis de le connaître encore mieux. Car, c'est au cours de cette visite qu'il lui avait tout révélé de ses troubles de mémoire, une confidence qui avait d'ailleurs débouché sur une situation plutôt inusitée parce que Phi-Lan lui avait avoué la même chose ! Il avait notamment fait beaucoup rire Arturo en lui racontant qu'un type lui avait récemment demandé le nom de ses deux enfants et qu'il avait dû prendre un bon temps de réflexion avant de lui répondre ! Phi-Lan n'avait jamais boxé professionnellement, mais il avait livré de nombreux combats amateurs et il avait pris beaucoup de coups, autant en compétition qu'à l'entraînement. Quand Arturo lui avait fait part de ses inquiétudes, il était donc bien placé pour le comprendre et pour lui dire qu'il y avait malgré tout bien pire que lui. « Regarde Arturo, je me retrouve aujourd'hui à avoir mal partout comme toi, à perdre aussi la mémoire, mais la grosse différence c'est que je dois travailler sept jours sur sept dans ces conditions-là. Toi, au moins, tu as accompli ton rêve, tu es devenu champion du monde, millionnaire, et tu n'auras plus jamais besoin de travailler. Alors dans un sens, dis-toi que tu es presque chanceux. »

Les problèmes mémoriels d'Arturo n'étaient pas insignifiants. Il s'était bidonné en écoutant Phi-Lan raconter l'oubli du nom de ses enfants, mais dans son cas il y avait lieu de croire que c'était peut-être pire et qu'il pouvait même en oublier jusqu'à son propre nom. Cela arrivait en effet à certains boxeurs qui, comme lui, avaient été trop frappés durant leur carrière et le célèbre Chuck Wepner l'avait un jour rappelé à Mario Costa. Formidable encaisseur lui aussi au point d'avoir inspiré le personnage de Rocky Balboa, Wepner avait dit à Costa de ne pas se fier à son apparente bonne forme et, par son exemple, il lui avait expliqué ce qu'Arturo était susceptible de vivre. « Ma condition est telle que certains matins je me réveille et je ne me rappelle même plus de mon nom ou de ce que je fais dans la vie. Dans ces occasions-là, je n'ai pas le choix, je dois me redresser dans mon lit et attendre que le blackout se termine. Une fois mes repères revenus, je peux commencer à fonctionner. » Dans son cas, Arturo avait confié à Phi-Lan qu'il tentait de corriger son amnésie en prenant un médicament censé régénérer la mémoire et qu'il avait l'intention de s'inscrire à des cours parce qu'on lui avait dit que le travail intellectuel pouvait aussi l'aider à retrouver ses facultés.

Ses troubles de mémoire qu'il avait confiés en privé à Phi-Lan, Arturo les avait en quelque sorte révélés au grand public une semaine après la naissance de son fils en évoquant un possible retour à la boxe. Aux yeux de tout le monde, c'était en effet clair qu'il avait manifestement oublié comment s'étaient terminés ses combats contre Mayweather, Baldomir et Gomez !

Les premières rumeurs avaient fait état d'un possible affrontement avec le mi-moyen local Antonin Décarie et elles avaient évidemment ravi le promoteur de ce dernier. Sans tarder, les dirigeants du groupe GYM étaient donc allés aux sources pour s'assurer qu'elles étaient fondées et Arturo ne les avait pas déçus. « Je me suis entretenu avec Arturo, et il est bel et bien intéressé à remonter dans le ring au début de 2009 », avait alors indiqué au *Journal de Montréal* le financier Dino Marchitello. Mais aux États-Unis, la nouvelle n'avait pas réjoui grand-monde et on aurait dit qu'en en prenant conscience, Arturo s'était senti obligé de revenir sur ses déclarations. À Patrick Lynch qui l'avait rapidement rappelé pour lui exprimer son désaccord, il avait ainsi expliqué que ses propos avaient été sortis de leur contexte et qu'il n'avait pas véritablement l'intention de revenir. À l'écouter, Lynch avait malgré tout eu des doutes et il avait eu bien raison parce qu'après avoir éteint le feu au New Jersey, Arturo avait continué de l'attiser à Montréal en reprenant l'entraînement. Comme pour ne pas trop éveiller les soupçons, il s'était alors contenté de rejoindre un club d'entraînement de Laval, une bien curieuse décision quand on savait que des clubs de ce genre, il en pleuvait sur l'île de Montréal.

Les projets de retour d'Arturo n'avaient naturellement rien eu à voir avec une quelconque envie de boxer. Il y avait déjà bien longtemps qu'il n'avait plus de plaisir à le faire et ce plaisir-là n'était pas réapparu comme ça, par enchantement, un bon matin qu'il avait mal partout et qu'il ne se rappelait plus de son identité. Non, la principale raison qui l'avait incité à envisager un retour au cours de cette période, c'était le désœuvrement.

C'était une évidence pour à peu près tout le monde autour de lui, Arturo avait vécu une profonde dépression à Montréal. Évidemment, tous ses proches avaient été forcés de le nier à sa mort pour accréditer la thèse du meurtre plutôt que celle du suicide, mais au fond ils savaient bien quel était son véritable état. La seule chose, c'est qu'en coulisses ils ne s'entendaient pas sur les causes de sa dépression. Certains la mettaient sur le compte de son retrait des rings ou de sa situation conjugale, d'autres l'attribuaient à sa consommation d'alcool, de drogue et d'antidouleur, alors que des membres de sa parenté croyaient qu'elle était plutôt causée par ses relations familiales houleuses.

Chose certaine, en prenant en considération toutes ces raisons, il était plutôt facile d'imaginer dans quel état il s'était retrouvé à son retour à Montréal. «La vérité, nous avait dit son beau-frère Rocco Crispo, c'est qu'Arturo est réellement descendu très bas au cours de cette période. Je ne sais pas pour les autres, mais moi je l'ai vraiment vu dépérir, se refermer sur lui-même. Il avait un vide immense à l'intérieur de lui et, non, ce n'était pas juste parce que la boxe ne faisait plus partie de sa vie. La cause était bien plus profonde et datait de bien plus longtemps que ça.»

Dans les faits, ce projet de retour à la boxe n'avait été rien d'autre qu'un moyen d'échapper à son quotidien. Mais, en réalité, il n'avait plus le goût de se retrouver dans un ring, et encore moins de s'astreindre à un nouveau régime pour passer de 175 à 147 livres. Trois semaines après avoir donné des espoirs aux dirigeants du groupe GYM, il avait donc profité d'un autre de leurs galas pour annoncer au journaliste de *La Presse* qu'il restait à la retraite. «Mon cœur est sur le ring, mais ma tête me dit non. Je me sens bien, je suis beau bonhomme. Pourquoi est-ce que je ferais un retour? Il n'y a aucune raison. En plus, ma femme Amanda ne me laisserait jamais faire ça.»

Le plus drôle, c'est qu'au moment où Arturo avait choisi de rester à l'écart de la boxe, sa femme avait décidé de s'y mettre. Trois mois après la naissance d'Arturo Junior, se cherchant peut-être une autre raison de sortir de la maison, elle s'était inscrite à des cours de boxe au gymnase d'Angelo Dibella, un bon ami d'Arturo. Pendant quelques mois, elle avait suivi trois séances par semaine, un entraînement suffisant pour faire croire à certaines personnes qu'elle était devenue assez brave et forte pour tuer un homme.

***

Son plus difficile combat, Amanda l'avait toutefois livré à l'extérieur de la salle de Dibella et pas contre n'importe quel adversaire : Arturo Gatti lui-même, le guerrier par excellence du monde de la boxe. Il avait consisté à tenter de le convaincre de modifier son testament et il n'avait pas été de tout repos parce que c'est elle-même qui l'avait dit au cours de sa campagne de relations publiques : on ne pouvait pas arriver à manipuler un boxeur deux fois champion du monde qui se doublait d'un homme d'affaires prospère et intelligent. Mais la frêle jeune femme pouvait presque prétendre avoir sa place aux côtés des Mayweather, Ward et compagnie parce que, comme eux, elle avait fini par vaincre Arturo. Et elle avait été largement payée de ses efforts.

Sa victoire s'était concrétisée le 17 juin 2009 dans le bureau d'un notaire de Montréal, mais c'était véritablement au cours du mois de mai qu'elle l'avait rendue possible en orchestrant un formidable comeback. Au début du mois, Arturo avait en effet paru mettre fin à tous ses espoirs en lui annonçant qu'il la quittait et qu'il avait engagé des procédures de divorce. Cette fois, c'était du sérieux, il avait déjà rencontré son avocat à trois reprises et il avait même appelé Patrick Lynch pour lui apprendre la grande nouvelle. Lynch, qui n'avait rencontré Amanda qu'à deux ou trois reprises, avait été si heureux qu'il avait dit avoir vécu là l'un des plus beaux moments de sa vie !

Sur le coup, Amanda n'avait apparemment pas été si ébranlée par la décision d'Arturo. Elle avait réagi comme il se devait en se trouvant elle aussi un avocat, mais la suite des événements l'inquiétait assez peu car elle était toujours convaincue que le contrat prénuptial n'existait plus. Sa relative sérénité avait toutefois été éprouvée le 7 mai lorsqu'elle avait été avertie que l'original du fameux contrat avait été envoyé à l'avocat d'Arturo. Pour elle, c'était à peu près le pire scénario parce qu'il venait anéantir deux longues années de sacrifices. Pendant tout ce temps, elle avait vécu avec un homme qu'elle n'aimait pas vraiment, qui l'avait obligée à jouer la comédie pour faire croire le contraire et elle s'était alors dit qu'il n'était pas question de l'avoir fait pour rien. Comme Arturo au temps de sa splendeur, elle avait donc refusé de capituler aussi facilement.

La première étape de son come-back avait consisté à faire ce qu'elle avait fait si souvent avant, soit de rétablir le contact avec Arturo et tenter de le ramener à de meilleurs sentiments. Pendant quelque temps, elle avait renoué avec son personnage d'Amanda d'avant le mariage, elle s'était faite tout sucre tout miel en lui accordant toutes les faveurs et avait fini par lui dire, au moment où elle le sentait de nouveau vulnérable : « Puisque les choses vont si bien, pourquoi ne tenterions-nous pas de relancer notre couple une dernière fois ? » Comme il l'avait fait lui aussi si souvent, Arturo s'était laissé convaincre en imaginant encore pouvoir offrir un foyer stable à son fils et, au grand dam de tous ses proches, il était retourné auprès d'elle. Au New Jersey, Lynch attendait alors de ses nouvelles sur l'évolution de ses procédures de divorce, mais il ne les avait jamais eues et au bout de quelques jours, il avait dit à sa femme : « Je suis convaincu qu'il a repris avec elle. » Il ne s'était évidemment pas trompé.

En réussissant à rétablir la relation, Amanda avait fait le plus difficile mais elle était tout de même loin d'avoir gagné la partie. Dans les faits, elle n'était guère plus avancée qu'avant la rupture : elle n'apparaissait toujours pas sur le testament d'Arturo et, à la limite, elle pouvait même avoir l'impression que sa situation était pire car elle avait appris l'existence du contrat prénuptial. Les jours suivants, elle avait donc enfourché une nouvelle fois son cheval de bataille en priant Arturo de modifier son testament et, un peu moins de deux ans après le début de son harcèlement, elle avait été récompensée: de guerre lasse, Arturo avait fini par accepter.

La réponse d'Arturo l'avait évidemment comblée de joie, mais elle lui avait néanmoins laissé très peu de temps pour célébrer. Même réconcilié, le couple restait si fragile qu'elle savait qu'elle devait faire signer le document à Arturo le plus rapidement possible, avant qu'une nouvelle dispute le fasse changer d'idée. À partir de là, son objectif avait été de régler le dossier avant leur départ pour leur seconde lune de miel prévu pour le 18 juin, et elle l'avait atteint. Elle s'était occupée de téléphoner chez le notaire, d'obtenir un rendez-vous rapide et c'est ainsi que la veille du voyage, elle s'était retrouvée en compagnie d'Arturo dans le bureau du notaire Bruce Moidel. Les choses avaient été faites comme à leur mariage, c'est-à-dire dans le plus grand secret, et pour la même raison: parce que tout le monde déconseillait à Arturo d'agir ainsi.

Le nouveau testament signé par Arturo (qui invalidait le contrat prénuptial) n'avait pas fait d'Amanda son unique héritière, comme on l'avait longtemps laissé entendre. Mais il lui avait donné raison d'avoir bûché si fort en lui conférant le titre d'héritière principale qui était celui d'Ida Gatti sur le premier testament. Selon *La Presse* du 3 novembre 2009, Amanda se voyait ainsi accorder en cas de décès deux tiers de sa fortune, alors que l'autre tiers était octroyé à sa fille Sofia Bella, la seule légataire du premier testament à avoir trouvé une place sur le second. Tous les autres noms, dont celui de Fabrizio Gatti, étaient disparus.

Au moment de la signature du testament, la fortune d'Arturo était alors estimée entre six et dix millions de dollars et se détaillait comme suit: 2,4 millions $ en placements dans des comptes bancaires de Merryl Lynch et Morgan Stanley, au New Jersey; un immeuble à Vero Beach d'une valeur d'environ 500 000 $; 50 % des actions de la compagnie Gatti-Rizzo, la part lui appartenant étant évaluée entre 3,5 et 5 millions $; 18 000 $ dans un compte bancaire à Montréal; plusieurs véhicules et des bijoux de grande valeur, dont des monstres Rolex entreposées chez un bijoutier de New York.

À cela était ensuite venu s'ajouter un condo de 500 000 $ à Montréal, acheté 10 jours plus tard par Arturo pour avoir un endroit où habiter lors de ses chicanes de couple ! Bref, il y avait bien assez de millions en jeu pour comprendre le harcèlement d'Amanda et toute la bataille juridique qui avait suivi la mort d'Arturo. Car, si Amanda avait pensé que son travail lié au testament s'était terminé le 17 juin, elle s'était trompée. En septembre 2009, la famille Gatti lui avait en effet réservé une petite surprise. Par l'entremise de deux demandeurs, Fabrizio et Ida Gatti, la famille avait déposé une requête pour faire invalider le testament, affirmant qu'il avait été signé sous la menace. Elle faisait valoir qu'au moment où Amanda avait été mise au courant des procédures de divorce d'Arturo, elle avait accentué son chantage en le menaçant de disparaître avec son fils. C'est d'ailleurs à cette occasion que la famille aurait eu besoin de trouver le premier testament parce qu'elle demandait que ce soit celui-là qui soit considéré comme valide. « Mais on réclame la nullité d'un testament sur la base d'un autre qui n'existe même pas ! » leur avait répondu l'avocat d'Amanda, Pierre-Hugues Fortin (à ce jour, la requête de la famille n'a toujours pas été entendue, ce qui empêche présentement Amanda de toucher la totalité de sa fortune. Elle n'a droit qu'à des avances).

Amanda avait bien sûr nié les accusations de chantage. Dans sa campagne de relations publiques, elle avait ainsi affirmé ne pas avoir fait pression sur Arturo pour le faire changer son testament, qu'il avait été le seul maître de sa décision. « C'est Arturo qui a changé le testament et il a décidé de le faire après la naissance de Junior, parce que nous avions une famille, avait-elle expliqué au *Journal de Montréal*. Il n'avait eu qu'un seul testament qui datait de l'époque où il n'était pas marié et n'avait pas d'enfants *(ce qui était faux, Sofia avait alors un an)* ». Comme dans la plupart de ses entrevues, il était cependant bien difficile de croire ses propos. Entre la naissance d'Arturo Junior et la signature du document, il s'était quand même écoulé neuf mois, de sorte qu'il était bien improbable que, soudainement, à la veille d'un long voyage, Arturo ait décidé par lui-même que c'était le bon temps pour visiter un notaire. Entre-temps, il était aussi venu à un cheveu de divorcer sans nouveau testament, ce qui ne tendait pas tellement à démontrer qu'il se souciait de sa nouvelle famille. Non, vraiment, il fallait que ce soit le chantage qui l'ait fait signer ou encore, comme le pensaient certaines personnes, la volonté de faire taire Amanda pour ne plus se faire casser les oreilles avec ce sujet-là.

En quittant le notaire ce 17 juin, Arturo et Amanda avaient donc chacun leurs raisons d'être soulagés et ils avaient enfin pu se mettre à penser à leur voyage. D'après ce qu'on avait raconté, l'idée de cette deuxième lune de miel était celle d'Arturo. Cela avait probablement été sa réponse à la demande de réconciliation de sa femme, une façon de lui dire : « Oui, tentons de relancer notre couple et offrons-nous même un nouveau départ ».

Leur voyage s'annonçait des plus intéressants. Ils devaient d'abord passer une dizaine de jours à Amsterdam et Paris, avant de s'offrir un plus long séjour au pays d'Amanda, le Brésil. Pour jouir davantage de leurs vacances, ils avaient aussi décidé de faire une partie du voyage sans Arturo Junior et, avant de s'envoler pour l'Europe, Arturo était allé le conduire chez Rosie Barbosa, au New Jersey. Pour Arturo Junior, il n'y avait rien de nouveau, cela lui faisait juste une mère de plus à ajouter sur sa liste. Rosie avait accepté de s'en occuper le temps du séjour en Europe et Arturo devait revenir le chercher, seul, avant de rejoindre sa femme au Brésil.

Selon ce qu'Amanda avait révélé au *Journal de Montréal*, ces vacances-là avaient été les plus belles de toute sa vie. Encore là, c'était peut-être vrai, mais si tel était le cas, elle ne devait certainement pas fonder son appréciation sur les premiers moments. Dès leur arrivée à Amsterdam, leur voyage avait en effet déraillé à un point tel qu'Arturo avait dû téléphoner à Tony Rizzo à Montréal pour se vider le cœur. D'une voix cassée, il lui avait laissé le message suivant : « Tu avais raison, c'est un cauchemar. Je vais revenir plus tôt que prévu. Je vais te rappeler. Ciao ! » Mais après ce début de lune de miel cauchemardesque, les choses avaient toutefois paru se replacer et Arturo n'était pas rentré plus tôt en Amérique. Si Tony avait vu Arturo agir à Paris, il n'aurait d'ailleurs pas cru que c'était le même homme qui lui avait laissé un message sombre quelques jours plus tôt. La Ville lumière avait vraiment semblé le transformer parce que, au dire d'Amanda, voici ce qu'il lui avait fait: «Il m'a emmenée à la tour Eiffel et quand nous étions au restaurant, au sommet de la tour, il a posé un genou par terre devant moi et il m'a donné une flûte à champagne avec une bague de mariage au fond du verre. Il m'a alors dit que j'étais sa vie et qu'il voulait qu'on recommence tout à zéro. J'étais tellement émue», avait-elle confié au journaliste Mathieu Turbide.

C'est donc dans cet état de grâce qu'Amanda s'était ensuite envolée pour le Brésil, pendant qu'Arturo retournait au New Jersey cueillir Arturo Junior. Le petit de neuf mois n'était pas pour autant près de revoir sa mère biologique parce que le couple n'avait prévu se retrouver qu'une semaine plus tard. Le 4 juillet, Arturo devait assister à la collation des grades de Flavia Rodrigues, sœur d'Amanda, et se rendre ensuite dans une station balnéaire du nord-est du pays pour un *farniente* prolongé.

Cette semaine de liberté avait vraiment été providentielle pour Arturo. Avec tout ce temps devant lui, il était revenu à Montréal avec son fils et c'était comme si la vie lui avait réservé cette période précisément pour qu'il fasse un genre de tournée d'adieu prémonitoire pour tous ses amis de la première heure. Tous ceux qui avaient passé du temps avec lui au cours de cette semaine ne s'en doutaient évidemment pas, mais ils le voyaient vivant pour la dernière fois. Du moins en personne. Deux semaines plus tard, ils le reverraient bien vivant, mais seulement à la télé, sur des films d'archives que toutes les chaînes joueraient en boucle.

Triste ironie, Arturo avait aussi utilisé une partie de sa dernière semaine à Montréal pour préparer son avenir à court terme, celui qui l'attendait à son retour du Brésil. C'est son ami Christian Santos qui l'avait confié à *La Presse:* «Il voulait aménager la chambre de son fils dans le condo qu'il venait d'acheter au-dessus du métro De Castelnau *(au coin du boulevard Saint-Laurent)* avant de repartir au Brésil.»

À Montréal, Christian avait été l'un des derniers à voir Arturo vivant et, en un sens, c'était un juste retour des choses. Depuis l'époque des culottes courtes où les deux étaient inséparables au point d'être comparés à Laurel et Hardy, il avait été si fidèle et dévoué à Arturo que tout autre scénario aurait été bien décevant. La veille de son départ pour l'Amérique du Sud, Arturo s'était ainsi dirigé chez lui en refaisant pour la dernière fois le circuit qu'il avait tant fait depuis le déménagement de sa famille à Montréal-Nord. De Saint-Léonard, il avait roulé sur le boulevard Pie-IX en direction nord, tourné à gauche sur Fleury, passé devant la rue Cobourg où il avait connu Sylvia, puis retourné une autre fois à gauche sur Parc-Georges, la rue de son enfance. Avant d'arriver chez *Chris*, comme s'il avait obéi à un ordre de l'au-delà, il avait d'abord garé sa Cadillac blanc crème devant le numéro civique 10150, là où habitait Sergio Gennarelli. Il avait passé une quinzaine de minutes seul avec son ancien pote de hockey de ruelle et n'avait pas oublié de lui donner son nouveau numéro de téléphone portable. «Avec le recul, j'ai vraiment interprété cette visite comme un signe du destin», nous avait dit Sergio. Puis Arturo était remonté dans sa voiture avec lui pour se rendre chez *Chris*, tout à côté. En arrivant au bout de la rue, il était repassé devant la maison où il avait grandi et tourné à droite sur Mont-Joly. Deux immeubles plus loin, il s'était retrouvé chez son grand ami. La distance était toujours aussi courte entre son ancien domicile et celui de *Chris*, sauf qu'au lieu de la faire à pied comme avant, il l'avait fait cette fois en Cadillac. Les amis n'avaient pas changé, mais les temps, eux, quand même un peu. Les trois avaient jasé une bonne trentaine de minutes, puis Arturo avait dû mettre fin à la conversation pour aller préparer son départ. Il les avait étreints très fort, à l'italienne, et leur avait dit: «Je vous rappelle dès que je reviens.» Le lendemain, il s'embarquait pour un vol aller seulement vers le Brésil.

Ce voyage-là n'avait pas été son premier au Brésil, bien au contraire. Il y était notamment allé après son combat contre Carlos Baldomir, juste avant de rencontrer Amanda, et depuis qu'il était avec elle, il y était évidemment retourné. Avec le temps, il s'y était fait de nombreux amis, parmi lesquels quelques boxeurs, dont l'ex-champion du monde Acelino «Popo» Freitas. À l'évidence, il entretenait aussi de bons rapports avec les membres de la famille d'Amanda car certains médias avaient rapporté qu'il en avait aidé financièrement quelques-uns, allant même jusqu'à payer pour des maisons. Selon ce que Phi-Lan nous avait raconté, il avait toutefois le don de les inquiéter passablement lors de ses visites. « La famille d'Amanda habitait un coin plutôt pauvre, mais c'était comme si Arturo ne l'avait pas remarqué. Il allait se soûler dans les bars des alentours et sa belle-famille paniquait vraiment à le voir aller parce qu'elle craignait qu'il se fasse attaquer et voler. Lui leur disait de ne pas s'en faire, qu'il n'avait peur de rien et que de toute façon, il parlait espagnol. »

La famille Rodrigues habitait dans le sud du pays dans la région de Belo Horizonte, la troisième plus grande agglomération du Brésil avec 5,4 millions d'habitants. C'est de là que, le vendredi 10 juillet 2009, Amanda, Arturo et leur fils étaient partis pour se rendre à la réputée station balnéaire qui les attendait pour la fin de leurs vacances. L'endroit s'appelait Porto de Galinhas et était situé dans l'État de Pernambuco, dans le nord-est du pays. C'était un tout petit village où ne vivaient qu'une centaine de personnes, mais qui attirait des milliers de touristes. Ils s'y rendaient surtout pour profiter des plages, parmi les plus belles, disait-on, en raison d'une importante barrière de corail qui y formait des piscines naturelles.

Arturo et Amanda avaient prévu les admirer longtemps. Ils avaient loué un condo pour un mois au chic complexe hôtelier Dorisol-Ancorar Resort, à deux pas de la mer. « Ils avaient réservé par téléphone et payé d'avance », avait souligné au *Journal de Montréal* Cristina Esperidiao, responsable de la location. « Quand je les ai rencontrés, ils m'avaient l'air tout à fait heureux, sans problème. Ils m'avaient dit qu'ils venaient pour une lune de miel. » Même si, depuis son arrivée au Brésil, Arturo se plaignait des tenues portées par Amanda, ils semblaient effectivement s'être présentés à Porto de Galinhas dans un bon état d'esprit. Arrivés dans la journée, ils s'étaient installés dans leur condominium de deux étages, puis avaient ensuite sauté dans un taxi pour se rendre au centre touristique du village. Avec Arturo Junior affalé dans sa poussette, ils avaient découvert les lieux en marchant et les témoins qui les avaient croisés avaient aussi eu l'impression d'un couple modèle.

Cette impression avait persisté pour quelques heures encore. Autour de 21 heures, ils s'étaient arrêtés dans une pizzeria sur le bord de l'océan et s'étaient fait remarquer par leur bonté. Ils avaient commandé deux grandes pizzas, une pour eux et l'autre pour un petit groupe d'enfants de la rue qu'ils avaient invités à la table voisine. Ils avaient aussi commandé deux bouteilles de vin, mais cette fois les enfants n'y avaient pas eu droit et des témoins avaient raconté que c'était surtout Arturo qui les avait bues. Ce n'était probablement pas une coïncidence si, aux yeux d'un peu tout le monde, le couple avait cessé d'avoir l'air modèle peu de temps après.

Que s'était-il passé à partir du moment où le couple Gatti-Rodrigues avait quitté cette pizzeria, après minuit? Cette question-là, il y avait bien peu de gens qui ne se l'étaient pas posée dans les heures, les jours, les semaines, les mois suivants. Elle était devenue une sorte d'obsession, surtout pour une famille triste de Montréal et un groupe de policiers brésiliens. Elle était en fait devenue à ce point obsédante qu'elle avait amené trois importants médias, HBO, ESPN et le *Journal de Montréal*, à déléguer des envoyés spéciaux au Brésil pour tenter d'y répondre. Dans les trois cas, les journalistes avaient passé plusieurs jours sur le terrain à faire enquête et, à la fin, leur reconstitution des événements avait été à peu près la même. La même que leurs confrères, mais peut-être plus important encore, la même que la police. La voici donc, dans ses grandes lignes.

À leur départ de la pizzeria, Arturo et Amanda continuent de marcher dans le village et finissent par s'arrêter à un autre restaurant. Arturo n'a plus faim, mais il a encore soif et désire prendre une dernière bière. Il est alors autour de minuit trente et puisque le resto s'apprête à fermer, le serveur décide de les asseoir à une table à l'extérieur. Leur lune de miel commence à ce moment à prendre une tout autre tournure. Pour un motif inconnu, le ton se met soudainement à monter et Arturo s'emporte au point de fracasser sa bière par terre. « Tu ne changeras jamais », lui aurait alors dit Amanda, selon le *Journal de Montréal*.

Tenant tout de même à étirer la soirée, Arturo veut ensuite se rendre à la discothèque Santeria, située tout près. Sous prétexte qu'il est tard et qu'elle doit aller coucher Arturo Junior, Amanda refuse et cela provoque une nouvelle escalade. En pleine rue, le couple commence à se lancer des invectives, en anglais. Des témoins assistent à la scène et voient Arturo s'en prendre physiquement à Amanda. «Je l'ai vu la battre et la pousser», a notamment raconté aux envoyés spéciaux George Soares, portier à l'auberge Poussada Farol do Porto. «Puis elle est tombée et il l'a tirée par les cheveux.» Un policier affirme même qu'Amanda a littéralement plongé sur l'asphalte tellement Arturo l'a frappée solidement. Néanmoins, elle réussit à se relever et à prendre la fuite. Le portier, qui ne sait alors pas à qui il a affaire et à quoi il s'expose, se dirige vers Arturo pour lui demander des comptes. Il ne met pas de temps à le regretter. Après avoir placé son fils dans un taxi, Arturo se jette sur lui, le frappe deux fois au visage et le met K.-O. «Quand je suis revenu à moi, a-t-il expliqué, je me suis relevé et je suis retourné à l'auberge. Je saignais et j'étais brisé.»

Arturo n'en a pourtant pas encore terminé avec les altercations. Sa bagarre avec le portier a attiré plusieurs curieux qui se mettent à ce moment à le menacer. Pressentant le danger, le chauffeur de taxi se rend alors avertir la police, pas très loin de là. En son absence, la meute de curieux passe à l'action et attaque Arturo en lui lançant des roches (et même une bicyclette). Un des projectiles l'atteint notamment derrière la tête, lui causant une entaille au cuir chevelu. Au retour du taxi, il saigne toujours et, furieux, demande au chauffeur de le conduire à l'hôtel. Les minutes suivantes ne l'aident pas à décolérer. En arrivant, il débarque la poussette d'Arturo Junior et dit au chauffeur: «Si ce n'avait pas été du bébé, j'aurais tué tout le monde.»

Au Dorisol, il se met ensuite à chercher Amanda un peu partout, en tenant Arturo Junior dans ses bras. Selon des employés de l'hôtel, il sentait l'alcool mais n'était pas ivre au point de tituber. Voyant qu'Amanda n'y est pas, il décide de retourner à Porto de Galinhas, mais il doit demander un autre taxi car le chauffeur refuse de le reprendre. Rendu au village, il se fait conduire à la discothèque Santeria, où il pense y retrouver Amanda. Il laisse Arturo Junior dans le taxi et entre en fou à l'intérieur. Il bouscule des clients, se chamaille, renverse des chaises, et finit par ressortir en constatant qu'Amanda n'est pas sur place. Il remonte dans le taxi et demande de retourner à l'hôtel. Cette fois, il est au bon endroit. À son arrivée, Amanda l'attend à l'extérieur puisqu'elle n'a pas la clé magnétique pour entrer dans le condo (le couple en possédait deux, mais une servait à l'intérieur pour faire fonctionner le dispositif de l'électricité). Elle n'a pas d'argent non plus pour payer le taxi qui l'a ramenée et demande à Arturo de régler sa course. Selon le chauffeur, probablement la dernière personne à l'avoir vu vivant à part Amanda et Arturo Junior, il paraissait plus triste qu'en colère. Il est alors entre 2 heures et 2 heures 30 du matin et le couple monte ensuite tranquillement à l'appartement.

Une fois à l'intérieur, Arturo réalise qu'Amanda saigne du menton et lui demande : « Bébé, c'est moi qui t'ai fait ça ? » Elle lui répond oui et il lui demande alors si elle va le quitter. Elle répond encore par l'affirmative et monte se coucher à l'étage avec Arturo Junior. « J'ai ensuite barré la porte, a-t-elle dit expliqué au *Journal de Montréal*, et c'est la dernière fois que je lui ai parlé. »

Que s'était-il passé ensuite ? La question n'avait pas changé et elle avait continué de tarauder les envoyés spéciaux. Mais à partir de là, leur travail d'enquête s'était encore plus compliqué parce qu'ils avaient dû cesser de s'appuyer sur les témoignages pour reconstituer le fil des événements. Ce qui s'était produit peu après 2 heures 30 dans l'appartement du couple Gatti-Rodrigues, il n'y avait plus aucun témoin pour le rapporter. À 2 heures 26 précisément, le système de verrouillage électronique de la porte avait enregistré sa dernière lecture et, en principe, plus personne n'avait pénétré dans l'appartement par la suite. Le couple avait été livré à lui-même et il s'était désuni de la même manière qu'il s'était uni à Las Vegas, à l'insu des regards. Bien sûr, ce n'est pas ce que persistent à croire les proches d'Arturo, convaincus qu'il y a eu au moins un témoin dans l'appartement cette nuit-là et que ce témoin était le complice engagé par Amanda pour tuer Arturo. Mais, malheureusement pour eux, la police brésilienne dit encore aujourd'hui en être persuadée : le couple était seul avec leur fils et Arturo n'a pas été tué. Ni par Amanda ni par personne d'autre.

Il s'est enlevé la vie.

Ce samedi 11 juillet 2009, autour de 9 heures du matin, Arturo avait été retrouvé en position fœtale sur le plancher de la cuisine, entouré de sang. Vers 6 heures, Amanda était descendue à la cuisine pour chercher le lait d'Arturo Junior et elle l'avait déjà aperçu dans cette position, sans remarquer de sang. Elle n'en avait pas fait de cas et elle était remontée à l'étage pour nourrir Arturo Junior et se recoucher. Elle était fâchée contre Arturo, avait-elle expliqué plus tard, et le croyait simplement endormi ivre mort, comme cela lui arrivait fréquemment. Trois heures plus tard, elle était retournée à la cuisine et, cette fois, sa réaction n'avait pas été la même. En apercevant son corps entouré de sang, elle s'était approchée de lui, l'avait secoué pour tenter de le réveiller, et quand elle avait vu à quel point il était froid, elle s'était bien rendu compte de ce qui se passait. Elle avait commencé à paniquer et elle était sortie pour aller frapper aux portes voisines en criant *«mon mari est mort, mon mari est mort»*. Un couple était venu à son secours et l'homme avait communiqué avec la réception. Quand le gérant en fonction ce matin-là était arrivé dans le condo, elle était encore en pleine hystérie. «Si elle faisait semblant, elle est vraiment une grande actrice», avait-il dit au reporter d'ESPN.

Les premiers policiers à se présenter sur les lieux avaient dû douter de sa sincérité un peu plus que le gérant. En pénétrant dans le condo, ils avaient tout de suite eu l'impression d'être confrontés à une scène de meurtre. Vêtu d'un simple slip bleu, le corps d'Arturo affichait d'évidents signes de violence. Son visage était bleuté, sa tête coupée, ses bras contus, son cou strié par une marque de strangulation. Les preuves du meurtre semblaient même être toutes réunies autour de lui. Il y avait par terre une lanière de nylon tâchée de sang et, sur le comptoir, un couteau à viande et une serviette aussi maculée de sang. Comme s'il n'y avait déjà pas assez d'éléments pour faire croire à un crime passionnel, Amanda portait elle aussi des marques au visage et paraissait avoir saigné. Tôt ce samedi matin, la mort d'Arturo avait donc été considérée comme suspecte et les policiers avaient eu très hâte de s'asseoir avec Amanda pour écouter sa version des événements.

Au départ, l'affaire avait été confiée à l'enquêteur Moises Teixeira de la police civile de Porto de Galinhas. Il faisait équipe avec son collègue Josedith Ferreira et c'est avec lui qu'il avait interrogé Amanda, peu de temps après la découverte du corps d'Arturo. Dès le début, elle avait évidemment nié une quelconque implication dans le décès de son mari, mais Teixeira et Ferreira en doutaient tellement que son interrogatoire avait duré six heures. Ils l'avaient cuisinée pendant tout ce temps et, même si elle n'avait jamais fini par avouer ce qu'ils attendaient, ils étaient convaincus à la fin d'être en présence de la meurtrière d'Arturo. Un détail, tout particulièrement, les avait amenés à le croire : son attitude au cours de l'interrogatoire. Si hystérique un peu plus tôt, elle leur avait parlé d'un ton presque détaché, sans émotion, et, surtout, sans démontrer le moindre signe de tristesse pour la perte de son mari. Mais il n'y avait pas que cela et, en six heures, elle avait aussi eu le temps de se contredire et d'être incohérente à quelques reprises. Pour expliquer la mort d'Arturo, elle avait par exemple commencé par dire que quelqu'un avait bien dû entrer pour le tuer, avant de prétendre qu'il avait probablement dû se suicider parce qu'elle entendait le quitter. D'un autre côté, dès lors où elle disait ne pas être coupable, il était probablement juste normal qu'elle nage elle aussi en plein mystère quant aux circonstances du décès. Dans un sens, c'était comme si la police lui demandait de faire son travail, de trouver un coupable et elle était bien embêtée de les aider.

En dépit de ses présomptions, Teixeira avait considéré ce samedi-là qu'il était trop tôt pour mettre Amanda en état d'arrestation et elle avait été libérée en milieu d'après-midi. À ce moment, la mort du célèbre Arturo Gatti n'avait pas encore été rendue publique et n'était qu'un fait confidentiel pour quelques personnes d'un petit village brésilien. Les proches d'Arturo n'avaient toujours pas été prévenus et avant que la nouvelle commence à s'ébruiter un peu partout, il importait de la leur apprendre.

Par le plus triste des hasards, la grande majorité de la famille Gatti était alors réunie à Sunny Island, en Floride, pour un événement des plus heureux: le renouvellement des vœux de mariage d'Anna Maria, la sœur d'Arturo. Libérée de Davey Hilton depuis l'affaire des agressions sexuelles, Anna Maria s'offrait ce soir-là ce second départ et elle avait d'ailleurs encore espoir qu'Arturo lui fasse la surprise de sa présence. Il lui avait fait miroiter la possibilité de faire un aller-retour éclair et il avait bien dû en avoir un peu l'intention car c'est lui qui avait acheté la bonbonnière.

Les gens avaient commencé à se préparer pour sa cérémonie vers 15 heures. Comme d'habitude, il y avait encore des tensions dans la famille, mais c'était néanmoins une belle journée. Le soleil plombait et les invités avaient profité de la mer en début d'après-midi. Comme le faisaient tant de touristes à Porto de Galinhas. À 15 heures 35 exactement, le soleil était subitement allé se coucher pour tous ceux qui se trouvaient rassemblés autour d'Anna Maria. Sa belle-sœur Amanda Rodrigues venait de sortir de son interrogatoire et avait composé son numéro de téléphone. Elle n'avait pas changé d'état parce qu'elle avait quitté les policiers, elle était toujours aussi froide, détachée, sans émotion. Zéro larme. Leur conversation avait été rapportée par *La Presse*.

– Anna?

– Oui. Amanda?

– Quelque chose de grave est arrivé.

– Quoi, Amanda?

– Arturo est mort.

– Comment?

– Je ne sais pas.

– Qu'est-ce que tu veux dire, tu ne sais pas ? Je veux mon frère.

– C'est mon mari.

Avant d'être un frère et un mari, Arturo était surtout le fils d'Ida Gatti, debout juste à côté d'Anna Maria. En apprenant la nouvelle, Ida avait senti ses jambes l'abandonner et elle avait dû s'agripper au bras d'Anna Maria pour ne pas défaillir. Son fils avait 37 ans et même si tout le monde ne s'attendait pas à le voir vivre vieux, c'était bien trop jeune pour mourir.

Et puis voilà, la nouvelle avait commencé à s'ébruiter.

D'abord dans la pièce. En écoutant parler Anna Maria et sa mère, Giuseppina était sortie de la salle de bains et était allée pleurer un peu plus loin. Ensuite dans le reste de l'hôtel où était logée la famille Gatti. Puis à Montréal. Et dans le New Jersey. Et enfin, un peu partout dans le monde. Autour de 16 heures ce samedi 11 juillet 2009, à peu près tous ceux qui avaient un lien avec Arturo Gatti avaient reçu ou passé un coup de téléphone.

Patrick Lynch avait été joint, cruelle ironie, en Italie où il se trouvait en vacances avec sa famille.

Chuck Zito avait communiqué avec Micky, en vacances lui aussi dans le New Hampshire.

Rocco Crispo avait laissé un message à Joe : « S'il vous plaît, rappelle-moi de toute urgence. »

Ivano Scarpa avait laissé un message à Joe : « S'il vous plaît, rappelle-moi de toute urgence. »

Joe était sorti de sa piscine, avait pris ses messages et rappelé Rocco. « Joe, ils ont retrouvé Arturo mort au Brésil. »

Joe avait failli ne plus jamais rappeler personne.

«Je ne l'ai jamais revu dans un pareil état, avait dit sa femme. J'ai vraiment craint qu'il ne fasse quelque chose de grave.»

Joe avait malgré tout téléphoné à Mario Costa, en vacances au Portugal. «Mario, ils ont finalement réussi à tuer mon frère», qu'il lui avait dit en pleurant comme un enfant.

Joe avait malgré tout téléphoné à John Lynch, à Union City. «J'espère qu'avec tout l'argent que vous avez fait sur son dos, vous allez envoyer du monde au Brésil pour éclaircir sa mort. Et ne me dis surtout pas que ton frère s'en occupe. Il ne se souciait pas d'Arturo vivant, penses-tu qu'il va s'en soucier mort?»

Sergio Gennarelli avait reçu des appels et des messages textes: *Arturo is dead.*

Mickey «Red» Skowronski avait été prévenu par un ami et était allé passer sa peine en marchant devant l'appartement de la rue Odgen qu'il avait habité avec Arturo à Jersey City.

Dans le temps de le dire, la nouvelle s'était ainsi propagée dans l'entourage d'Arturo et les rares qui n'avaient pas été prévenus par téléphone l'avaient été par le biais des bulletins d'information. Après s'être assurée que la famille immédiate d'Arturo avait été avisée, la police de Porto de Galinhas avait en effet consenti à confirmer son décès et, en fin d'après-midi, l'information s'était retrouvée en manchette partout. À ce moment, la police s'était toutefois montrée extrêmement prudente et n'avait livré que quelques détails sur le dossier. «Il est encore trop tôt pour tirer des conclusions, même si l'histoire paraît bien étrange», avait ainsi déclaré l'enquêteur Edilson Alves à l'Associated Press, ajoutant que la femme et le fils d'Arturo n'avaient pas été blessés. Mais dans le peu que la police avait divulgué, un détail allait revenir la hanter et contribuer à rendre la famille Gatti bien suspicieuse à son égard. Ce détail-ci: dans sa conversation avec le journaliste de l'AP, l'enquêteur lui avait mentionné que le corps d'Arturo avait été retrouvé dans sa chambre! Le lendemain, l'information avait d'ailleurs été reprise dans l'un des titres du *Journal de Montréal:* «Des traces de sang dans sa chambre». Et Fabrizio Gatti, qui s'était plus tard retrouvé au Brésil pour identifier le corps de son frère, avait aussi assuré que c'était ce qu'on lui avait dit sur place.

Ce samedi-là, la police n'avait donc jamais fait mention qu'elle suspectait Amanda de meurtre, ce qui avait par ailleurs fait naître une foule de rumeurs, y compris celle qu'Arturo avait succombé par asphyxie en s'adonnant à un rituel sexuel. En fait, elle n'avait même pas parlé de meurtre de sorte qu'en temps normal, personne n'aurait dû croire Amanda impliquée dans la mort de son mari. Et pourtant, c'était tout le contraire qui s'était produit. Par exemple, Patrick Lynch avait raconté que, dès qu'on lui avait appris la nouvelle du décès d'Arturo, il s'était tourné vers sa femme et lui avait dit: «C'est elle, c'est sûr. Ou bien elle l'a tué, ou bien elle l'a fait tuer.» À Montréal, la réaction avait été exactement la même. Dans la soirée, Fabrizio Gatti, Tony Rizzo et Jeremy Filosa avaient tenu une sorte de *war room* chez Christian Santos et ils s'entendaient aussi sur un seul et même scénario: «Elle l'a attiré dans un guet-apens au Brésil.» À cause de la menace qu'Amanda représentait, du fait qu'elle avait déjà parlé de tuer Arturo, Rizzo, Santos et compagnie lui avaient d'ailleurs déconseillé de se rendre au Brésil. Le plus incroyable dans tout cela, c'est que tous ces gens se disaient convaincus de son implication avant même de savoir que le testament d'Arturo avait été modifié la veille de son départ! L'information ne leur avait été communiquée qu'une dizaine de jours plus tard et, bien sûr, elle n'avait suffi qu'à confirmer ce qu'on pensait déjà d'elle.

Il n'avait fallu que quelques heures pour que tous les proches d'Arturo puissent savoir que leur image d'Amanda Rodrigues était la bonne. Le lendemain, la police civile de Porto de Galinhas avait en effet procédé à son arrestation très médiatisée et l'avait placée en détention pour sa participation présumée dans le meurtre d'Arturo. Les preuves semblaient si accablantes contre elle que les enquêteurs n'avaient mis que 24 heures pour déterminer pourquoi et comment elle avait pu tuer Arturo. Avant de rentrer à l'hôtel, le couple s'était violemment disputé et Amanda avait été frappée en pleine rue, devant des témoins. Une fois à l'intérieur du condo, elle avait tenu à prendre sa revanche. Elle l'avait d'abord frappé à la tête avec un couteau à viande puis, profitant du fait qu'il s'était endormi ivre mort, elle l'avait ensuite étranglé avec la courroie de son sac à main. La police avait estimé à son arrivée au condo que la mort d'Arturo remontait à environ six heures, ce qui voulait dire qu'il avait été tué peu après son retour à l'hôtel, vers 3 heures. C'était d'ailleurs un autre des détails qui avait amené les policiers à douter d'Amanda : au cours de son interrogatoire, elle avait été incapable d'expliquer comment elle avait pu passer tout ce temps sans se rendre compte du décès de son mari (mais si elle dormait à l'étage et qu'il était mort dans une autre pièce, elle aurait bien pu passer 15 heures sans s'en apercevoir, non ?) « Nous ne croyons pas non plus à son hypothèse que le meurtre pourrait avoir été commis par quelqu'un d'autre », avait alors déclaré Moises Teixeira. « Il est techniquement impossible qu'une troisième personne ait été dans le coup. Il n'y avait aucune trace d'effraction dans le condo et le système de verrouillage électronique n'indique aucune autre entrée après 2 heures 26. Elle a agi seule. »

Fortement soupçonnée du meurtre d'Arturo Gatti, Amanda Rodrigues avait donc été conduite à la prison pour femmes Colonia Penal Bom Pastor, à Recife, la capitale de l'État de Pernambuco. Vêtue d'un polo Ralph Lauren blanc et d'un jeans taille basse, de larges lunettes de soleil sur les yeux, elle avait bien dû y regretter le luxe du Dorisol-Ancorar Resort. Selon ce qu'elle avait raconté plus tard, il y avait dans sa cellule 20 détenues pour quatre lits et, surtout, bien des coquerelles pour tout le monde. « Je me réveillais la nuit et elles marchaient sur mon ventre. »

Bien que placée en garde à vue, Amanda n'avait toutefois pas été officiellement accusée par les policiers. Ce dimanche-là, la police avait eu beau ne laisser planer à peu près aucun doute sur sa culpabilité, elle avait malgré tout tenu à spécifier que son enquête n'était pas complète, même si elle s'attendait à déposer l'accusation plus tard dans la journée.

À Montréal, la nouvelle de l'arrestation d'Amanda avait évidemment été accueillie avec soulagement, mais on avait dû la mettre bien rapidement derrière soi. La famille d'Arturo, notamment, était alors au cœur d'une période épouvantablement folle et elle avait à s'occuper de plusieurs dossiers. Les demandes d'entrevues étaient infernales, il fallait préparer les funérailles de l'un des boxeurs les plus populaires au monde, et avant toute chose, cruauté des cruautés, se rendre au Brésil pour rapatrier le corps d'Arturo.

Après quelques discussions, la famille avait finalement décidé de confier cette pénible tâche à Fabrizio. Accompagné d'un proche de la famille, il était parti lundi et était arrivé au Brésil le lendemain.

Son séjour avait évidemment commencé de la plus épouvantable façon: il avait dû, dès son arrivée, se rendre identifier le corps de son frère. La morgue était située à l'intérieur d'un hôpital qu'il avait comparé à un dépotoir, comme si on l'avait fait exprès pour qu'il soit marqué à jamais par son expérience. Et effectivement, il l'avait été au point qu'il n'avait même pas été capable de la supporter jusqu'au bout. Quand on avait commencé à soulever le drap recouvrant le corps d'Arturo, il avait aperçu ses tatouages sur les bras et il en avait eu assez. Il avait dit aux responsables que c'était bien son frère et que le reste était au-dessus de ses forces.

Fabrizio était resté quatre jours au Brésil et, durant ce temps, il s'était produit quelques développements. D'abord, le lendemain de son arrivée, Amanda avait donné le coup d'envoi à sa longue campagne de relations publiques en faisant parvenir une lettre à l'Associated Press. Toujours pas formellement accusée à ce moment, elle avait ainsi clamé son innocence du fond de sa cellule, mais sa lettre avait surtout servi à réitérer son grand amour pour Arturo. Malheureusement pour elle, le même jour, la police avait contre-attaqué en annonçant qu'elle restait l'unique suspecte dans la mort d'Arturo et que, fait nouveau, elle avait peut-être même prémédité son meurtre. La porte-parole de la police brésilienne, Milena Sareiva, avait en effet expliqué qu'il était possible qu'elle ait incité Arturo à boire de façon excessive afin qu'il ne soit plus en mesure de se défendre. Dans l'appartement, les enquêteurs avaient trouvé sept canettes de bière vides et ils croyaient qu'Arturo les avait toutes bues au retour à l'hôtel. Ce qui nous paraissait quand même curieux car, puisqu'il était arrivé à 2 heures 26 et qu'on situait sa mort autour de 3 heures, cela voulait dire qu'il avait bu ou qu'on lui avait fait boire sept bières en bien peu de temps.

La venue d'une porte-parole dans le dossier Gatti était par ailleurs en lien avec l'autre développement majeur survenu au cours du séjour de Fabrizio au Brésil. Pour une raison obscure, l'enquête avait en effet été retirée à la police de Porto de Galinhas et transférée à celle d'Ipojuca, la ville la plus proche. Quatre jours après la mort d'Arturo, elle était donc passée des mains de Moises Teixeira à celles du chef Paulo Alberes qui en avait profité à son tour pour se mettre au monde. Il était plus tard apparu dans des documentaires sur de grandes chaînes comme HBO et ESPN, avait accordé des entrevues à la radio et à la télé et avait été cité dans les plus grands journaux mondiaux. Quant au pauvre Teixeira, il était retourné dans l'ombre bien rapidement. Tellement rapidement, en fait, qu'il était pratiquement devenu introuvable à partir de ce moment. Selon ce que l'on avait raconté à l'envoyé spécial du *Journal de Montréal* qui avait souhaité lui parler, il s'était cassé un bras en faisant des travaux à sa résidence et il avait pris un congé de maladie. C'était vraiment pas de veine.

A priori, Fabrizio n'avait eu aucune raison d'être inquiet du transfert de l'enquête parce qu'avant de le laisser repartir, Paulo Alberes avait tenu à le rassurer. Il y avait peut-être bien de nouveaux policiers associés à l'enquête, mais cela ne changeait rien parce que les faits, eux, restaient les mêmes. «Nous avons toutes les preuves contre elle», qu'il lui avait dit, conscient que c'était une bonne idée de le lui rappeler près d'une semaine après l'arrestation de la Brésilienne.

Les formalités de rapatriement complétées, Fabrizio était donc reparti du Brésil le vendredi matin, une journée avant que la famille se réunisse en privé autour de la dépouille d'Arturo. Il avait sûrement eu très hâte de quitter cette terre maudite, mais son voyage de retour avait dû être aussi affreux que tout ce qu'il venait de vivre. Pendant six longues heures, il avait été assis dans un avion en sachant que, dans la soute à bagages, se trouvait le corps de son frère. Un frère avec lequel il était en brouille et de qui il aurait souhaité se rapprocher autrement qu'en l'ayant tout près de lui, étendu dans une malle.

Au retour à Montréal, les nouvelles en provenance du Brésil avaient commencé à être moins bonnes. Il s'agissait d'une coïncidence, bien sûr, mais c'était comme si on avait attendu que Fabrizio reparte avec le corps de son frère pour amorcer un changement de script, sachant que la famille Gatti n'aurait plus jamais à mettre les pieds là-bas. Ainsi, dans ses éditions du samedi 18 juillet, le journal brésilien *Diario de Pernambuco* avait publié des extraits du rapport d'autopsie qui soulevait, pour la première fois, l'hypothèse du suicide d'Arturo. Ce n'était qu'une possibilité, mais la médecin légiste avait conclu dans son rapport que le corps d'Arturo retrouvé sur le plancher avait été auparavant «suspendu et pendu». *«L'asphyxie par pendaison est très fréquemment de nature suicidaire, mais peut être de nature accidentelle ou le résultat d'un homicide»*, avait-elle écrit, selon un extrait repris par le *Journal de Montréal.*

Cette conclusion avait évidemment été une bénédiction pour Amanda et son avocat, l'un des meilleurs du pays à ce qu'on avait raconté, n'avait pas tardé à saisir la balle au bond. Le même jour, il avait réclamé sa libération, affirmant qu'elle était bien trop frêle pour avoir pu soulever et pendre son mari. La cour de l'État de Pernambuco n'était peut-être pas au courant des cours de boxe d'Amanda, mais elle avait néanmoins refusé la demande et la police avait continué de dire qu'elle la croyait coupable.

Malgré tout, ce rapport d'autopsie avait représenté un point tournant et fait douter le chef de police Paulo Alberes plus qu'il ne l'avait laissé paraître. Devant l'hypothèse soulevée par la médecin légiste, il avait ainsi demandé l'assistance de l'Institut de criminologie brésilien pour procéder à une reconstitution des événements et déterminer si la théorie du suicide tenait la route. Il souhaitait surtout savoir s'il était possible qu'un gaillard de 175 livres puisse se pendre avec une sangle de sacoche et, s'il s'était arrêté à la première démonstration, il aurait mis fin immédiatement à son enquête et conclu au meurtre. Car dans sa reconstitution, l'Institut avait suspendu un mannequin de 75 livres en utilisant la même courroie retrouvée sur le plancher et elle avait cédé au bout de cinq secondes ! La famille Gatti s'était d'ailleurs beaucoup référée à ce test pour discréditer la thèse du suicide, mais il ne pouvait pas être jugé valide parce que la sangle avait déjà été étirée et fragilisée lors des événements du 11 juillet. Puisque le reste de la reconstitution avait aussi permis de démontrer que le suicide était plausible, Alberes avait donc poursuivi son enquête en commençant à penser qu'Amanda avait peut-être raison de clamer son innocence.

Et puis les jours avaient passé. Le feuilleton avait continué tranquillement, autant en Amérique du Sud qu'en Amérique du Nord. Au Brésil, Alberes avait obtenu une extension au délai du 22 juillet pour la mise en accusation et Amanda était restée emprisonnée malgré une autre demande de remise en liberté. Elle en avait pris bonne note et, une fois dehors, elle annoncerait poursuivre les autorités brésiliennes à hauteur de 500 000 $ pour emprisonnement injustifié. À Montréal, il y avait eu aussi quelques développements, dont l'annonce faite par Jeremy Filosa que le testament d'Arturo avait été modifié avant sa mort, en faveur d'Amanda. À ce moment, Jeremy ne le savait d'ailleurs pas encore, mais il venait d'entrer dans la période la plus pénible de toute sa carrière. Elle avait commencé au salon funéraire, le jour où il avait scellé un pacte avec Christian Santos pour devenir le porte-parole de la famille Gatti. Croulant sous le chagrin et les demandes médiatiques, Christian était alors en train d'y laisser sa peau et Jeremy avait cru bon le soulager en agissant ainsi. Mais au bout du compte, c'est lui qui avait bien failli ne pas en sortir indemne. Pendant deux mois, il n'avait parlé que d'un seul sujet, la mort de son ami Arturo Gatti, tantôt en tant que journaliste à la radio de CKAC, tantôt en tant que porte-parole. Cela avait été catastrophique sur le plan humain et, bien sûr, catastrophique aussi sur le plan de l'éthique. Il n'était pas impartial, il le savait, et ses patrons avaient fini par lui retirer le dossier.

L'une des pires journées vécues par Jeremy dans le cadre de ses doubles fonctions avait sans doute été celle du jeudi 30 juillet. Ce jour-là, il avait dû être encore plus tiraillé qu'à n'importe quel autre moment car les autorités brésiliennes avaient fait exploser deux bombes qui avaient fait bien des dégâts, un peu partout en Amérique du Nord. Deux bombes que beaucoup de gens commençaient cependant à voir venir, près de trois semaines après le fameux samedi noir.

La première: Arturo s'était bel et bien suicidé.

La seconde: Amanda Rodrigues était remise en liberté, après 18 jours d'emprisonnement.

Les deux nouvelles étaient tombées en fin d'après-midi et avaient été accompagnées par les images de la sortie de prison d'Amanda. Vers 16 heures 30, elle avait quitté son enfer du Colonia Penal Bom Pastor encore sous les flashs des caméras, encore habillée comme une gravure de mode, portant encore ses larges verres fumés, mais montrant une chose qu'elle n'avait pas 18 jours plus tôt: un grand sourire triomphant. «Je tiens à remercier tout le monde qui a prié et cru en moi, principalement ma sœur, mon père et ma mère», avait-elle alors commenté, escortée de sa sœur Flavia qui s'était occupée d'Arturo Junior durant son emprisonnement. Joint par *La Presse*, son avocat Celino Avelino s'était aussi exprimé et avait fait état des sentiments partagés de sa cliente. «D'une part, elle est heureuse de pouvoir retrouver son fils et que la justice ait reconnu qu'elle n'était pas coupable, mais de l'autre, elle est atterrée d'avoir perdu son mari d'une façon si tragique. Un mari qu'elle aimait beaucoup.» Pour la soutenir dans cette terrible épreuve, des dizaines de personnes l'attendaient à l'extérieur et quand elle s'était finalement pointée, elles s'étaient mises à l'applaudir. Pour un peu, on se serait cru à un combat de feu son mari.

La décision de la relaxer avait été prise en matinée. Dans son ordonnance de libération, le juge Ildete Verissimo de Lima avait écrit que «la détention de la suspecte n'est plus requise puisque l'enquête exclut la possibilité d'un meurtre. La victime s'est suicidée par pendaison».

Comment? Dans une première déclaration, Paulo Alberes n'avait pas voulu le dire, mais les autorités brésiliennes n'avaient guère eu le choix et avaient bien dû l'expliquer plus tard en conférence de presse. Selon l'experte légale de l'Institut de criminologie, Vanja Coelho, Arturo était passé à l'acte de la façon suivante : il avait d'abord détaché la sangle du sac à main de sa femme et en avait fait un nœud coulant. Il était ensuite grimpé sur un tabouret de comptoir et, à une hauteur de sept pieds, il avait attaché la sangle à la rampe d'escalier menant au deuxième étage. Puis il avait passé sa tête autour du nœud de la sangle et botté le banc sous la cage d'escalier. Tout ça, bien sûr, en étant ivre mort, ce qui aura représenté le dernier exploit de sa vie. Son corps avait ainsi balancé dans le vide pendant trois heures et était tombé lorsque la sangle avait cédé. Une fois dans cette position, il pouvait donner l'impression de dormir sur le plancher.

C'était ainsi, ce jour-là, que les autorités brésiliennes avaient expliqué le suicide d'Arturo et, malheureusement pour elles, elles n'avaient pas réussi à convaincre un seul de ses proches. À Montréal, Ida Gatti avait alors résumé le sentiment de la famille en se confiant au *Journal de Montréal:* « C'est une Brésilienne, alors ils la protègent. Elle leur a raconté des menteries. Elle a toujours raconté des menteries. » Au New Jersey, les réactions avaient été plus nombreuses parce que, dans la soirée, une messe commémorative avait été tenue dans une église de Jersey City. Ils étaient plus de 600 à y assister, parmi lesquels Micky, Joey Gamache, Tracy Harris Patterson, Ivan Robinson, Mickey Rourke, Carl Moretti, Chuck Zito, Chuck Wepner, et leur sentiment avait été quant à eux résumé par Lou DiBella : « Arturo Gatti n'a jamais abandonné dans le ring et il n'a pas abandonné non plus au Brésil. » La formule de DiBella avait fait un grand effet, mais elle était bien sûr tendancieuse parce que, dans les faits, les guerriers « abandonnaient » plus à l'extérieur du ring que dedans, comme l'avait rappelé dans la même semaine le suicide du grand Alexis Arguello. Celui que les gens et les journalistes avaient toutefois eu le plus hâte d'entendre ce soir-là, c'était Patrick Lynch et sa réaction avait été en phase avec celle d'Ida Gatti : « C'est de la corruption. Que sommes-nous supposés croire ? » avait-il demandé. « Qu'Arturo s'est poignardé derrière la tête et qu'il s'est ensuite pendu ? Je ne vais pas laisser aller les choses comme ça. Nous avons une longue investigation devant nous. »

Effectivement, Lynch était descendu dans l'arène à partir de ce moment et la saga Arturo Gatti que les autorités brésiliennes croyaient avoir conclue dans la journée était repartie de plus belle. De concert avec la famille, il avait embauché un avocat et un détective privé brésiliens, mais puisque c'était l'autopsie qui avait fait virer le vent, il avait aussi décidé d'engager un pathologiste. Et pas n'importe lequel : le réputé Dr Michael Baden, ex-pathologiste de la police de l'État de New York qui avait déjà servi de témoin-expert au procès d'O.J Simpson et qui animait l'émission *Autopsy* au réseau HBO.

Cette nouvelle avait frappé un grand coup. Elle avait été annoncée le lendemain et avait servi à donner encore plus de poids à l'autre grande nouvelle révélée par Jeremy Filosa : la famille Gatti demandait à ce qu'une deuxième autopsie soit pratiquée sur le corps d'Arturo. À ce moment, les trois envoyés spéciaux n'étaient pas encore allés faire enquête au Brésil, de sorte que la famille Gatti ne savait toujours pas qu'Arturo avait reçu des roches, et même une bicyclette, avant sa mort. Il était donc normal, comme Lynch l'avait soulevé dans sa déclaration, qu'elle croie que la blessure à la tête et les autres marques révèlent un meurtre plutôt qu'un suicide. Pour cette raison, le Bureau du coroner du Québec avait accepté de se rendre à sa demande et d'examiner le corps une deuxième fois.

L'autopsie avait été réalisée le jour suivant par deux pathologistes du Laboratoire de sciences judiciaires et de médecine légale de Montréal. Michael Baden était évidemment sur place, mais il n'avait fait qu'y assister puisqu'il n'avait pas le droit de pratiquer au Québec. Au dire de ses deux collègues québécois, il ne s'était pas présenté à Montréal avec ses gros sabots de vedette télévisée et s'était comporté en véritable gentleman. Pour certains, toutefois, cette réserve n'avait pas duré assez longtemps. Dans la période suivant l'autopsie, Michael Baden avait en effet été entendu très souvent – surtout parce que les journalistes le sollicitaient beaucoup – et cela avait notamment fini par irriter le coroner au dossier, le Dr Jean Brochu. « Il s'agit d'un médecin américain qui n'a pas droit de pratique au Québec, alors il est très mal venu de venir commenter une autopsie refaite ici », avait-il ainsi réagi dans *La Presse* du 19 septembre.

La ronde d'entrevues de Michael Baden n'avait vraiment pas tardé. À peine quelques minutes après la seconde autopsie, il s'était retrouvé en point de presse au Laboratoire de la rue Parthenais et sa première déclaration avait dû faire un bien énorme à la famille Gatti : selon ce qu'il venait d'observer avec ses collègues, l'autopsie pratiquée par les autorités brésiliennes avait été déficiente. Comme il l'avait alors dit, le corps d'Arturo leur avait réservé plusieurs surprises et il les avait ensuite spécifiées à une journaliste de La Presse Canadienne. « La première surprise est que l'autopsie brésilienne était partielle, et non complète. La seconde surprise est que nous avons fait d'importantes découvertes, comme des blessures qui n'avaient pas été identifiées dans le rapport médico-légal. »

L'une des raisons évoquées pour conclure que l'autopsie brésilienne était partielle, c'est que les pathologistes n'avaient pas réalisé d'analyses toxicologiques sur le corps d'Arturo. En fait, selon ce que Paulo Alberes avait affirmé à l'envoyé spécial de HBO, ils avaient bien essayé de mesurer le niveau d'alcool dans le corps, mais n'en avaient pas été capables. Il n'avait pas su dire pourquoi, mais Baden avait déclaré au magazine *Maxim* que c'était parce que les autorités brésiliennes ne possédaient pas l'équipement nécessaire. Pourtant, « le test d'alcool est le plus facile à faire » et le plus routinier dans ce genre de cause, avait-il dit.

La volonté de Baden de connaître le taux de toxicologie d'Arturo s'expliquait facilement. En sachant à quel point il était ivre ou drogué mort au moment de son décès, il était ainsi possible de déterminer si une ou plusieurs personnes avaient pu l'étrangler par terre ou le pendre sans qu'il ait de réaction. Et dans le cas d'Arturo précisément, cette question-là était capitale parce que Hector Roca et Joey Perrenod nous avaient déjà confié qu'il était parfois si intoxiqué que, même en le secouant très fort et très longtemps lorsqu'il gisait sur un plancher, il était impossible de le réveiller. Selon son degré d'intoxication, Baden soutenait donc qu'il était possible qu'il ait pu être victime d'un genre de crime souvent commis en prison. « Les détenus tuent quelqu'un et le pendent ensuite pour faire croire à son suicide. Mais pour agir ainsi, il faut plus qu'une personne », avait-il expliqué à *Maxim*.

Les commentaires de Baden à la suite de l'autopsie avaient donc pu susciter l'espoir de la famille Gatti, mais à ce moment il était évidemment bien trop tôt pour tirer des conclusions définitives. Les pathologistes québécois avaient averti la famille de ne pas attendre leur rapport final avant plusieurs mois, entre autres parce qu'ils devaient consulter des documents brésiliens qu'ils n'avaient toujours pas reçus. Un mois et demi plus tard, pourtant, la famille avait déjà pu savoir que son espoir était légitime. Le 19 septembre, des fuites du rapport s'étaient en effet retrouvées dans *La Presse* et elles permettaient de continuer de croire à la théorie de Baden. «Une piste est explorée, avait écrit le journaliste André Noël: quelqu'un aurait pu droguer Gatti, de façon à pouvoir lui passer une corde au cou, le hisser sur un tabouret, puis renverser le tabouret. Une opération difficile, mais pas impossible.» Les pathologistes québécois croyaient possible qu'Arturo ait pu être drogué car ils avaient détecté dans son organisme une substance provoquant la somnolence. Comme elle provenait de médicaments vendus seulement au Brésil, ils devaient cependant se procurer les normes d'utilisation pour savoir si la concentration était forte ou faible. Arturo utilisant sans doute encore beaucoup d'antidouleur dans cette période, il n'était pas exclu qu'un cocktail somnifère ait pu être concocté.

Cela dit, les autres fuites publiées par *La Presse* avaient toutefois été moins positives pour la famille. Par exemple, les pathologistes québécois avaient déterminé que les fameuses blessures dont avait parlé Baden n'étaient en réalité que de simples ecchymoses sans importance, probablement causées lors de l'affrontement avec les passants. Cela excluait donc qu'il ait pu être battu sévèrement avant sa mort, comme certains l'avaient prétendu. Dans la même veine, ils avaient aussi rejeté l'hypothèse de l'étranglement, si évidente aux yeux de la police au départ, et confirmé qu'Arturo était bel et bien mort pendu.

Dans l'attente du rapport complet (d'ailleurs toujours pas déposé à ce jour), la famille Gatti avait donc continué de s'interroger. Ces fuites avaient servi à l'éclairer un peu, mais elle avait encore des tas de questions en tête, et la plupart s'adressaient bien sûr à la police d'Ipojuca. Paulo Alberes était chanceux, si Fabrizio Gatti en avait alors eu le pouvoir, il l'aurait assis devant lui pour le soumettre lui aussi à un interrogatoire de six heures. Il aurait fait la liste de toutes les questions qui le turlupinaient depuis qu'Alberes avait conclu au suicide de son frère et les aurait posées l'une après l'autre. Et après chacune d'elles, Alberes aurait réagi comme en présence des trois envoyés spéciaux: il aurait répondu sans hésiter parce qu'il disait que toutes les questions que les sceptiques s'étaient posées, il se les était posées aussi. L'interrogatoire aurait ressemblé à ceci:

Pourquoi y avait-il du sang sur les draps de la chambre à coucher si Arturo avait été retrouvé sur le plancher?

Parce qu'Amanda saignait du menton en arrivant au condo *(mais aucun test d'ADN n'avait été fait pour vérifier s'il s'agissait bien de son sang)*.

Pourquoi être si sûr qu'il n'y a pas eu de complices à l'intérieur?

Pour plusieurs raisons. Il fallait absolument une carte magnétique pour entrer et le système n'indique aucun accès après 2 heures 26. Il n'y avait non plus aucune trace d'effraction et ils ne pouvaient entrer par la porte de la galerie sans être remarqués par le garde de sécurité et la caméra de surveillance. Et puis, il n'y avait aucune trace de lutte, aucune empreinte dans le condo. Autre chose: cette fille n'était ici que depuis 24 heures et ne connaissait personne dans le coin.

Pourquoi ne pourrait-elle pas l'avoir pendu?

Impossible. Trop frêle, pas assez forte.

Pourquoi n'a-t-elle rien entendu quand son corps est tombé sur le plancher?

Trois climatiseurs étaient en fonction au deuxième étage.

Sa blessure à la tête?

Elle a été causée lors de la querelle publique. Du sang a été retrouvé sur l'appuie-tête du taxi qui l'a ramené à l'hôtel. Un test d'ADN a prouvé que c'était le sien.

Pourquoi y avait-il une serviette maculée de sang sur le comptoir de la cuisine ?

Parce qu'il l'a utilisée pour éponger le sang de sa blessure.

Et le couteau à viande, juste à côté ?

Il était là sans raison. Un ustensile de cuisine, à sa place dans une cuisine.

Et le testament modifié la veille du voyage, qui lui donnait le motif de le tuer ?

Un élément qui n'a aucune importance à mes yeux. Qu'un testament lui accorde un ou 30 millions de dollars, je m'en balance. Ce qui compte, ce sont les faits, les preuves, ce que l'enquête a démontré.

Cela aurait duré ainsi pendant des heures et à la fin, Paulo Alberes aurait malheureusement dit à Fabrizio ce qu'il avait aussi dit aux envoyés spéciaux : c'est triste, mais il n'y a qu'une seule hypothèse, et c'est le suicide.

Et malgré toutes les bonnes réponses d'Alberes, Fabrizio l'aurait quand même quitté en le traitant de traître pour lui avoir fait croire qu'ils avaient « toutes les preuves contre elle ».

***

Il y avait une question à laquelle Alberes n'était pas obligé de répondre, qui n'était pas de son ressort : « Pourquoi ? »

Pourquoi Arturo se serait-il enlevé la vie cette nuit-là ? À trop tenter de se convaincre qu'il ne pouvait pas l'avoir fait, beaucoup de ses proches avaient perdu une belle occasion de se le demander, d'y réfléchir sérieusement. Ils étaient pourtant les mieux placés pour savoir qu'il y avait déjà longtemps qu'il cherchait à échapper à son quotidien. Jusque-là, il ne le leur avait jamais montré de manière aussi décisive qu'en se mettant une courroie autour du cou, mais il l'avait suffisamment fait d'autres façons pour que tous en soient conscients. Sa manière de boxer, ses surdoses, ses intoxications journalières, ses idées de suicide antérieures, son style de vie, il y avait eu des tas d'indices bien avant le voyage au Brésil et ils semblaient les seuls à ne pas les avoir vus. Tous les autres, tous ceux qui lui prédisaient une fin prématurée, savaient qu'il était consumé intérieurement.

Alors, pourquoi ?

Les réponses que nous avions en main ne permettaient évidemment pas de tirer des conclusions, mais elles aidaient néanmoins à comprendre un peu mieux les événements du 11 juillet 2009. Elles étaient d'ailleurs si variées qu'elles incitaient à croire que ce n'était pas une seule et unique raison qui avait pu provoquer la tragédie, mais l'accumulation de plusieurs.

À elle seule, Amanda avait formulé trois hypothèses différentes pour expliquer le suicide d'Arturo, ce qui montrait qu'elle n'avait effectivement pas dû être facile à suivre en interrogatoire. Dans un premier temps, elle avait affirmé qu'Arturo s'était pendu parce qu'il ne pouvait accepter qu'elle le quitte le lendemain. « Il m'avait toujours dit qu'il ne pourrait vivre sans moi », avait-elle confié au cours de sa campagne de relations publiques. Un peu plus tard, elle avait ensuite soutenu que c'était peut-être bien la dépression et la drogue qui étaient venues à bout de lui. Mais peut-être parce que Patrick Lynch lui avait alors répondu qu'Arturo n'était ni dépressif ni drogué, elle avait poursuivi sa réflexion et finalement dit, sur les ondes de LCN : « C'est l'alcool qui l'a tué. Il n'aurait jamais fait une chose pareille s'il avait été sobre. »

Amanda avait raison, l'alcool avait probablement joué un rôle dans la mort d'Arturo. Dans les jours suivant le décès, la radio de CKAC avait réalisé une entrevue avec Michel Presseault, coordonnateur chez Suicide Action, et c'est aussi ce qu'il avait rappelé : dans 50 % des cas, de l'alcool était retrouvé dans le sang des suicidés. « Même chez ceux qui ne boivent jamais, on constate que ça facilite le passage à l'acte », avait-il précisé. Au cours de cet entretien, Michel Presseault s'était attardé au cas d'Arturo en particulier et, en démystifiant le suicide, il avait tenté d'expliquer dans quel état d'esprit il se trouvait au moment du drame. « Le suicide n'est pas un acte spontané, avait-il dit, mais un acte impulsif. Derrière chaque suicide, il y a de la souffrance et cette souffrance est telle que la personne ne voit qu'une porte de sortie, le suicide. Quatre-vingt pour cent du temps, elle va malgré tout envoyer des signes, mais il est possible de ne pas les déceler si on la croise la veille de son geste ou si on a un bref contact téléphonique. Dans son cas, il a sûrement émis certains signes ou appelé à l'aide, mais il n'y avait personne de son entourage prêt à l'aider. »

Bien sûr, c'était aussi ce que pensait depuis longtemps Mario Costa et pour lui, il n'y avait pas le moindre doute : Arturo avait mis fin à ses jours parce que personne ne lui était venu en aide avant qu'il touche le fond du baril. Et pour lui, c'était d'une grande tristesse parce qu'il savait à quel point Arturo avait souhaité être aidé plus tôt dans sa vie. Quand il lui avait confié ses pensées suicidaires, en 2004, il était alors prêt à rencontrer des professionnels en santé mentale, mais la bouée de sauvetage n'était jamais venue. Par trois fois, son gérant avait eu l'occasion de la lui lancer, mais il l'avait gardée dans ses mains et avait continué de le regarder couler un peu plus. « Non, non, il est correct », qu'il avait répété à Costa, Rivera et Rotella. Cela, Costa ne vivra jamais assez vieux pour le pardonner à Patrick Lynch. Il ne lui impute pas l'entière responsabilité de ce drame, car il sait bien qu'Arturo a exercé son libre arbitre en vivant comme il l'a fait, mais il ne pourra jamais oublier son insensibilité. « Tyson me l'a dit souvent : si on ne l'avait pas envoyé en cure et si on ne lui avait pas fait rencontrer des spécialistes en santé mentale, il ne serait plus de ce monde aujourd'hui. En lui refusant l'aide qu'Arturo réclamait, en continuant de le faire boxer dans un pauvre état physique et mental, Lynch l'a donc tué à petit feu. Voilà pourquoi il s'est suicidé. » C'est pour cette raison que Costa soutient qu'Amanda Rodrigues a représenté un véritable miracle dans la vie de Lynch et de ses semblables. «Soudainement, tous ceux qui avaient joué un rôle dans la déchéance d'Arturo se sont retrouvés avec la candidate en or pour tout faire oublier de leur conduite. Une ex-strip-teaseuse au portrait déjà peu flatteur, couchée sur le testament à la dernière heure, et accusée d'un meurtre sordide ! Tu parles d'une aubaine ! Pas surprenant que Lynch et compagnie aient mis tant d'efforts à tenter de la faire condamner.»

Comme souvent, l'opinion de Costa rejoignait celle de Joe qui estimait aussi que son frère avait été tué bien avant de se retrouver au Brésil. «Je pense que mon frère s'est enlevé la vie parce qu'il est arrivé ce jour-là au bout de ce qu'il pouvait supporter. Les requins qui vivaient autour de lui dans ses années de boxe l'avaient rendu dans un état pitoyable et sa vie était devenue un enfer. Il était rendu trop creux dans son trou et ne voyait probablement plus de lumière.» Joe croyait d'ailleurs tellement que son frère était mort ailleurs qu'au Brésil que, fin 2009, il avait décidé d'appuyer Amanda dans la guerre qu'elle menait à sa propre famille ! «Ils devraient avoir honte, avait-il affirmé au *Journal de Montréal*, parce qu'ils savent très bien qu'elle n'a pas tué Arturo.»

Une dernière hypothèse, enfin, avait été soulevée par l'envoyé spécial du réseau HBO : déjà perturbé par le départ prochain d'Amanda, ivre, blessé et dépressif, Arturo s'était pendu parce qu'il avait eu honte de sa conduite en public avant le retour à l'hôtel. Cette théorie n'était pas dénuée de sens parce qu'il en avait encore pour au moins quatre semaines à côtoyer ces gens qu'il avait frappés, insultés, bousculés et qui l'avaient vu battre Amanda.

Épilogue
Une dernière Gatti-Mania

Peu importent les raisons, il avait malheureusement bien fallu faire face à la froide réalité de sa mort et accepter de s'en séparer. Mais Dieu que ce n'avait pas été facile, autant pour ses proches que pour son public. Les deux journées d'adieux qui lui avaient été consacrées avaient donné lieu à de nombreuses scènes déchirantes, émouvantes, et elles étaient venues rappeler à quel point il avait le don rare, comme l'avait déjà écrit un journaliste, de toucher les gens. Même mort.

Les gens avaient d'abord pu lui rendre hommage le dimanche 19 juillet, deux jours après le retour du Brésil de Fabrizio. Quelques jours plus tôt, la famille avait fait savoir que les amateurs allaient être les bienvenus au salon funéraire, s'attendant alors à en voir se présenter quelques centaines. La réponse avait été bien au-delà. Ce jour-là, on avait estimé que plus de 5 000 personnes s'étaient rendues au salon Magnus-Poirier, boulevard Pie-IX à Montréal-Nord, pour saluer Arturo.

Des deux journées, c'est celle qui avait été le plus supportable parce qu'au travers des manifestations de peine et de douleur, il y avait eu place pour une certaine célébration. Dans une grande salle, on avait installé deux écrans géants qui passaient en boucle des extraits de ses plus grands combats et les gens se groupaient tout autour en souriant, grimaçant et hochant la tête lorsque l'action était trop invraisemblable. S'il regardait ça d'en haut avec Giovanni, Arturo pouvait être fier et se dire qu'il avait vraiment été, jusqu'à la toute fin, «le meilleur boxeur jamais créé pour la télévision».

On disait qu'il avait été «exposé», mais ce n'avait évidemment pas été le cas. Son cercueil noir et or était resté fermé, comme pour ne pas que les gens aient d'image funeste à opposer aux extraits des films où il apparaissait si vivant. Tout son environnement immédiat contribuait d'ailleurs à rappeler le champion plutôt que l'homme. On avait placé tout près de son cercueil une paire de gants avec sa première ceinture gagnée chez les professionnels – celle des super-plumes de la USBA – et, au-dessus, un immense arrangement floral qui affichait son surnom, «Thunder».

Les membres de la famille avaient été alignés sur des chaises en face de son cercueil et, en les regardant, ce n'était pas long que le souvenir du champion s'estompait au profit de celui de l'homme. Pour eux, Arturo avait été un fils, un frère ou un oncle bien avant tout le reste, et c'était celui-là qu'ils étaient venus pleurer. Portant le deuil, Ida était la première à recevoir les condoléances et elle semblait encore si atteinte par la disparition de son fils qu'on aurait dit qu'elle venait à l'instant de recevoir le coup de fil du Brésil.

En voyant Joe assis à ses côtés, on avait pu penser que la mort d'Arturo avait au moins eu un effet positif et servi à réunifier la famille, mais ce n'avait pas été le cas. Cela avait même été le contraire. Cette journée du service funèbre avait été si longue – une dizaine d'heures au salon – et avait tellement forcé les membres de la famille à se côtoyer qu'elle avait fini par exacerber les tensions au lieu de les apaiser. Il y avait deux clans, celui de Mirella et Joe d'une part, et celui de Fabrizio, Anna Maria et Ida d'autre part. Presque trois, même, parce que Giuseppina ne faisait pas vraiment partie de l'un ou l'autre et se trouvait plutôt seule au milieu. Parmi leurs différends ce jour-là, ils n'avaient par exemple pas réussi à s'entendre sur la façon de disposer des biens d'Arturo. À un moment donné, une des filles avait suggéré de s'en débarrasser froidement pour éviter plus de dissension encore, mais Joe s'était élevé contre cette idée. Il avait dit: «Voyons, c'est ridicule, ce sont les effets de notre propre frère. Je les veux, moi, ses souvenirs de boxe et ses affaires personnelles. C'est pas une question de profiter de lui, il est mort! Mais si personne ne tient à avoir de souvenirs, moi j'en veux.» Il avait donc voulu se rendre au condo d'Arturo pour examiner la marchandise, mais Fabrizio, qui avait déjà un peu pris le dossier de la succession en main, avait refusé. «Et non seulement m'avait-il interdit l'accès, mais il avait permis à Lynch d'entrer et d'aller fouiller», avait dit Joe.

Au cours de cette journée, le comportement de Lynch n'avait d'ailleurs pas plu à tout le monde. Disant alors vivre un véritable cauchemar, il avait pourtant semblé plus préoccupé par les questions de succession que par la perte d'Arturo, et son beau-frère, Rocco Crispo ne l'avait pas digéré. Sans mettre de gants blancs, il était allé lui demander de montrer un peu de dignité: «Pourrais-tu au moins attendre la fin des funérailles avant de discuter de l'héritage de mon beau-frère?» lui avait-il dit. Ce n'était pas la première fois que Lynch subissait ses foudres pour des questions semblables, mais cette fois il lui avait expliqué ne pas être motivé par des intérêts personnels: «Non, non, tu ne comprends pas, Rocco. Si j'agis ainsi, c'est juste pour ne pas lui laisser ça, à elle.» Sans le savoir, Lynch était vraiment passé à deux doigts de subir un mauvais sort lors de ce service funèbre. Si Joe avait écouté sa femme Vikky, il lui aurait en effet donné la raclée de sa vie pour le punir de tout le mal qu'il lui avait fait en cherchant à le séparer de son frère.

Pour le reste, si on excluait tout ce qui s'était déroulé en coulisses, le service funèbre d'Arturo avait vraiment été digne de ce qu'il méritait. Il avait trouvé le moyen de faire déplacer les gens une autre fois, et pas uniquement ceux de la région de Montréal. À peu près tous ceux qui lui étaient chers aux États-Unis étaient aussi venus lui rendre hommage, incluant Buddy, Micky, Matt Howard, Lou DiBella, Mario Costa, Mickey Red, Mike Sciarra, son dealer de Jersey City, Chuck Zito et Carrie qui s'était arrêtée devant son cercueil pour lui rappeler qu'elle avait enfin répondu à son invitation: «Il y avait assez longtemps que tu me demandais de te rendre visite, alors voilà, je veux juste que tu saches que j'ai tenu ma promesse.» Hélas, Vivian n'avait pas fait le voyage et s'il avait regardé d'en haut, cela avait dû lui faire un petit pincement au cœur. L'autre Brésilienne de sa vie n'était pas venue non plus, mais dans son cas c'était parce qu'elle se trouvait en prison et elle avait avoué plus tard à quel point elle avait souffert de ne pouvoir être présente. À son retour à Montréal, deux mois plus tard, elle n'était pas non plus passée le voir au cimetière parce que, avait-elle dit cette fois, «la douleur était encore trop forte». Décidément, cette fille était vraiment trop sensible et, pour cela, on ne l'aurait pas vue à la cérémonie des obsèques parce qu'elle n'aurait pas tenu le coup.

Les funérailles d'Arturo avaient été célébrées le lendemain matin à l'église Notre-Dame-de-la-Défense, à l'angle des rues Dante et Henri-Julien. Pour ce dernier adieu, Arturo avait fait le chemin en sens inverse et était parti de Montréal-Nord pour revenir au cœur de ce quartier où il avait vu le jour, 37 ans plus tôt. Il s'appelait toujours la Petite Italie, mais il n'avait jamais moins bien porté son nom que ce jour-là. L'espace de quelques heures, il était plutôt devenu la Grande Italie et avait été pris d'assaut par une foule monstre venue rendre hommage à un boxeur qui n'avait vraiment pas été ordinaire. D'une certaine façon, Arturo avait été à la boxe ce que Céline Dion est au monde de la chanson, celui qui avait été l'ambassadeur, la fierté des Québécois à l'étranger durant de nombreuses années. Il n'avait certainement pas eu la même vie privée que la grande chanteuse, mais professionnellement, leurs parcours avaient eu bien des similitudes. Comme elle, il était devenu une vedette internationale, il avait tenu l'affiche dans une grande ville de jeu, s'était produit dans les casinos et, si lui-même n'avait pas chanté, il avait toutefois réussi à faire chanter les gens: «Gatti... Gatti... Gatti!»

La cérémonie avait commencé à 11 heures et elle avait duré un peu plus de 60 minutes. Mais elle avait été si poignante, si émotive qu'elle avait dû exténuer la famille Gatti bien plus que l'hommage de la veille qui avait pourtant duré une dizaine d'heures. Elle avait commencé et fini dans les larmes et, entre les deux, il y avait eu bien peu de répit pour leur douleur.

Le pire moment avait peut-être été l'entrée dans l'église du cercueil d'Arturo. On aurait dit que c'était à cet instant précis que la réalité de sa mort avait frappé tout le monde; comme si elle ne pouvait pas être officielle tant que son corps n'avait pas été conduit à l'église. C'était une scène d'une indicible tristesse, les membres de la famille marchant en procession derrière le cercueil en pleurant tout leur soûl, au son d'une musique qui aurait suffi à elle seule à arracher des larmes. Il y avait alors près d'un millier de personnes dans l'église et aucune n'avait les yeux secs.

Le prêtre Jacques Leblond du Plouy, lui-même un ancien boxeur, avait ensuite pris la parole et dirigé la cérémonie en italien, en français et en anglais. Dès ses premiers mots, il avait fait une référence tacite aux événements du Brésil et lu un passage du Nouveau Testament sur l'importance de pardonner, même à ses ennemis. «Même quand on est un bagarreur, avait-il dit, il faut apprendre à desserrer les poings.»

Plus tard, il avait cédé son micro à ceux désirant rendre hommage à Arturo, mais étonnamment, peu de gens avaient tenu à le faire. Il y avait pourtant dans cette foule une centaine de personnes capables de faire revivre Arturo par la magie d'un témoignage, mais elles n'avaient pas osé s'avancer. À leur décharge, le contexte était cependant loin d'être évident. L'église était bondée de personnalités intimidantes et il régnait aussi une telle peine à l'intérieur des lieux que les voix pouvaient se mettre à chevroter à tout moment. Seules trois personnes avaient donc pris la parole et elles ne l'avaient pas regretté. À la fin de leur témoignage, elles avaient toutes été énormément applaudies par la foule émue.

Celui qui avait eu la lourde tâche de briser la glace avait été Ivano Scarpa. De tous les gens réunis dans l'église, Scarpa n'était certainement pas celui qui avait été le plus proche d'Arturo, mais il l'avait été bien assez pour justifier sa présence au micro. Parce qu'il avait connu Arturo quelques années avant son départ pour le New Jersey, il savait à quel point son rêve de devenir champion du monde avait été fort et c'était autour de ce thème qu'il avait axé son témoignage. «Jeune, Arturo n'avait qu'un seul rêve et il l'a réalisé deux fois plutôt qu'une grâce à sa détermination et aux sacrifices qu'il s'est imposés», avait-il dit. Brillant orateur, Scarpa avait ensuite fait lecture de deux lettres qu'on lui avait remises, l'une du président de la WBC, Jose Sulaiman, l'autre de Mike Tyson. *«J'ai connu Arturo quand il n'avait que neuf ans,*

avait écrit l'ex-champion du monde des lourds. *C'était à l'époque où les Hilton tenaient des camps d'entraînement dans les Catskills, dans l'État de New York, et que Matthew détenait la couronne mondiale de l'IBF. Nous ne l'avons jamais vu venir. Nous ne savions pas qu'il deviendrait un si bon boxeur. Après, je l'ai vu progresser et s'établir comme un grand combattant. J'ai toujours été heureux de constater ses succès. Je suis heureux d'avoir fait partie de sa courte et excitante vie.* »
Lue par Scarpa, la lettre de Tyson avait cependant été l'idée de Mario Costa. De la même façon qu'il l'avait fait avec le maire de Jersey City, Costa avait communiqué avec Tyson juste avant son départ pour lui demander d'écrire un court hommage. Estimé par Arturo depuis longtemps, Tyson avait accepté et envoyé son texte sur-le-champ. Avant de le remettre à Scarpa, Costa avait toutefois dû l'altérer un brin. Dans le passage où il évoquait sa rencontre avec Arturo, Tyson n'avait en effet pas fait mention de Matthew Hilton, mais plutôt de Davey. Pour éviter de prononcer ce nom honni de tous aux funérailles, Costa l'avait donc biffé et remplacé par celui de son frère. Malgré tout, des gens proches de Patrick Lynch auraient préféré que le nom des Hilton ne soit jamais prononcé lors de cette cérémonie et pour cette raison, Costa avait fait l'objet de quelques critiques.

Costa avait justement été celui qui avait succédé à Scarpa au micro. Avant de quitter Jersey City, il n'avait pas fait que solliciter les autres et il avait lui aussi écrit un hommage à Arturo. En arrivant à Montréal, il n'avait cependant aucune assurance de pouvoir le lui rendre, ne sachant pas trop qui avait charge de la cérémonie et combien de personnes allaient souhaiter s'exprimer. Une fois à l'église, cela n'avait guère été plus clair parce que la famille était trop accablée pour penser à s'occuper de ces détails. Costa avait donc dû attendre à la dernière seconde avant que Joe lui dise : « Allez, vas-y, ça te revient. »

Prenant place, Costa avait tout d'abord compris pourquoi tant de gens étaient restés assis. Lui qui avait pourtant l'habitude des micros, il avait presque été paralysé par l'émotion et était soudainement devenu très nerveux. Le temps d'un instant, il avait craint de ne pouvoir livrer efficacement son témoignage, mais il s'était alors produit une chose extraordinaire : d'un coup, toute sa nervosité avait disparu et il avait retrouvé son calme habituel, comme s'il agissait sous la dictée d'une puissance surnaturelle. Et, à son avis, c'était bien ce qui était arrivé. «On aurait dit qu'au moment de commencer à parler, Arturo était entré en moi pour bloquer tout le négatif et me permettre de parler de lui avec mon cœur, avec mes tripes.» Ainsi libéré, Costa avait essentiellement évoqué la pureté du jeune garçon qu'il avait accueilli à Jersey City en 1991 – «probablement la période la plus heureuse de sa vie», avait-il dit – et il avait fait écho aux propos de Scarpa en parlant lui aussi de son grand rêve.

La ronde des témoignages avait ensuite atteint son point culminant avec la venue au micro d'un représentant de la WBC, l'arbitre montréalais Gerry Bolen. Effondré et en larmes, Bolen n'avait pas parlé longtemps, mais il était néanmoins celui qui avait provoqué la plus forte réaction de toute la cérémonie. Au nom de l'organisme, il avait en effet remis à Ida Gatti la ceinture de champion du monde des super-légers détenue par son fils en 2004 et 2005, déclenchant ainsi une salve d'applaudissements et un autre torrent de larmes dans l'église. À partir de là, elles n'avaient plus beaucoup cessé de couler.

Peu de temps après, la foule avait encore dû supporter la cruelle scène de la procession, le cercueil d'Arturo quittant l'église avec derrière lui un cordon de parents éplorés. À ce moment, ce n'était plus la réalité de sa mort qui frappait, mais celle de son adieu imminent.

Quand le cercueil avait atteint le parvis de l'église, peu après midi ce lundi 20 juillet 2009, le soleil rayonnait et une foule s'était rassemblée à l'extérieur. Cela ne pouvait pas se finir autrement, il fallait un dernier bain de foule, une dernière Gatti-Mania. Agissant peut-être elle aussi sous la dictée de son fils, Ida Gatti avait alors brandi au bout de ses bras la fameuse ceinture verte, comme le faisaient les hommes de coin d'Arturo quand il marchait vers le ring. La foule avait répondu instantanément par un tonnerre d'applaudissements – oui, un tonnerre comme dans «Thunder» – et par la musique qu'Arturo voulait entendre une dernière fois: «Gatti... Gatti... Gatti!» Malheureusement, c'était pour son frère Joe un souvenir de trop et pendant qu'on mettait le cercueil dans le corbillard, il était entré dans une nouvelle crise de larmes.

Anéantis, les membres de la famille avaient ensuite pris place dans les voitures du cortège funéraire pour accompagner Arturo jusqu'à son dernier repos. En chemin, le cortège s'était arrêté devant son condo de la rue Jarry pour y déposer une gerbe de fleurs. Elle y était peut-être encore quand Amanda y était retournée.

Après le départ du cortège, l'église s'était peu à peu vidée et les personnalités avaient dû une nouvelle fois répondre aux questions des journalistes à propos de la mort d'Arturo. Le plus sollicité avait sans doute été Micky. Rapidement entouré, il avait un peu répété sa déclaration faite aux États-Unis à l'annonce du décès : « J'ai perdu mon partenaire de danse… »

Il était parti là où il avait dit à Costa qu'il souhaitait aller : se reposer auprès de Dieu et de Giovanni.